OSTSEE

Königsberg

Danzig

POMMERN

Stettin

DEN-

Oder

Berlin

Frankfurt
a. d. Oder

Posen

Warschau

G

POLE

Cottbus

Oder

LAND

Neisse

den

Breslau

nitz

H

S

E

N

birge

Prag

TSCHECHOSLOWAKEI

rwald

Donau

Linz

Wien

zburg

Graz

RREICH

DEUTSCHLAND
SCHWEIZ und ÖSTERREICH

KILOMETER

| 0 | 50 | 100 | 200 |

MEILEN

| 0 | 50 | 100 | 200 |

Staatsgrenze...................
Administrativgrenze............
Landeshauptstadt..................⊛

© C. S. HAMMOND & Co., Maplewood., N. J.

Foundation Course in German

CONRAD P. HOMBERGER

Polytechnic Institute
of Brooklyn

JOHN F. EBELKE

R Lindner

FOUNDATION COURSE

IN

GERMAN

REVISED EDITION

D. C. HEATH AND COMPANY Boston

ILLUSTRATIONS BY RICHARD LINDNER

FOREWORD

Foundation Course in German represents an attempt to bring some of the findings of recent years about the nature of language and the manner in which a language is acquired to bear upon the study of German. It is premised upon the concept of language learning as a process of growth in which the eye, the ear, and the speech organs all have a balanced share. Within this framework lexical, grammatical, and cultural materials are presented with continual reference to the student's own previous experience.

The entire text is arranged in four groups of lessons, each followed by a review lesson. Within the first group of seven lessons grammatical materials are held to a minimum so that the student has the opportunity to adjust to the foreign language experience. These early lessons also contain brief pronunciation exercises designed for contrast drill. After the student has become familiar with the new sounds, a good basic vocabulary, and the simpler structural patterns, the pace of introduction of new materials is gradually stepped up.

Each of the twenty-five lessons and the four review lessons is arranged in four main parts: the German text, the vocabulary, the grammatical commentary, and the exercises. The first section of each lesson intends to make the living language available to the student in both spoken and written form. These carefully graded selections contain colloquial and literary, conversational and narrative German in about the same admixture the student might be expected to encounter in Germany. The subject matter of the text attempts to convey some of the actual experience of study abroad through the comparison and contrast of ways of language, life, and thought in German-speaking Europe and the United States.

The second section of each lesson, the *Wortschatz*, is designed to help the student expand his familiarity with German words and phrases systematically beyond the scope of the text, or even of his immediate needs. In order to enlist the student's interest and imagination, the vocabulary is usually presented within a context, in associative patterns, or in logical groupings. In this way the chore of memorizing disconnected and heterogeneous lists of words is minimized, and the acquisition of a vocabulary becomes a natural and meaningful language experience. The vocabulary design also permits brief oral exercises based on each vocabulary unit immediately after it is taken up in the classroom.

Asterisks on individual words or with vocabulary units mark basic vocabulary which the student may reasonably be expected to acquire for active use in speaking or writing German at the beginning level. Approximately 1,000 words are starred, largely, but not exclusively, on the basis of frequency lists.

The third section, the *Erläuterungen*, explains in terms of usage and organic structure the facts of the German language as they appear to the native speaker of English. The rules given are intended to be clear statements of the significant language conventions which are generally followed and understood in the German-speaking area of Europe. The paradigms are intended as convenient and realistic surveys of the forms that will be encountered in German, and not as exercises in rote learning.

The *Übungen*, the fourth section of each lesson, are designed to provide the instructor with a wide choice of material from which to select and assign, and the student with abundant opportunity for practice. Although there are ample exercises which may be used to emphasize grammatical correctness, the primary objective is to develop a considerable familiarity with and control of the basic structural patterns of German. The questions, which form an integral part of the fourth section, are intended to train the student to express himself more and more freely, both orally and in writing.

We gratefully acknowledge our indebtedness to our colleagues, to the many modern scholars whose pioneer work has contributed to the concept and evolution of this text, to our editor, Dr. Vincenzo Cioffari, and his assistant, Mrs. Valentia B. Dermer. We hope that our efforts to open new linguistic roads to the teaching of German will prove stimulating and rewarding to student and instructor alike.

C. P. H. and J. F. E.

Foreword to the Revised Edition

The revised edition preserves the basic content and structure of the original. As before, the twenty-five lessons are arranged in four groups, each followed by a review lesson. The general arrangement of the individual lessons has also been retained. Within this framework, however, two major changes have been effected:

1. The material on Pronunciation and Spelling has been considerably expanded and integrated in gradual fashion into the first fifteen lessons. Thus, Pronunciation and Spelling are now presented "functionally" in the same manner as the grammatical material. New exercises on Pronunciation and Spelling have been added to each of the first fifteen lessons and the first and second review lesson. In these explanations and exercises care has been taken to use only words and forms that the student has met already in previous sections of the text. The introductory section on German Pronunciation and Spelling has been abridged and revised to serve now as a preliminary guide only.

2. A short Conversation or some other material especially appropriate for oral-aural practice have been added to each of the twenty-five lessons. All the Conversations are carefully graded. New words and phrases are held to a minimum. The rest of the new material — especially the selections presented in the second part of the text — should also serve to introduce the student gradually to good German prose and poetry, classical and modern. At the same time, it should provide a welcome variation of styles and topics to be treated and discussed in class.

Some changes have also been made in the presentation of a few grammar items, especially the Infinitive, the Possessives, and the **dieser**-words and **ein**-words. I hope that these changes will make the teaching and learning of these items easier and more effective.

Some new exercises have been added, the less effective older ones have been eliminated, and many others have been modernized.

The revision also gave me a welcome chance to correct some minor errors and to bring up to date the textual matter dealing with German life and customs.

In order to gain space for the new material, the pointers on how to use Sections I–III of each lesson have been omitted. The competent instructor will, in any case, proceed in the manner best suited to his individual style and specific needs. In my own opinion, the best way to deal with the German text is for the instructor to read each sentence aloud and have the students, in turn, read after him. Where a language laboratory exists, the same purpose can be achieved by asking the students to play the respective tapes and repeat each sentence after the speaker. If the reading of the passage is assigned as homework, the students should first read and reread it several times without consulting the *Wortschatz* and the *Erläuterungen*. Then they should study the *Wortschatz*, paying particular attention to the words they have not guessed previously. Only after this has been done, should they study Section III, *Erläuterungen*, as assigned by the instructor. Finally, the students should read over again the German passage as a whole until they understand it without translating it.

Most unhappily, the revised edition could no longer benefit from the collaboration of my friend John Ebelke of Wayne State University, who died suddenly and far too early in May, 1960. Much of his fundamental work on the first edition, however, survives in this new version of our text.

Finally, I want to thank all those many instructors who helped me with their criticisms and with suggestions for the revision. In the new sections on pronunciation I profited greatly from the recent studies by William G. Moulton and James W. Marchand. Special thanks are due to Professor Herbert Penzl of the University of Michigan, who looked over these sections of the manuscript and made many valuable suggestions for their improvement. For any inaccuracies and oversimplifications only I am to blame, of course.

I am also indebted to Mrs. Marianne Ebelke and to Mrs. Valentia B. Dermer of D. C. Heath and Company for their patient and efficient help in preparing and editing the manuscript. Last but not least, my thanks go to Dr. Vincenzo Cioffari, the resourceful Modern Language Editor of D. C. Heath and Company, without whose initiative and active collaboration neither the first nor the revised edition of this text would ever have seen the light of day.

I hope that this new version of *Foundation Course in German* will please its old friends and gain for it many new ones.

C. P. H.

TABLE OF CONTENTS

Listed here are only the titles of the text and the principal items of the *Erläuterungen*. For a complete listing turn to the Index.

FOUNDATION COURSE IN GERMAN

GUIDE TO GERMAN PRONUNCIATION AND SPELLING

I. Pronunciation

A. INTRODUCTORY NOTE

Language is primarily speech. Human beings have spoken ever since they emerged from the primeval forest. The beginnings of recorded speech, however, hardly go back more than a few thousand years, and printing is just five hundred years old. Children, too, learn to speak before they learn to read and write. Writing and printing, then, despite their enormous impact on modern civilization, are not the language itself, but only a means of recording it.

As a language student, you must always remember that you are dealing with the spoken word, the living language. Even if a reading knowledge is your major goal, familiarity with the sounds of speech is most helpful, for fluent and profitable reading requires at least some ability to interpret the letter symbols of printing or writing as silent speech.

The German speech sounds that offer the greatest difficulties to the English-speaking student are treated one by one in the first fifteen *Stunden* of this book.

The following survey of German vowels and consonants will serve as a preliminary introduction to the most important similarities and contrasts between the speech sounds of German and English. You must familiarize yourself with them by listening carefully to your instructor, by imitating his pronunciation, and by using the exercises which follow for oral study and occasional review.

B. THE GERMAN VOWELS

There are no exact English equivalents for the German vowels, for the latter are pronounced with the tongue in a slightly higher position than for the corresponding English sounds. Moreover, the German vowels do not permit the common English diphthongal glide which is especially noticeable in such words as *day* and *low*.

In terms of the position of the tongue in the mouth we may diagram the German vowels as follows:

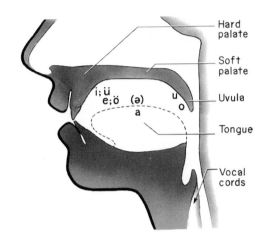

The vowels are commonly arranged according to four different criteria:

1) High — Mid — Low, each level with its subdivisions "close vs. open," according to whether the tongue is raised more or less high in the mouth.

2) Front — Central — Back, according to whether the tongue is raised in the front, center, or back of the mouth.

3) Unrounded — Rounded, according to whether the lips are spread or rounded.

4) Long — Short, according to whether a vowel is held for some time or clipped short.

1. The front vowels

PHONETIC DESCRIPTION	GERMAN EXAMPLES	ENGLISH COMPARISON
a. High front:		
close long **i**	die *the*	dee
	schien *shone*	sheen
	ihr *to her*	ear
open short **i**	Kinn *chin*	kin
	Ding *thing*	ding

PHONETIC DESCRIPTION	GERMAN EXAMPLES	ENGLISH COMPARISON

b. Mid front:

close long **e**	geht *goes*	gate
	Leber *liver*	labor
	Bär *bear*	bear
open short **e**	Bett *bed*	bet
	Länder *lands*	lender

2. The rounded front vowels

There are two front vowels in German which do not exist in English: **ü** and **ö**. The **ü** is German **i** with the lips rounded; **ö** is German **e** with the lips rounded. Pronounce them with lips rounded as though you were going to whistle.

a. High front:

close long **ü**	grün *green*	(green) [1]
	kühl *cool*	(keel)
	früh *early*	(free)
open short **ü**	füllen *to fill*	(fill)
	dünn *thin*	(din)

b. Mid front:

close long **ö**	Öl *oil*	(Earl)
	Föhn *storm wind*	(fern)
	Möbel *furniture*	(Mabel)
open short **ö**	Böcke *bucks*	(beck)
	Hölle *hell*	(hell)

3. The low central vowel

close long **a**	ja *yes*	yah!
	kam *came*	calm
	fahren *to ride*	far
open short **a**	Kamm *comb*	(come)
	hat *has*	(hut)
	Baß *bass*	(bus)

[1] English examples in parentheses must be regarded with special caution.

4. The rounded back vowels

PHONETIC DESCRIPTION	GERMAN EXAMPLES	ENGLISH COMPARISON
a. High back:		
close long **u**	du *thou*	do
	Kuh *cow*	coo
	Mut *courage*	moot
open short **u**	Futter *fodder*	footer
	Putz *finery*	puts
b. Mid back:		
close long **o**	Not *need*	note
	Lohn *pay*	loan
	Ohr *ear*	or
open short **o**	kosten *to cost*	(cost)
	Gott *God*	(God)

5. The diphthongs

In the three German diphthongs the first vowel is never drawled. The German diphthongs are usually shorter than their English counterparts.

GERMAN SPELLING	GERMAN EXAMPLES	ENGLISH COMPARISON
au	braun *brown*	brown
	faul *lazy*	fowl
	Haus *house*	house
ei, ai	bei *at*	by
	mein *my*	mine
	Mai *May*	my
eu, äu	heulen *to howl*	Hoyle
	Eule *owl*	oil
	Säule *column*	soil

6. *e* unstressed

The sound used in German for unstressed **e**, extremely common in prefixes and endings, is roughly comparable to the *e* in *the book*. Examples: schien*e*n, Kinn*e*; geh*e*n, Bett*e*n; grün*e*, füll*e*n; Möb*e*l, Böck*e*; kam*e*n, hatt*e*; Mut*e*, Kutt*e* (*cowl*); Ohr*e*n, komm*e*n; beginn*e*n, entgeh*e*n.

C. THE GERMAN CONSONANTS

In most cases the German consonants have about the same sound as their English counterparts, except that they are produced with greater muscular energy. Note the following, however:

1. ch   German **ch** is a new sound for you. It occurs in two varieties: as the so-called **ich-**sound after front vowels and after consonants; as the so-called **ach-**sound after **a** and the back vowels.[1] Note that the uninflected suffix –**ig** also has the **ich-**sound. Examples:

ich-SOUND

ich *I*	Löcher *holes*	solcher *such*
Küche *kitchen*	reich *rich*	München *Munich*
Becher *goblet*	euch *(to) you*	richtig *correct*

ach-SOUND

ach *alas*	Buch *book*
Loch *hole*	auch *also*

l   The German **l,** in all positions, is similar to the "clear" *l* that in American English is used most commonly at the beginning of a word, as in *long* or *live*. The "dark" English *l* as in *all* or *bulk* does not exist in German.[2] Examples:

lang *long*	Milch *milk*	zählen *to count*
Million *million*	bellen *to bark*	holen *to fetch*
viel *much*	all *all*	Kultur *culture*

r   German never uses the retroflex *r*, the American *r* in which the tip of the tongue curves backward. The German **r-**sound is produced either at the back of the mouth by a trill of the uvula, or by a weak trill of the tongue tip against the ridge above the upper teeth. Both varieties are acceptable:

Herr *gentleman*	lernen *to learn*	Rat *advice*
Haar *hair*	Arm *arm*	rufen *to call*

---

[1] For details see *Siebte Stunde*, III, 5b.   [2] For details see *Sechste Stunde*, III, 5b.

2. Consonant combinations

a. **z (ts)**   In German the letter **z** is used to spell the consonant combination **ts**. In contrast to English, this combination frequently occurs at the beginning of a word or syllable,[1] e.g.:

ziehen *to pull*	zehn *ten*	Zeuge *witness*
Zimmer *room*	zögern *to hesitate*	Zauber *magic*
Zürich *Zurich*	zeigen *to show*	Zug *train*
	zwei *two*	
	vierzehn *fourteen*	
	zwanzig *twenty*	

qu   The letter **qu** stands for the consonant combination $k + v$ (as in bla*ck* *v*eil), not $k + w$ as in English, e.g.:

Quelle *source*   bequem *convenient*

b. Be careful to pronounce both elements of the following consonant combinations in German, especially when they occur at the beginning of a word or syllable:

CONSONANT COMBINATION	GERMAN EXAMPLES	ENGLISH COMPARISON
gn	Gnade *grace*	e*gg*nog
	Vergnügen *pleasure*	big *n*ail
kn	Knie *knee*	ac*kn*owledge
	Knabe *boy*	hac*kn*eyed
pf	Apfel *apple*	hel*pf*ul
	Pfanne *pan*	ho*pef*ul
	Pfeife *pipe*	sto*p f*ast
ps	Psalm *psalm*	ti*ps*y
	Psychologie *psychology*	lo*ps*ided

D. THE GLOTTAL STOP

The glottal stop is used more frequently in German than in English. It is a brief cloture of the vocal cords, in essence, a quick catch in the voice, which is often used

---

[1] For details see *Dritte Stunde*, III, 6b.

— especially by North Germans — before syllables beginning with a vowel. In English it may occur as, for instance, the difference between *a nice man* and *an ?ice man,* or between *anneal* and *an ?eel.*

ʔer ʔist ʔes *it is he*
ʔeine ʔalte ʔAdresse *an old address*
ʔich ʔarbeite ʔoft *I often work*
ʔin ʔeiner ʔOper *in an opera*

E. PRONUNCIATION EXERCISES

I. The German vowels in contrast groups:

1. *a.* High front, unrounded

CLOSE LONG **i** : OPEN SHORT **i**

Biene *bee*	: bin *am*
bieten *to offer*	: bitten *to request*
ihn *him*	: in *in*
Ihnen *to you*	: innen *inside*
Wiesen *meadows*	: wissen *to know*

b. High front, rounded

CLOSE LONG **ü** : OPEN SHORT **ü**

fühlen *to feel*	: füllen *to fill*
Hüte *hats*	: Hütte *hut*
Füße *feet*	: Flüsse *rivers*
grüßen *to greet*	: Schlüssel *key*
für *for*	: fünf *five*

2. *a.* High front, close long

i (UNROUNDED) : **ü** (ROUNDED)

Biene *bee*	: Bühne *stage*
Stile *styles*	: Stühle *chairs*
viele *many*	: fühlen *to feel*
Tier *animal*	: Tür *door*
vier *four*	: für *for*

b. High front, open short

i (UNROUNDED) : **ü** (ROUNDED)

Kissen *pillow*	: küssen *to kiss*
Lifte *elevators*	: Lüfte *breezes*
missen *to miss*	: müssen *must*
bitte *please*	: Hütte *hut*
Kinn *chin*	: dünn *thin*

3. *a.* Mid front, unrounded

CLOSE LONG **e** : OPEN SHORT **e**

beten *to pray*	: Betten *beds*
den *him*	: denn *for*
käme *would come*	: Kämme *combs*
Väter *fathers*	: Vetter *cousin*
wählt *chooses*	: Welt *world*

b. Mid front, rounded

CLOSE LONG **ö** : OPEN SHORT **ö**

Höhle *cave*	: Hölle *hell*
Löwe *lion*	: Löffel *spoon*
Öfen *stoves*	: öffnen *to open*
mögen *to like*	: Röcke *skirts*
höflich *polite*	: öfter *more often*

4. *a.* **Mid front, close long**

e (UNROUNDED) : ö (ROUNDED)

Besen *broom*   : böse *angry*
sehnen *to long* : Söhne *sons*
Esel *donkey*   : Vögel *birds*
eher *rather*   : höher *higher*
ehren *to honor* : hören *to hear*

b. **Mid front, open short**

e (UNROUNDED) : ö (ROUNDED)

hell *bright*   : Hölle *hell*
kennen *to know* : können *to be able*
stecken *to stick* : Stöcke *sticks*
härter *harder* : Wörter *words*
helfen *to help* : zwölf *twelve*

5. *a.* **High back, rounded**

CLOSE LONG u : OPEN SHORT u

duzen *to say "du"* : Dutzend *dozen*
Fuß *foot*   : Fluß *river*
Kuh *cow*   : Kuß *kiss*
Mut *courage* : kaputt *broken*
tun *to do*   : unten *down below*

b. **Mid back, rounded**

CLOSE LONG o : OPEN SHORT o

Hof *yard*   : hoffen *to hope*
Ofen *stove* : offen *open*
Sohn *son*   : Sonne *sun*
wohl *well*   : wollen *to want to*
rot *red*   : oft *often*

6. **Low central**

CLOSE LONG a : OPEN SHORT a

Bahn *path*   : Bann *ban*
Hasen *hares* : hassen *to hate*
Kahn *rowboat* : kann *can*
kam *came*   : Kamm *comb*
lahm *lame*   : Lamm *lamb*
Nase *nose*   : naß *wet*
raten *to advise* : Ratten *rats*
Staat *state*   : Stadt *city*

7. **The diphthongs**

au	eu, äu	ei, ai (ey, ay)
Haus *house*	Häuser *houses*	bei *at*
Haut *skin*	heute *today*	ein *a*
kaufen *to buy*	Käufer *buyer*	Kaiser *kaiser*
laut *loud*	Leute *people*	leise *soft*
sauer *sour*	Säure *acid*	Meier, Meyer, Maier (*names*)
auch *also*	Deutsch *German*	Bayern *Bavaria*

II. The German consonants:

1. ch, (i)g

riechen *to smell*	sprechen *to speak*	acht *eight*
ich *I*	mancher *many a*	Dach *roof*
nicht *not*	Mädchen *girl*	machen *to make*
spricht *speaks*	München *Munich*	doch *nonetheless*
endlich *finally*	richtig *right*	noch *yet*
brechen *to break*	ewig *eternal*	hoch *high*
Nächte *nights*	lustig *gay*	Tuch *cloth*

ch : k

dich *you* : dick *thick*	Sache *thing* : Sack *sack*
glich *resembled* : Glück *happiness*	stechen *to sting* : stecken *to stick*
Loch *hole* : Stock *stick*	Zürich *Zurich* : zurück *back*

l

lachen *to laugh*	all *all*	bald *soon*
lang *long*	Keller *cellar*	voll *full*
lieben *to love*	Kohle *coal*	wohl *well*

r

riet *advised*	Arm *arm*	Sturm *storm*
reden *to talk*	Herren *gentlemen*	er *he*
rot *red*	Lehrer *teacher*	bitter *bitter*
rufen *to call*	lernen *to learn*	hier *here*
groß *large*	Wort *word*	oder *or*

2. Consonant combinations

gn

Gnade *grace*	begnadigen *to pardon*
Gnom *goblin*	sich begnügen *to content oneself*
Vergnügen *pleasure*	

kn

Knoten *knot*	knipsen *to snap*
Knopf *button*	Knabe *lad*
Knie *knee*	

pf

Apfel *apple*	Pflanze *plant*
Pfad *path*	Pfeife *pipe*
Pfanne *pan*	

z, ts, tz

Ziel *goal*	Zucker *sugar*	Satz *sentence*
Zimmer *room*	zu *to*	jetzt *now*
zehn *ten*	zwanzig *twenty*	sitzt *sits*
Zeit *time*	zwei *two*	nichts *nothing*
zeichnen *to draw*	zwölf *twelve*	geht's *it goes*
Zahn *tooth*	Münze *coin*	Kinds *child's*
Zaun *fence*	Hitze *heat*	Wirtshaus *inn*
Zone *zone*	kurz *short*	Huts *hat's*

III. The glottal stop:

> auf einem Ofen *on a stove*
> er ißt einen Apfel *he is eating an apple*
> ich erkläre es *I'll explain it*
> ohne Ende *without end*
> um ein Uhr *at one o'clock*
> eine andere Aufgabe *another task*

II. Spelling

A. INTRODUCTORY NOTE

If you keep in mind that language is primarily speech, you will readily appreciate the distinction between pronunciation and spelling. Pronunciation means the ability to produce the sounds that make up a language. Spelling refers to the way in which we use and arrange certain symbols to record these sounds in writing and printing. — Pronunciation and spelling have their counterparts at the receiving end of linguistic communication, of course, in the ability of the listener or reader to understand the sounds or letter symbols.

Both English and German record speech with the help of symbols, the letters of the alphabet, which stand for individual sounds. English spelling is far from being consistent, to be sure, for it has failed to keep up with the many and rapid changes which have taken place in its speech habits. Thus the same sound may be represented by various symbols: l*a*te, s*ai*l, d*ay*, br*ea*k, v*ei*l, h*ey*. Conversely, one symbol or group of symbols may represent various sounds: c*ough*, r*ough*, b*ough*, d*ough*, thr*ough*.

German spelling, on the other hand, is reasonably consistent: with few exceptions, each sound in German is represented by a separate symbol, and each symbol represents one sound.[1] Therefore you will have little trouble in reading and writing German correctly, provided you know which sound is represented by each German letter.

Since the name of almost every letter in the German alphabet contains the sound ordinarily represented by the letter, it is very useful to memorize the German alphabet.

---

[1] The exceptions and certain other peculiarities of German spelling are listed under II C.

B. THE GERMAN ALPHABET

1. The regular alphabet

Antiqua		Fraktur		Name of letter	Antiqua		Fraktur		Name of letter
A	a	𝕬	𝖆	[ah]	N	n	𝕹	𝖓	[en]
B	b	𝕭	𝖇	[bay]	O	o	𝕺	𝖔	[oh]
C	c	𝕮	𝖈	[tsay]	P	p	𝕻	𝖕	[pay]
D	d	𝕯	𝖉	[day]	Q	q	𝕼	𝖖	[koo]
E	e	𝕰	𝖊	[ay]	R	r	𝕽	𝖗	[air]
F	f	𝕱	𝖋	[eff]	S	s	𝕾	ſ ß [1]	[ess]
G	g	𝕲	𝖌	[gay]	T	t	𝕿	𝖙	[tay]
H	h	𝕳	𝖍	[hah]	U	u	𝖀	𝖚	[oo]
I	i	𝕵	𝖎	[ee]	V	v	𝖁	𝖛	[fow]
J	j	𝕵	𝖏	[yot]	W	w	𝖂	𝖜	[vay]
K	k	𝕶	𝖐	[kah]	X	x	𝖃	𝖝	[ix]
L	l	𝕷	𝖑	[ell]	Y	y	𝖄	𝖞	[ipsilon]
M	m	𝕸	𝖒	[em]	Z	z	𝖅	𝖟	[tset]

2. Other symbols

Antiqua		Fraktur		Name of letter
Ä	ä [2]	𝕬̈	𝖆̈	[ah-umlaut]
Ö	ö	𝕺̈	𝖔̈	[oh-umlaut]
Ü	ü	𝖀̈	𝖚̈	[oo-umlaut]
	ch		𝖈𝖍	[tsay-hah]
	ck		𝖈𝖐	[tsay-kah]
	ss		ſſ	[ess-ess]
	sz; ß [3]		ſ𝖟	[ess-tset]
	tz		𝖙𝖟	[tay-tset]

[1] The symbol ß is used at the end of a syllable or a word, the symbol ſ in all other situations.   [2] In alphabetical listings, **ä** is usually treated as **a**; **ö** as **o**; **ü** as **u**.   [3] The double letter **sz**, usually printed ß, is an alternate spelling for **ss**. It is used instead of **ss** after a long vowel (**Füße** vs. **Flüsse**), at the end of a word (**Fluß**) or syllable (**häßlich**), and before a consonant (**heißt**).

3. "Antiqua" and 𝔉raktur

In Germany the style of writing common in all of Western Europe at the time when Gutenberg invented movable type, was preserved for a long time, both in handwriting: the so-called Gothic or German script, and in printing: the so-called *Fraktur*. However, the style that had come into use for the other West European languages was introduced in Germany also. It was called *Antiqua* in printing, Latin script in writing. Gradually, *Antiqua* and Latin script became more and more dominant until, after World War II, the use of *Fraktur* and German script was given up altogether.

Today, German script is no longer taught in the schools, *Fraktur* is no longer used in ordinary printing. Since, however, older books are often available only in *Fraktur*, it is presented here alongside *Antiqua* for convenient reference. To give you a chance to practice the reading of *Fraktur*, it will also be used in the review lessons of this book.

C. PECULIARITIES OF GERMAN SPELLING

b, d, g	in final position are pronounced **p, t, k:** gab, Hand, Tag (except in the ending –ig which is pronounced –ich: ruhig)
chs	when part of the word stem, is pronounced **x:** sechs, Ochs
ck	is pronounced like a simple **k:** Ecke
h	after a vowel is a sign of length: Sahne, gehen, Uhr
h	after a consonant is not pronounced: Thema,[1] Rhein
ie	stands for close long **i:** die, sieben
j	spells the sound written *y* in English: ja, jeder, Junge [2]
s	before vowels is voiced like English *z* in *zeal:* so, lesen
s	in all other positions is unvoiced like English *s* in *seal:* es, ist
ss, ß	stand for unvoiced **s:** essen, muß
sch	spells a sound very much like English *sh:* Schiff, rasch [3]
sp, st	initially are pronounced **"schp"** and **"scht":** spielen, stehen
–tion	is pronounced **"tsion":** Nation

[1] The sound spelled *th* in English does not exist in German. [2] The sound spelled *j* in English does not occur in German words. [3] The German sound is always pronounced with rounded lips.

v	usually stands for the same sound as **f**: Vater, vier; in words of foreign origin, however, it is pronounced like English *v:* Vera, Television
w	stands for the sound spelled *v* in English: wir, Wasser [1]
y	occurs only in words of foreign origin and is most commonly pronounced like **ü** (**u**-umlaut): Physik, Gymnasium
z, tz	both spell the consonant combination **ts**: Zahl, sitzen

D. CAPITALIZATION, PUNCTUATION, SYLLABICATION

1. Capitalization

▶ All nouns and words used as nouns are capitalized.
▶ All forms of **Sie** *you* and **Ihr** *your* are capitalized.
▶ The pronoun **ich** *I* is not capitalized.
▶ Adjectives denoting nationality are not capitalized.

2. Punctuation

German punctuation is quite similar to English. The most important differences are:

▶ All subordinate clauses are set off by commas.
▶ The exclamation point is always used after imperatives and is generally more common than in English.
▶ The apostrophe is used to show the omission of one or more letters, usually **e**: er hat's = er hat es *he has it.*
▶ Quotation marks are usually written as follows: „Gut!" sagte er.

3. Syllabication

Note the following divisions at the end of a line in German:

▶ A single consonant letter goes with the following syllable: **sa-gen** *to say.*
▶ The last of two or more consonant letters goes with the following syllable: **Ar-beit** *work;* **brann-ten** *burned.*
▶ The letter combinations **ch, sch,** and **ß,** likewise **st** and **sp,** when the latter begin a syllable, are treated like single letters, that is, they are not separated: **Dä-cher** *roofs;* **Bü-sche** *bushes;* **Grü-ße** *greetings;* **sech-ste** *sixth;* **ge-spielt** *played.*
▶ Compound words are divided between their component parts: **Klassen-zimmer** *classroom;* **Schul-haus** *schoolhouse;* **hin-aus** *out.*

---

[1] The sound spelled *w* in English does not exist in German.

Foundation Course in German

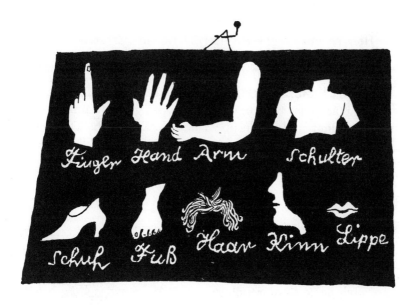

I. SPRECHEN UND LESEN (*Speaking and Reading*)

1. Deutsch und Englisch

Wir sind hier, um Deutsch zu lernen.[2] Ist Deutsch schwer? Nein, Deutsch ist nicht sehr schwer. Deutsch und Englisch sind oft sehr ähnlich. Zum Beispiel:

Das ist der Finger, das ist die Hand, das ist der Arm und das ist die Schulter. Und was ist das hier? Das ist der Schuh[3] und das ist der Fuß.[4] Hier ist das Haar, hier ist das Kinn und hier ist die Lippe. Deutsch ist wirklich nicht sehr schwer.

Hören Sie weiter![5] Hier ist das Buch. Es ist rot. Hier ist der Bleistift. Er ist blau. Hier ist die Feder. Sie ist gelb. Die Wand dort ist grau. Die Tür ist grün, die Tafel ist schwarz, die Kreide ist weiß. Hier ist ein Tisch. Der Tisch ist braun. Das da ist ein Stuhl. Der Stuhl ist auch braun.

These footnotes will help you with words and phrases which are not listed in the Wortschatz as yet.   [1] the first class (class hour; unit of instruction; lesson).   [2] **um . . . zu lernen** in order to learn.   [3] *Words whose meaning you can guess easily will usually not be listed here.*   [4] *See p. xxiii, note 3, with reference to the spelling ß vs.* **ss.**   [5] Keep on listening!

Das hier ist ein Bleistift. Das da ist kein Bleistift, das ist eine Feder. Der Bleistift ist lang, die Feder ist kurz. Das hier ist ein Heft. Das Heft ist blau. Hier ist eine Zigarette und da ist eine Zigarre. Ist das eine Kreide? Nein, das ist keine Kreide, das ist eine Zigarette. Ist das hier
5 eine Feder oder eine Zigarre? Ist die Feder lang oder kurz? Ist die Zigarre weiß oder braun? Hier ist auch eine Landkarte. Die Landkarte ist bunt: das Wasser ist blau und das Land ist grün, braun oder grau.

Ich bin Student und ich lerne [1] Deutsch. Ich habe Deutsch gern.[2] Ich spreche [3] schon etwas Deutsch. Deutsch ist wirklich nicht sehr
10 schwer.

2. Ein Gespräch		*A conversation*

Walter Klein and Vera Schöller meet outside the classroom.

WALTER:	Ich heiße Walter Klein, wie heißen Sie?	*My name is Walter Klein, what is your name?*
VERA:	Ich heiße Vera Schöller.	*My name is Vera Schöller.*
WALTER:	Sind Sie Studentin?	*Are you a student?*
VERA:	Ja, ich bin Studentin; und was sind Sie?	*Yes, I am a student, and what are you?*
WALTER:	Ich bin Student; ich bin hier, um Deutsch zu lernen.	*I am a student; I am here in order to learn German.*
VERA:	Ich bin auch hier, um Deutsch zu lernen.	*I am here also in order to learn German.*
W. UND V.:	Wir sind hier, um Deutsch zu lernen. Ist Deutsch schwer? Nein, Deutsch ist nicht sehr schwer.	*We are here in order to learn German. Is German hard? No, German is not very hard.*

3. Ein Merkvers (a mnemonic jingle)

> *Learn* ist lernen, *hand* ist Hand,
> *hair* heißt Haar und *wall* die Wand.
> *Shoe* ist Schuh und *gray* ist grau,
> *foot* heißt Fuß und *blue* heißt blau.

[1] I learn. [2] I like German. [3] I speak.

Chin ist Kinn und *we* ist wir,
arm heißt Arm und *four* heißt vier.
„Hier und dort" ist *here and there,*
Deutsch ist wirklich nicht sehr schwer!

II. WORTSCHATZ (*Vocabulary*)

First things first

No matter how many "rules" you know, you will never be able to express
yourself in German or understand it if your vocabulary is weak. Therefore
the first thing you must do is acquire what the Germans picturesquely call
a **Wortschatz** or *word treasure,* that is, a good vocabulary.

This section groups vocabulary in convenient units and patterns, both for
memorization and for enlarging your vocabulary beyond the range of the
first section. Starred (*) sections or starred words within a section indicate basic vocabulary.

*1. Muß ist eine harte Nuß

German states that "must is a hard nut" to crack. You should consider
familiarity with the words listed under this heading a must.

auch also, too
etwas some, something
oder or
oft often
schon already
sehr very
und and
zu to, too

ähnlich similar
wirklich real; really

warum'? [1] why? what for?
was? what?
  was ist das? what is this (that)?
wer? who?
  wer ist das? who is this (that)?
wie? how?
wieviel? how much? how many?

ja : nein yes : no
kurz : lang short : long
leicht : schwer easy; light : difficult;
  heavy

[1] Whenever a word is not stressed on the first syllable, this will be indicated in
our vocabularies by a stress mark *after* the syllable which carries the principal
stress. This is done to help the beginner. Normal German printing and
writing do not use any stress marks.

(das) **Deutsch** : (das) **Englisch** German : English

auf deutsch : **auf englisch** in German : in English

hier : **da** : **dort** here : there : over there

das hier : **das da** : **das dort** this : that : that there

Wie heißt *book* **auf deutsch?** What is *book* in German?

Book **heißt auf deutsch Buch.** *Book* in German is **Buch.**

das heißt (d.h.) that is (i.e.)

und so weiter (usw.) and so on (etc.)

zum Beispiel (z.B.) for example (e.g.)

*2. Die Zahlen von null bis zehn (the numbers from zero to ten)

0 **null**	1 **eins**	2 **zwei**	3 **drei**	4 **vier**	5 **fünf**
6 **sechs**	7 **sieben**	8 **acht**	9 **neun**	10 **zehn**	

zwei und zwei **ist** vier

drei und fünf **ist** acht

usw.

*two and two **are** four*

*three and five **are** eight*

etc.

*3. Körperteile (parts of the body)

der **Arm** arm

der **Finger** finger

der **Fuß** foot

der **Körper** body

das **Haar** hair

das **Kinn** chin

die **Hand** hand

die **Lippe** lip

die **Schulter** shoulder

*4. Im Klassenzimmer (in the classroom)

a. der **Bleistift** pencil

der **Stuhl** chair

der **Tisch** table, desk

das **Buch** book

das **Fenster** window

das **Heft** booklet, notebook

das **Klassenzimmer** classroom

das **Land** land

das **Papier'** paper

das **Wasser** water

die **Farbe** color

die **Feder** pen

die **Klasse** class

die **Kreide** chalk

die **Landkarte** map

die **Stunde** hour; class (hour), lesson

die **Tafel** blackboard

die **Tinte** ink

die **Tür** door

die **Wand** wall

die **Zahl** number

6

b. **der Lehrer** (*man*) teacher   **die Lehrerin** (*woman*) teacher
    der Schüler schoolboy, pupil   **die Schülerin** schoolgirl, pupil
    der Student' (*male*) student   **die Studen'tin** (*female*) student

*5. Farben (colors)

rot red	**grün** green	**braun** brown	**schwarz** black
blau blue	**gelb** yellow	**grau** gray	**weiß** white
	bunt many-colored		

III. ERLÄUTERUNGEN (*Commentary*)

1. Articles and nouns

In English the definite article has only one form, *the*. In German the definite article has three basic forms, **der, das, die.** Accordingly we distinguish three classes of nouns:

der-*nouns*	**das**-*nouns*	**die**-*nouns*
der Tisch	das Buch	die Tür
der Fuß	das Haar	die Lippe

The indefinite article — in English *a* or *an* — has only two basic forms in German, **ein** with **der**-nouns and **das**-nouns, **eine** with **die**-nouns:

     ein Tisch   ein Buch   eine Tür

▶ Learn each noun with its definite article as if the noun and the article were one word. This is the most efficient way of mastering the nouns.
▶ Do not be afraid of making mistakes. Only practice leads to perfection.

2. Cases: the nominative forms

Case forms are the distinctive forms of articles, nouns, pronouns, and adjectives, which show the function of these words in a sentence. The forms listed in the vocabulary are *nominative*.

7

Der Tisch ist braun.	*The table is brown.*
Das Papier ist weiß.	*The paper is white.*
Die Übung ist schwer.	*The exercise is hard.*

The forms of the nominative case are used primarily to show the subject of the sentence. Notice that it is normally the article which has the distinctive form or ending that reveals the case, and not the noun.

3. Agreement of nouns and pronouns

a. Das ist **der** Tisch; **er** ist braun.	*That is the table;* **it** *is brown.*
Das ist **das** Buch; **es** ist rot.	*That is the book;* **it** *is red.*
Das ist **die** Tür; **sie** ist grün.	*That is the door;* **it** *is green.*

German regularly uses the pronoun **er** whenever the pronoun refers to a der-noun. Similarly, **es** refers to a das-noun and **sie** to a die-noun.

b. Das ist (der) Hans, **er** ist ein Schüler.
Das ist (die) Grete, **sie** ist eine Schülerin.

When referring to persons, **er** means *he* and **sie** means *she.*

4. The present tense forms of the verb *sein* (to be)

1ST PERSON SINGULAR

ich bin

Ich bin Student.	*I am a student.*
Bin ich der Lehrer?	*Am I the teacher?*

3RD PERSON SINGULAR

er, es, sie ist

Der Bleistift ist lang.	*The pencil is long.*
Das Papier ist weiß.	*The paper is white.*
Ist die Feder gelb?	*Is the pen yellow?*

8

1ST & 3RD PERSON PLURAL
AND POLITE ADDRESS

wir, sie, Sie sind

Wir sind hier.	*We are here.*
Deutsch und Englisch sind ähnlich.	*German and English are similar.*
Sind sie ähnlich?	*Are they similar?*
Sind Sie Student?	*Are you a student?*

Notice that **sie** means *it* or *she* in the singular, *they* in the plural. **Sie** also is used for polite address; in this case it is capitalized in writing. Like English *you*, **Sie** stands for both singular and plural, but it is always used with the plural form of the verb.

*5. Nein, nicht, kein

Nein, das ist **kein** Buch.	*No, that is **not a** book.*
Deutsch ist **nicht** schwer.	*German is **not** difficult.*

Nein means *no* in answer to a question. **Nicht** means *not*. **Kein** is the negative form of the article **ein**. **Kein Buch** therefore means *not a book, not any book,* or *no book,* depending on the context.

The case endings of **kein** are the same as those of **ein**.

6. Pronunciation and spelling

Many sounds in German are the same as in English, others differ more or less, and a few German sounds do not exist in English.

German spelling, by and large, uses the same twenty-six letters of the Roman alphabet as does English spelling (see p. xxiii for a listing of the German alphabet). Not always, however, do the same letters stand for the same sounds in both spelling systems.

The section "Pronunciation and spelling" will gradually introduce you to those German sounds and spelling conventions that are new to you. Exercise A will give you a chance to practice what you have learned here.

9

a. THE GERMAN **i**-SOUNDS

wir : wirklich

sie : sind

There are two i-sounds in German, a close and usually long one as in **wir** and **sieben,** and an open and regularly short one as in **wirklich** or **sind.** They correspond roughly to the contrasting *i*-sounds of such English words as *seat* and *sit, feet* and *fit.* The German sounds, however, do not have the offglide into a semivowel (*y*) of their English counterparts.

The terms "close" and "open" refer to the position of the speech organs, especially the jaw and the tongue. The tongue is raised a bit higher for a close vowel than for an open one. The i-sounds are front vowels, i.e., in pronouncing them, the tongue is raised in front of the mouth.

For the spelling of both i-sounds the letter **i** is always used. The close **i,** however, is frequently marked by a following **e** (**die, sie, Papier**), while the i is always open and short when it is followed by a double consonant letter (**Lippe, Kinn**), and usually open and short also when it is followed by two or more consonant letters (**ist, Finger, Tisch**).

b. THE USE OF CAPITAL LETTERS

Bin ich der Lehrer?   Sind Sie der Lehrer?

Ist Deutsch schwer?   *Book* heißt auf deutsch Buch.

German writing capitalizes all nouns (**Lehrer, Buch**) and all words used as nouns (**Deutsch**).

The polite form of address (**Sie**) is capitalized, but **ich** (*I*) is not capitalized in German.

Adjectives denoting nationality are not capitalized: **das deutsche Buch.**

IV. ÜBUNGEN (*Exercises*)

A. 1. *Listen to the difference between the vowel sounds in the following English and German words as your instructor pronounces them. Then, try to pronounce the words yourself. Keep your tongue from gliding upward to a higher position while producing the German vowels.*

CLOSE LONG i	OPEN SHORT i
sea : sie	lip : Lippe
fear : vier	chin : Kinn
feel : viel	tin : Tinte
here : hier	bin : bin
veer : wir	sin : sind

2. *Following your instructor, pronounce the contrasting pairs of phrases aloud several times:*

CLOSE LONG i : OPEN SHORT i

Sie und wir	: Lippe und Kinn
hier ist viel Papier	: ich bin Studentin
dies zum Beispiel!	: Tinte und Bleistift
sieben und vier	: nicht der Finger

B. *Complete the following sentences with the appropriate definite article,* **der, das,** *or* **die**:

1. Das ist —— Finger, das ist —— Fuß, das ist —— Arm.
2. Da ist —— Buch, da ist —— Heft, da ist —— Papier.
3. Hier ist —— Feder, hier ist —— Tinte, hier ist —— Kreide.
4. —— Bleistift ist lang und —— Feder ist kurz.
5. —— Tisch, —— Stuhl, —— Wand und —— Tür sind braun.
6. —— Papier ist weiß, aber —— Tafel ist grün.

C. *Complete the following sentences with the appropriate indefinite article,* **ein** *or* **eine**:

1. Das ist —— Arm und das ist —— Finger.
2. Das ist —— Hand und das da ist —— Fuß.
3. Dort ist —— Landkarte.
4. —— Tafel ist oft schwarz und —— Tisch ist oft braun.
5. Ich bin —— Schüler, aber sie ist —— Schülerin.
6. Sind Sie auch —— Schülerin?

D. *Complete with the proper forms of* **ein** *or* **kein,** *as required:*

1. Ist das —— (*a*) Finger? Das ist —— (*not a*) Finger, das ist —— (*a*) Arm.
2. Ist das hier —— (*a*) Buch? Das ist —— (*not a*) Buch, das ist —— (*a*) Heft.
3. Ist das da —— (*a*) Feder? Das ist —— (*not a*) Feder, das ist —— (*a*) Kreide.

11

Old city hall in Alsfeld

Berlin: new Kongreßhalle

Deutſchland iſt intereſſant!

Berlin: fountains in the Ernst-Reuter-Platz

4. Ist das —*Eine* (a) Tafel? Das ist —*Keine* (not a) Tafel, das ist —*Ein* (a) Tisch.

5. Sind Sie —— (a) Schüler? Ich bin —— (not a) Schüler, ich bin —— (a) Schülerin.

E. *Fill in the appropriate forms of the verb* **sein** (to be):

1. Ich —— Student. 2. *Sind* Sie Student? 3. Nein, ich —— Studentin. 4. Der Lehrer —— schon hier. 5. Wir —— alle hier. 6. Warum —— wir hier? 7. Wir —— hier, um Deutsch zu lernen. 8. Deutsch —— nicht schwer. 9. Deutsch und Englisch —— ähnlich. 10. Eine Zigarette —— weiß, aber die Tinte und die Feder —— schwarz. 11. Die Wand und die Tür —— grau. 12. Der Arm und der Fuß —— zwei Körperteile.

F. *Replace all nouns with the corresponding pronouns:*

PATTERN: Der Bleistift ist grün: **Er** ist grün.

1. Der Tisch ist braun. 2. Das Heft ist blau. 3. Der Arm ist lang. 4. Die Tinte ist schwarz. 5. Das Buch ist bunt. 6. Ist die Tafel auch bunt? 7. Wie ist die Tafel? 8. Ist Deutsch schwer? 9. Nein, Deutsch ist nicht sehr schwer. 10. Deutsch und Englisch sind ähnlich.

G. *Be sure you can give the numbers from zero to ten forward, backward, by even numbers, and by odd numbers!*

Wieviel ist eins und eins? zwei und vier? usw.

H. *Ask yourself and others questions like the following and answer them in German. In your questions and answers follow as closely as possible the pattern given for each section.*

a. PATTERN: Was ist das? Das ist der Tisch. Das ist ein Tisch.

Was ist das? (Buch, Feder, Arm, Haar, Hand usw.)
Was ist das hier? (Finger, Kinn, Lippe, Schulter usw.)
Was ist das da? (Stuhl, Heft, Tür, Wand, Fenster usw.)

b. PATTERN: Wer ist das (hier)? Das ist der Lehrer.

Wer ist das (hier)? (Lehrer, Schüler, Student, Lehrerin usw.)

c. PATTERN: Ist das ein Buch? Ja, das ist ein Buch; nein, das ist kein Buch.

Ist das ein Tisch? (Stuhl, Buch, Tür, Finger, Arm usw.)

d. PATTERN: Ist der Bleistift rot? Ja, der Bleistift ist rot; nein, er ist nicht rot.
Wie ist er? Er ist gelb.

Ist die Feder blau? Ist die Tafel schwarz? Ist das Buch da gelb? Ist der
Stuhl hier braun? Ist die Stunde lang? Ist die Landkarte bunt? Wie ist
das Wasser? Wie ist das Land? usw.

„Aller Anfang ist schwer.“

DIE ZWEITE STUNDE

I. SPRECHEN UND LESEN

1. Deutschland und Europa

Der Lehrer kommt gewöhnlich um neun Uhr. Er beginnt die Stunde sofort. Er sagt: „Guten Morgen!" Wir antworten: „Guten Morgen, Herr Professor!"[1]

Der Lehrer beginnt sofort zu fragen. Er fragt zum Beispiel: „Herr Müller, ist das ein Tisch?" Der Student Müller antwortet: „Nein, Herr Professor, das ist kein Tisch, sondern ein Stuhl." Der Lehrer fragt dann weiter:[2] „Fräulein Schmidt, ist der Stuhl groß?" Die Studentin Schmidt antwortet schnell: „Ja, Herr Professor, er ist groß." Dann fragt der Lehrer weiter: „Ist das ein Bleistift?" Der nächste Student antwortet richtig: „Nein, Herr Professor, das ist eine Feder." „Ist die Feder blau?" „Nein, sie ist rot."

Der Lehrer hängt dann eine Landkarte an die Wand. Die Landkarte ist bunt. Sie zeigt Europa. Oben liegt England und unten liegen Italien,

---

[1] *Teachers beyond grade school level are commonly addressed with* **Herr Profes'sor.** [2] **fragt ... weiter** goes on asking questions.

16

Spanien und der Balkan. Links liegt Frankreich und rechts liegt Rußland. Deutschland liegt in der Mitte.[1] Zwischen[2] Deutschland und Italien liegen Österreich[3] und die Schweiz.[4] Das ist das Land. Es ist grün, grau oder braun. Die Landkarte zeigt aber auch viel Wasser. Es ist blau. Oben sind die Nordsee[5] und die Ostsee,[6] links ist der Atlantische Ozean, und unten liegt das Mittelmeer.[7]

Der Lehrer erklärt die Landkarte. Er sagt: „Sehen Sie die Linie hier? Das ist ein Fluß, die Elbe. Die Elbe trennt[8] Westdeutschland und Ostdeutschland. Man spricht[9] natürlich Deutsch in Westdeutschland und Ostdeutschland. Auch viele Schweizer und alle Österreicher sprechen Deutsch.

Die Hauptstadt von[10] Westdeutschland ist Bonn. Die Hauptstadt von Österreich ist Wien. Bonn ist keine große Stadt, aber Wien ist groß. Es ist auch sehr alt und schön.“

Um zehn Uhr läutet die Glocke und die Stunde ist aus. Der Lehrer sagt: „Danke, das ist genug für heute.[11] Guten Tag, auf Wiedersehen!“

2. Ein Gespräch

A conversation

Walter and Vera meet again outside the classroom.

WALTER:	Guten Tag, Fräulein Schöller!	*Hello, Miss Schöller!*
VERA:	Guten Tag, Herr Klein!	*Hello, Mr. Klein.*
WALTER:	Ist der Lehrer schon da?	*Has the teacher come already?*
VERA:	Nein, aber dort kommt er.	*No, but there he comes.*
DER LEHRER	kommt und sagt:	*The teacher comes and says:*
	Guten Tag, Fräulein Schöller, guten Tag, Herr Klein!	*Hello, Miss Schöller, hello, Mr. Klein.*
W. UND V.:	Guten Tag, Herr Professor!	*Good morning, professor.*
LEHRER:	Sehr gut! Sie sprechen schon etwas Deutsch!	*Very good. You do speak a little German already.*
VERA:	Ja, aber wir sprechen es sehr langsam ...	*Yes, but we speak it very slowly ...*

[1] in the middle. [2] between. [3] Austria. [4] Switzerland. [5] North Sea. [6] Baltic Sea. [7] Mediterranean Sea. [8] separates. [9] one speaks, people speak. [10] capital of. [11] for today.

17

WALTER:	. . . und gewöhnlich nicht richtig, nicht wahr?	*. . . and usually not correctly, do we?*
LEHRER:	Sie sprechen es gut genug für den Anfang.	*You speak it well enough for the beginning.*
	Die Glocke läutet; sie gehen alle in das Klassenzimmer; die Stunde beginnt.	*The bell rings; they all go into the classroom; the lesson begins.*

3. Ein Merkvers

Deutsch ist nicht sehr schwer, nicht wahr?
Lip ist Lippe, *hair* ist Haar!
Aber: Stühle, Flüsse, Wände,
Wörter, Schuhe, Füße, Hände –
und dann: Städte, Sätze, Tage –
„ist das auch nicht schwer?" ich frage.

II. WORTSCHATZ

*1. Muß ist eine harte Nuß

a. **gewöhn′lich** usual(ly) **natür′lich** natural(ly), of course

sofort′ immediately, at once
wann? : dann when? : then

b. **erklä′ren** to explain **klar** clear

sprechen to speak
zeigen to show

der Anfang, die Anfänge : das Ende, die Enden beginning : end
zu Ende at an end; over
begin′nen : enden to begin : to end
fragen : antworten to ask (*a question*) : to answer
 die Frage, die Fragen : die Antwort, die Antworten question : answer
hören : sagen to hear : to say

c. **(das) Deutschland** Germany

(das) Euro′pa Europe

*2. Shape and size

breit : schmal broad, wide : narrow
groß : klein large, great, big, tall : small, little
hoch : nieder, niedrig high : low
rund : eckig round : angular

18

*3. Qualität' und Quantität'

alt : neu old : new
gut : schlecht good : bad, poor
richtig : falsch right, correct : wrong, false
schnell : langsam fast, quick : slow
schön : häßlich beautiful : ugly

etwas : nichts something : nothing
genug' enough
viel : wenig : all much : little : all
viele : wenige : alle many : few : all
einige a few; some

*4. Location

wo? where?

oben : unten on top, up above : on the bottom,
   down below
rechts : links to (at) the right : to (at) the left

kommen : gehen to come : to go; walk
stehen : liegen to stand (to be) : to lie (to be)
hängen to hang

*5. Das Buch, die Bücher

der Buchstabe, die Buchstaben letter (*of the alphabet*)
das Wort, die Worte word (*in context*)
   das Wort, die Wörter (*isolated*) word
der Satz, die Sätze sentence
die Zeile, die Zeilen line
die Seite, die Seiten side; page

*6. A few important expressions

a. Guten Morgen! Guten Tag!
   Auf Wiedersehen!
   Wann läutet die Glocke?
   Die Glocke läutet **um** acht **Uhr.**
   Die Stunde ist **aus.**

Good morning. Good day. Hello!
Good-by. (Au revoir.)
When (What time) does the bell ring?
*The bell rings **at eight o'clock.***
*Class is **over** (**out**).*

b. **Der Mann** ist **Herr** Schmidt.
   Die Frau ist **Frau** Schmidt.
   Das Mädchen ist **Fräulein** Schmidt.

***The man** is **Mr.** Smith.*
***The woman** is **Mrs.** Smith.*
***The girl** is **Miss** Smith.*

c. lehren : lernen : studie'ren

Ein Lehrer **lehrt**, ein Schüler **lernt**, ein Student **studiert**.	*A teacher **teaches**, a pupil **learns**, a student **studies**.*

d. bitte!
   danke! danke schön!

please! (often: *yes, please!*)
thanks! thank you! (often: *no, thanks!*)

e. Ich frage, **aber** er antwortet nicht.
   Das ist kein Bleistift, **sondern** eine Feder.

Aber means *but*. **Sondern** means *but* only in the sense of *but on the contrary*.

f. Das ist ein Bleistift, **nicht wahr?**   *... isn't it?*
   Die Glocke läutet um zehn, **nicht wahr?**   *... doesn't it?*
   Wir beginnen dann sofort, **nicht wahr?**   *... don't we?*

The question phrase **nicht wahr?** (literally: *not true?*) anticipates an affirmative answer. In colloquial German just **nicht?** is common. — Caution: Do not overwork these words!

III. ERLÄUTERUNGEN

1. Verb forms

a. The Infinitive:

kommen to come; **fragen** to ask (*questions*); **lernen** to learn; **sein** to be

Wir sind hier, um Deutsch zu lernen.	*We are here in order to learn German.*
Der Lehrer beginnt zu fragen.	*The teacher begins to ask questions.*

The infinitive of German verbs ends in **–en**, less frequently in **–n**. The infinitive form is very often used together with **zu**, just as the English infinitive is frequently accompanied by *to*. Actually, the usage of the two languages is very similar in this respect. However, **zu** does not appear with the infinitive in German vocabularies and dictionaries, for, in German, the ending **–(e)n**, when occurring without a personal pronoun, is a clear enough indication of the form's meaning.

The infinitive normally stands at the end of a clause or a simple sentence. The combination **um . . . zu** means *in order to.*

b. The Present Tense:

1ST PERSON SINGULAR

ich komme sofort
ich antworte wenig

3RD PERSON SINGULAR

er steht dort (der Tisch steht dort)
es liegt da (das Buch liegt da)
sie läutet (die Glocke läutet)

1ST & 3RD PERSON PLURAL AND POLITE ADDRESS

wir kommen sofort
wir antworten schnell

sie fragen viel
Sie antworten wenig

▶ In the present tense the first person singular of most German verbs shows the ending **–e.**
▶ The third person singular usually ends in **–t**; sometimes an **–e–** is inserted, as after a **t,** for the sake of pronunciation, e.g., **er antwortet.**
These endings are attached to the "stem" of the verb; the stem can be arrived at by dropping the **–en** or **–n** of the infinitive, e.g., **komm–, lern–.** (**Sein,** like English *to be,* is completely irregular, and all its forms have to be memorized separately.)
▶ The first and third person plural and the polite form of address are almost always identical with the infinitive.

2. A note on usage

Er antwortet richtig.

He answers / he is answering / he does answer correctly.

Antwortet er richtig?

Does he answer / is he answering correctly?

German does not distinguish between three aspects of the present tense as English does. *I say, I do say,* and *I am saying* are all stated as **ich sage.** *Do I say?* and *am I saying?* are both **sage ich?**

3. The position of the subject

a. **Der Lehrer** fragt dann weiter.
Dann fragt **der Lehrer** weiter. } *Then the teacher goes on asking questions.*

21

If the subject does not begin the sentence, it normally follows the verb (so-called "inverted word order"). (Cf. sentences like "Then came the dawn" or older English: "Long stay'd he so," *Hamlet* II, 1.)

b. Wo ist **die Feder?**	*Where is the pen?*
Sprechen **Sie** Deutsch?	*Do you speak German?*
Kommt **der Lehrer?**	*Is the teacher coming?*

In questions, too, the subject normally follows the verb. The English question form used in *"Where is the pen?"* is used in German throughout. No helping verb is ever needed in German to form a question.

4. The position of *nicht*

Der Lehrer kommt heute nicht.	*The teacher is not coming today.*
Nicht alle Schweizer sprechen Deutsch.	*Not all Swiss speak German.*

When **nicht** negates the verb, it normally stands at the end of the clause. Otherwise **nicht** precedes that particular part of the clause which it negates.

*5. The plural of nouns: *e*-plurals

Most English nouns form their plurals by adding an *s* or a *z* sound: book*s*, table*s*, ladie*s*, etc. Some change their internal vowels: m*e*n, g*ee*se. Still others show such endings as *-en, -ren, -a* or no ending at all: ox*en*, child*ren*, phenomen*a*, sheep, fish.

In German there are four very common ways of indicating the plural of nouns. Almost all **der**-nouns and the majority of **das**-nouns of one syllable have the plural ending –e: **der Tisch, die Tische; das Haar, die Haare.** Almost all **die**-nouns have the plural ending –(e)n: **die Feder, die Federn; die Frau, die Frauen.** Some nouns show no plural ending: **das Zimmer, die Zimmer.** A few nouns end in –er in the plural: **das Buch, die Bücher.** Many nouns also show an umlaut in the plural: **die Bücher, die Flüsse.**[1]

It will help you to master noun plurals if you try to group nouns of the same type. For instance, here are some of the nouns you have had which add –e to show the plural:

---

[1] For the less common plural in –s see *Vierte Stunde*, III, 3c.

der **Arm**, die **Arme** arm
der **Bleistift**, die **Bleistifte** pencil
der **Fluß**, die **Flüsse** [1] river
der **Fuß**, die **Füße** [1] foot
der **Schuh**, die **Schuhe** shoe
der **Stuhl**, die **Stühle** chair
der **Tag**, die **Tage** day
der **Tisch**, die **Tische** table

das **Beispiel**, die **Beispiele** example
das **Haar**, die **Haare** hair
das **Heft**, die **Hefte** notebook
das **Papier'**, die **Papie're** paper

die **Hand**, die **Hände** hand
die **Stadt**, die **Städte** city
die **Wand**, die **Wände** wall

▶ Note that about half the **der-**nouns in the e-plural group modify their internal vowels; *none* of the **das-**nouns do so.

▶ Only a few **die-**nouns form their plurals with **–e**. They are, however, all common one-syllable nouns, and they all show an umlaut in the plural, if possible.

6. The plural of the articles

a. **Der** Stuhl ist braun, **das** Papier ist weiß, **die** Wand ist gelb.
Die Stühle sind braun, **die** Papiere sind weiß, **die** Wände sind gelb.

The chair is brown, the paper is white, the wall is yellow.
The chairs are brown, the papers are white, the walls are yellow.

The nominative plural of the definite article is **die** with all nouns.

b. **Ein** Lehrer fragt, **ein** Schüler antwortet.
Lehrer fragen, Schüler antworten.
Kein Schüler antwortet.
Keine Schüler antworten.

A teacher asks questions, a pupil answers.
Teachers ask questions, pupils answer.
Not a pupil answers.
No pupils answer.

The indefinite article **ein**, like English *a, an*, would not be used in the plural. — The nominative plural of **kein** is **keine** with all nouns.

7. Pronunciation and spelling

a. THE GERMAN **e-**SOUNDS

(1) Close vs. open **e**:

zehn   : Heft
stehen : Städte

As in the case of **i** — and indeed all German vowels — there are two kinds of **e**: a close and usually long one, and an open and regularly short one.

[1] See p. xxiii, note 3 with reference to the spelling **ss** vs. **ß**.

Both e-sounds are front vowels. The close e (**zehn, stehen**) is quite similar to the vowel of such English words as *day* and *gate*, only that there is no offglide: keep your lips and tongue steady while you pronounce this vowel. The open e (**Heft, Städte**) is practically the same as the *e* in English *bet* or *met*. For the spelling of both e-sounds the letters e and ä are used. The spelling ä occurs when the word in question is in some way related to a word with the vowel a, as **Städte** (from the singular **Stadt**), **erklären** *explain* (derived from **klar** *clear*). For this reason the ä is often referred to as the umlaut of a.

Some Germans, to be sure, pronounce long ä more openly[1] than long e, but the American student can well afford to disregard a distinction that is not made by most Germans.

The close e (ä) is frequently marked by a following h (**Lehrer, gehen, ähnlich**), the open e (ä) by a doubling of the following consonant letter (**schnell, häßlich**). The e and ä are also usually open and short when they are followed by two or more consonant letters (**lernen, rechts**). In verbs, however, if the vowel of the infinitive is long, it is normally long in all forms of the verb, even though consonantal endings are added (**erklären, erklärt**). The same spelling system is used for all German vowels.

(2) Short unstressed e:

When e is unstressed, especially in final position or in unstressed prefixes (**Finger, komme, beginnen**), it becomes a short central vowel. It is pronounced very much like the *e* in English *finger, the man, become*. Notice, however, that in German, unlike English, no other vowel is so changed. All other German vowels retain their full values even if they are unstressed, thus: **Student, natürlich, Balkan, Europa, Vera.**

b. w : v : f; qu

The sound spelled *w* in English does not exist in German. German uses the letter w for the sound that is spelled *v* in English. Thus, **wir** sounds similar to *veer*, **West** similar to *vest*. Accordingly, the English *w*-sound does not appear in the pronunciation of **qu**. In German, the **qu** is pronounced as *k* + *v*, and not *k* + *w* as in English.

---

[1] This is also the stage pronunciation.

24

On the other hand, the letter **v** often stands in German for the *f*-sound. Thus, **viel** sounds similar to *feel*, **vier** similar to *fear*. The letter **f**, however, is also used to spell this sound, e.g., Feder, fünf, oft. In some words of foreign origin the letter **v** represents the same sound as English *v*, e.g., **Vera, Television.**

IV. ÜBUNGEN

A. 1. *Listen to the different vowel sounds in the following English and German words as your instructor pronounces them, then try to pronounce them yourself. Keep your lips and tongue steady while producing the German vowels.*

CLOSE LONG e		OPEN SHORT e	
gain	: gehen	sex	: sechs
fade	: Feder	hen	: Hände
mainly	: ähnlich	edgy	: eckig
maid	: Mädchen	left	: Heft
vain	: wenig	steady	: Städte

2. *Following your instructor, pronounce the contrasting pairs of phrases aloud several times:*

CLOSE LONG **e** : OPEN SHORT **e**

leicht und schwer	: weiß und gelb
zehn Federn	: sechs Hände
wer ist er?	: lernt sie gern?
ähnlich wie Lehrer	: etwas nicht lernen
schwer gehen	: schnell sprechen

3. *Read carefully so as to distinguish between the pronunciation of* **w** *on the one hand, and* **v** *and* **f** *on the other; also watch out for the pronunciation of* **qu**:

zwei Füße; vier Flüsse; vier weiße Wände
Wir fragen viel; wir fragen: wie viele Flüsse?
Viele Volkswagen fahren in Wien; auf Wiedersehen, Fräulein Vera!
Wie ist die Qualität? Die Qualität ist gut, aber die Quantität ist klein.

25

Bonn: the Bundestag (parliament)

„Wien ist sehr alt und schön.“

B. *Answer the following questions; in your answers replace all italicized nouns with the appropriate pronouns.*

> PATTERNS: Liegt *das Buch* hier (dort)? Ja, **es** liegt hier. Nein, **es** liegt nicht hier, **es** liegt dort.
> Wo steht *der Tisch?* **Er** steht hier (dort, rechts, links).
> Steht *der Stuhl* rechts oder links? **Er** steht rechts.

1. Kommt *der Lehrer* um neun (zehn) Uhr? 2. Steht *der Tisch* hier (dort)?
3. Sind *die Stühle* hoch (niedrig)?
4. Wo stehen *die Stühle?* 5. Wo liegt *das Buch?*
6. Ist *die Tafel* schwarz oder grün? 7. Ist *die Feder* lang oder kurz? 8. Sind *die Sätze* leicht oder schwer? 9. Sprechen *die Schüler* schnell oder langsam?

C. *Complete with the proper forms of* **ein** *or* **kein,** *as indicated:*

1. Ist das —— (a) Tisch? Nein, Herr Professor, das ist —— (*not a*) Tisch, sondern —— (a) Stuhl.
2. Ist das da —— (a) Buch? Nein, das ist —— (*not a*) Buch, das ist —— (a) Heft.
3. Hier liegen auch —— (a) Feder und —— (a) Bleistift.
4. Das dort ist —— (*not a*) Landkarte, sondern —— (a) Tafel.
5. —— (*A*) Buch ist gut oder schlecht, —— (a) Satz ist lang oder kurz, —— (a) Buchstabe ist groß oder klein.
6. —— (*A*) Lehrer fragt oft schnell, —— (a) Schüler oder —— (a) Schülerin antwortet oft langsam.

D. *Read the following sentences in the plural:*

a. PATTERNS: Das Papier ist weiß: **Die Papiere sind** weiß.
   Ein Fluß ist oft breit: **Flüsse sind** oft breit.

1. Der Tisch ist groß, der Stuhl ist klein. 2. Das Heft ist blau, die Wand ist grau. 3. Der Satz ist lang, das Beispiel ist schwer. 4. Der Tag ist kurz. 5. Ein Tisch ist oft braun, auch ein Stuhl ist oft braun. 6. Die Stadt ist nicht groß, sondern klein. 7. Eine Wand ist oft grün.

b. PATTERNS: Der Bleistift liegt hier: **Die Bleistifte liegen** hier.
   Eine Feder liegt hier: **Federn liegen** hier.

1. Der Tisch steht hier.   2. Auch ein Stuhl steht hier.   3. Dort liegt das Heft.   4. Ein Papier liegt auch dort.   5. Dort steht ein Tisch, aber kein Stuhl.

c. PATTERN: Ich komme heute: **Wir kommen** heute. **Sie kommen** heute. **Kommen Sie** heute?

1. Ich stehe hier.   2. Ich spreche schon etwas Deutsch.   3. Ich gehe in die Stadt.   4. Ich erkläre das Wort.   5. Ich frage auf deutsch.   6. Ich antworte nicht schnell genug.

E. *Supply the proper forms of the verbs in parentheses:*

1. Die Stunde —— (beginnen).   2. Der Lehrer —— (kommen) herein und ich —— (sagen): „Guten Tag, Herr Professor."   3. Er —— (antworten): „Guten Morgen."   4. Wir —— (beginnen) sofort.   5. Der Lehrer —— (erklären) die Landkarte.   6. Er —— (sagen): „Hier oben —— (liegen) England und dort —— (liegen) Deutschland."   7. Die Landkarte —— (zeigen) Europa.   8. Hier —— (stehen) ein Tisch und dort —— (stehen) Stühle.   9. Dann —— (sein) die Stunde aus.

F. *Reformulate the following sentences by starting them with the word or phrase, as indicated:*

PATTERN: Wir lernen hier Deutsch.   Hier . . .: **Hier lernen wir** Deutsch.

1. Die Schüler kommen langsam.   Langsam . . .   2. Der Lehrer kommt schnell.   Schnell . . .   3. Die Glocke läutet schon.   Schon . . .   4. Die Stunde beginnt sofort.   Sofort . . .   5. Ein Tisch steht dort rechts.   Dort rechts . . .   6. Das Fenster ist dort links.   Dort links . . .   7. Der Lehrer hängt dann eine Landkarte an die Wand.   Dann . . .

G. *Ask yourself and others questions like the following and answer them in German:*

a. Kommt der Lehrer gewöhnlich um acht Uhr?   Kommt er um neun Uhr? Wann kommt er?   Beginnt die Stunde sofort?   Wann beginnt die Stunde? Was sagt der Lehrer?   Was fragt er zum Beispiel?   Hängt hier eine Landkarte?   Ist sie bunt?   Was zeigt sie?   Liegt England oben oder unten?   Zeigt die Landkarte auch viel Wasser?   Ist die Nordsee oben?   Ist die Stadt Bonn groß?   Ist Wien groß?

b. Stehen hier Tische und Stühle?   Sind sie alle braun?   Sind sie neu oder alt? Ist der Tisch dort rund oder eckig?   Ist eine Zigarette gewöhnlich weiß?   Ist eine Zigarre weiß?   Ist eine Studentin eine Frau?   Ist ein Student eine Frau?

c. Sprechen Sie Deutsch? Sprechen Sie es gut? Sprechen Sie es schnell?
Sprechen Sie es richtig? Ist Deutsch schwer? Fragt der Lehrer viel? Fragt
er schnell? Fragt er richtig? Antworten Sie gewöhnlich richtig? Warum
sind Sie hier? Wann läutet die Glocke? Ist die Stunde jetzt aus?

d. Sprechen alle Österreicher Deutsch? Sprechen auch alle Schweizer Deutsch?
Liegt die Stadt Wien in Deutschland? Wo liegt Wien? Wien ist schön, nicht
wahr? Paris liegt in Frankreich, nicht wahr? Wo liegt London?

„Übung macht den Meister.“

DIE DRITTE STUNDE

I. SPRECHEN UND LESEN

1. Von Kopf zu Fuß

Unser Schulzimmer ist groß und hell. Es hat eine Tür und vier
Fenster. Es hat natürlich auch eine Decke[1] und einen Boden. Wir
sehen vor uns[2] die Tafel, die Wand und die Landkarte. Aber den Lehrer
sehen wir nicht. Er ist noch nicht da. Es ist noch zu früh.

Jetzt kommt der Lehrer herein.[3] Er geht sofort an die Tafel. Er 5
lacht und sagt: „Keine Angst![4] Wir schreiben heute nicht. Wir zeichnen heute. Wir zeichnen einen Mann. Wir zeichnen ihn von oben nach
unten. Wir beginnen oben. Passen Sie auf:

Wir zeichnen zuerst den Hut; er ist groß und rund. Dann zeichnen
wir den Kopf; er ist auch groß und rund. Zwischen Hut und Kopf 10
machen wir einige Striche; das ist das Haar. Sehen Sie es? Nun kommen zwei Punkte: das sind die Augen. Und dann ein Kreis: das ist die
Nase. Und hier ist ein Strich: das ist der Mund. Und noch ein Strich:

---

[1] ceiling. [2] in front of us. [3] **kommt ... herein** comes in. [4] "Don't
worry!"

das ist eine Zigarette, sie brennt[1] sogar. Sehen Sie diese Schlangenlinie?[2] Das ist der Rauch.[3] Und hier haben Sie die Ohren: ein Ohr
rechts und ein Ohr links. Dann kommt der Hals; er ist lang und dünn.
Und jetzt kommt der Körper: die Brust, die Arme und der Bauch.[4]
5 Endlich kommen die Beine und Füße.

Nun ist der Mann fertig. Aber er hat noch keine Kleider.[5] Er
friert.[6] Wir müssen ihn anziehen.[7] Daher zeichnen wir schnell einen
Kragen,[8] eine Krawatte, eine Jacke, eine Hose[9] und ein Paar Schuhe.
Wir zeichnen auch Handschuhe über die Hände und eine Brille[10] über
10 die Augen. Zum Schluß[11] hängen wir noch einen Regenschirm[12] über
den linken Arm.

Nun, wie gefällt Ihnen unser Freund?"[13]

2. Ein Gespräch

Der Lehrer kommt von rechts, Walter Klein von links.

WALTER: Guten Morgen, Herr Professor!

PROFESSOR: Guten Morgen, Herr Klein, wie geht es Ihnen?

WALTER: Danke, es geht mir heute nicht sehr gut. Deutsch ist zu
schwer — zu viele Wörter und Übungen!

PROFESSOR: Keine Angst, Herr Klein! Ich frage Sie heute nicht; wir
schreiben heute auch nicht.

WALTER: Was machen wir dann heute?

PROFESSOR: Wir zeichnen an die Tafel und in die Hefte.

Da lacht Walter Klein und sagt:

Heute habe ich Deutsch gern!

3. Ein Merkvers

Wir zeichnen den Kopf, er ist groß und rund.
Dann kommt das Haar, die Nase, der Mund.
Eine Schlangenlinie machen wir auch.
Der Lehrer sagt, das ist der Rauch!
Der Regenschirm kommt noch zum Schluß.
Hier steht der Mann von Kopf zu Fuß!

---

[1] is burning. [2] **die Schlange** (serpent) + **die Linie** = curling line. [3] smoke.
[4] belly. [5] clothes. [6] is freezing. [7] dress. [8] collar. [9] pair of pants.
[10] pair of glasses. [11] in conclusion. [12] umbrella. [13] "Well, how do you like
our friend?"

II. WORTSCHATZ

*1. Muß ist eine harte Nuß

a. **an** [1] to
    an die Tafel to (onto) the blackboard
nach toward
    nach unten toward the bottom; downward
ohne without
    ohne einen Hut without a hat

über over
    über den Arm over the arm
von from
    von oben from the top; from above
vor in front of
    vor uns in front of us
zwischen between
    zwischen Hut und Kopf between (the) hat and head

b. **bereit'** ready
    bereits' already
daher therefore, thence
endlich finally
fertig finished, done
noch still, yet (*in a time sense*)
    noch ein one more
    noch nicht not yet
sogar' even

dick : dünn thick, fat : thin, slender
dunkel : hell dark : light, bright

lachen to laugh
machen to make, do
schreiben to write
sehen to see
zeichnen to draw, sketch

*2. Noch einige Körperteile (a few more parts of the body)

der Hals, die Hälse neck
der Kopf, die Köpfe head
der Mund, die Münder mouth

das Auge, die Augen eye
das Bein, die Beine leg
das Gesicht', die Gesich'ter face

das Knie, die Knie knee
das Ohr, die Ohren ear

die Brust, die Brüste breast, chest
die Nase, die Nasen nose
die Zehe, die Zehen toe

*3. Time expressions

früh : spät early : late
heute : morgen today : tomorrow
jetzt (nun) : dann now : then

sofort', sogleich', gleich at once, right away
zuerst' : zuletzt' (at) first : last(ly)

---

[1] Since prepositions state relationships, they cover a wide range of meaning. For the present you need only be familiar with the meanings given here; additional meanings and the case forms used after these prepositions will be taken up later on.

*4. Die Zahlen von 11 bis 20

11 elf	12 zwölf	13 dreizehn	14 vierzehn	15 fünfzehn
16 sechzehn	17 siebzehn	18 achtzehn	19 neunzehn	20 zwanzig

5. Diminutives

The German endings –chen and –lein on a noun indicate small size or that you are fond of the object mentioned, often both. (In English: booklet, lambkin, etc.)

> der Mann: das Männchen, das Männlein
> das Haus: das Häuschen, das Häuslein
> die Frau: *das Fräulein (*miss; Miss*)
> (die Maid): *das Mädchen (*girl, young lady*)

These diminutives are always **das**-nouns, and they usually have an umlaut, if possible. The plural of these nouns is always identical with the singular: **das Mädchen, die Mädchen.**

*6. A few important phrases

a. Wie geht es Ihnen? (Wie geht's?)	*How are you?*
Es geht mir gut.	*I am fine.*
Danke, gut, und Ihnen?	*Thanks, fine, and you?*
Ich **habe** Deutsch **gern.**	*I like German.*
Er zeichnet **gern.**	*He likes to draw.*
Passen Sie auf!	*Pay attention!*
Wieviel (*or:* **Wie viele**) Finger haben Sie?	*How many fingers do you have?*
b. Dies ist ein Stuhl, **das ist** ein Tisch.	*This is a chair, **that is** a table.*
Dies sind Tische, **das sind** Stühle.	***These are** tables, **those are** chairs.*

III. ERLÄUTERUNGEN

1. The accusative case

Der Lehrer zeichnet **den** Mann; er zeichnet **einen** Mann; er zeichnet **ihn.**	*The teacher is drawing the man; he is drawing a man; he is drawing him.*

34

Jetzt zeichnet er **das** Ohr; er zeichnet **ein** Ohr; er zeichnet **es.**

Now he is drawing the ear; he is drawing an ear; he is drawing it.

Er zeichnet auch **die** Nase; er zeichnet **eine** Nase; er zeichnet **sie.**

He also draws the nose; he draws a nose; he draws it.

Wir sehen **die** Füße noch nicht; wir sehen **keine** Füße; wir sehen **sie** noch nicht.

We do not see the feet yet; we do not see any feet; we do not see them yet.

Er kommt **ohne einen** Hut; er kommt **ohne ihn.**

He comes without a hat; he comes without it.

In English practically all significant case forms have disappeared, so that we rely largely on word order to determine the function of a word in a sentence. For instance, "The dog bites the man" and "The man bites the dog" are identical as far as the words and forms are concerned; only the position of the words in these sentences tells us that it is the second sentence, and not the first, which has news value.

In German, case forms are still highly significant, although word order and common sense will also help you determine how words are being used. For instance, "Der Hund beißt den Mann" and "Den Mann beißt der Hund" both say the same thing. The shift in word order only indicates a shift in emphasis.

Only **der**-nouns in the singular have articles with specific case forms for the accusative in German, however. **Das**-nouns and **die**-nouns have the same articles in the accusative function as in the nominative. The nouns themselves do not change.

The accusative case forms are most frequently used for the direct object. They are also used after a few prepositions such as **für** *for* and **ohne** *without.*

2. Nominative and accusative forms

	SINGULAR			*PLURAL*
	WITH **der**-NOUNS	WITH **das**-NOUNS	WITH **die**-NOUNS	WITH ALL NOUNS
NOM.	*der* Stuhl *ein* Stuhl *er*	*das* Heft *ein* Heft	*die* Hand *eine* Hand	*die* Stühle / Hefte / Hände *keine* Stühle / Hefte / Hände *sie*
ACC.	*den* Stuhl *einen* Stuhl *ihn*	*es*	*sie*	

The accusative of **wer?** is **wen?**

Note also that the accusative of **ich** is **mich**; of **wir** it is **uns**. **Sie** *you* is both nominative and accusative.

3. *Haben* (to have) **in the present tense**

> ich **habe** ein Buch
> er, es, sie **hat** ein Buch
> wir, sie, Sie **haben** ein Buch

4. About adverbs

> *a.* Die Antwort ist **richtig.** Der Student   *The answer is **correct.** The student*
> antwortet **richtig.**   *answers **correctly.***

English frequently distinguishes between adjectives and adverbs, especially in formal speech or writing; often *–ly* is added to the adjective in order to form the adverb.   In German such a distinction is rare: the adjective without an ending is also the adverb.   — Note also that adjectives do not have any ending when they stand alone.

> *b.* Der Lehrer ist **jetzt hier.**   Er geht   *The teacher is here now.   He goes to*
> **sofort an die Tafel.**   Er geht   *the blackboard at once.   He walks*
> **schnell an die Tafel.**   *to the blackboard quickly.*

Adverbs of time in German regularly precede other adverbs.   Adverbs of place regularly follow other adverbs.

5. More noun plurals

> **a.* The following nouns do not add any ending to form their plural. However, many of them change the internal vowel to an umlaut. All **der**-nouns and **das**-nouns ending in –**er**, –**en**, –**el** form their plural in this way.

> > **der Boden, die Böden** floor; soil
> > **der Finger, die Finger** finger
> > **der Lehrer, die Lehrer** teacher
> > **der Mantel, die Mäntel** overcoat
> >
> > **der Schüler, die Schüler** schoolboy; pupil
> >
> > **das Fenster, die Fenster** window
> > **das Zimmer, die Zimmer** room

b. e-plurals:

*der Freund, die Freunde friend
der Handschuh, die Handschuhe glove
*der Hut, die Hüte hat
der Kreis, die Kreise circle

*der Punkt, die Punkte point, dot; period
der Strich, die Striche short line

*das Paar, die Paare pair

6. Pronunciation and spelling

a. THE UMLAUTS ü AND ö

They are so called because, historically, they are derived from an original
u or o respectively. Both sounds are unknown to English. They are,
however, quite easy to pronounce, for they actually are but German i and e
spoken with rounded lips. Ü and ö are rounded front vowels.

To produce the ü, simply say i, and while doing so, round your lips as for
whistling.

To produce the ö, say e, and then round your lips the same way.

Again there is a close and long, and an open short variety of both ü and ö,
often marked in the usual way: "long" by a following h (Stühle, gewöhnlich), "short" by a following double consonant letter (Flüsse, Schöller),
or by two or more consonant letters (fünf, zwölf).

b. z (tz) = *ts*

The letter z in German stands for the consonant combination ts.[1] While
in English this combination appears only at the end of a word or syllable,
as in *hats, gets, sits*, in German it often begins a word or syllable, as in
Zahl, zu. In final position ts is sometimes spelled tz: Satz, jetzt, zuletzt.
Read this tz as a simple z.

One way of getting used to pronouncing the z in this position is to begin
by saying, several times quickly, a phrase like *he gets up*, then gradually
dropping the sounds preceding the *ts: gets up, etsup, tsup*, and, finally,
continuing with the German words Zahl, zehn, zu, etc. which, then, will
come quite naturally.

---

[1] The sound spelled *z* in English is in German spelled s: sagen, sogar.

c. INITIAL **kn**

In German the sequence **kn** sometimes occurs at the beginning of a word, e.g., das **Knie.** Do not "drop" the **K**! (In English exactly the same sequence occurs in the middle of some words, as in *acne* or *acknowledge.*)

IV. ÜBUNGEN

A. 1. THE **ü** AND THE **ö**

a. Listen to the different vowel sounds in the following English and German words as your instructor pronounces them, then try to pronounce them yourself. Round your lips while pronouncing the German vowels!

CLOSE LONG **ü**		OPEN SHORT **ü**	
free	: früh	din	: dünn
green	: grün	flimsy	: Flüsse
steel	: Stühle	stick	: Stück

CLOSE LONG **ö**		OPEN SHORT **ö**	
hare	: hören	twelve	: zwölf
vain	: gewöhnlich	very	: Wörter
share	: schön	shell	: Schöller

b. Following your instructor, pronounce the following pairs of words and phrases aloud:

CLOSE LONG **e** : CLOSE LONG **ö**		OPEN SHORT **e** : OPEN SHORT **ö**	
lehren	: hören	elf	: zwölf
ähnlich	: gewöhnlich	fertig	: Wörter
zehn	: schön	Hefte	: Köpfe

CLOSE LONG **i** : CLOSE LONG **ü**		OPEN SHORT **i** : OPEN SHORT **ü**	
vier	: für	Finger	: fünf
ihn	: grün	dick	: Stück
studieren	: natürlich	bin	: dünn

das sind Füße   : das sind Flüsse
wie heißt der Schüler? : er heißt Müller
die Stühle sind grün   : die Stücke sind dünn
über die Türen   : fünfzehn Münder

gewöhnliche Böden   : zwölf Röcke
was hören Sie da?   : Wörter und Sätze
Österreich ist schön : Köpfe und Körper

2. PRACTICING THE z

To warm up, read quickly: he gets up, gets up, etsup, tsup, Zahl, zehn, zu.
Now read carefully so as to enunciate **ts** *clearly every time a* z *appears in print:*

Zwei ist eine Zahl; zehn, zwölf und zwanzig sind auch Zahlen.

Ein Fuß hat fünf Zehen; zwei Füße haben zehn Zehen; diese Übung hat
zehn Zeilen.

Wir zeichnen den Mann; zuerst zeichnen wir den Hut; zuletzt zeichnen wir
den Regenschirm; jetzt ist die Übung zu Ende.

B. *Complete the following sentences with* **den, das,** *or* **die,** *as required:*

1. Sehen Sie —— Tisch? 2. Sehen Sie —— (*sing.*) Fenster und —— Tür?
3. Sehen Sie auch —— (*sing.*) Lehrer? 4. Sehen Sie —— Stühle? 5. Wir
zeichnen zuerst —— Hut, —— Kopf und —— Körper. 6. Dann zeichnen
wir —— Arme und —— Beine. 7. Endlich zeichnen wir —— Regenschirm
und —— Handschuhe. 8. Haben Sie —— Mann gern?

C. *Complete the following sentences with the proper forms of* **ein** *or* **kein,** *as indicated:*

1. Habe ich —— (*a*) Mantel? Ja, Sie haben —— (*a*) Mantel. Nein, Sie
haben —— (*no*) Mantel.
2. Sehen Sie —— (*a*) Buch? Ja, ich sehe —— (*a*) Buch. Nein, ich sehe
—— (*no*) Buch.
3. Haben wir jetzt —— (*a*) Stunde? Ja, wir haben jetzt —— (*a*) Stunde.
4. Zeichnet der Lehrer —— (*a*) Mann? —— (*a*) Haus? —— (*a*) Mädchen?
Nein, er zeichnet —— (*not a*) Mann, —— (*not a*) Haus und auch ——
(*not a*) Mädchen.
5. Sehen Sie —— (*a*) Fenster? —— (*a*) Tür? —— (*a*) Landkarte?

A new *Gymnasium* in Stuttgart

„Unser Schulzimmer ist groß und hell."

D. *Replace the italicized nouns with the corresponding pronouns:*

    PATTERNS: *Der Hut* ist braun: **Er** ist braun.
                     Die Schülerin fragt *den Lehrer*: **Sie** fragt **ihn.**

    1. *Das Buch* ist bunt. 2. Wo liegt *das Buch?* 3. *Die Zigarette* ist weiß.
4. Wo liegt *die Zigarette?* 5. *Der Bleistift* ist lang. 6. *Der Lehrer* ist hier.
7. Wo ist *der Lehrer?* 8. Hier kommen *die Schüler.* 9. Sehen Sie *das Buch?*
10. Ja, ich sehe *das Buch.* 11. Sehen Sie *die Feder?* 12. Nein, ich sehe
die Feder nicht. 13. Haben Sie *den Bleistift?* 14. Nein, ich habe *den Bleistift*
nicht. 15. *Der Lehrer* erklärt *die Landkarte.* 16. Jetzt fragt *der Lehrer den
Schüler.* 17. Dann fragen *die Schüler den Lehrer.* 18. Jetzt zeichnet *der
Lehrer den Mann.*

E. *Change all italicized words to the corresponding plural forms:*

    PATTERNS: *Ein Kreis ist* rund: **Kreise sind** rund.
                     Ich sehe ihn: **Wir sehen sie.**

    1. *Das Klassenzimmer ist* nicht sehr groß. 2. *Das Mädchen kommt* in das
Schulzimmer. 3. Er schreibt *einen Satz* an die Tafel. 4. *Ich spreche* und
schreibe Deutsch gern. 5. Sehen Sie *mich?* Sehen Sie *ihn?* 6. *Er hat keinen
Freund.* 7. *Der Schüler hat einen Mantel* und *einen Hut.*

F. *Ask yourself and others questions like the following and answer them in German:*

    a. Wie heißen Sie? Wie geht es Ihnen? Sind Sie der Lehrer? Sind Sie eine
Schülerin? Haben Sie jetzt eine deutsche Stunde? Haben Sie auch morgen
eine?

    b. Habe ich einen Bleistift? Sehen Sie ihn? Habe ich ein Buch? Sehen Sie es?
Habe ich eine Brille? Sehen Sie sie? Haben Sie eine Feder? eine Brille?
einen Mantel? einen Regenschirm? Haben Sie viele Freunde?

    c. Wie viele Finger haben Sie? wie viele Hände? wie viele Beine? wie viele
Knie? wie viele Zehen? wie viele Augen? wie viele Ohren? wie viele
Köpfe? Wieviel ist zwei und sechs? Wieviel ist vier und sieben? usw.

    d. Zeichnen Sie gern? Was zeichnen Sie? Zeichnen Sie ein Haus oder einen
Mann? Zeichne ich einen Mann an die Tafel? Sehen Sie ihn? Haben Sie
ihn gern? Hat er einen Hut? Hat er auch Handschuhe? Ist der Kopf rund
oder eckig? Ist der Hals dick oder dünn?

e. Was sehen Sie hier? Sehen Sie die Wände und die Fenster? Sehen Sie mich? Sehe ich Sie? Sind Sie groß oder klein? dick oder dünn? alt oder jung? Ist das Zimmer hell oder dunkel? Ist die Tür breit oder schmal? Sehen Sie die Landkarte? Welche Farbe hat das Land? Welche Farbe hat das Wasser? Fragen Sie mich oder frage ich Sie? Jetzt frage ich Sie, nicht wahr?

f. Sehen Sie den Lehrer? Was macht er? Wen fragt er? Antworten die Schüler schnell? Frage ich Sie oft, Herr Schmidt? Antworten Sie immer richtig, Fräulein Graf? Schreibe ich jetzt an die Tafel? Zeichne ich? Was zeichne ich?

g. Kommt der Lehrer um neun Uhr in das Zimmer? Wann kommt er? Geht er sofort an die Tafel? Schreibt oder zeichnet er an die Tafel? Was schreibt er? Was zeichnet er? Passen Sie immer auf? Ist die Stunde jetzt aus? Sind wir jetzt fertig?

„Was Hänschen nicht lernt, lernt Hans nimmermehr.“

DIE VIERTE STUNDE

I. SPRECHEN UND LESEN

1. Wir hören Schallplatten

Heute bringt der Lehrer einen Kasten in die deutsche Stunde. Er
stellt den Kasten auf den Tisch und sagt: „Nun raten Sie,[1] was das
ist!" Ein Schüler meint, es ist ein Koffer; ein anderer [2] fragt: „Ist es
vielleicht eine Kamera?" Aber der Lehrer antwortet: „Nein, nein,
5 ganz falsch!" Dann macht er den Kasten auf und sagt: „Sehen Sie
jetzt, was es ist? — Es ist ein Plattenspieler und hier sind einige Schallplatten."

Schallplatten sind sehr nützlich,[3] wenn man eine Sprache lernt.
Nicht alle Deutschen [4] sprechen gleich. Es gibt [5] viele verschiedene
10 Dialekte. Norddeutsche, zum Beispiel, sprechen anders als [6] Süd-
deutsche. Auch die Stimme macht einen Unterschied.[7] Männer, zum
Beispiel, sprechen anders als Frauen. Es ist nicht gut, wenn wir nur

---

[1] guess. [2] another one. [3] useful. [4] **der Deutsche** the German. [5] there
are. [6] than. [7] difference.

main thing

den Lehrer hören. Die Hauptsache[1] aber ist: man kann eine Schallplatte so oft wiederholen, wie man will.

„Nun hören Sie zu!" sagt der Lehrer, „ich spiele jetzt eine Platte für Sie. Es ist eine Sprechplatte. Passen Sie auf!" Die Platte beginnt:

> Hier ist ein Wohnzimmer. Wir sehen darin[2] einen Tisch, einige   5
> Stühle und ein Sofa. Ein Mann kommt herein. Es[3] ist der Vater.
> Er sagt: „Guten Abend, Marie." Eine Frau antwortet: „Guten Abend,
> Karl." Es[3] ist die Mutter. Sie heißt Marie. Es sind auch Kinder da:
> ein Junge,[4] Hans, und ein Mädchen, Gretl. Was tun Hans und Gretl?
> Sie lernen. Sie sind fleißig. Sie machen Schulaufgaben. Hans schreibt   10
> und Gretl zeichnet.

Das ist leicht. Wir verstehen den Sprecher gut.

Es ist nicht so leicht für uns, Gesangsplatten zu verstehen. Trotzdem[5] haben wir sie gern. Wir hören natürlich zuerst ganz einfache[6] Lieder und wir verstehen oft nur ein paar Worte oder eine Zeile. Aber   15 das ist genug für den Anfang. Heute, zum Beispiel, hören wir das schöne Wiegenlied von Brahms, das so beginnt:

> Guten Abend, gute Nacht!
> Mit Rosen bedacht[7] . . .

Zum Schluß spielt der Lehrer dann das Kinderlied: 20

> Ein Männlein steht im Walde
> ganz still und stumm[8] . . .

Wenn um zehn Uhr die Glocke läutet, hören wir sie nicht, denn[9] wir singen so laut und eifrig.[10]

2. Ein Gespräch zwischen Walter und Vera

SZENE: *Das Klassenzimmer. Der Lehrer ist noch nicht da. Es ist noch zu früh. Aber ein paar Studenten sind schon da. Einige sprechen, andere schreiben und zeichnen an die Tafel. Auch Vera Schöller ist schon da.*

WALTER *kommt herein; er macht die Tür auf und sagt:*
Good morning, Vera, nice to see you.

---

[1] **das Haupt** (head, chief) + **die Sache** (thing) = main thing.   [2] in it.   [3] **es** *here serves as an expletive that points to the subject which follows the verb. German would not use the personal pronouns* **er** *or* **sie** *in a case of this kind.*   [4] boy. [5] nonetheless.   [6] simple.   [7] "with roses bedight."   [8] "A little man stands in the woods, very quiet and still."   [9] for.   [10] zealously, enthusiastically.

VERA: Aber Walter, können Sie mich nicht auf deutsch begrüßen?

WALTER: Natürlich, das tue ich sehr gern: Guten Morgen, Fräulein Vera! Wie geht es Ihnen?

VERA: Danke, sehr gut, und Ihnen?

WALTER: Nicht sehr gut, ich habe zu viele Hausaufgaben.

VERA: Aber Sie sind doch so fleißig! Arbeiten Sie denn nicht gern?

WALTER: Heute nicht. Heute bin ich faul. Heute will ich nichts tun, nur spazierengehen und singen!

VERA: Psst! Sagen Sie das nicht so laut!

Man hört den Lehrer kommen. Das Gespräch ist zu Ende.

3. Ein Merkvers

Walter Richard Klein, so heiß'[1] ich,
bin nicht faul, bin immer fleißig.
Früh geh' ich in die deutsche Stunde,
denn Morgenstund' hat Gold im Munde.

II. WORTSCHATZ

*1. Muß ist eine harte Nuß

a. **auf** on
    auf den Tisch on (onto) the table
in in
    in das Zimmer in (into) the room

für for
    für mich for me
    für Sie for you
zu to
    zu uns to us

b. **man** one; people; "you"
    man lernt eine Sprache one learns a language

Man occurs very frequently. It is always used with the third person singular of the verb (see *Zweite Stunde*, III, 1b).

---

[1] In colloquial speech, and for metric purposes, the ending –e is often dropped. In writing, its place is indicated by an apostrophe.

c. **denn** for, because
   immer always
   nur only
   so (oft) wie as (often) as
   vielleicht′ perhaps

sprechen to speak
   der Sprecher, die Sprecher speaker
   die Sprache, die Sprachen language;
   speech

    ein Paar : ein paar a pair (of) : a couple (of), a few
    einige : andere some, a few : others

d. **fleißig : faul** hard-working, diligent : lazy
   gleich : verschie′den same, alike; equal : different(ly)
      anders different(ly)
   laut : leise loud, aloud : soft, quiet
      still silent, still

*2. Wie man grüßt (simple greetings)

       grüßen, begrü′ßen to greet

Guten Morgen!	*Good morning!*	(Both *Hello!* and *Good-by!*)
Guten Tag!	*Good day!*	(Both *Hello!* and *Good-by!*)
Guten Abend!	*Good evening!*	(Both *Hello!* and *Good-by!*)
Gute Nacht!	*Good night!*	(*Good-by!* only)
Grüß Gott!	*God greet you!*	(Both *Hello!* and *Good-by!* in southern Germany)

When you say "Good morning," you are in effect saying, "I wish you a good morning." That is why German uses accusative forms here.

*3. A few basic verbs

a. **arbeiten : spielen** to work : to play
   bringen to bring
   machen to make, do
   meinen to say, suggest, "opine"
   singen to sing
   stellen to put, place

tun to do
   ich tue; er, es, sie tut
   wir, sie, Sie tun
verste′hen to understand
wiederho′len to repeat; *here:* "play over"
wohnen to live, dwell

b. **können** can, to be able to
   ich, er, es, sie kann
   wir, sie, Sie können

müssen must, to have to
   ich, er, es, sie muß
   wir, sie, Sie müssen

    wollen to want to, wish to, intend to
      ich, er, es, sie will
      wir, sie, Sie wollen

*4. Mann oder Frau?

der Freund : die Freundin the (*male*) friend ; the (*female*) friend
der Lehrer : die Lehrerin the (*man*) teacher : the (*woman*) teacher
der Amerika'ner : die Amerika'nerin usw.

Nouns that specifically refer to men or males are usually **der**-nouns. Nouns that specifically refer to women or females are usually **die**-nouns. When **der**-nouns such as those given above refer to women or females, German changes the article from **der** to **die** and also adds the ending –in to the noun.

5. Compound nouns [1]

*die Aufgabe, –n task, assignment
die Hausaufgabe, –n homework
die Schulaufgabe, –n schoolwork
*das Lied, –er song
das Kinderlied, –er children's song
das Wiegenlied, –er cradle song, lullaby

die Platte, –n plate, platter; record
die Schallplatte, –n phonograph record
die Gesangs'platte, –n record with singing
die Sprechplatte, –n record with speaking
der Spieler, – player
der Plattenspieler, – record player

*das Zimmer, – room
das Klassenzimmer, – classroom
das Schulzimmer, – schoolroom
das Wohnzimmer, – living room

Compound nouns are very common in German. You can almost always determine their meaning from the meaning of their component parts. (In English: *classroom, bedroom, icebox, highway, etc.*) — Notice that it is always the last component that determines the class and the plural form of the compound noun: **das** Haus + **die** Aufgabe = **die** Hausaufgabe (*pl.* die Hausaufgaben).

---

[1] Note: *From now on, the plural of nouns will be indicated by listing only the ending, the umlaut if there is one, or the fact that there is no change, as follows:* der Arm, –e (die Arme); der Hals, ⸚e (die Hälse); der Kopf, ⸚e (die Köpfe); der Fuß, ⸚e (die Füße); der Mantel, ⸚ (die Mäntel); die Frau, –en (die Frauen); die Aufgabe, –n (die Aufgaben); das Lied, –er (die Lieder); das Buch, ⸚er (die Bücher); das Haus, ⸚er (die Häuser); das Zimmer, – (die Zimmer); das Sofa, –s (die Sofas).

III. ERLÄUTERUNGEN

*1. Verbs with separable prefixes

a. **auf-machen : zu-machen** to open : to close
(**hören**) : **zu-hören** (to hear) : to listen
weiter-fragen : weiter-hören to go on asking : to go on listening
auf-passen to pay attention
herein'-kommen to enter, come in(side)
spazie'ren-gehen to go for a stroll

There are many important German verbs which consist of a simple verb in combination with a preposition or another part of speech. These verbs are entered in the vocabulary of this book with a hyphen between the prefix and the verb to indicate that the prefix normally stands *separated* from the verb in the simple tenses. However, German spelling does *not* use such a hyphen. — Note that the prefix of "separable" verbs is heavily accented. (Compare the English: Come on! Speak up! He looks the lesson over again.)

b. The present tense of verbs with separable prefixes:

auf-passen *to pay attention*

ich passe immer auf	*I always pay attention*
er, es, sie paßt immer auf	*he, it, she always pays attention*
wir, sie, Sie passen immer auf	*we, they, you always pay attention*

The prefix of separable verbs normally stands at the end of the sentence or clause in the present tense.

c. A note on the infinitive of separable verbs:

Wir müssen immer gut **aufpassen**.	*We must always **pay** close **attention**.*
Wir sind hier, um gut **aufzupassen**.	*We are here **to pay** close **attention**.*

The infinitive form of separable verbs — both with and without **zu** — is written as one word. The **zu** stands between the prefix and the verb.

In most dictionaries these verbs are listed under the first letter of their infinitive form, e.g., **aufmachen** under the letter **A, zumachen** under **Z**.

Notice also that the infinitive, as usual, stands at the end of the clause (see *Zweite Stunde*, III, 1a).

49

„Hier ist ein Wohnzimmer."

Berlin: a new apartment house

2. Polite command

Seien Sie so gut!	*Be so good!*
Kommen Sie! Antworten Sie!	*Come! Answer!*
Machen Sie die Tür nicht auf!	*Do not open the door!*

The polite imperative is the form generally used to give an order directly to another person. Except for **sein** *to be,* the form of the verb is identical with the polite form of address. Notice, however, that German uses the pronoun **Sie** after the verb, while English does not ordinarily use a pronoun. — The exclamation point is obligatory with the imperative in German.

3. More noun plurals

a. Most **die**-nouns form their plurals by adding **–en**; if the noun ends in **–e**, **–er**, or **–el**, just **–n** is used. In this group the internal vowel is never changed to an umlaut. Here are some of the **die**-nouns you have had which form their plurals with **–en** or **–n**:

*die Feder, –n pen; feather	*die Stunde, –n hour, lesson, class hour
*die Frau, –en woman, Mrs.	*die Tür, –en door
*die Karte, –n card; map	*die Übung, –en exercise
*die Lippe, –n lip	die Zahl, –en number
*die Schule, –n school	die Zeile, –n line (*of text*)
*die Stimme, –n voice	die Zigaret'te, –n cigarette

Note that **die**-nouns ending in **–in** (see *Wortschatz,* Section 4) are spelled with a double **n** in the plural: **die Freundin, die Freundinnen; die Studentin, die Studentinnen usw.**

b. Plurals without an ending:

*der Kasten, – box, chest	*die Tochter, ⸚ daughter
*der Koffer, – trunk	*der Vater, ⸚ father
*die Mutter, ⸚ mother	

c. Plurals in **–s**:

die Kamera, –s camera	(die) Müllers
das Sofa, –s sofa	(die) Schmidts

Many foreign nouns and all names form their plurals by adding **–s**.

4. Pronunciation and spelling

a. THE GERMAN **a**-SOUNDS

haben : Hand
Zahl   : falsch

The close long **a** (**haben, Zahl**) is somewhat similar to the American English vowel in *calm, John, gone;* the open short one (**falsch, Hand**) is somewhat similar to the American English vowel in *hut* and *come.*

For both **a**-sounds the tongue is kept rather flat in the center of the mouth: **a** is a "central vowel." (The tongue is slightly raised in back for the close **a**, in front for the open **a.**)

The spelling is always **a**, never *o*, as it often is in English. The long **a** is sometimes spelled **ah** (**Zahl**) or **aa** (**Haar, Paar**), while the open short **a** is frequently marked in the usual way: **Mann, Schall, Platte, Kasten, machen.** (See *Zweite Stunde*, III, 7a.)

b. THE GERMAN **r**-SOUND

This sound will probably cause you some trouble, for German does not use the typical English *r.*

The German **r** can be produced in two ways: either by a slight vibration of the tip of the tongue, or by a vibration of the uvula. Either of these pronunciations is acceptable.

You will find it especially hard to pronounce German **r** when it occurs after a short vowel ("postvocalic *r* "), as in **Arm, lernen, morgen.** Try to keep the tip of your tongue down firmly while producing this **r.**

IV. ÜBUNGEN

A. 1. THE **a**-SOUNDS

a. Listen to the difference between the vowel sounds in the English and German words; then practice:

dart	: da	harbor	: haben
hard	: Haar	par	: Paar
target	: Tage	saga	: sagen

b. Following your instructor, pronounce the contrasting pairs of phrases aloud several times:

CLOSE LONG **a** : OPEN SHORT **a**

sagen und fragen   : machen und lachen
da ist die Tafel   : das ist der Mantel
die Frage ist klar   : die Antwort ist falsch
die Nase ist schmal : die Hand ist lang

2. THE **r**-SOUND

*a. Listen to the **r**-sounds of English and German; then practice:*

red	: rechts	green	: grün
wrote	: rot	arm	: Arm
dry	: drei	mortgage	: morgen
brown	: braun	fertile	: fertig

*b. To practice the German **r**-sound in its several positions, pronounce the following words aloud several times:*

richtig, rechts, rot, bereit
drei, braun, fragen, groß, grün, Kreide, sprechen
lernen, fertig, zuerst; Körper, Wörter; wirklich; Arm, Farbe, arbeiten,
    schwarz; morgen, kurz

B. *Read the following sentences as commands:*

PATTERN: Sie kommen: **Kommen Sie!**

1. Sie machen die Tür auf. 2. Sie kommen herein. 3. Sie machen die Tür zu. 4. Sie sprechen Deutsch. 5. Sie antworten sofort. 6. Sie schreiben die Übung. 7. Sie spielen eine Platte. 8. Sie hören zu. 9. Sie gehen jetzt.

C. *Complete the following sentences as indicated:*

1. Ich —— (*am coming*) sogleich. 2. Der Lehrer —— (*asks*) viel. 3. Der Schüler —— (*answers*) richtig. 4. Der Tisch —— (*is, stands*) hier; dort —— (*are, lie*) die Federn. 5. Hier —— (*is, stands*) ein Buch; dort —— (*is, lies*) ein Bleistift.

6. Was —— —— (*are we doing*) jetzt? 7. Wir —— (*are learning*) Deutsch. 8. Wir —— (*are hearing*) eine Schallplatte. 9. Wir —— (*are listening*).

54

10. Wir —— (*draw*) auch; wir —— (*can*) gut zeichnen. 11. Wir —— (*pay attention*) gut ——. 12. Wir —— (*open*) ein Buch ——. 13. Dann —— (*close*) wir es wieder ——.

D. *Read the following sentences in the plural:*

a. PATTERNS: Hier ist eine Zigarette: Hier **sind Zigaretten.**
Da liegt der Bleistift: Da **liegen die Bleistifte.**

1. Hier ist ein Tisch. 2. Da steht ein Stuhl. 3. Dort steht ein Sofa. 4. Hier ist eine Kamera. 5. Da liegt das Buch. 6. Dort hängt die Landkarte. 7. Die Übung ist kurz, aber sie ist nicht leicht.

b. PATTERNS: Eine Frau kommt herein: **Frauen kommen** herein.
Sie singt ein Lied: **Sie singen Lieder.**

1. Eine Schülerin kommt herein. 2. Sie kommt spät. 3. Jetzt hört sie eine Schallplatte. 4. Sie hat die Platte gern. 5. Daher hört sie gut zu. 6. Aber sie kann die Platte nicht gut verstehen. 7. Sie wiederholt die Platte. 8. Sie muß sie noch oft hören.

c. PATTERNS: Ich singe ein Lied: **Wir singen Lieder.**
Ich verstehe es gut: **Wir verstehen sie** gut.

1. Ich arbeite gewöhnlich viel. 2. Ich passe immer gut auf. 3. Ich studiere jetzt Deutsch. 4. Ich mache eine Aufgabe. 5. Ich will sie richtig machen. 6. Ich muß gut aufpassen. 7. Ich muß einen Satz schreiben. 8. Ich will ihn richtig schreiben. 9. Daher schreibe ich ihn langsam.

E. *Read the following passage in the singular:*

PATTERN: Hier liegen einige Hefte: Hier **liegt ein Heft.**

1. Die Schulzimmer sind groß. 2. Die Fenster sind hoch und breit. 3. Wir machen sie immer auf. 4. Hier liegen einige Federn und dort liegen einige Bleistifte. 5. Dort kommen einige Schüler. 6. Sie wollen Deutsch lernen. 7. Wir sind auch Schüler. 8. Wir arbeiten fleißig. 9. Wir schreiben Sätze. 10. Wir hören auch ein paar Schallplatten. 11. Wir haben sie gern und wiederholen sie oft.

F. *Ask yourself and others questions like the following and answer them in German:*

a. Guten Morgen! Was machen wir heute? Was tun Sie jetzt? Lernen Sie hier Englisch? Was lernen Sie hier? Antworten Sie immer auf deutsch?

Wollen Sie Deutsch lernen? Haben Sie den Lehrer (die Lehrerin) gern? Antworten Sie immer richtig? Sprechen Sie schnell oder langsam? Sprechen Sie laut? Sprechen Sie laut genug? Ist Englisch schwer für Sie? Ist Deutsch so leicht für Sie wie Englisch? Sprechen Sie Deutsch so gut wie Englisch? Sind Sprachen schwer?

b. Sind Sie immer fleißig? Machen Sie alle Übungen? Müssen Sie viele machen? Arbeiten Sie viel? Arbeiten Sie genug? Müssen Sie viel arbeiten? zu viel? Spielen Sie auch viel? Haben Sie Schallplatten gern? Verstehen Sie den Sprecher? Können Sie ihn immer gut verstehen?

c. Was tun wir jetzt? Was habe ich hier? Habe ich einen Koffer? Habe ich eine Kamera? Haben Sie einen Bleistift? Haben Sie eine Feder? Können Sie ohne Bleistift oder Feder schreiben? Können Sie ohne Brille sehen?

d. Liegt hier ein Buch? Steht dort ein Tisch? Steht hier ein Stuhl oder ein Sofa? Stehen einige Stühle da? Ist das Zimmer klein oder groß? Ist es hoch oder niedrig? Ist es ein Wohnzimmer oder ein Klassenzimmer? Haben Sie einen Lehrer oder eine Lehrerin? Haben Sie eine Hausaufgabe für morgen? Was müssen Sie tun?

e. Wie viele Fenster hat das Zimmer? Machen wir die Fenster auf? Machen wir nur e i n [1] Fenster auf? Wer macht die Tür auf? Wollen Sie die Tür wieder zumachen? Hören Sie immer gut zu?

f. Verstehen Sie, was ich sage? Spreche ich schnell oder langsam? Was meinen Sie, Herr Müller? Spreche ich zu schnell? Spreche ich langsam genug? Ist meine Stimme laut genug? Ist sie vielleicht zu leise? Hören Sie mich jetzt? Können Sie mich gut hören? Hören Sie gut zu? immer? Sind Sie ein Schüler? Sind Sie eine Schülerin? Sind Sie Student? Ist das genug für heute? Ist die Stunde aus? Wollen Sie jetzt spazierengehen?

„Morgenstund' hat Gold im Mund."

---

[1] In German, s p a c i n g is commonly used instead of *italics*. Thus **e i n** here means *one* rather than *a*.

DIE FÜNFTE STUNDE

I. SPRECHEN UND LESEN

1. Eine englische Stunde

Wir besuchen heute eine Schule in Deutschland. Es ist ein Gymnasium.[1] Dort lernt man viele Sprachen, z.B. Englisch, Französisch und Lateinisch. Dort beginnt man sehr früh, Sprachen zu studieren.

Wir besuchen also eine englische Stunde. Das Klassenzimmer ist ähnlich wie in Amerika, aber es hat nur e i n e Wandtafel und die [2] ist 5 nicht sehr groß. Auch hat jeder [3] Schüler einen Tisch oder ein Pult.[4]

Der Lehrer spricht gerade über das englische Zeitwort oder Verb. Er sagt: „Das deutsche und das englische Zeitwort sind recht ähnlich. Nur hat das englische Zeitwort kein *t*, sondern ein *s* für die dritte Person Singular. ‚Der Lehrer kommt‘ heißt daher auf englisch ‚the teacher 10 comes,‘ und ‚der Student lernt‘ heißt auf englisch ‚the student learns.‘ Sonst hat das englische Zeitwort gar keine Endungen.“

„Wunderbar!“ rufen da einige Schüler, „das ist aber leicht! Warum ist denn das deutsche Zeitwort so kompliziert?“ 5

---

[1] *German intermediate school which prepares students primarily for the university.*
[2] **die** = *an emphatic* **sie.**   [3] *every.*   [4] *desk.*   [5] *complicated.*

„Warten Sie erst, bis [1] ich zu Ende bin!“ antwortet der Lehrer. „Das englische Zeitwort ist gar nicht immer so leicht; es hat nämlich noch eine Menge andere Formen.[2] Anstatt [3] ‚I come, he comes‘ usw. sagt man sehr oft ‚I am coming, he is coming‘ usw. Und manchmal sagt man sogar ‚I do come, he does come‘ usw. Alles das gibt es auf deutsch nicht.[4] Nein, nein, das englische Zeitwort ist gar nicht so leicht.“

Da hebt [5] ein kluger Student den Finger und sagt: „Dafür [6] hat aber das englische Zeitwort nicht den Lautwechsel, wie wir ihn so oft haben. Zum Beispiel: ich spreche, er spricht; ich lese, er liest; ich trage, er trägt.“

„Ja,“ sagt der Lehrer, „da haben Sie auch wieder recht.[7] Und vergessen Sie auch das Zeitwort ‚werden‘ nicht, es ist sehr wichtig und man hört es immer wieder. Zum Beispiel: Ich werde nie reich, er wird alt, Sie werden alle klug.“

Nun, welche Sprache ist leichter,[8] Deutsch oder Englisch?

2. Ein Gespräch: Walter Klein besucht den Lehrer

WALTER *kommt herein und sagt:* Guten Tag, Herr Professor!

PROFESSOR: Guten Tag, Walter. Bitte, setzen Sie sich! Was kann ich für Sie tun?

WALTER: Darf ich Sie etwas fragen?

PROFESSOR: Aber bitte, fragen Sie so viel Sie wollen. Ich habe gerade Zeit.

WALTER: Morgen kommt mein Vater aus New York, um mich zu besuchen.

PROFESSOR: Und da wollen Sie auf ihn [9] warten und nicht in die deutsche Stunde kommen? Rate ich richtig?

WALTER: Ja, ganz richtig. Mein Vater hat nämlich nicht viel Zeit. Er will auch mein Zimmer sehen und mit mir essen gehen.

PROFESSOR: Schon gut, Walter. Natürlich können Sie da nicht in die deutsche Stunde kommen.

---

[1] just wait until.   [2] "a number of other forms besides."   [3] instead of.
[4] **gibt es ... nicht** does not exist.   [5] raises.   [6] for that, on the other hand.
[7] **recht haben** to be right.   [8] easier.   [9] for him.

58

WALTER: Vielen Dank,[1] Herr Professor.

PROFESSOR: Bitte sehr.[2] Auf Wiedersehen, und grüßen Sie Ihren Herrn
            Vater von mir![3]

3. Die Zeit

Eins, zwei, drei, im Sauseschritt [4]
läuft die Zeit, wir laufen mit.

Wilhelm Busch [5]

II. WORTSCHATZ

*1. Muß ist eine harte Nuß

a. **besu'chen** to visit; attend
rufen to call, call out
warten to wait

alt : jung old : young
arm : reich poor : rich
dumm : klug stupid, dumb : smart, wise
    weise wise, sage

b. **Einige wichtige Wörtchen** (some important little words)

also so, thus
da there; then
gar "at all"
  gar nicht not at all
  gar nichts nothing at all
  gar keine (Zeit) no (time) at all
gera'de just, just now

nämlich namely, that is, "you see"
nun now; well
  nun also well then
recht right; quite
  recht gut quite good ("right good")
schon gut all right
sonst otherwise

*2. Die Zahlen von 0 bis 100

0 **null**	10 **zehn**	20 **zwanzig**	30 **dreißig**	40 **vierzig**	50 **fünfzig**
60 **sechzig**	70 **siebzig**	80 **achtzig**	90 **neunzig**	100 **hundert**	

einundzwanzig, zweiundzwanzig, dreiundzwanzig usw.
vierunddreißig, fünfunddreißig, sechsunddreißig usw.

---

[1] many thanks.   [2] That's quite okay.   [3] give my best regards to your
father.   [4] with big steps.   [5] 1832–1908.

3. Die Zeit (time)

*a. **Wieviel Uhr** ist es? (**Wie spät** ist es?)   *What time is it?* (*How late is it?*)
Es ist zwei **Uhr**.   *. . . o'clock.*
Es ist zehn Minuten **vor** drei (Uhr).   *. . . to (of) three (o'clock).*
Es ist zehn Minuten **nach** vier (Uhr).   *. . . past (after) four (o'clock).*
Um wieviel Uhr essen Sie? **Wann**   *At what time do you eat? When do*
essen Sie?   *you eat?*
Ich esse **um** zwölf (Uhr).   *. . . at twelve (o'clock).*

*b. Eine Minute hat sechzig Sekunden; eine Stunde hat sechzig Minuten. Wie viele Stunden hat der Tag?

> **die Minu′te, –n**   **die Sekun′de, –n**   **die Stunde, –n**

c. Ich habe eine Taschenuhr. Sie geht selten richtig. Meistens geht sie vier oder fünf Minuten vor. Oft aber geht sie auch nach.

> ***die Uhr, –en** clock, watch   **nach-gehen** to be slow
> **die Armbanduhr, –en** wrist watch   **vor-gehen** to be fast
> **die Taschenuhr, –en** pocket watch

*d. **Wie oft?**

> **manchmal** often; sometimes   **oft : selten** often : seldom
> **meist (meistens)** usually   **wieder** again
> **immer : nie** always : never   **immer wieder** again and again

4. More compound nouns

> **die Armbanduhr: der Arm + das Band + die Uhr** = wrist watch
> **das Zeitwort: die Zeit + das Wort** = verb
> **der Regenschirm: der Regen** (rain) **+ der Schirm** (shield) = umbrella
> **der Lautwechsel: der Laut** (sound) **+ der Wechsel** (change) = vowel variation

Both English and German modify nouns with the help of other nouns placed in front of them. German, however, writes such modified nouns as one word; English usually does not. Compare **der Autoklub** with *the auto club;* **die Feuerversicherungsgesellschaft** with *the fire insurance company.*

III. ERLÄUTERUNGEN

1. Irregular forms in the present tense

*sprechen *to speak*

ich spreche
er, es, sie spricht
wir, sie, Sie sprechen

*lesen *to read*

ich lese
er, es, sie liest
wir, sie, Sie lesen

*tragen *to carry; wear*

ich trage
er, es, sie trägt
wir, sie, Sie tragen

*laufen *to run*

ich laufe
er, es, sie läuft
wir, sie, Sie laufen

Some very common German verbs with the stem vowel **e, a,** or **au** show an irregularity in the third person singular which is known as **Lautwechsel** *vowel variation:* **e** becomes **i** or **ie**; **a** becomes **ä**; **au** becomes **äu.** The verbs which have this change must be memorized. Note the following:

*essen (ißt) to eat
*geben (gibt) to give
*nehmen (nimmt) to take
*sehen (sieht) to see
*verges'sen (vergißt) to forget

*werden (wird) to become

*fallen (fällt) to fall
   *gefal'len (gefällt) to please
*raten (rät) to guess; advise

*2. The modal auxiliaries in the present tense

	SINGULAR		PLURAL
dürfen *to be permitted to*		darf	dürfen
mögen *to like (to);* ~~may~~	ich, er, es, sie	mag	wir, sie, Sie mögen
sollen *to be supposed to; should*		soll	sollen

The three verbs given here and **können, müssen, wollen** (see *Vierte Stunde,* II, 3b) are the so-called modal auxiliaries. — Note the irregularity of their singular forms.

Wir **müssen** heute viel **studieren.**
Wir **haben** heute viel **zu studieren.**
Wir **sollen** heute viel **studieren.**

*We **must study** a lot today.*
*We **have to study** a lot today.*
*We **should study** (**are supposed to study**) a lot today.*

61

In German, as in English, the infinitive form of the main verb stands without **zu** or *to* when a modal auxiliary is used.

Note that, in German, as usual, the infinitive form stands at the end of the clause or sentence.

3. The reflexive pronoun *sich*

*setben **to set, put, place**

Das Kind setzt die Katze auf den Tisch; es setzt **sie** auf den Tisch.	*The child puts the cat on the table; he puts **it** on the table.*

*sich setzen **to seat oneself, sit down**

Ich setze **mich**.	*I seat myself / sit down.*
Wir setzen **uns**.	*We seat ourselves / sit down.*
Der Student setzt **sich**.	*The student seats himself / sits down.*
Das Mädchen setzt **sich**.	*The girl seats herself / sits down.*
Die Frau setzt **sich**.	*The woman seats herself / sits down.*
Die Schüler setzen **sich**.	*The schoolchildren seat themselves / sit down.*
Setzen Sie **sich**, bitte!	*Seat yourself (yourselves) / sit down, please!*
Er soll **sich** setzen.	*He should seat himself / sit down.*

Reflexive pronouns are special forms of the pronoun which refer back to the subject. English has a whole set of reflexive pronouns: *myself, yourself, himself, themselves*, etc. German only has a distinctive reflexive pronoun in the third person: **sich**; in the first person the normal accusative forms **mich** and **uns** are used.

From the examples given above you will see that **sich** is the reflexive form for all third person pronouns, singular and plural, and also for the polite form of address.

The infinitive, as usual, takes the final position (see *Zweite Stunde*, III, 1a).

*4. More noun plurals

A few **der**-nouns and many **das**-nouns of one syllable form their plural with the ending –**er**; these nouns also change their internal vowel to an umlaut, if possible. For instance:

der Mann, ⸚er man	das Bild, –er picture
das Buch, ⸚er book	das Kind, –er child
das Haus, ⸚er house	das Kleid, –er dress; *pl.* clothes
das Land, ⸚er land	das Lied, –er song

5. The position of adverbs

Er will auch mein Zimmer sehen.	*He also wants to see my room.*
Natürlich können Sie da nicht in die deutsche Stunde kommen.	*Then **you naturally cannot** come to German class.*

In German, adverbs (**auch, natürlich** above) never stand between the subject and the verb. They either follow the verb or they precede it. In the latter case, the subject stands after the verb. (See also *Dritte Stunde*, III, 4).

6. Pronunciation and spelling

a. THE GERMAN O-SOUNDS

rot : oft
wohnen : wollen

The **o**-sounds are rounded back vowels; to produce them the tongue is raised in back of the mouth, and the lips are firmly pursed as for whistling.

The close long **o**-sound (**rot, Boden, schon**) is somewhat similar to the English sound in *wrote, boat, shone;* but the English sound is always diphthongized, i.e., it always blends into a *w*. The German sound, on the other hand, is a "static" **o** without an offglide. It remains the same from beginning to end. Start out as for the word *oath*, but round your lips more firmly and keep lips and tongue in exactly the same position until you are through with the sound.

The open **o**-sound (**oft, sondern**) will be new for most of you. It is somewhat similar to the *o* in *ought*, but needs more lip rounding than this sound. In normal speech it is always short.

Both **o**-sounds are always spelled with the letter **o**, and this letter is never used to spell the sound of English *John, come*, etc. (This latter sound is spelled **a** in German [see *Vierte Stunde*, III, 4a].) Be careful, therefore, *not* to read **noch** as "nach," **wollen** as "wallen," **Koffer** as "Kaffer," or you'll read words with a completely different meaning.

63

The spelling rules for close vs. open **a** apply to the **o**-sounds also (see *Vierte Stunde*, III, 4a); thus close and long: **Ohr, wohnen, rot**; open and short: **kommen, sollen, oft, sondern, Wort.**

b. *sh* : sch, sp, st

The sound spelled *sh* in English is usually spelled **sch** in German (**Schuh, Tisch**).[1] At the beginning of a word or part of a word, however, the spelling **sp** and **st** represent the sounds **"schp"** and **"scht"** respectively (**sprechen, Beispiel, Stuhl, Buchstabe**).

Note that, in spite of the deceptive spelling, no spoken German word or part of a word ever begins with the consonant sequence *sp* or *st* as in English *spill* or *still*. It's always *shp* and *sht!* In the middle and at the end of a word, however, **s + t** is spoken: **ist, Fenster, meistens, zuerst.**

IV. ÜBUNGEN

A. 1. THE GERMAN **o**-SOUNDS

    a. *Listen to the difference between the vowels in English and German; then practice:*

CLOSE LONG **o**		OPEN SHORT **o**	
so	: so	loft	: oft
vote	: wo	caution	: kommen
growth	: groß	soft	: sonst
odor	: oder	caught	: Kopf

    b. *Following your instructor, pronounce the contrasting pairs of phrases aloud several times:*

CLOSE LONG **o** : OPEN SHORT **o**

wir wohnen da oben	: wir wollen es morgen
so groß und hoch	: sonst kommt er noch
wo sind sie schon?	: von hier bis Bonn
das Sofa ist rot	: der Koffer steht dort

---

[1] The German sound is always pronounced with rounded lips.

2. sch, sp, st

a. Listen to the difference between the initial sounds in English and German; then practice:

spade	: spät	still	: still
speed	: spielen	stain	: stehen
spread	: sprechen	stool	: Stuhl
stick	: Stück	strict	: Strich

b. Einige Beispiele für **sch, sp, st**:

Tische und Stühle stehen im Schulzimmer.
Er spricht meistens Englisch.
Er stellt den Kasten auf den Stuhl.
Wir gehen zwei Stunden spazieren.
Das Wort *Westdeutschland* hat fünfzehn Buchstaben.

B. *Read the following sentences in the plural:*

PATTERNS: Das Bild ist schön: **Die Bilder sind** schön.
Es hängt dort: **Sie hängen** dort.

1. Das Kind dort ist noch klein. 2. Es spricht noch nicht viel. 3. Es kann noch gar nicht schreiben. 4. Es liest auch noch nicht. 5. Es ist noch kein Schüler. 6. Es läuft schon recht gut, aber es fällt manchmal hin. 7. Singt es vielleicht schon ein Kinderlied? 8. Nein, es ist viel zu jung.

C. *Supply the proper German verb forms for the English verbs in parentheses:*

1. Eine Studentin (*comes*) herein und (*sits down*). 2. Sie (*is carrying*) Bücher. 3. Sie (*is studying*) Deutsch. 4. Sie (*speaks*) Deutsch. 5. Sie (*has to*) viel arbeiten. 6. So (*learns*) sie viel. 7. Aber jetzt (*wants to*) sie essen. 8. Sie (*eats*) immer um zwölf Uhr.

D. *Read the following sentences in the singular:*

PATTERN: Die Kinder (Sie) spielen hier: **Das Kind (Es) spielt** hier.

1. Die Schüler nehmen deutsche Stunden. 2. Sie sprechen schon ein wenig Deutsch. 3. Sie sprechen noch nicht sehr schnell. 4. Sie lesen ganz gut. 5. Sie müssen auch ein wenig schreiben.

„Wieviel Uhr ist es?"

Schwarzwald clockmaker and woodcarver

„ . . . Wie viele Köpfe?"

6. Laufen die Schüler in die Schule? 7. Nein, natürlich laufen sie nicht.
8. Aber sie gehen gewöhnlich schnell. 9. Sie wollen nicht zu spät kommen.
10. Was tragen sie? 11. Sie tragen Bücher. 12. Gewöhnlich tragen sie
auch Hefte, Federn und Bleistifte. 13. Die Lehrer fragen die Schüler auf
deutsch. 14. Sie verstehen meistens ganz gut und sie antworten schnell.

E. *Read in German:*

a. at 7 (8, 9, 10) o'clock
at 10 minutes past 11 (12, 1, 2) o'clock
at 7 minutes to 3 (4, 5, 6) o'clock

Die Stunde beginnt um 10.05 (11.10, 12.12) Uhr.
Sie ist um 11 (11.55, 12.50, 2.40) Uhr aus.
Wir essen gewöhnlich um 12 (1.12, 6.10) Uhr.
Es ist schon 6 (7, 8, 9.20) Uhr.

b. 0, 10, 20, 30 usw. bis 100   30 und 50 ist 80
22, 32, 42, 52 usw. bis 92   19 und 17 ist 36
25, 35, 45, 55 usw. bis 95   33 und 66 ist 99
21, 32, 43, 54 usw. bis 98   77 und 8 ist 85
90, 80, 70, 60 usw. bis 10   24 und 12 ist 36

F. *Ask yourself and others questions like the following and answer them in German:*

a. Wann beginnt die Schule? Um wieviel Uhr essen Sie? Wann beginnt die
Stunde? Um wieviel Uhr sind Sie da? Um wieviel Uhr kommt der Lehrer?
Setzt er sich auf einen Stuhl? Setzen Sie sich auch? Hängt hier ein Bild?
eine Uhr? Wieviel Uhr ist es jetzt? Wann ist die Stunde aus?

b. Wie grüßt man auf deutsch? Wie lernt man eine Sprache? Muß man viel
sprechen? Soll man viel lesen? Was muß man sonst tun? Vergißt man
Wörter leicht? Soll man sie immer wiederholen? Soll man sie in ein Heft
schreiben?

c. Lesen Sie viel? Sprechen Sie viel? Sprechen Sie auch Deutsch? Nehmen
Sie deutsche Stunden? Sind Sie fleißig? Sind Sie alt oder jung? Sind Sie
reich? Wollen Sie alt werden? Wollen Sie reich werden? Wird ein Lehrer
reich?

d. Was lesen Sie jetzt? Sind die Übungen leicht oder schwer? Ist diese Übung
kurz oder lang? Ist sie zu lang? Verstehen Sie alle Wörter? Verstehen Sie
alle Sätze? Vergessen Sie oft ein Wort?

e. Tragen Sie einen Mantel? Trage ich jetzt einen Mantel? Tragen Sie heute
einen Hut? Wie viele Hüte haben Sie? Wie viele Sekunden hat eine Minute?
Wie viele Minuten hat eine Stunde? Wie viele Stunden hat der Tag?

f. Tragen Sie eine Armbanduhr? Tragen Sie keine? Trägt Herr Meyer eine?
Haben Sie eine Uhr? Habe ich eine? Geht die Wanduhr vor? Geht sie
nach? Geht sie richtig? Wieviel Uhr ist es jetzt? Ist die Stunde aus?
Wollen Sie jetzt gehen? Dürfen Sie schon gehen?

„Der Faule wird am Abend fleißig.“

DIE SECHSTE STUNDE

I. SPRECHEN UND LESEN

1. Straße am Sonntag

Den ganzen Abend spiele ich alte Schallplatten. Erst[1] spät gehe ich zu Bett. Noch lange geht mir die schöne Musik durch den Kopf.[2] Schließlich[3] aber schlafe ich fest ein.

Ich wache auf. Die Sonne scheint durch das Fenster. Es ist schon
5 heller Tag. Wieviel Uhr ist es denn? Lieber Gott,[4] ich komme ja zu spät in die Schule! Schnell in die Kleider, adieu gutes Frühstück![5] Die Bücher in die Mappe[6] und hinaus auf die Straße!

Die Straße ist leer. Wie ist denn das möglich? Ich sehe keinen Menschen und nur wenige Automobile. Warum kommt dieser Autobus
10 nicht? Wo steckt er denn?[7] Jeden Tag fährt er pünktlich dort um diese Ecke. Nur heute ist er nicht da! Wann kommt er denn endlich? Manche Tage sind wirklich wie verhext.[8]

Aber dort sehe ich jemand kommen. Wer ist es? Kenne ich ihn?

---

[1] not until. [2] **mir ... durch den Kopf** through my head. [3] = **endlich**.
[4] "Good heavens!" [5] breakfast. [6] briefcase. [7] Where is it? [8] jinxed.

Ist es vielleicht ein Schulkamerad? Nein, ich kenne ihn nicht, es ist ein wildfremder [1] Mensch. Aber dort kommen noch einige Leute, eine ganze Familie: Vater, Mutter und drei Kinder, ein dicker Junge und zwei kleine Mädchen. Und hier um diese Ecke kommt wieder eine Familie, und da kommen zwei junge Leute. Alle sind sie sehr elegant. Sie tragen Hüte 5 und Handschuhe, ihre Schuhe glänzen.[2] Jeder hat ein Buch in der Hand.

Endlich erscheint ein bekanntes Gesicht: unsere Nachbarin, Fräulein Maier. ,,Liebes Fräulein Maier," frage ich sie, ,,was ist denn heute los? Warum kommt denn kein Autobus?" ,,Aber lieber Junge," antwortet 10 sie, ,,wissen Sie denn nicht, welcher Tag heute ist? Heute ist doch [3] Sonntag, und da fährt der Autobus nicht."

Ja freilich, es ist Sonntag und ich habe keine Schule! All diese Leute gehen in die Kirche. Welche Dummheit, den Sonntag zu vergessen!

Ich gehe langsam wieder nach Hause und denke an [4] das alte Sprich- 15 wort: ,,Was man nicht im Kopf hat, muß man in den Beinen haben." Mein Frühstück ist jetzt natürlich auch kalt. Aber das hat auch sein Gutes,[5] denn ein anderes Sprichwort sagt: ,,Kalter Kaffee macht schön."

*2. Einige wichtige Fragen und Antworten

I.

FRAGE:	Bitte, wie komme ich von hier zur Straßenbahn?	*Please, how do I get to the streetcar from here?*
ANTWORT:	Gehen Sie etwa hundert Meter geradeaus, dann rechts um die Ecke noch hundert Meter weiter, dort hält die Straßenbahn.	*You walk some hundred meters straight ahead, then around the corner to your right another hundred meters; that's where the streetcar stops.*

II.

FRAGE:	Können Sie mir sagen, wie man von hier zur Autobahn kommt?	*Can you tell me how to get to the* Autobahn *from here?*

[1] utterly strange.　[2] gleam.　[3] after all.　[4] think of.　[5] "its good side."

ANTWORT:	Ja, gerne. Sehen Sie die Kirche dort? Fahren Sie noch zwei Straßen weiter, dann links um die Ecke. Dort sehen Sie dann ein Schild: Autobahn.	*Gladly. Do you see the church over there? Drive two more blocks from there, then around the corner to your left. There you'll see a sign saying:* Autobahn.

III.

Zum Schluß:	Danke! (Danke sehr! Danke schön! Vielen Dank!)	*Thanks. (Thank you very much. Many thanks.)*
	Bitte! (Bitte sehr! Bitte schön!)	*That's (quite) all right. (You are welcome.)*

3. Ein Merkvers

DIE SCHNELLE UHR

Die Uhr geht schnell, es ist schon acht.
O, fauler Junge, aufgewacht!

Die Uhr geht schnell, schon ist es zehn.
Zeit, in die deutsche Stund' zu gehn.

Die Uhr geht schnell, es ist schon drei.
Die Schule ist jetzt fast vorbei.[1]

Die Uhr geht schnell, schon ist es Nacht.
Nur schnell die Augen zugemacht![2]

II. WORTSCHATZ

*1. Muß ist eine harte Nuß

a. **fest** firm, solid, sound
freilich to be sure; of course
ganz whole, entire
gera'de aus straight ahead
lieb dear
stet steady

möglich : unmöglich possible : impossible
pünktlich : unpünktlich punctual : not punctual

kalt : warm : heiß cold : warm : hot
voll : leer full : empty

[1] **fast vorbei'** almost over.   [2] *see* **aufgewacht!** (II, 1b)

b. **die Leute** (*pl. only*) people
   die Musik' music
   die Sonne, –n sun

das Sprichwort, ⸚**er** proverb, saying

jemand : niemand someone : no one

     scheinen to shine; seem
       erschei'nen to appear, put in an appearance
    schlafen (schläft) : wachen to sleep : to be awake
      ein-schlafen (schläft ein) : auf-wachen to fall asleep : to wake up
            aufgewacht! wake up!

c. **durch** through
   durch den Kopf through the head

um around
   um die Ecke around the corner

2. *Die Straße, –n (street)

  ***das Auto, –s** auto
   das Automobil', –e automobile
   der Autobus (der Bus), –busse bus
   die Autobahn, –en highway, thruway
  ***die Ecke, –n** corner

das Schild, –er sign
die Straßenbahn, –en streetcar, trolley
***der Wagen, –** car; wagon

***fahren (fährt)** to drive; ride
***halten (hält)** to hold; stop

*3. Die Fami'lie, –n (family)

  die Großeltern (*pl. only*) grandparents
  der Großvater, ⸚ grandfather : **die Großmutter,** ⸚ grandmother
  die Eltern (*pl. only*) parents
  der Vater, ⸚ father : **die Mutter,** ⸚ mother
  der Mann, ⸚**er** husband : **die Frau, –en** wife
  das Kind, –er child
  der Sohn, ⸚**e** son : **die Tochter,** ⸚ daughter
  der Bruder, ⸚ brother : **die Schwester, –n** sister

  der Onkel, – uncle : **die Tante, –n** aunt
  der Neffe, –n nephew : **die Nichte, –n** niece
  der Vetter, –n (*male*) cousin : **die Kusi'ne, –n** (*female*) cousin

*4. Wie die Tage und Monate heißen

  der Tag, –e day
  die Woche, –n week

der Monat, –e month
das Jahr, –e year

Der Tag hat vierundzwanzig Stunden, die Woche hat sieben Tage. Die sieben Tage heißen:

(der) **Montag** Monday	(der) **Freitag** Friday
(der) **Dienstag** Tuesday	(der) **Samstag** (**Sonnabend**) Saturday
(der) **Mittwoch** Wednesday	(der) **Sonntag** Sunday
(der) **Donnerstag** Thursday	**am Sonntag** on Sunday

Der Monat hat gewöhnlich dreißig oder einunddreißig Tage. Das Jahr hat immer zwölf Monate. Sie heißen:

(der) **Januar** January	(der) **Juli** July
(der) **Februar** February	(der) **August'** August
(der) **März** March	(der) **Septem'ber** September
(der) **April'** April	(der) **Okto'ber** October
(der) **Mai** May	(der) **Novem'ber** November
(der) **Juni** June	(der) **Dezem'ber** December

*5. Words to watch

a. **wissen** to know (*a fact*)
ich, er, es, sie weiß
wir, sie, Sie wissen
Wissen Sie das? Wer weiß? Do you know that? Who knows?

kennen to know, be familiar with
Kennen Sie den Mann da? Do you know that man?
bekannt' : **fremd** well known, familiar : strange, foreign

b. Wir gehen **in die Schule.**
Wir gehen **in die Kirche.**
Er geht jetzt **nach Hause.**
Er ist heute **zu Hause.**

. . . to school.
. . . to church.
. . . home.
. . . at home.

c. **Was für** ein Mann sitzt hier?
Was für einen Bleistift haben Sie da?
Was ist **los?**

What sort of . . .
What sort of . . .
What is going on? What is the matter?

III. ERLÄUTERUNGEN

*1. *Dieser*-words

	SINGULAR			PLURAL
	WITH **der**-NOUNS	WITH **das**-NOUNS	WITH **die**-NOUNS	WITH ALL NOUNS
NOM.	*der* Tag dieser Tag welcher Tag?	*das* Haus	*die* Stadt	*die* Tage / Häuser / Städte
ACC.	*den* Tag diesen Tag welchen Tag?	dieses Haus welches Haus?	diese Stadt welche Stadt?	diese Tage / Häuser / Städte welche Tage / Häuser / Städte?

As we have seen, the form of the definite article shows the *class* and *case* of its noun (*Erste Stunde*, III, 1, 2 and *Dritte Stunde*, III, 1, 2).

A set of endings very similar to those of the definite article appears in the words of the following group which, for convenience, we call **dieser**-words:

dieser this
jener that (*rare in everyday speech*)
jeder each, every
welcher? which?

aller all
mancher many a
solcher such
beide both (*pl. only*)

2. "Unpreceded" adjectives

	SINGULAR			PLURAL
	WITH **der**-NOUNS	WITH **das**-NOUNS	WITH **die**-NOUNS	WITH ALL NOUNS
NOM.	guter Freund lieber Vater guter alter Wein	heißes Wasser	schöne Musik	gute Freunde
ACC.	guten Morgen guten Abend guten alten Wein	langes Haar langes rotes Haar	liebe Freundin liebe gute Mutter	lange Haare liebe Freundinnen gute alte Weine

Where an adjective alone — i.e., not preceded by a definite article or a **dieser**-word [1] — stands with a noun, the "duty" of showing the class and case of the noun passes to the adjective. Such an "unpreceded" adjective, therefore, generally takes on the endings the **dieser**-word would show if it were standing in its place.

Notice that *all* adjectives standing with the same noun have the same ending.

3. *Dieser*-words standing alone

Alle sind sie sehr elegant.	*All these people* . . .
Jeder hat ein Buch in der Hand.	*Each of them* . . .
Hier liegen einige Bleistifte; **welchen** wollen Sie? Ich will **diesen** (hier).	*Here are some pencils;* **which one** *do you want? I want* **this one** (*here*).

Dieser-words can stand alone. There is no need for an additional word or phrase like the English "one," "these people," "of them," etc.; for the endings of the **dieser**-words clearly show the functions of these words within the sentence.

*4. A few nouns which require special attention

NOMINATIVE SINGULAR ONLY	ALL OTHER CASES, SINGULAR & PLURAL
der Herr *man, gentleman*	Herrn (*in sing.*), Herren (*in pl.*)
der Junge *boy*	Jungen
der Kamerad' *comrade*	Kamera'den
der Mensch *human being, man*	Menschen
der Student' *student*	Studen'ten

NOM. & ACC. SINGULAR	ALL PLURAL FORMS
das Auge *eye*	Augen
das Ohr *ear*	Ohren
das Herz *heart*	Herzen

---

[1] or **ein**-word with a case ending (*Siebte Stunde*, III, 2)

5. Pronunciation and spelling

a. THE GERMAN **u**-SOUNDS

Hut : hundert
Juli : Junge

As in the case of the other German vowels, there is a close and normally long u (**Juli, Uhr, Fuß**) and an open and normally short one (**Junge, hundert, Fluß**).

Both u-sounds have near equivalents in English: the close u (**Fuß**) is similar to the vowel of English *food*, the open u similar to the vowel of English *foot*. In both cases, however, the German vowels require more and firmer lip rounding (as for whistling), and they do not have the offglide of the English *u*-sounds. Like German e and o, the German u is "static." Keep your lips and tongue steady while pronouncing it.

To spell both kinds of u the letter u is used, and no other letter ever serves this purpose in German.

Be especially careful not to read double o (**oo**) as **u.** In German, double o occasionally spells the close long o-sound. Accordingly, *zoo* in German is **der Zoo** (tsoh). Be careful also not to read or pronounce German u like the English *u* in *union* or *music*.

As in the case of the other German vowels, close long u is sometimes indicated by a following h (**Uhr, Stuhl**), while open short u is usually recognizable by a following double consonant letter (**Null, dumm**), or by two or more consonant letters following it (**Junge, durch**).

b. THE GERMAN l-SOUND

There is no great difference between the German 1 and the English *l* that begins a word or a syllable ("initial" *l*): *l*ong : lang; *l*earn : lernen; name*l*y : nämlich.

Where, however, *l* occurs in English at the end of a word or syllable ("postvocalic" *l*) — as in *all* or *seldom* — it has a *u*-like quality, since the tongue is raised in back of the mouth. This *l*-sound is unknown in German. The German 1 is exactly the same in all positions: alle, selten, Onkel vs. a*l*l, se*l*dom, unc*l*e.

„Alle sind sie sehr elegant."

IV. ÜBUNGEN

A. 1. THE u-SOUNDS

a. *Listen to the different vowel sounds in English and German, then practice them yourself:*

CLOSE LONG u	OPEN SHORT u
noon : nun	look : Fluß
stool : Stuhl	hood : hundert
hoot : Hut	put : Punkt
shoe : Schuh	nook : Nuß
roof : rufen	stood : Stunde

b. *Following your instructor, pronounce the contrasting pairs of phrases aloud several times:*

CLOSE LONG u : OPEN SHORT u

hier ist die Uhr,	hier ist die Brust,
dort der Stuhl	: da der Mund
Juni und Juli	: jung und dumm
kluger, guter Bruder	: stummer, junger Student
von Kopf zu Fuß	: schnell durch den Fluß
nun ruft die Uhr	: Mutter ist unten

c. Lesen Sie schnell:

kurz und gut; Mutter und Bruder; dumm und klug; hundertzwanzig Minuten
Null und Null ist Null; Morgenstund' hat Gold im Mund.
Der Hut ist rund; die Minute ist kurz.
Ein Sprichwort zum Schluß: ,,Muß ist eine harte Nuß.''

2. THE l-SOUND

a. *Listen to the English and German initial l-sounds, then practice (watch your tongue position):*

80

INITIAL 1	INITIAL 1
links : links	laugh : lachen
lip : Lippe	loud : laut
lair : leer	loiter : Leute
learn : lernen	namely : nämlich

b. Listen to the difference between the English and German final (postvocalic) 1-sounds, then practice; avoid raising the back of your tongue:

FINAL 1	FINAL 1
will : will	small : schmal
hell : hell	old : alt
seldom : selten	full : voll
twelve : zwölf	pull : null

B. *Supply endings wherever they are needed:*

1. Nicht jed— Mensch ist ein— Mann, aber all— Männer sind Menschen.
2. Nicht jed— Lied ist ein— Wiegenlied, aber all— Wiegenlieder sind Lieder.
3. Nicht jed— Aufgabe ist ein— Schulaufgabe, aber all— Schulaufgaben sind Aufgaben.

4. Welch— Hut ist rot? Dies— Hut ist rot. 5. Sehen Sie dies— Hut? 6. Viel—Hüte sind braun, aber einig— sind grau. 7. Kalt— Wasser ist gut. Dies— Wasser ist kalt. Ich trinke kalt— Wasser gern. 8. Viel— Studenten meinen, blau— oder schwarz— Tinte ist schön, rot— Tinte ist häßlich. 9. Ist jed—Stunde lang? Nein, nicht all— Stunden sind lang, denn deutsch— Stunden sind nie lang. 10. Einig— Übungen sind kurz, ander— sind lang. 11. Alt—Menschen hören oft schwer, jung— Menschen haben meistens gut— Ohren und auch gut— Augen.

C. *Supply endings as needed in the following passage:*

1. Kennen Sie dies— (*sing.*) Studenten? Er heißt Paul. 2. Mein Freund Paul hat kurz— rot— Haar, lang— dünn— Beine und groß— Füße. 3. Er hat auch kalt— Hände, denn auf deutsch sagt man: „kalt— Hände, warm— Herz."

4. Paul hört gut— Musik gern und er spielt oft sehr schön— Schallplatten für sich und für lieb— alt— Freunde. 5. Er hat lang— elegant— Zigaretten gern. 6. Er liest viel— englisch— und deutsch— Bücher. 7. Er hat beid— sehr gern.

8. Manch— Leute meinen, klug— Menschen sind selten gut und gut— Menschen selten klug, aber das kann nicht richtig sein, denn Paul ist klug und auch gut.

81

Review

der Schwager - Brother in law
die Schwägerin - Sister in law

D. *Ask yourself and others questions like the following and answer them in German:*

a. Haben Sie einen Bruder? Wie heißt er? Wie alt ist er? Geht er schon in die Schule? Wie viele Brüder haben Sie? Haben Sie eine Schwester? Wie heißt sie? Wie alt ist sie? Ist sie Studentin? Haben Sie noch Großeltern? Haben Sie einen Onkel? Besucht er Sie oft? Haben Sie viele Tanten? Haben Sie schon Neffen und Nichten? usw.

b. Ist kalter Kaffee gut? Trinken Sie kalten Kaffee gern? Ist kaltes Wasser gut für Sie? Sind braune Augen schön? Haben Sie blaue Augen? Haben Sie schönes Haar? Haben Sie einen guten Freund? Hat er blaue Augen? Hat er kurzes braunes Haar? Haben Sie eine gute Freundin? Hat sie schwarzes Haar? Was für Haar hat sie? was für Augen? usw.

c. Ist es heute heiß? Ist es warm? Ist es kalt? Scheint die Sonne? Scheint sie hell? Scheint die Sonne jetzt durch das Fenster? Wann wachen Sie gewöhnlich auf? Um wieviel Uhr gehen Sie gewöhnlich zu Bett?

d. Welcher Tag ist heute? Welcher Tag ist morgen? Wie viele Tage hat eine Woche? Wie heißen sie? Wie heißen die Monate? Wie viele Tage hat der Monat Januar? Hat jeder Monat einunddreißig Tage?

e. Welche Sprache lernen wir hier? Welche Sprache sprechen Sie zu Hause? Sprechen alle Menschen nur e i n e Sprache? Welche Sprache spricht man in Deutschland? Welche spricht man in Amerika? Sprechen alle Österreicher Deutsch? alle Schweizer?

f. Kennen Sie diesen Studenten hier? Wie heißt er? Wissen Sie das nicht? Wer weiß es? Kommt er immer pünktlich in die Schule? Sind Sie immer pünktlich? Warum nicht? Kennen Sie einige deutsche Sprichwörter? Welche kennen Sie?

g. Gehen Sie jeden Tag in die Schule? Wann gehen Sie nicht in die Schule? Studieren Sie auch am Sonntag? Was tun Sie gewöhnlich am Sonntag? Haben Sie den Sonntag gern? den Samstag? den Montag?

h. Gehen Sie jetzt nach Hause? Fahren Sie? Haben Sie ein Auto? Was für ein Auto haben Sie? Um wieviel Uhr gehen Sie nach Hause? Wann sind Sie dann zu Hause? Gehen Sie dann gleich zu Bett? Schlafen Sie immer sofort ein? Schlafen Sie fest? Um wieviel Uhr wachen Sie wieder auf?

„Steter Tropfen höhlt den Stein.“

82

Der Schwiegavater - Father in law
die " " mutter - Mother in law
die Schwiegeltern - parents in law

DIE SIEBTE STUNDE

I. SPRECHEN UND LESEN

1. Mein Hund und ich

Ich habe natürlich keine Verabredung[1] für diesen Sonntag. Nach dem Frühstück gehe ich in die Kirche. Aber was tue ich dann? Alle meine Freunde sind ja schon aufs Land gefahren.[2] Sie schwimmen oder sie fischen, sie wandern über Land oder sie steigen auf einen Berg. Vielleicht essen sie jetzt schon zu Mittag. Zu dumm, daß[3] ich nicht dabei[4]   5 sein kann!

Meine Eltern sind heute auch keine gute Gesellschaft.[5] Mein Vater hat seine Sonntagszeitung;[6] die ist so dick wie ein Buch. Meine Mutter hört Radio. Es bringt heute nachmittag klassische Musik; die kann sie natürlich nicht versäumen.[7]   10

Aber ich bin doch nicht allein. Ich habe ja meinen Hund. Mein Hund ist zwar noch recht jung, er ist nämlich erst ein Jahr alt. Er ist auch nicht sehr schön. Meine Freunde finden ihn sogar häßlich. Das ist aber nicht wahr. Er ist eben ein echter deutscher Dachshund. Diese

---

[1] date.   [2] "have gone to the country."   [3] that.   [4] "along," "with them."
[5] company.   [6] **die Zeitung, –en** newspaper.   [7] miss.

Hunde haben einen langen Körper und kurze O-Beine.[1] Aber sie haben auch große kluge Augen und schönes braunes Haar.

Mein Hund heißt Hans. Er und ich sind gute Freunde. Unsere Unterhaltung[2] ist zwar nicht sehr wortreich,[3] denn Hans hat keinen 5 großen Wortschatz. Aber er kann seine Gefühle deutlich genug erklären. Wenn er lustig ist, bewegt er seinen Schwanz hin und her;[4] wenn er traurig ist, läßt er seinen Kopf hängen, und wenn er zornig ist, bellt er.

Ich gehe also mit Hans spazieren. Wir gehen durch die leeren Straßen hinunter[5] zum Fluß. Den Fluß entlang führt ein schmaler Fuß- 10 weg. Schöne alte Bäume geben Schatten.[6] Ich werfe manchmal ein Stück Holz ins Wasser. Hans schwimmt danach[7] und bringt es zurück. Er hat das sehr gern. Dann findet er andere Hunde und sie spielen. Ich setze mich auf eine Bank. Ich habe ein Buch mitgebracht[8] und beginne zu lesen.

15 Bevor ich es merke, wird es dunkel. Ich rufe Hans. Recht zufrieden gehen wir beide nach Hause zum Abendessen. So wurde[9] dieser Sonntag doch noch ein recht gemütlicher Tag.

2. Wir hören klassische Musik

ORT: die deutsche Stunde

DER LEHRER: Hören Sie gern Musik?

DIE KLASSE: Ja, sehr gern!

DER LEHRER: Was wollen Sie hören, klassische oder moderne Musik? Stimmen wir ab![10] Hände hoch,[11] wer für moderne Musik ist!

DIE KLASSE: *Acht Hände gehen hoch.*

DER LEHRER: Nun Hände hoch, wer für klassische Musik ist!

DIE KLASSE: *Zwölf Hände gehen hoch.*

DER LEHRER: Gut, dann bringe ich morgen einen Plattenspieler mit und spiele die Neunte Symphonie von Beethoven für Sie.

DIE KLASSE *freut sich.*

---

[1] bowlegs (cf. **X-Beine!**).　[2] conversation.　[3] "rich in words."　[4] "he moves his tail back and forth."　[5] down.　[6] shade.　[7] after it.　[8] **habe ... mitgebracht** have brought along.　[9] became, "turned into."　[10] **ab-stimmen** to vote.　[11] hands up.

DER LEHRER: Noch etwas![1] Die Neunte Symphonie endet mit einem
Chor.[2] Die Worte sind von Schiller; hier sind sie:

> Freude, schöner Götterfunken,
> Tochter aus Elysium,
> wir betreten feuertrunken,
> Himmlische, dein Heiligtum!
> Deine Zauber binden wieder,
> was die Mode streng geteilt;
> alle Menschen werden Brüder,
> wo dein sanfter Flügel weilt.[3]

II. WORTSCHATZ

*1. Muß ist eine harte Nuß

a. **die Bank,** ⸗e bench
   **ich setze mich auf eine Bank (auf
      einen Stuhl)** I sit down on a
      bench (on a chair)
der Baum, ⸗e tree
der Berg, –e mountain
   sie steigen auf einen Berg they are
   climbing a mountain

das Blatt, ⸗er leaf; page
das Holz, ⸗er wood
der Ort, –e place
der Wald, ⸗er forest, woods
der Weg, –e path, way
   der Fußweg, –e footpath

b. **allein′ : zusam′men** alone : together
brav : böse good, well-behaved : bad,
   evil, naughty

deutlich : undeutlich clear : not clear
echt : unecht genuine : not genuine

mehrere some, (quite) a few, several

c. **betre′ten (betritt)** enter; step on (into)
bringen to bring
   mit-bringen to bring along
   zurück′-bringen to bring back
finden to find

führen to lead
lassen (läßt) to let
merken to notice, note
steigen to climb
werfen (wirft) to throw

d. **entlang′** (*prep./acc.*) along
den Fluß entlang along the river (*Note position!*)

---

[1] one more thing. [2] chorus. [3] *A free translation by Louis Untermeyer — through his courtesy:*

> Joy, thou source of light immortal,
> daughter of Elysium,
> touched with fire, to the portal
> of thy radiant shrine we come.
> Thy pure magic frees all others
> held in Custom's rigid rings;
> men throughout the world are brothers
> in the haven of thy wings.

2. Divisions of time

*der Tag, –e day
*der Morgen, – morning
der Vormittag, –e forenoon
*der Mittag, –e noon
der Nachmittag, –e afternoon
*der Abend, –e evening
*die Nacht, ⸗e night

vorgestern day before yesterday
*gestern yesterday
*heute today
*morgen tomorrow
übermorgen day after tomorrow

Er kommt heute morgen, heute vormittag, heute abend usw.

He is coming this morning, this forenoon, this evening, etc.

Er kommt heute früh, morgen früh usw.

He is coming this morning (early today), tomorrow morning, etc.

Er studiert den ganzen Tag, den ganzen Morgen, den ganzen Abend, die ganze Nacht usw.

He studies all day (the entire day), all morning, all evening, all night, etc.

3. Die Hauptmahlzeiten (principal meals)

die Mahlzeit, –en meal
das Essen, – meal, food
das Frühstück, –e breakfast

das Mittagessen, – noon meal (*often the main meal, "dinner"*)
das Abendessen, – evening meal, supper

Das Nachtmahl- nightmeal

In Deutschland sagt man meistens „Guten Appetit'!" bevor man ißt. Nach dem Essen sagt man „Mahlzeit!" oder „Gesegnete Mahlzeit!" (*blessed meal*)

4. Das Gefühl', –e (feeling)

die Freude, –n joy
sich freuen to be pleased, be happy, be glad
ich freue mich *or* es freut mich I am glad, I am happy

lieben : hassen to love : to hate
lachen : weinen to laugh : to cry
lächeln to smile

Merry

lustig : traurig happy, gay; funny : sad
zufrie'den : unzufrieden contented, happy : discontented, unhappy

froh ~~happy~~, glad
gemüt'lich cozy, comfortable; pleasant
zornig angry

*5. Meine Tiere

*Ich mag das Wetter
Das Wetter gefällt mir*

Ich habe einen kleinen Tiergarten. Ich habe zwar keine Löwen und keine Tiger, aber ich habe einen braven Hund, mehrere kleine weiße Mäuse und eine böse Katze; die fängt manchmal einen Vogel. Fische frißt sie auch sehr gern. Mögen Sie meinen kleinen Zoo?

die Haustiere – any animal that serves man
das Schwein – pig
die Kuh – cow

Tiere gefallen mir, — animals are pleasing to me.

der Garten, ⸗ garden
  der Tiergarten, ⸗ zoo
  der Zoo, –s zoo
der Fisch, –e fish
der Hund, –e dog
  der Dachshund, –e dachshund
der Löwe, –n lion
der Tiger, – tiger
der Vogel, ⸗ bird

das Tier, –e animal
die Katze, –n cat
die Maus, ⸗e mouse

wild : zahm wild : tame
bellen to bark
fangen (fängt) to catch
fressen (frißt) to eat (*of animals*), devour

*6. Wichtige Wörtchen (important little words)

doch nonetheless, just the same, after all; still, yet (*in a causal sense*)

noch still, yet (*in a time sense*); *often:* in addition

denn for (*as a conjunction*); then (*often without any time sense:* cf. "What is it then?")

eben, gera'de just; just now; exactly

ja yes; indeed, certainly (*often merely strengthens the sentence:* „Ich habe es **ja**." "*I **do** have it.*")

zwar to be sure

Little words such as these give the German sentence a slant or add a certain flavor which is sometimes difficult to express in translation. Study the meanings given here and pay special attention to them as you reread the German text.

III. ERLÄUTERUNGEN

1. Personal pronouns and their possessive adjectives

	SINGULAR			PLURAL		POLITE ADDRESS
	1ST PERS.	3RD PERS.		1ST PERS.	3RD PERS.	
personal pronouns	ich	(der) (das) er es	(die) sie	wir	(die) sie	Sie
possessive adjectives	mein	sein	ihr	unser	ihr	Ihr

Er wartet auf den autobus 87
he waits for the bus.

The choice of the possessive adjective of the third person singular depends on the *class of noun to which the adjective refers:*

▶ When the reference is to a **der**-noun (**er**) or a **das**-noun (**es**), the possessive adjective is **sein.** Accordingly, **sein** may correspond to English *his, her,* or *its,* e.g.:

<table>
<tr><td>der Mann (er) und sein Hund</td><td>the man (he) and his dog</td></tr>
<tr><td>das Mädchen (es) und sein Hund</td><td>the girl (she) and her dog</td></tr>
<tr><td>der Fluß (er) und sein Wasser</td><td>the river (it) and its water</td></tr>
</table>

▶ When the reference is to a **die**-noun (**sie**), the possessive adjective is **ihr.** Accordingly, **ihr** may correspond to English *her* or *its,* e.g.:

<table>
<tr><td>die Frau (sie) und ihr Buch</td><td>the woman (she) and her book</td></tr>
<tr><td>die Elbe (sie) und ihr Wasser</td><td>the Elbe (it) and its water</td></tr>
</table>

▶ **Ihr** also means *their* and *your.* In the latter case (polite form of address) it is capitalized in writing:

<table>
<tr><td>die Kinder (sie) und ihr Vater</td><td>the children (they) and their father</td></tr>
<tr><td>Sie und Ihr Vater</td><td>you and your father</td></tr>
</table>

2. The forms of *ein*-words, including the possessive adjectives

	SINGULAR			PLURAL
	WITH **der**-NOUNS	WITH **das**-NOUNS	WITH **die**-NOUNS	WITH ALL NOUNS
NOM.	*ein* Hund *mein* Hund *ein* deutsch*er* Hund	*ein* Haus *mein* Haus *mein* klein*es* Haus	eine Stadt meine Stadt	keine Hunde / Häuser / Städte meine Hunde / Häuser / Städte
ACC.	ein*en* Hund mein*en* Hund			

The other possessive adjectives take the same endings as **mein,** thus:

<table>
<tr><td>sein, ihr, unser, Ihr Hund / Haus
seinen, ihren, unseren, Ihren Hund
seine, ihre, unsere, Ihre Stadt</td><td>seine, ihre, unsere, Ihre Hunde / Häuser / Städte</td></tr>
</table>

Ein, kein, and the *possessive adjectives* follow a common pattern of endings. They are called **ein**-words.

Note that the endings of the **ein**-words are the same as for the **dieser**-words (cf. *Sechste Stunde*, III, 1), except for the nominative singular with **der**-nouns and the nominative and accusative singular with **das**-nouns. In these three cases, the **ein**-words have no ending; therefore, a following adjective is considered "unpreceded" and takes on the specific case ending (–**er** or –**es**) which is lacking in the **ein**-word.

3. *Ein*-words standing alone

Sie kennt **ein** Wiegenlied. Kennen Sie auch **ein(e)s?**	*She knows **a** lullaby. Do you know* **one** *too?*
Kein Mensch weiß das. **Keiner** weiß es.	*No man knows that.* **No one** *knows it.*
Das ist **mein** Buch. Es ist **mein(e)s,** nicht **Ihres.**	*That is **my** book. It is **mine,** not* **yours.**
Seine Uhr geht vor, **ihre** geht nach.	*His watch is fast,* **hers** *is slow.*

Like the **dieser**-words, the **ein**-words can stand alone (see *Sechste Stunde*, III, 3). They then have the same endings as the **dieser**-words in *all cases*.

4. Emphatic *der, das, die*

der ist es; **das** ist es; **die** ist es	*he is the one, etc.*
den habe ich; **das** habe ich; **die** habe ich	*I have **it** (**that; that one**)*

Forms of **der, das, die** are frequently used instead of **er, es, sie,** mainly when emphasis is desired.

5. Pronunciation and spelling

a. THE GERMAN DIPHTHONGS

A diphthong is a vowel combination. It starts out with one vowel, but the speech organs gradually shift towards the position of another vowel.

In English, many vowels — especially the "long" ones — actually are diphthongs, although you may not be conscious of the fact. Most German vowels — in fact all the ones we have described so far — are comparatively "pure" or "static." But there are three diphthongs in German, and they occur very frequently. They are spelled respectively: **ei** (occasionally **ai**), **au**, and **eu** (or **äu**).

The **ei** (**ai**) (**ein, bleiben, fleißig, Mai**) is very similar to the diphthong in English *my, nine, aisle*. In reading German, be careful not to confuse the spelling **ei** with the spelling **ie** for the close long **i**: **weiter** vs. **wieder**.

The **au** (**Haus, Frau**) is quite similar to the diphthong in English *house, town, plough*. Notice the more consistent German spelling!

The **eu** (**äu**) (**neu, deutsch, Fräulein**) is almost the same as the diphthong spelled *oi* or *oy* in English: *oil, loin, oyster*. The spelling **äu** is used when the word in question is in some way related to a word with the diphthong **au**, e.g., **Haus** — **Häuser, Frau** — **Fräulein**.

All three German diphthongs are usually pronounced a bit shorter than their English counterparts because the first vowel is never drawled, as it sometimes is in English.

b. THE **ch**-SOUND

This sound is unknown in English. It is produced by raising the tongue high and pressing air through the narrow passage thus created between tongue and palate.

The sound occurs in two varieties: after front vowels — **i, e, ü, ö, ei, eu** — and after consonants the narrow passage is created in front of the mouth between the tongue and the hard palate. This sound is called the **ich**-sound. You may succeed in producing it by saying with some energy the words *hue* or *human*, or by whispering the word *he* while raising the middle of your tongue higher than normally.

After the back vowels — **o, u, au** — and after **a**, the narrow passage is created between the back of the tongue and the soft palate. This so-called **ach**-sound may be known to you from Spanish (*rojo, junta*) or from the Scottish word *loch*.

Both the **ich**-sound and the **ach**-sound are spelled: **ch**.

In the uninflected ending –ig (**lustig, traurig**), the **g** stands for the **ich**-sound in the standard pronunciation. The diminutive ending –**chen** always has the **ich**-sound.

IV. ÜBUNGEN

A. 1. THE DIPHTHONGS

Listen to the following pairs of English and German words, then practice:

a. mine	: mein	my	: Mai	sight	: Seite
nine	: nein	bright	: breit	blight	: bleibt
dry	: drei	vice	: weiß	high	: heiß
b. house	: Haus	loud	: laut	bout	: Bauch
brown	: braun	frown	: Frau	rout	: Rauch
foul	: faul	growl	: grau	out of	: Auto
c. loin	: Leute	hoist	: Häuser	boy	: neu
loiter	: läuten	anoint	: neunte	doily	: deutlich
Hoyle	: heute	oyster	: Häuslein	foil	: Fräulein

2. *Listen to the following words, then pronounce them carefully yourself:*

a. The **ich**-sound:

ich, mich, nicht, Gesicht, nichts, pünktlich, endlich; lustig, richtig, wenig; echt, recht, sprechen, lächeln, sechzehn; Bücher, Töchter; gleich, zeichnen; welcher, mancher, solcher, Kirche, durch, Tischchen

b. The **ach**-sound:

nach, lachen, acht; doch, noch, Mittwoch, Woche, Tochter; Buch, besuchen; auch, Rauch

c. **ach**-sound and **ich**-sound contrasted:

acht	: echt	Tochter	: Töchter	machen	: mancher
Sprache	: sprechen	Buch	: Bücher	machen	: Männchen
lachen	: lächeln	besucht	: Gesicht	rauchen	: Frauchen

„Schöne alte Bäume geben Schatten."

„Den Fluß entlang führt ein schmaler Fußweg."

„Sie steigen auf einen Berg."

B. *Supply the appropriate possessive adjectives in the following phrases:*

a. PATTERN: der Vater und **sein** Sohn (**seine** Tochter); die Mutter und **ihr** Sohn
(**ihre** Tochter); diese Eltern und **ihr** Kind (**ihre** Kinder)

der Vater und —— Kind	dieser Mann und —— Frau
der Vater und —— Kinder	diese Frau und —— Mann
die Mutter und —— Kind	dieses Kind und —— Vater
die Mutter und —— Kinder	dieses Kind und —— Mutter
der Onkel und —— Neffe	diese Kinder und —— Eltern
der Onkel und —— Nichte	der Lehrer und —— Schüler
die Tante und —— Neffe	die Lehrerin und —— Schüler
die Tante und —— Nichte	die Schüler und —— Lehrer
die Tanten und —— Nichten	die Schüler und —— Lehrerin

b. PATTERN: der Mann und **sein** Hund (**seine** Hunde); das Bild und **seine**
Farbe (**seine** Farben); die Klasse und **ihr** Lehrer (**ihre** Lehrer);
die Klassen und **ihre** Schüler

der Baum und —— Holz	die Katze und —— Maus
der Baum und —— Blätter	das Buch und —— Übungen
die Bäume und —— Blätter	die Übung und —— Sätze
das Zimmer und —— Tür	der Satz und —— Wörter
das Zimmer und —— Türen	die Frage und —— Antwort
die Zimmer und —— Türen	die Fragen und —— Antworten
der Wald und —— Bäume	die Sprache und —— Laute
die Wälder und —— Bäume	die Sprachen und —— Laute
die Katze und —— Fisch	Deutschland und —— Wälder

C. *Supply the endings required in the following passages, but be careful not to add an
ending where none is required:*

1. Unser– Familie ist groß. 2. Unser– Haus ist zwar nicht sehr groß, aber
sein€ Zimmer sind alle hell und gemütlich. 3. Unser– Garten ist auch sehr
schön. 4. Daher kommen unser– Freunde gern zu uns. 5. Hans ist mein–
Freund; er und sein€ Freundin Gretl kommen oft zu uns. 6. Dann singen
wir unser€ Lieder. 7. Gretl hat ein€ schöne Stimme. 8. Wir hören ihr€
Stimme gern.

D. *In the following sentences, supply the missing words according to the indications
given in parentheses:*

94

das Wetter gefällt mir — I like the weather

1. Ich sehe einen Mann und seinen (his) Bruder. 2. Ich sehe eine Frau und ihren (her) Bruder. 3. Ich besuche meinen (my) Freund und seinen (his) Vater. 4. Ich hasse Zigarren und —— (their) Rauch. 5. Ich setze mich auf einen (a) Stuhl. 6. Setzen Sie sich nicht auf —— (my) Stuhl! 7. Er setzt sich auf seinen (his) Stuhl, sie setzt sich auf —— (her) Stuhl, wir setzen uns auf —— (our) Stühle. 8. Darf ich mich auf ihren (your) Stuhl setzen? 9. Auf welchen (which) Stuhl wollen Sie sich setzen? vielleicht auf diesen (this one here)?

E. *Ask yourself and others questions like the following and answer them in German, using appropriate forms of* **ein, kein,** *or the possessive adjectives:*

a. PATTERNS: Ist das ein Tisch? : Ja, das ist **ein** Tisch. Nein, das ist **kein** Tisch.

Ist das mein Tisch? : Ja, das ist **Ihr** Tisch. Nein, das ist nicht **Ihr** Tisch, es ist **seiner.**

1. Ist das ein (mein, sein, Ihr) Mantel? (Handschuh, Hund)
2. Ist das hier ein (sein, unser, ihr) Zimmer? (Haus, Buch)
3. Ist das meine (seine, ihre) Katze? (Feder, Stimme)
4. Sind das meine (seine, Ihre, unsere) Schuhe? (Kleider, Eltern)

b. PATTERN: Wen sehen Sie? : Ich sehe **meinen** Freund Hans.
   Ya, ich sehe Sie.
1. Was zeichne ich? Was zeichnet er? (Haus, Katze, Hund)
2. Wen sieht er? Wen sehen Sie? (Freund, Freundin, Lehrer) *pocket watch*
3. Was haben Sie da? Was habe ich hier? (Hut, Brille, Taschenuhr)
4. Was lesen wir heute? Was liest der Student? (Buch, Übung)
   unsen   unsere

F. *Ask yourself and others questions like the following and answer them in German:*

a. Sehen Sie mich? Sehen Sie mein Buch hier? meine Feder? meinen Bleistift? Trage ich eine Krawatte? Welche Farbe hat meine Krawatte? Tragen Sie gerne bunte Krawatten? Hängt hier ein Bild? Wie viele Bilder hängen hier? Haben Sie eine Uhr? was für eine Uhr? Geht Ihre Uhr richtig? immer?

b. Ist es heute morgen heiß? Ist es warm? Meinen Sie, es wird kalt? Sind Sie heute lustig oder traurig? Müssen Sie viel arbeiten? Arbeiten Sie den ganzen Tag? Sind Sie dann zufrieden? Müssen Sie auch morgen arbeiten? Ist der Tag lang? Ist er lang genug?

c. Was sieht man in einem Tiergarten? Welche Tiere sieht man dort? Welche Tiere haben Sie gern? Können Sie das Wort „Zoo" richtig auf deutsch sagen? Ist es schwer für Sie? zu schwer?

einschlafen — to fall asleep
er schläft ein — he falls asleep

95

Hunde gefallen mir.
Ich mag Hund

d. Mögen Sie Hunde? Finden Sie Hunde schön? alle? Haben Sie einen Hund?
Wie heißt er? Was für ein Hund ist es? Ist er immer lustig? Hat er langes
oder kurzes Haar?

e. Haben Sie auch eine Katze? Wie heißt sie? Ist sie groß oder klein? Hat sie
grüne Augen? Ist sie böse oder brav? Was macht sie den ganzen Tag? Was
frißt eine Katze gern? Was frißt Ihre Katze? — Haben Sie auch einen Vogel
zu Hause?

f. Was tun Sie gewöhnlich am Sonntag? Wandern Sie gern? Gehen Sie gern
spazieren? Steigen Sie manchmal auf einen Berg? auf einen Baum? Finden
Sie es lustig, auf Bäume zu steigen? Schwimmen Sie gern? Können Sie gut
schwimmen? Fischen Sie auch manchmal?

g. Wie heißen die Hauptmahlzeiten auf deutsch? Wie heißen die Wochentage?
Wie heißen die Monate? Wie heißen Sie? Wie heißt Ihr Vater? Lacht er
oft? Lächelt er, wenn Sie Deutsch sprechen? Spricht er auch etwas Deutsch?
Lieben Sie Ihren Vater? Wird er zornig, wenn Sie nicht studieren? Lieben
Sie Ihre Mutter? Wird sie zornig, wenn Sie nicht pünktlich nach Haus
kommen? usw.

„Ein Mann, ein Wort."

1. In Klassenzimmer spricht man nicht
laut. (is allowed to)
In Klassenzimmer darf man
nicht laut sprechen.
2. Der Junge wacht früh auf.
Der Junge muss früh aufwachen.
3. Gretl studiert gern. — Gretle
likes to study

I. SPRECHEN UND LESEN

Deutsche Schulen

Sind die jungen Leute in dieser Klasse *Schüler* oder *Studenten?* Wie heißt „college" oder „university" auf deutsch? Auf diese und ähnliche Fragen zu antworten, ist gar nicht leicht. Das deutsche und das amerikanische Schulsystem sind nämlich recht verschieden. Unsere „high school," zum Beispiel, kann man nicht mit [2] *Hochschule* übersetzen, denn in Deutschland bedeutet [3] Hochschule soviel wie Universität. Die

Deutſche Schulen [1]

Sind die jungen Leute in dieſer Klaſſe Schüler oder Studenten? Wie heißt „college" oder „univerſity" auf deutſch? Auf dieſe und ähnliche Fragen zu antworten, iſt gar nicht leicht. Das deutſche und das amerikaniſche Schulſyſtem ſind nämlich recht verſchieden. Unſere „high ſchool," zum Beiſpiel, kann man nicht mit [2] Hochſchule überſetzen, denn in Deutſchland bedeutet [3] Hochſchule ſoviel wie Univerſität. Die „public ſchool" heißt auf deutſch Volksſchule; ihre

---

[1] *This type, the so-called* Fraktur, *is no longer used in Germany. You may, however, want to read older books printed in* Fraktur. *Therefore, a sample of it is provided for you here (and in each of the three later* Wiederholungsstunden). *A comparison of both types will show you their basic similarity. For more details and a full listing of the alphabet in* Fraktur, *see pp. xxiii–xxiv.* [2] *with.* [3] *means.*

„public school" heißt auf deutsch *Volks-schule;* ihre ersten vier Jahre sind die *Grundschule.* Später geht man dann auf das *Gymnasium* oder in eine *Mittel-schule.* Das ist eigentlich ganz logisch, nicht wahr?

Wie unsere Kinder, beginnen auch die deutschen Jungen und Mädchen ihre Schulzeit, wenn sie sechs Jahre alt sind. Da treten sie in die Grundschule ein. Dort lernen sie Lesen, Schreiben und Rechnen, auch ein wenig deutsche Grammatik, Heimatkunde,[1] Zeichnen, Singen und Turnen.

Die ersten vier Jahre, die Grundschule, sind für alle deutschen Kinder gleich. Dann aber trennen sich die Wege.[2] Wer[3] Beamter, Arzt, Professor oder derglei-chen[4] werden will, geht auf ein Gymna-sium. Das tut etwa der siebte Teil, oder 15 Prozent, aller Kinder.[5] Etwa 10 Prozent gehen in eine sechsjährige Mittelschule. Die anderen besuchen noch vier oder fünf Jahre die Volks-schule und treten dann in eine Lehre[6] ein. Als Lehrlinge[7] müssen sie noch zwei Tage wöchentlich eine Handels-[8] oder Gewerbeschule besuchen.

Das Gymnasium bereitet seine Schüler für die Hochschule vor, d.h. für eine Universität oder eine andere Hoch-schule, z.B. eine Technische Hoch-schule. Ein Schüler geht gewöhnlich neun Jahre aufs Gymnasium, oder, wie man in Deutschland sagt, das Gymna-sium hat neun Klassen.

erſten vier Jahre ſind die **Grundſchule.** Später geht man dann auf das **Gymnaſium** oder in eine **Mittelſchule.** Das iſt eigentlich ganz logiſch, nicht wahr?

Wie unſere Kinder, beginnen auch die deutſchen Jungen und Mädchen ihre Schul-zeit, wenn ſie ſechs Jahre alt ſind. Da treten ſie in die Grundſchule ein. Dort lernen ſie Leſen, Schreiben und Rechnen, auch ein wenig deutſche Grammatik, Heimatkunde,[1] Zeichnen, Singen und Turnen.

Die erſten vier Jahre, die Grundſchule, ſind für alle deutſchen Kinder gleich. Dann aber trennen ſich die Wege.[2] Wer[3] Beamter, Arzt, Profeſſor oder dergleichen[4] werden will, geht auf ein Gymnaſium. Das tut etwa der ſiebte Teil, oder 15 Prozent, aller Kinder.[5] Etwa 10 Prozent gehen in eine ſechsjährige Mittelſchule. Die anderen beſuchen noch vier oder fünf Jahre die Volksſchule und treten dann in eine Lehre[6] ein. Als Lehrlinge[7] müſſen ſie noch zwei Tage wöchentlich eine Handels-[8] oder Gewerbeſchule beſuchen.

Das Gymnaſium bereitet ſeine Schüler für die Hochſchule vor, d.h. für eine Univerſität oder eine andere Hochſchule, z.B. eine Tech-niſche Hochſchule. Ein Schüler geht ge-wöhnlich neun Jahre aufs Gymnaſium, oder, wie man in Deutſchland ſagt, das Gymnaſium hat neun Klaſſen.

---

[1] die **Heimat** (native land) + die **Kunde** (knowledge, information) = *here, roughly:* German geography (*in its broadest sense*).   [2] "they part company."
[3] whoever, he who.   [4] or the like.   [5] of all children.   [6] apprenticeship.
[7] apprentices.   [8] *The hyphen after* **Handels-** *shows that the last part of the next compound noun must be supplied:* **Handelsschule.**

In Deutschland bleibt dieselbe Schülergruppe [1] — eben eine Klasse — das ganze Jahr zusammen. Sie hat den gleichen Stundenplan und das gleiche Klassenzimmer, während [2] die Lehrer kommen und gehen. Eine solche Klasse hat wöchentlich vier Stunden Deutsch. Man lernt auch zwei oder mehr Fremdsprachen — besonders Englisch, sehr oft auch Lateinisch —, Geschichte, Geographie, Mathematik und die Naturwissenschaften. Wenn die Schulzeit zu Ende ist, muß der Schüler eine Schlußprüfung [3] machen, das sogenannte *Abitur* oder die *Reifeprüfung*. [4] Wenn er dieses Examen besteht, ist er *reif* für die Universität oder jede andere Hochschule. Der *Schüler* wird nun ein *Student*.

Die oberen [5] Klassen des Gymnasiums [6] sind für die Deutschen ungefähr, was für uns das „junior college" ist; die Universitäten und die anderen Hochschulen sind, was wir „senior college" und besonders „graduate school" nennen. Sie bereiten nämlich die Studenten für die akademischen Berufe [7] vor. Man studiert dort gewöhnlich vier bis fünf Jahre und muß dann wieder eine schwere Prüfung bestehen.

Wenn der Student es will, kann er auch den Doktor machen. [8] Dann heißt er „Dr. Müller" oder „Dr. Schneider"; man begrüßt ihn dann mit „Guten Morgen, Herr Doktor!" Wenn es eine Studentin ist, sagt man natürlich „Frau Doktor" oder „Fräulein

In Deutschland bleibt dieselbe Schülergruppe [1] — eben eine Klasse — das ganze Jahr zusammen. Sie hat den gleichen Stundenplan und das gleiche Klassenzimmer, während [2] die Lehrer kommen und gehen. Eine solche Klasse hat wöchentlich vier Stunden Deutsch. Man lernt auch zwei oder mehr Fremdsprachen — besonders Englisch, sehr oft auch Lateinisch —, Geschichte, Geographie, Mathematik und die Naturwissenschaften. Wenn die Schulzeit zu Ende ist, muß der Schüler eine Schlußprüfung [3] machen, das sogenannte **Abitur** oder die **Reifeprüfung**. [4] Wenn er dieses Examen besteht, ist er **reif** für die Universität oder jede andere Hochschule. Der **Schüler** wird nun ein **Student**.

Die oberen [5] Klassen des Gymnasiums [6] sind für die Deutschen ungefähr, was für uns das „junior college" ist; die Universitäten und die anderen Hochschulen sind, was wir „senior college" und besonders „graduate school" nennen. Sie bereiten nämlich die Studenten für die akademischen Berufe [7] vor. Man studiert dort gewöhnlich vier bis fünf Jahre und muß dann wieder eine schwere Prüfung bestehen.

Wenn der Student es will, kann er auch den Doktor machen. [8] Dann heißt er „Dr. Müller" oder „Dr. Schneider"; man begrüßt ihn dann mit „Guten Morgen, Herr Doktor!" Wenn es eine Studentin ist, sagt man natürlich „Frau Doktor" oder „Fräulein Doktor." — So ein Doktortitel zeigt den

---

[1] the same group of pupils.　[2] while.　[3] final examination.　[4] "maturity examination," comprehensive examination at end of the **Gymnasium.**　[5] upper.　[6] of the **Gymnasium.**　[7] professions requiring academic training.　[8] "take his doctorate."

Doktor.'' — So ein Doktortitel zeigt den Mitmenschen,[1] daß man die Universität besucht hat,[2] also ein ,,Akademiker'' ist, und die Mitmenschen haben gewöhnlich großen Respekt vor dem ,,Herrn Doktor.''

Mitmenſchen,[1] daß man die Univerſität beſucht hat,[2] alſo ein ,,Akademiker'' iſt, und die Mitmenſchen haben gewöhnlich großen Reſpekt vor dem ,,Herrn Doktor.''

II. WORTSCHATZ

*1. Muß ist eine harte Nuß

beson'ders especially
eigentlich real(ly), actual(ly)
etwa; ungefähr approximately, about

stündlich, täglich, wöchentlich, monatlich, jährlich hourly, daily, weekly, monthly, yearly

reif : unreif ripe, mature : unripe, green; immature

2. Schule und Leben (school and [real] life)

a. **die Grundschule, –n** basic school (*first four years of public school*)
 *der Grund, ᵙe basis; ground; reason
 die Volksschule, –n public school, grade school
 *das Volk, ᵙer people, folk
 die Mittelschule, –n intermediate school
 die Hochschule, –n school for higher education and/or specialization; university

*die Universität', –en university
*die Klasse, –n class (*as a group*); grade (*of school*)
*das Studium, Studien study, course of study
der Stundenplan, ᵙe schedule of classes
ein-treten (tritt ein) to enter
vor-bereiten to prepare

b. ***das Fach, ᵙer** subject
 das Hauptfach major (subject)
 *(das) Lesen reading
 *(das) Rechnen reckoning, arithmetic
 *(das) Schreiben writing
 (das) Turnen gymnastics
 *(das) Zeichnen drawing

*die Fremdsprache, –n foreign language
*die Geschich'te, –n history; story
die Gramma'tik, –en grammar
die Mathematik' mathematics
die Physik' physics

[1] fellow men.   [2] has attended.

*die **Wissenschaft,** –en knowledge; field of knowledge, science (*in a broad sense*)
die **Natur'wissenschaft,** –en natural science

die **Biologie'** biology
die **Chemie'** chemistry
die **Geographie'** geography
die **Philosophie'** philosophy

c. das **Exa'men,** – examination

durch-fallen (fällt durch) to fail, "flunk"

*prüfen to test
die **Prüfung,** –en examination, test
eine **Prüfung beste'hen** to pass an examination

d. *der **Beruf',** –e profession, calling, occupation
*der **Arzt,** ⁺e physician, doctor of medicine
der **Beam'te,** –n civil servant; official

der **Doktor, Dokto'ren** doctor
*der **Profes'sor, Professo'ren** professor

das **Gewer'be,** – trade, craft
der **Handel** commerce, trade

*3. Einige wichtige Zeitwörter

eine **Frage stellen : auf** (*acc.*) eine **Frage antworten** to put a question : to reply to a question

bleiben to remain, stay
erin'nern (**an**/*acc.*) to remind (of)
  sich (*acc.*) **erinnern** to remember
  ich **erinnere mich an ihn** I remember him
  die **Erin'nerung,** –en remembrance; recollection
nennen to name, call
  sogenannt so-called

teilen to part, share, divide
  der **Teil,** –e part, share
überset'zen to translate
  die **Überset'zung,** –en translation
wiederho'len to repeat
  die **Wiederho'lung,** –en repetition; review

101

III. DAS WICHTIGSTE AUS DEN ERLÄUTERUNGEN

1. Nominative and accusative forms summarized

	SINGULAR			*PLURAL*
	WITH **der**-NOUNS	WITH **das**-NOUNS	WITH **die**-NOUNS	WITH ALL NOUNS
	NOM. (–**r**) : ACC. –**n**	NOM. & ACC. (–**s**)	NOM. & ACC. –**e**	NOM. & ACC. –**e**
definite article **dieser**-words	der Hut : den Hut dieser Stuhl : diesen Stuhl	das Auto dieses Buch	die Schule diese Straße	die Hüte / Autos / Schulen diese Stühle / Bücher / Straßen
unpreceded adjectives	lieber Freund : guten Tag	kaltes Wasser	schöne Musik	schöne Bäume / Bücher / Nächte viele Bäume / Bücher / Nächte
indefinite article **ein**-words with nouns **ein**-words standing alone	ein Berg : einen Berg sein Wagen : seinen Wagen seiner : seinen	kein Blatt mein Essen meines	keine Katze uns(e)re Kirche uns(e)re	keine Fische / Häuser / Kirchen meine Hunde / Gefühle / Hände meine
third person pronouns	er : ihn wer? : wen?	es	sie	sie

2. A tabular survey of noun plurals

PLURAL ENDING	WHICH NOUNS?	INTERNAL VOWEL CHANGE (¨)?	zum Beispiel:
NONE	*all **der**-nouns and **das**-nouns ending in –el, –en, –er*	a few show ¨	der Mantel, die Mäntel; der Garten, die Gärten; das Zimmer, die Zimmer
	all **das**-nouns ending in –chen or –lein	no change	das Mädchen, die Mädchen; das Fräulein, die Fräulein
	only two **die**-nouns	¨	die Mutter, die Mütter; die Tochter, die Töchter
–e	*most one-syllable **der**-nouns*	about half show ¨	der Arm, die Arme; der Satz, die Sätze
	*the majority of one-syllable **das**-nouns*	no change	das Haar, die Haare
	a few common one-syllable **die**-nouns	¨ if possible	die Nacht, die Nächte
	a few miscellaneous **der**-nouns and **das**-nouns of more than one syllable	¨ rare	der Abend, die Abende; das Papier, die Papiere
–er	a few **der**-nouns of one syllable	¨ if possible	der Wald, die Wälder
	*many **das**-nouns of one syllable*	¨ if possible	das Buch, die Bücher
–en (–n, –nen)	*most **die**-nouns*	no change	die Frau, die Frauen; die Frage, die Fragen; die Schülerin, die Schülerinnen
	a few common **der**-nouns	no change	der Doktor, die Doktoren; der Professor, die Professoren
	some common **der**-nouns with –en in all cases except nominative singular	no change	der Mensch, die Menschen; der Student, die Studenten
–s	*all names*	no change	Müller, (die) Müllers
	many foreign nouns	no change	die Kamera, die Kameras; das Sofa, die Sofas

3. The pattern of the present tense

INFINITIVE & MEANING	1ST SING.	3RD SING.	PLURAL
	ich	er, es, sie′	wir, sie, Sie
sein, haben, werden			
sein to be	bin	ist	sind
haben to have	habe	hat	haben
werden to become	werde	wird	werden
"Regular" forms			
lieben to love	liebe	liebt	lieben
arbeiten to work	arbeite	arbeitet	arbeiten
übersetzen to.translate	übersetze	übersetzt	übersetzen
Verbs with a vowel change			
lassen to let	lasse	läßt	lassen
sehen to see	sehe	sieht	sehen
Verbs with a separable prefix			
ein-schlafen to fall asleep	schlafe ein	schläft ein	schlafen ein
Verbs with **sich** *in the infinitive*			
sich setzen to sit down	setze mich	setzt sich	wir setzen uns sie, Sie setzen sich
Modal auxiliaries & **wissen**			
können to be able, can **wissen** to know	ich, er, es, sie $\begin{cases} \text{kann} \\ \text{weiß} \end{cases}$		können wissen

▶ Most verbs end in –e in the first person singular, in –t in the third person singular, in –en in the infinitive and in the first and third person plural.

▶ Some irregular verbs show a vowel change in the third person singular: **lassen, läßt; lesen, liest.**

▶ The modal auxiliaries and **wissen** have no ending in the first and third person singular.

▶ The prefix of verbs with separable prefixes stands at the end of the clause.

4. A tabular survey of the German vowels and diphthongs

PHONETIC DESCRIPTION	GERMAN SPELLING	GERMAN EXAMPLES	ENGLISH COMPARISON
Front vowels, no lip rounding:			
close long i	**i, ih, ie**	wir, ihn, die	seat, feet
open short i	**i; i** + double or 2 or more consonants	in; Kinn; Kind	in, sit, fit
close long e	**e, ä; eh, äh, ee**	wen, Väter; geht, ähnlich, See	vain, gate, say
open short e	**e; e, ä** + double or 2 or more consonants	es; denn, fällt, Hände	get, den, felt
Front vowels, with lip rounding:			
close long ü	**ü, üh**	über, Stühle	—
open short ü	**ü** + double or 2 or more consonants	dünn, fünf	—
close long ö	**ö, öh**	schön, gewöhnlich	—
open short ö	**ö** + double or 2 or more consonants	Schöller, zwölf	—
Central vowels:			
close long a	**a, ah, aa**	haben, Zahl, Paar	father, John
open short a	**a; a** + double or 2 or more consonants	hat, Mann, falsch	hut, come
short unstressed e	**e**	komme, heute, Gesicht	finger, the seat
Back vowels, always with rounded lips:			
close long o	**o, oh, oo**	so, Ohr, Zoo	so, oat, toe
open short o	**o** + double or 2 or more consonants	kommen, oft, sonst	ought, soft
close long u	**u, uh**	Schule, Uhr	food, moon
open short u	**u** + double or 2 or more consonants	Mutter, jung, August	foot, look
Diphthongs:			
(usually shorter than in English)	**ei, ai**	mein, fleißig, Mai	mine, fly, my
	au	Haus, braun	house, brown
	eu, äu	neu, Fräulein	noise, foil

5. Other highlights from "Pronunciation and spelling":

a. Nouns and words used as nouns are capitalized (**der Tisch, ich lerne Deutsch**); **Sie** and **Ihr** when used as forms of address are also capitalized, **ich** (*I*) is not capitalized.

b. The sound spelled in English *w* does not exist in German. German **w** = English *v* (**wir**). German **v** normally = *f* (**Vater**); it is pronounced like English *v*, in only a few words of foreign origin (**Universität**).

c. German **z** stands for the sound combination *ts*. It often occurs initially (**zehn, zu**); **tz** = **z** (**jetzt**).

d. German **r** is clearly audible also after a short vowel (**lernen, Arm**).

e. Initial **sp** and **st** are pronounced "**schp**" and "**scht**" (**spielen, Stuhl**), but: **gestern, Dienstag**, as in English final position.

f. German **l**, in all positions, is similar to English "initial" *l* (learn, million : **lernen, selten**).

g. Distinguish the **ich**-sound and the **ach**-sound; practice both of them (**nicht : Nacht**).

h. The uninflected ending –**ig** sounds like –**ich** (**richtig**) in the standard pronunciation.

6. Some sound advice

Learn how to use the index in order to look up specific items you wish to review!

IV. WIEDERHOLUNGSÜBUNGEN

A. *a. Practice the German vowels:*

ihn : in; lieben : Lippen	Mann : Männer; lachen : lächeln
Tier : Tür; viel : Gefühl	legen : mögen; lehren : hören
wissen : müssen; Mitte : Mütter	kennen : können; elf : zwölf
den : denn; lesen : essen	Fuß : Fluß; Juni : Junge
Vater : Väter; schlafen : schläft	wohnen : kommen; oben : oft

b. Practice the following German consonants:

w: wer, wie, was, Wasser, Wagen, wissen, wollen, Löwe, zwar

v = *f:* Vater, Vers, Vetter, Vogel, brav, vier, vor

v = *German* **w** (*in a few words only*): Vera, November, Universität

z = *ts:* Zahl, Zeile, Zeit, Zigarre, zornig, zufrieden, Arzt, zuletzt

r: rot, rufen, warten, dürfen, leer, fertig

1: lesen, Leute, Löwe, viel, alle, Eltern

Initial **sp** *and* **st:** spät, spielen, sprechen; stehen, verstehen, stellen, steigen, Studium, Frühstück

ch: ich : doch; echt : Nacht; Bücher : besuchen; reich : Rauch; Töchter : Woche; mancher : machen

Ending –**ig** = –**ich:** richtig, zwanzig, fleißig

B. *Complete the following sentences as indicated:*

1. Das ist *der* (*the*) Bleistift, das ist *das* (*the*) Buch, das ist *die* (*the*) Feder.
2. Hier sehen wir *den* (*the*) Tisch; dort sehen Sie *den* (*the*) Stuhl, *die* (*the*) Tafel und *das* (*the*) Fenster.
3. *Der* (*The*) Lehrer fragt: „Haben Sie *einen* (*a*) Bleistift?" *Ein* (*A*) Schüler antwortet: „Nein, Herr Professor, ich habe *keinen* (*no*) Bleistift, aber ich habe *eine* (*a*) Feder und *ein* (*a*) Heft."
4. Ich habe *einen* (*a*) Vater, *eine* (*a*) Mutter und *zwei* (*two*) Brüder, aber *keine* (*no*) Schwester.
5. Das hier ist *mein* (*my*) Arm; hier ist *meine* (*my*) Hand und hier sind *meine* (*my*) Finger.
6. Sehen Sie *meinen* (*my*) Hut dort? Ja, natürlich sehe ich —— (*your*) Hut.
7. Bitte, machen Sie jetzt *Ihr* (*your*) Buch auf! Wir wollen jetzt *die* (*the*) Sätze und *die* (*the*) Zahlen auf Seite achtundsechzig lesen.

C. *Supply the appropriate possessive adjectives:*

PATTERN: Ich und **mein** Hund.

1. Er und *seine* Uhr. Sie (*she*) und *ihre* Schwester.
2. Wir und *unser* Freund. Sie (*you*) und *Ihre* Kinder.
3. Der Vater und *seine* Tochter. Die Mutter und *ihr* Sohn.
4. Der Mann und *sein* Hut. Der Hund und *seine* Gefühle.

107

University town of Heidelberg

Deutſche Hochſchulen

University of Munich

Free University of Berlin

5. Der Satz und *seine* Wörter. Das Buch und *seine* Seiten.
6. Die Stadt und *ihre* Straßen. Die Häuser und *ihre* Türen.

D. *Check your control of endings by reading the following sentences and supplying endings where they are needed:*

1. Nicht jedes Kind geht in die Schule, aber alle Kinder sollen in die Schule gehen.
2. Dieser Mantel hat einen Kragen. (collar)
3. Diese Landkarte ist bunt; welche Farben sehen Sie?
4. Heute machen wir mehrere schwere Übungen, nicht wahr?
5. Das ist ein Dachshund. Er hat sehr kurze Beine.
6. Diese Schülerin ist jung, aber sie trägt schon eine Brille.
7. Unser Lehrer spricht gerade über unsere Aufgabe für morgen.
8. Ist rotes Haar so schön wie braunes Haar?
9. Deutschland hat viele schöne Wälder und hohe Berge.

E. *Complete the following sentences according to the indications given in parentheses:*

1. Ich habe ein Buch, aber kein *(no)* Heft; haben Sie eines *(one)*?
2. Ich habe eine Feder, aber keine *(no)* Bleistift; haben Sie einen *(one)*? Bitte, geben Sie mir doch diesen *(this one here)*.
3. Ich habe Platten, aber keinen *(no)* Plattenspieler; haben Sie vielleicht einen *(one)*?
4. Ich habe keine Zigarette. Haben Sie eine *(one)* für einen *(me)*? Ja, hier ist eine *(one)* für Sie *(you)*.
5. Ich arbeite jeden *(every)* Tag einige *(a few)* Stunden.
6. Ich kenne einige *(some)* Sprichwörter, aber kein *(no)* Lieder; kennen Sie einige *(a few)* Lieder? welche *(Which ones)* kennen Sie?
7. Schreiben Sie immer einige *(a few)* Übungen für die deutsche Stunde? Ja, natürlich, ich schreibe immer alle *(all of them)*.

F. a. *Check on your efficiency in using noun plurals by changing the following sentences to the plural:*

PATTERN: Hier kommt ein Kind: Hier **kommen Kinder.**

1. Hier liegt der Bleistift; die Feder; das Heft.
2. Hier steht ein Stuhl; ein Lehrer.
3. Hier sitzt ein Mann; ein Mädchen; kein Schüler; ein Student; eine Schülerin.
4. Hier hängt eine Landkarte; ein Bild.
5. Hier sieht man eine Stadt; eine Straße; keinen Baum; ein Tier; sein Haus.

b. Read the following sentences in the singular:

PATTERN: Hier sind Zeitungen: Hier **ist eine Zeitung.**

1. Hier sind die Söhne; seine Brüder.
2. Wir zeichnen Tiere; z.B. Katzen, Mäuse, Löwen, aber keine Fische.
3. Hier hört man Lieder; Fragen, aber keine Antworten.
4. Hier schreibt man Wörter; Sätze; seine Schulaufgaben; Prüfungen.

G. *Read the following passage with* **er** *as the subject. Then read it again with* **wir** *as the subject.*

PATTERN: Ich bin ein Schüler: **Er ist** ein Schüler. **Wir sind** Schüler.

1. Ich bin Student. 2. Ich komme um 10 Minuten vor 9 Uhr in die Schule. 3. Ich gehe in das Klassenzimmer. 4. Ich mache ein Fenster auf. 5. Dann setze ich mich. 6. Ich sehe den Lehrer kommen. 7. Ich frage den Lehrer etwas. 8. Ich verstehe seine Antwort. 9. Ich lese einen Satz. 10. Ich kann den Satz auch übersetzen. 11. Jetzt muß ich an die Tafel schreiben. Auf Wiedersehen!

H. *Replace all nouns with the corresponding pronouns:*

PATTERN: Der Lehrer ist hier: **Er ist** hier.

1. Der Tisch ist braun; das Heft ist blau; die Wand ist grau. Die Tafeln sind schwarz.
2. Diese Fenster sind alle offen. Bitte, machen Sie die Fenster zu!
3. Wir lesen den Satz; wir schreiben ein Wort; wir machen eine Übung. Wir verstehen die Fragen gut.
4. Der Kasten steht dort. Die Lehrerin macht den Kasten auf.
5. Der Lehrer spielt einige deutsche Schallplatten. Wir hören diese Schallplatten immer gern.

I. *a. Start the following sentences with the italicized words, changing the position of the subject accordingly:*

PATTERN: Er kommt *heute:* **Heute** kommt er.

1. Unser Schulzimmer hat *natürlich* eine Decke und einen Boden.
2. Wir verstehen *oft* nur ein paar Worte oder eine Zeile.
3. Mein Hund ist *zwar* noch recht jung ...
4. Ich werde *nie* reich.
5. Man geht dann *später* auf das Gymnasium.

b. Read the following sentences (a) as commands, (b) as questions:

PATTERN: Sie kommen: Kommen Sie! Kommen Sie?

1. Sie lesen diesen Satz auf deutsch.
2. Sie singen ein Wiegenlied.
3. Sie bringen Ihren Freund mit.
4. Sie tun es für mich.
5. Sie wachen sofort auf; Sie schlafen nicht wieder ein.

J. *Ask yourself and others questions like the following and answer them in German:*

a. Wer stellt Fragen? Wer antwortet auf die Fragen?

b. Wie heißen Sie? Sind Sie Amerikaner? Sind Sie Student? Was studieren Sie? Studieren Sie Deutsch? Chemie? Philosophie? usw. Was lernt ein Schüler? Lernt er Lesen? Schreiben? Rechnen? Was lernt er noch?

c. Wissen Sie jetzt etwas über die deutschen Schulen? In welche Schule geht ein Kind in Deutschland? Was ist ein Gymnasium? Was lernt man dort? Welche Schulen gibt es noch in Deutschland? Wer geht in Deutschland auf die Universität? Was kann man dort studieren? Ist Ihr Vater Akademiker? Welchen Beruf hat er?

d. Welche Farben kennen Sie? Wie heißen die Hauptmahlzeiten auf deutsch? Erinnern Sie sich noch daran? Wie heißen die Wochentage? Wie heißen die Monate? Können Sie von null bis hundert zählen? Bitte, zählen Sie von 31 bis 40! Können Sie rechnen? Wieviel ist 11 und 17? Wie alt sind Sie? Wann beginnt diese Stunde?

e. An welche deutschen Sprichwörter können Sie sich erinnern? — Hier ist noch eins:

„Andere Länder, andere Sitten."

DIE ACHTE STUNDE

I. SPRECHEN UND LESEN

1. Es war einmal [1] . . .

Gestern lernte ich eine neue Bedeutung für die Wörter *stark* und *schwach*. Bis gestern waren Boxer und Löwen stark für mich, kleine Kinder und Mäuse waren schwach. Ich kannte auch starken und schwachen Kaffee, Tee und Tabak. Daß [2] aber Zeitwörter stark und schwach sein können, lernte ich erst gestern in der deutschen Stunde. 5

Es war der große Jakob Grimm, der [3] für die Zeitwörter diese Namen erfand. Viele deutsche Zeitwörter, so sagte er, brauchen eine Stütze, [4] nämlich eine Endung, um die Vergangenheit zu bilden, zum Beispiel: lerne — lernte, antworte — antwortete. Diese Zeitwörter nannte Grimm schwach. Viele Zeitwörter aber können ihre Vergangen- 10 heit auch ohne eine solche Stütze bilden; die nannte Grimm stark, zum Beispiel: komme — kam, singe — sang.

Wir übten diese Formen ein wenig, dann sprach der Lehrer mit uns

---

[1] "Once upon a time there was . . ."   [2] that, the fact that. *Note that the verb stands at the end in subordinate clauses!*   [3] who.   [4] support, prop.

über die Brüder Grimm. Jakob Grimm und sein Bruder Wilhelm lebten und arbeiteten fast immer zusammen. Die beiden machten viele wichtige Studien und schrieben viele bedeutende Bücher über die deutsche Sprache, ihre Geschichte, ihre Grammatik und ihren Wortschatz.
5 Zusammen sammelten die beiden die berühmten Märchen, die heute die ganze Welt kennt.

Beide waren große Gelehrte,[1] sie waren aber auch bedeutende Menschen und Bürger: sie liebten die Freiheit und traten für sie ein.[2] Noch als alter Mann, so erzählt uns sein Neffe, verfolgte[3] Jakob Grimm
10 die politischen Dinge mit Aufmerksamkeit.[4] Wenn die Zeitung kam, legte er oft sogleich die Feder nieder und las sie genau durch.

Das war im Jahr 1860 oder ungefähr fünfzig Jahre, nachdem[5] die Kinder der[6] ganzen Welt zuerst vom Rotkäppchen, vom Schneewittchen und vom Aschenbrödel[7] hörten und von den vielen anderen Geschichten
15 mit dem heute so vertrauten Anfang:[8] „Es war einmal . . .‟

2. Gespräch beim Kaffee (conversation at the coffee table)

ORT: ein Café

ZEIT: Nachmittag

PERSONEN: Walter Klein; Dr. Klein, sein Vater; dann Vera Schöller

Dr. Klein und Walter sitzen und trinken ihren Kaffee. Vera Schöller betritt das Café. Walter sieht sie. Er steht auf und begrüßt sie.

VERA: Ja, Walter, was machen Sie denn hier? Wo waren Sie denn heute früh? Ich sah Sie gar nicht in der Stunde.[9]

WALTER: Ich war auch[10] nicht dort. Ich hatte keine Zeit. Mein Vater ist nämlich hier, mich zu besuchen; dort sitzt er.

Er führt Vera an seinen Tisch und sagt:

Vater, das ist Vera Schöller; Vera, das ist mein Vater, Dr. Klein aus New York.

DR. KLEIN: Guten Tag, Fräulein Schöller! Ich freue mich, Sie kennen-zulernen. Walter erzählte schon viel von Ihnen.[11] Setzen Sie sich doch bitte zu uns!

---

[1] scholars. [2] **ein-treten für** to stand up for. [3] pursued, kept up with. [4] at-tention. [5] after. [6] of the. [7] *These are three famous fairy tale characters; see if you can name them!* [8] "with the beginning which is so familiar today." [9] in class. [10] *here:* either. [11] about you.

VERA:	Vielen Dank! (*setzt sich*)
DR. KLEIN:	Walter und Sie studieren Deutsch zusammen, nicht wahr?
WALTER:	Ja, Vater, aber Vera studiert immer fleißig und ich nur manchmal.
VERA:	Natürlich; denn Walter braucht ja fast seine ganze Zeit für Physik und Mathematik; er will doch Physiker werden. Für mich ist Deutsch ein Hauptfach.
DR. KLEIN:	Was wollen Sie denn werden, Fräulein Schöller?
VERA:	Ich weiß es noch nicht genau; vielleicht werde ich Lehrerin. Ich will auch ein Jahr in Deutschland studieren; daher muß ich lernen, gut Deutsch zu sprechen und zu verstehen. Walter braucht ja Deutsch eigentlich nur zum Lesen.
DR. KLEIN:	Ich studierte auch einmal Deutsch und ich erinnere mich noch gut an ein berühmtes Gedicht [1] von Goethe. Ich kann immer noch [2] die ersten paar Zeilen. Passen Sie auf:

> „Ich ging im Walde so für mich hin,
> und nichts zu suchen,[3] das war mein Sinn.[4]
> Im Schatten sah ich ein Blümlein stehn,
> wie Sterne leuchtend,[5] wie Äuglein schön."

V. UND W.:	Bravo, das war sehr gut! Nun die Übersetzung, bitte!
DR. KLEIN:	Die weiß ich nicht. Ich erinnere mich nur noch an die Worte, die Bedeutung habe ich leider vergessen!

II. WORTSCHATZ

*1. Vergessen Sie nicht:

beide both
   die beiden both, the two
berühmt′ famous
fast almost
genau′ exact
leider unfortunately, "sorry"
stark : schwach strong : weak

das Ding, –e thing
das Märchen, – fairy tale

der Kaffee *or* Kaffee′ coffee
das Café coffee house, restaurant
der Tee tea
die Sahne cream
der Tabak *or* Tabak′ tobacco
   rauchen to smoke

---

[1] poem. [2] I still know. [3] seek. [4] *here:* wish. [5] "shining like a star."

bedeu'ten to mean; be significant
bedeu'tend significant, important
die Bedeu'tung, –en significance, meaning
brauchen to need; use
ich brauche lange, eine Stunde usw. I need a long while, an hour, etc. *or* it takes me a long while, an hour, etc.
gebrau'chen to use

erzäh'len to tell, relate
die Erzäh'lung, –en story, narrative
kennen-lernen (lernt ... kennen) to get to know; meet
leben to live
nieder-legen to put (lay) down
sammeln to collect
zusam'men together

2. Gramma'tik

*bilden to form
enden to end
die Endung, –en ending
*üben to practice
die Übung, –en exercise; practice

*die Person', –en person
*die Regel, –n rule
die Zahl, –en number
die Einzahl singular
die Mehrzahl plural; majority

*die Form, –en form
*die Gegenwart present; present tense
*die Vergangenheit past; past tense

3. Die Politik' (politics)

*der Bürger, – citizen
die Freiheit, –en freedom

*die Welt, –en world
*die Zeitung, –en newspaper

poli'tisch political

*4. Einige Vergangenheitsformen (some past tense forms)

INFINITIVE (3RD SING. PRESENT), MEANING	1ST & 3RD SING. PAST
lesen (liest) to read	**las**
durch-lesen (liest ... durch) to read through	**las ... durch** [1]
sehen (sieht) to see	**sah**
verges'sen (vergißt) to forget	**vergaß**
fahren (fährt) to drive; ride	**fuhr**
tragen (trägt) to carry; wear	**trug**
fangen (fängt) to catch	**fing**
an-fangen (fängt ... an) to begin	**fing ... an**

[1] Notice that compound verbs almost always have the same vowel changes as their simple verbs.

INFINITIVE (3RD SING. PRESENT), MEANING	1ST & 3RD SING. PAST
schlafen (schläft) to sleep	schlief
ein-schlafen (schläft . . . ein) to fall asleep	schlief . . . ein
heißen to be called	hieß
rufen to call; shout	rief
kommen to come	kam
scheinen to shine; seem	schien
erschei'nen to appear	erschien
schreiben to write	schrieb
beschrei'ben to describe	beschrieb
schweigen to be silent	schwieg
stehen to stand	stand
auf-stehen to get up	stand . . . auf
verste'hen to understand	verstand
begin'nen to begin	begann
finden to find	fand
erfin'den to invent	erfand
singen to sing	sang
trinken to drink	trank
nehmen (nimmt) to take	nahm
sprechen (spricht) to speak	sprach
liegen to lie	lag
gehen to go	ging
fort-gehen to go away	ging . . . fort

III. ERLÄUTERUNGEN

1. The past tense

There are two major types of verbs in English, regular and irregular. Regular verbs are those which add a *d*– or *t*–sound to indicate past time: to play, I played; to ask, I asked; to repeat, I repeated. Irregular verbs do not ordinarily *add* a sound, but show an internal vowel change, an ablaut: to sing, I sang; to come, I came.

German also has two major types of verbs which show a similar pattern. Regular verbs use a –t– to show past time: **sagen, ich sag*t*e; arbeiten, ich** arbeite*te*. Irregular verbs show a change in the internal vowel: s*i*ngen, ich s*a*ng; r*u*fen, ich r*ie*f.[1]

2. The past tense of regular verbs

a. sagen, warten, erzählen, auf-passen

SINGULAR		PLURAL	
ich, er, es, sie $\begin{cases} \text{sagte} \\ \text{wartete} \\ \text{erzählte} \\ \text{paßte . . . auf} \end{cases}$		wir, sie, Sie $\begin{cases} \text{sagten} \\ \text{warteten} \\ \text{erzählten} \\ \text{paßten . . . auf} \end{cases}$	

▶ Regular verbs end in –te (–ete, if the stem of the verb already ends in a –t or if some other unpronounceable consonant cluster would result) in the first and third person singular, and in –ten (–eten) in the first and third person plural.

b. Hybrids: kennen, nennen, bringen, denken

SINGULAR		PLURAL	
ich, er, es, sie $\begin{cases} \text{kannte} \\ \text{nannte} \\ \text{brachte} \\ \text{dachte} \end{cases}$		wir, sie, Sie $\begin{cases} \text{kannten} \\ \text{nannten} \\ \text{brachten} \\ \text{dachten} \end{cases}$	

A few verbs which show the same pattern of endings as the regular verbs also show a vowel change (Appendix II, II, D).

3. The past tense of irregular verbs

schreiben, stehen, erfinden, an-fangen

SINGULAR		PLURAL	
ich, er, es, sie $\begin{cases} \text{schrieb} \\ \text{stand} \\ \text{erfand} \\ \text{fing . . . an} \end{cases}$		wir, sie, Sie $\begin{cases} \text{schrieben} \\ \text{standen} \\ \text{erfanden} \\ \text{fingen . . . an} \end{cases}$	

---

[1] The term "regular verbs" is used here for those verbs which conform to the most common pattern of inflection, the so-called "weak" verbs. The term "irregular verbs" is accordingly used for the verbs which do not conform to this pattern and includes all "strong" verbs.

▶ Irregular verbs have no ending in the first and third person singular of the past tense; in the first and third person plural they end in **–en.**
▶ The vowel change of irregular verbs in the past tense cannot be predicted successfully, although these verbs fall into groups with similar changes. Frequently, however, a similar change in the cognate English verb will help you remember the German verb.[1]

4. Four verbs to watch: *haben, sein, werden; tun*

Past tense:

SINGULAR		PLURAL	
	hatte		hatten
ich, er, es, sie	war	wir, sie, Sie	waren
	wurde		wurden
	tat		taten

5. How to translate the past tense

Er arbeitet fleißig.	*He works / is working / does work hard.*
Er arbeitete fleißig.	*He worked / was working / did work hard.*

As in the present tense, the German verb does not distinguish between three aspects of action as we do in English. Whenever you are translating from German into English you will therefore have to select the English form which seems most appropriate for the context.

6. Pronunciation and spelling

a. VOICED AND UNVOICED SOUNDS

What we call the "Adam's apple," is actually the front end of an intricate system of bones and tendons that contains the vocal cords. Sound waves set in motion by the vibration of the vocal cords are the source of "voice," while puffs of air coming up unimpeded through the vocal cords result in mere "noise." The difference between voiced and unvoiced sounds is of great importance in all languages.

---

[1] The "principal parts" of irregular verbs are listed as follows in the Vocabulary and Appendix **II,** II: **sprechen** (the infinitive), (**spricht**) (3rd singular, present tense: listed in the vocabularies only if it shows some irregularity), **sprach** (1st and 3rd singular, past tense), **gesprochen** (perfect participle).

„Es war einmal …"

Bavaria: Neuschwanstein castle

Vowels are produced with voice; the differences between them are due, as you have seen in previous lessons, to the position of the upper speech organs (mainly parts of the tongue and the lips) which thus form "resonance chambers" of different shapes and sizes.

Consonants are basically "noises." Thus **p** is produced by stopping and then releasing the flow of air at the lips, **s** by pushing it through between the tip of the tongue and the area above the upper teeth. Most consonants, however, can also be produced with voice, i.e., with the vocal cords in action. They then are called voiced consonants. In this lesson we will deal with voiced and unvoiced s-sounds.

b. THE GERMAN S-SOUNDS

The German and English s-sounds are very similar. Like English, German has a voiced and an unvoiced **s** (voiced: *his* — **sie**; unvoiced: *its* — **ist**). But there are important differences in their distribution and in their respective spellings.

As to distribution: Unlike English, there never occurs, in German, a voiced s-sound at the end [1] of a word or syllable (*was* : **was**; *house* : **Haus**).

As to spelling: While in English the voiced *s*-sound is frequently spelled with the letter *z* (*zeal, zero*), in German the letter **s** has to represent both the voiced and the unvoiced s-sound. (The letter **z** in German stands for the combination **ts** [see *Dritte Stunde*, III, 6b].) To distinguish the two s-sounds, note the following:

Before a vowel, the letter **s** usually stands for the voiced s-sound (English: *was, hands, zone*): **sagen, Sonne, lesen.**

At the end of a word or syllable, the letter **s** always stands for the unvoiced s-sound (English: *sit, hats*): **Haus, ist, uns.** Double s (ss) and **ß** always stand for the unvoiced s-sound: **essen, Fluß, Straße, lassen, häßlich.**

Remember that **sp** and **st** at the beginning of a word or syllable are pronounced like "**schp**" and "**scht**" (see *Fünfte Stunde*, III, 6b).

c. THE USE OF THE LETTER c

In English, the letter *c* is sometimes used to represent the unvoiced s-sound (*cent, ceiling*), sometimes it stands for the k-sound (*come, can, cut*). In

---

[1] "At the end" means not only the very last sound, but also part of a final consonant cluster (**ist, zuerst**).

native German words this letter does not occur as such, but only in the combinations **ch, sch,** and **ck.** (This latter combination is used instead of double **k** (**Stück** *piece*).

Where **c** is written in words of foreign origin, it is pronounced like **k** before **a, o, u** (e.g., **das Café**), and like German **z** before **e** (**ä**) and **i** (e.g., **Celsius, Cäsar, Cicero**).

IV. ÜBUNGEN

A. *Read aloud quickly the following strings of words:*

s = *voiced* **s** (English: *is, hands*): sie, sind, singen, sehr, selten, sehen, sagen, Sahne, Sonne, sonst; lesen, diesen, böse, Häuser, Musik, langsam, unser

s = *unvoiced* **s** (English: *sit, hats*): dies, ist, es, fest, gestern, das, was, Haus, Dienstag, nichts

ss, ß (*always unvoiced*): wissen, müssen, essen, fressen, vergessen, häßlich, weiß, Klasse, Straße, groß, Fluß, Fuß

unvoiced **s** *vs. voiced* **s:** Haus : zu Hause, Maus : Mäuse, ist : singen, essen : sehen, dies : diesen, fleißig : leise, weiß : Weise, lassen : lasen, muß : Musik, lustig : Kusine

B. *Check your familiarity with past tense forms by changing the verbs in the following sentences to the past:*

Es wird schon dunkel.	Er geht spazieren.
Wo sind Sie?	Sie trägt einen Hut.
Sie hat keine Zeit.	Wir schreiben einen Satz.
Was macht er dann?	Kennen Sie ihn schon?
Er setzt sich.	Wir finden keine Kreide.
Sie lächelt.	Sie bringen etwas mit.
Ich studiere fleißig.	Er liest die Zeitung durch.
Wir übersetzen die Erzählung.	Wo liegt das Buch?
Sie antworten nie.	Wann fangen wir an?

C. *Complete the following sentences in the past tense:*

1. Wir —— (warten) heute fünf Minuten lang auf den Lehrer. 2. Endlich —— (kommen) er. 3. Und was —— (tun) er dann? 4. Er —— (spielen)

123

Schallplatten für uns. 5. Wir —— (zuhören) fast die ganze Stunde ——.
6. Dann —— (stellen) er noch schnell einige Fragen, und wir —— (antworten).
7. Nur mein Freund Paul —— (antworten) nicht, er —— (schlafen) und
—— (schweigen).
8. Wir —— (besuchen) gestern eine Schule in Deutschland. 9. Die Schule
—— (sein) ein Gymnasium. 10. Wir —— (lernen) viel.

D. *Read the following passages in German. Then reread them, changing all italicized verb forms to the past tense:*

a. 1. Die Glocke *läutet* und die Stunde *beginnt.* 2. Aber das Fenster *steht* offen.
3. Wir *verstehen* den Lehrer nicht, denn ein Radio *spielt* laut. 4. Wir *machen*
also das Fenster zu. 5. Dann *fangen* wir sofort die Stunde *an.* 6. Aber
der Lehrer *stellt* heute keine Fragen. 7. Er *schreibt* und *zeichnet* auch nicht
an die Tafel. 8. Auf dem Tisch *steht* ein Plattenspieler. 9. Der Lehrer
spielt Gesangsplatten für uns. 10. Wir *verstehen* zwar nicht alle Wörter,
aber das *macht* nichts. 11. Wir *schweigen* und *hören* gut zu.

b. 1. Die Stunde *ist* aus; es *wird* dunkel. 2. Die Tische und Stühle *stehen* ganz
allein. 3. Dort *liegen* ein paar Bleistifte; sie *haben* nichts zu tun und *schlafen*
ein. 4. Auch ein paar Hefte *liegen* da; die *schlafen* auch ein.

5. Dann *erscheinen* die Heinzelmännchen (*friendly "gremlins"*). 6. Sie
machen nicht die Tür auf und nicht das Fenster, sie *sind* einfach da. 7. Sie
nehmen die Bleistifte, sie *machen* die Bücher und die Hefte auf. 8. Sie *lesen*
und *schreiben,* sie *rechnen* und *zeichnen.* 9. Dann *machen* sie Bücher und
Hefte wieder zu und *tanzen* (*dance*) und *singen.*

10. Nun *wird* es hell. 11. Da *kommen* die Schulkinder wieder. 12. Sie *sehen*
keine Heinzelmännchen, aber sie *sehen* die fertigen Aufgaben. 13. Sie *verstehen*
nicht gleich, was los *ist.* 14. Aber die Lehrerin *erklärt:* ,,Das *tun* die berühmten
Heinzelmännchen." 15. Da *lachen* die Kinder und sie *tanzen* und *singen* alle
zusammen: ,,Danke schön, danke, liebe Heinzelmännchen!"

E. *Ask yourself and others questions like the following and answer them in German:*

a. Wie lange studieren Sie schon Deutsch? Wann begannen Sie, Deutsch zu
lernen? Verstanden Sie diese Frage gut? Sprach ich zu schnell? Studierten
Sie gestern abend Deutsch? Machten Sie alle Übungen für heute? Brauchten
Sie lange dazu? Fanden Sie die Übungen leicht oder schwer? Wie oft lasen
Sie *Es war einmal . . .* durch? Lasen Sie alles durch? Lernten Sie die Zeit-
wortformen? Schrieben Sie diese Formen in ein Heft?

124

b. Wer war Jakob Grimm? Wie hieß sein Bruder? Was schrieben die Brüder Grimm? Was taten sie sonst? Kennen Sie einige Märchen? Welche Märchen kennen Sie? Haben Sie Märchen gern? Was las Jakob Grimm jeden Tag? Lesen Sie auch eine Zeitung? Lesen Sie jeden Tag die Zeitung? Was sammelten die Brüder Grimm? Sammeln Sie auch etwas? Was sammeln Sie?

c. Um wieviel Uhr kamen Sie heute in die Schule? War es schon hell? Wann wurde es heute morgen hell? Wie viele Stunden hatten Sie heute schon? Wie viele Stunden hatten Sie gestern? Wie viele Jahre braucht man, um Deutsch zu lernen? Welche Schule besuchten Sie als Kind? Wann begann dieses Semester? Wann ist es zu Ende?

d. Was taten Sie letzten Sonntag? Was taten Sie gestern abend? Waren Sie zu Hause? Was lasen Sie? Lasen Sie auch ein wenig Deutsch? Verstanden Sie alles, was Sie lasen? Arbeiteten Sie fleißig? Schrieben Sie auch einige Übungen? Tranken Sie Kaffee? Trinken Sie viel Kaffee? Trinken Sie ihn schwarz und stark? Rauchen Sie viel? Rauchten Sie gestern abend viel? Hörten Sie auch Radio?

e. Waren Sie schon einmal in Deutschland? War Ihr Vater schon einmal dort? Sind Sie amerikanischer Bürger? Verstehen Sie viel von Politik? usw.

F. *Gebrauchen Sie in dieser Übung nur Vergangenheitsformen!*

Beschreiben Sie die Schule, die Sie als Kind besuchten!

Beschreiben Sie einen Freund (oder eine Freundin)! (Gesicht, Kleider usw.)

Beschreiben Sie einen Spaziergang, den Sie letzten Sommer machten! — Besuchten Sie vielleicht einen Tiergarten?

Erzählen Sie eine kurze Anekdote oder ein Märchen!

Erzählen Sie, was Sie gestern alles taten!

„Von Nichts kommt nichts."

DIE NEUNTE STUNDE

I. SPRECHEN UND LESEN

1. Städte und Häuser in Deutschland

Gestern bekam ich einen langen Brief aus Frankfurt am Main. Ich bekomme überhaupt [1] recht viel Post aus Deutschland, denn mein lieber Freund Richard arbeitet in Frankfurt, und meine gute Freundin Marie wohnt in München. Marie hatte bisher [2] nicht viel Zeit zu schreiben, 5 und ihre wenigen Briefe waren kurz. Aus Richards Briefen aber lernte — und lerne — ich eine ganze Menge über Deutschland. Hören Sie zu!

Eine deutsche Stadt sieht ganz anders aus als eine amerikanische Stadt. Unsere Straßen sind gewöhnlich breit und gerade, in Deutschland sind sie oft eng und haben viele Biegungen und Krümmungen. [3]

10 Deutsche Straßen machen einen mehr einheitlichen Eindruck, [4] denn ihre Häuser sind ungefähr gleich hoch. Auch sonst sehen deutsche Häuser einander ähnlich. [5] Natürlich gibt es in Deutschland heute auch schon eine ganze Menge Hochhäuser, aber es sind meistens Geschäftshäuser und die sind nicht ganz so hoch wie unsere „Wolkenkratzer." [6]

[1] generally, on the whole. [2] up to now. [3] bends and curves. [4] a more uniform impression. [5] similar to one another. [6] **die Wolke** (cloud) + **kratzen** (scratch, scrape).

Auch gibt es in Deutschland weniger Einfamilienhäuser als in
Amerika. Die meisten Deutschen leben in Wohnungen. So eine Wohnung hat gewöhnlich ein Wohnzimmer, vielleicht ein Eßzimmer, ein
oder mehrere Schlafzimmer, eine Küche und ein Badezimmer.

Ein Haus hat meistens drei bis fünf Stockwerke. Das unterste[1] 5
Stockwerk heißt Erdgeschoß, dann kommt der erste Stock, der zweite
Stock usw. Nur teure[2] Häuser haben einen Aufzug (oder Lift).[3] Sonst
muß man die Treppen zu Fuß steigen.

Auch die deutschen Briefträger müssen die Treppen steigen, denn sie
bringen die Post in die Wohnungen. Oft gibt es keine Hausbriefkästen. 10
Deshalb[4] muß man auf einen Brief nach Deutschland auch das Stockwerk schreiben. An meinen Freund Richard muß ich zum Beispiel die
Adresse so schreiben:

> (An) Herrn Richard Müller
> <u>Frankfurt a/M</u> 15
> Königstraße 5/0

Die Null bedeutet Erdgeschoß. Der erste Stock in Deutschland ist
also unser ,,second floor,'' der zweite Stock ist unser ,,third floor'' usw.
— Wußten Sie das alles schon?

2. Ein Gespräch

ORT: das Klassenzimmer
PERSONEN: Walter Klein und Vera Schöller

VERA: Guten Morgen, Walter; was ist denn los? Sie sehen heute
so traurig aus!

WALTER: O, es geht mir ganz gut.

VERA: Nur ganz gut? Warum nicht sehr gut? Gibt es etwas
Neues?

WALTER: Nein, das ist es gerade; es gibt leider gar nichts Neues. Ich
warte schon einige Tage auf einen wichtigen Brief — und er
kommt nicht. Heute bekam ich wieder keine Post.

---

[1] lowest. [2] **teuer** expensive. [3] *in some areas:* **der Fahrstuhl,** ⸚**e.**
[4] therefore.

VERA: Passen Sie auf, Walter: Sie sind ein netter Junge; ich will etwas für Sie tun. Heute abend schreibe ich einen Brief an Sie; das ist zwar nicht der richtige Brief, aber vielleicht freuen Sie sich doch ein wenig, nicht wahr?

WALTER: Danke Vera, Sie sind sehr lieb. Aber schreiben Sie bitte keinen deutschen Brief; sonst verstehe ich ihn nicht.

3. Ein Merkvers

DER WOLKENKRATZER

Wie sieht ein Wolkenkratzer aus?
Er hat ein Erdgeschoß und fünfzig Stöcke.
Ein Wolkenkratzer ist ein hohes Haus,
das reicht hinauf bis [1] an die Wolkendecke.[2]

In einem solchen Haus da wohnt man nicht,
da gibt es nur Geschäfte und Büros.
Und sieht man [3] etwa in der Nacht ein Licht,[4]
fragt man sogleich: Ja, was ist denn da los?

II. WORTSCHATZ

*1. Einige Beiwörter (some adjectives)

eng : weit narrow (tight) : wide (roomy)
interessant' : un'interessant interesting : uninteresting
lieb dear; kind; sweet
mehr : weniger more : less
   mehrere several
nett nice, cute

2. In der Stadt (down town)

*der Laden, – shop, store
*das Geschäft', –e business; store
*das Büro', –s office
das Hochhaus, ⸚er tall building

*die Menge, –n large quantity, crowd
   eine Menge a great deal, a lot, plenty
   eine Menge Leute a lot of people

---

[1] reaches up to.   [2] die Wolken (clouds) + die Decke (ceiling).   [3] if one sees.
[4] light.

3. Die Wohnung, –en (apartment; residence)

  a. **wohnen** to live; dwell
    das Wohnhaus, ⸚er (apartment) house

  b. **das Badezimmer, –** bathroom
    baden to bathe
    das Bad, ⸚er bath
    das Eßzimmer, – dining room
    das Schlafzimmer, – bedroom
    das Wohnzimmer, – living room

    der Keller, – cellar
    die Küche, –n kitchen
    der Ofen, ⸚ stove

  c. **das Erdgeschoß** ground floor
    das Stockwerk, –e floor, story
    der Stock, ⸚e floor, story

    der Aufzug, ⸚e elevator
    die Treppe, –n step; stair(way), "flight"

4. Der Briefwechsel (correspondence)

    der Absender, – sender, "from"
    die Adres′se, –n address
    der Brief, –e letter
    die Briefmarke, –n stamp
    der Briefkasten, – *or* ⸚ mailbox
    der Briefträger, – mailman

    der Namen, – name
    die Post mail
    die Luftpost air mail
    das Postamt, ⸚er post office
    die Postkarte, –n post card

*5. Passen Sie auf!

andere Länder	*other lands*
anders	*different(ly)*
Schreiben Sie einen **anderen** Brief!	. . . *another (different)* . . .
Schreiben Sie **noch einen** Brief!	. . . *another (one more)* . . .
Die Straße ist **gerade.**	. . . *straight.*
Er kommt **gerade** (eben).	*He is **just** coming.*
Das war es **gerade** (eben).	*That was **just** it.*
Er kam **gleich** (sogleich).	. . . *right away.*
Deutsch und Englisch sind **gleich** schwer.	. . . ***equally** difficult.*
Es gibt Hochhäuser dort.	*There are* . . .
Es sind meistens Geschäftshäuser.	*They are* . . .
eine ganze Menge	*quite a bit, quite a few*
ganz	*whole, "quite"*
ganz gut	*pretty good*

„Deutsche Straßen sind oft eng und haben viele Biegungen und Krümmungen."

*,,Natürlich gibt es in Deutschland heute auch schon eine
ganze Menge Hochhäuser . . .''*

*6. Noch einige Vergangenheitsformen

a.

INFINITIVE (3RD SING. PRESENT), MEANING	1ST & 3RD SING. PAST
essen (ißt) to eat	**aß**
aus-sehen (sieht . . . aus) to look, appear	**sah . . . aus**
fallen (fällt) to fall	**fiel**
gefal'len (gefällt) to please	**gefiel**
lassen (läßt) to let, allow	**ließ**
laufen (läuft) to run	**lief**
bekom'men to receive	**bekam**
bleiben to stay, remain	**blieb**
steigen to climb	**stieg**

b. The modal auxiliaries and **wissen**

INFINITIVE & 1ST & 3RD PL. PRESENT	1ST & 3RD SING. PRESENT	1ST & 3RD SING. PAST	MEANING
dürfen	**darf**	**durfte**	to be permitted to
können	**kann**	**konnte**	to be able to, can
mögen	**mag**	**mochte**	to like; may
müssen	**muß**	**mußte**	to have to, must
sollen	**soll**	**sollte**	to be supposed to (should, ought to)
wollen	**will**	**wollte**	to wish to, want to
wissen	**weiß**	**wußte**	to know (*a fact*)

7. Special uses of the modal auxiliaries

Ich will es; ich kann es.	*I want **to do** it; I can **do** it.*
Wir müssen gleich wieder fort.	*We have **to leave** . . .*
Er wollte noch schnell nach Hause.	*He wanted **to go** . . .*
Er kann (gut) Deutsch; er mag Deutsch.	*He knows German (well); he likes German.*
Er kann das Lied.	*He can (knows how to) sing the song.*
but Er kennt das Lied.	*He knows the song.*

Modal auxiliaries can be used alone with a direct object. They can also be used alone with a word or phrase which shows motion or direction. Cf. English: "I want out."

Können also means *to know how; to know* is **kennen** or **wissen** (see *Sechste Stunde*, II, 5a).

III. ERLÄUTERUNGEN

1. Endings of "preceded" adjectives

	SINGULAR			PLURAL
	WITH **der**-NOUNS	WITH **das**-NOUNS	WITH **die**-NOUNS	WITH ALL NOUNS
NOM.	dieser große Herr der schöne alte Tisch	jedes neue Auto das dicke rote Buch	manche schöne Frau die schöne alte Stadt eine schöne alte Stadt	die schönen alten Tische / Bücher / Städte
ACC.	diesen neuen Wagen den schönen alten Tisch meinen alten Freund			meine guten Freunde

Up to now you have learned the endings of articles, of **dieser**-words, of **ein**-words, and of "unpreceded" adjectives. All of these endings have a common pattern.

▶ Adjectives which follow a definite article, a **dieser**-word, or an **ein**-word *with a case ending* — the "preceded" adjectives — have a different pattern. They take the ending

  −e in the nominative singular with all nouns, and in the accusative singular with **das**-nouns and **die**-nouns;
  −en in the accusative singular with **der**-nouns, and, as will be seen in the following lessons, in all other cases, both singular and plural, with all nouns.

The idea behind all this is really quite simple: Whenever possible, the class and case of a noun should be shown at least once, viz. either by an article or article-like word (a **dieser**-word or an **ein**-word), or by an adjective or adjectives that accompany the noun.

2. Adjectives used as nouns

der Alte	*the old one, the old man*
ein Alter	*an old one, an old man*

die Alte	*the old one, the old woman*
eine Alte	*an old one, an old woman*
die Alten	*the old ones, the old people, the ancients*
das Alte	*the old story, that which is old*
etwas (nichts) Altes	*something (nothing) old*

Due to the various articles and endings, German adjectives can often be used as nouns without additional words such as English "one," "man," "people," etc. In writing, of course, the adjectives so used are capitalized. The endings are the normal adjective endings. The adjectival **der**-noun carries the meaning of "man" or "boy," the **die**-noun of "woman" or "girl," the plural noun of "people." The **das**-noun has the meaning of "things," in the abstract or collectively.

3. The names of cities as adjectives

das **P**ariser Kleid	*the Parisian dress*
die **S**alzburger Festspiele	*the Salzburg festival (plays)*

When the names of cities are used as adjectives, –er is added in all cases. In writing, these adjectives are capitalized.

4. Pronunciation and spelling

UNVOICED : VOICED STOPS (**p, t, k : b, d, g**)

The consonants **p, t,** and **k** are called stops because we produce them by stopping the flow of air from the lungs with the lips (for the **p**), with the tip of the tongue at the back of the upper teeth or the ridge behind the upper teeth (for the **t**), with the back of the tongue at the roof of the mouth (for the **k**). The vocal cords are inactive in the production of these sounds, therefore they are voiceless. Their voiced counterparts — produced in exactly the same manner, but with the vocal cords in action — are **b, d,** and **g** respectively. You can quite easily recognize the difference by trying to sing, or rather hum, each of these sounds in a continuous series. You will be able to do so with **b, d,** and **g,** but not — due to the absence of voice — with **p, t,** and **k.**

Both English and German make frequent use of voiced and unvoiced stops. There is, however, this important difference: In contrast to English, there never occurs, in German, a voiced stop at the end of a word or syllable. Thus, in reading German, you must get accustomed to pronounce final **b** as **p** (**lieb, Absender**), final **d** as **t** (**wird, Handschuh, Bad**), final **g** as **k** (**mag, Berg**) or, in the ending **–ig**, as **ch** (**fleißig**). This is a most characteristic feature of German and should be practiced thoroughly until it becomes second nature to you. Remember that "final position" does not refer only to the last sound of a word or syllable, but to occurrence within the final consonant cluster, as in **lebt, gibt, sagt**.

IV. ÜBUNGEN

A. 1. *Listen to the difference between the final consonants in English and German, then practice:*

hand : Hand	friend : Freund	rib : gibt
land : Land	bad : Bad	tag : Tag
and : und	lead : Lied	nag : Weg

2. *Listen to the following pairs of words and phrases, then practice:*

Hände : Hand	leben	: lebt	Tage	: Tag
Lieder : Lied	geben	: gibt	fragen	: fragt
Freude : Freund	schreiben : schreibt	liegen	: lag
werde : wird	bleiben	: blieb	schweigen : schwieg

die gelben Kleider   : das Kleid ist gelb
die runden Schilder   : das Schild ist rund
meine klugen Freunde : mein Freund ist klug

3. *After your instructor, pronounce the following phrases several times:*

am Sonntag abend	niemand mag ihn
er blieb den ganzen Tag	das Kind hat den Hund lieb
er wird nie klug	sie trägt eine Armbanduhr

B. *Supply the ending –e or –en as required:*

1. Hier steht der alt– Tisch. 2. Welcher alt– Tisch? 3. Dieser alt– braun– Tisch. 4. Ich sehe den alt– Tisch nicht, ich sehe keinen alt– Tisch. 5. Aber das schön– Buch liegt darauf! 6. Welches schön– Buch? 7. Sehen Sie dieses

135

schön– alt– Buch denn nicht? 8. Ich habe eine neu– gelb– Feder. 9. Wollen Sie diese neu– Feder sehen? 10. Haben Sie noch keine neu– Brille? 11. Ihre alt– Brille war ja schlecht.

12. Unsere deutsch– Stunden sind sehr interessant. 13. Haben Sie Ihre deutsch– Übungen schon fertig? 14. Ich muß noch einige schwer– Wörter lernen, dann gehen die ander– Studenten und ich nach Hause. 15. Die gut– Kinder arbeiten alle so fleißig! Welche gut– Kinder?

C. *Supply endings as indicated:*

der alt– Wagen	: ein alt– Wagen
dieser klein– Hund	: mein klein– Hund
jeder schön– Tag	: kein schön– Tag
das groß– Haus	: unser groß– Haus
das bunt– Kleid	: ein bunt– Kleid
welches lustig– Lied?	: ihr lustig– Lied
den traurig– Schüler	: einen traurig– Schüler
die deutsch– Post	: unsere deutsch– Post
welche deutsch– Stadt?	: keine deutsch– Stadt
welche englisch– Städte?	: keine englisch– Städte
die lang– Briefe	: seine lang– Briefe
schön–, alt– Bilder	: welche schön–, alt– Bilder?

D. *Check on your control of endings by completing the following passage with the endings required:*

1. „Lieb– Freund," schrieb mein– gut– Freundin Ruth, „Sie schreiben kein– lang– Briefe mehr, und auch kein– kurz–. 2. Unser dick– Briefträger findet das schön, aber ich mag das gar nicht. 3. Ihr– letzt– Brief las ich gerade wieder. 4. Dann fragte ich mich: ‚Schreibe ich ihm oder schreibe ich ihm nicht?' Der klug– Kopf sagte: ‚Nein, wir kennen dies– faul– Max. 5. Jetzt hat er ein– schön– neu– Wagen und hat kein– Zeit mehr für sein– alt– Freunde. 6. Daher ist es ein– groß– Dummheit zu schreiben. 7. Max ist zwar ein brav– Junge, aber . . .' 8. Nun, was sagen Sie dazu? Kommt endlich wieder ein klein– Brief in unseren Briefkasten? 9. Oder haben Sie kein weiß– Papier und kein– grün– Tinte mehr?"

10. Natürlich schrieb ich mein– klein– Brief sofort: 11. „Lieb– Freundin, ich habe wirklich kein– Zeit für lang– Briefe. Aber faul bin ich nicht. 12. Letzte Woche, zum Beispiel, ging ich am Montag in die deutsch– Stunde. 13. Am Dienstag machte ich unser– lang– Schulaufgabe. 14. Ich arbeitete

die ganz– Woche. 15. Mein ‚neu–' Auto stand die ganze Zeit nur da und
wartete. 16. Mein– lieb– Mutter sagte, ich lese und schreibe den ganz–
Tag. 17. Das war nicht ganz richtig, ich spielte ja dann und wann einig–
alt– Schallplatten. 18. Meistens aber mußte ich lang– schwer– Übungen
schreiben. 19. Ich trank die ganz– Zeit viel kalt– Wasser und stark– Kaffee.
20. Ist das nicht ein schwer– Leben?''

E. *Read the following sentences in German. Then reread in the past tense:*

1. Meine junge Schwester *bekommt* viel Post aus Deutschland. 2. Der Alte
besucht uns oft; er *sieht* gut aus. 3. Unser Briefträger *mag* nicht viel steigen,
aber er *muß* es, denn unsere Wohnung *liegt* im dritten Stock. 4. Meine
Mutter *fragt* mich: ,,Wo *bleibt* er so lange?'' Aber ich *weiß* es nicht.

5. Ich *wache* um 6 Uhr früh auf. 6. Die Sonne *scheint* hell und warm ins
Zimmer. 7. Ich *will* nicht mehr schlafen. 8. Ich *stehe* gleich auf. 9. Ich
laufe in die Küche und *trinke* meinen Kaffee. 10. Ich *esse* auch schnell etwas.
11. Ich *kann* aber nicht spazierengehen, denn ich *muß* meine Aufgaben machen.
12. So *beginnt* mein Tag!

F. *Ask yourself and others questions like the following and answer them in German:*

a. Hören Sie meine Stimme? Hörten Sie, was ich eben sagte? Konnten Sie
mich verstehen? Sprach ich zu schnell? Verstehen Sie alle Übungen?
Welche Übung verstanden Sie nicht? Warum nicht?

b. Können Sie schon gut Deutsch? Können Sie es schon sehr gut? Können
Sie es ganz gut? Wollen Sie es sehr gut können? Was müssen Sie tun, um
es gut zu lernen?

c. Sind deutsche Städte anders als amerikanische Städte? Sind deutsche und
amerikanische Straßen ähnlich? Gibt es eine Menge Hochhäuser in Deutschland? Sind es Wohnhäuser oder Geschäftshäuser? Sind die Häuser in
Deutschland so hoch wie in Amerika? Wieviel Stockwerke hat ein deutsches
Haus gewöhnlich? Was bedeutet ,,zweiter Stock''? Haben deutsche Häuser
gewöhnlich einen Aufzug? Welche deutschen Häuser haben einen Aufzug?
Sind die deutschen Straßen meistens breit und gerade? Wie sind die amerikanischen Straßen? Sind die meisten europäischen Autos groß oder klein?
Wer war schon einmal in Europa?

d. Was bringt der Briefträger? Was brachte er gestern? Bekommen Sie Post
aus Deutschland? Bekommen Sie auch Postkarten? Bekamen Sie gestern
einen Brief? Schreiben Sie viele Briefe? Schreiben Sie sie gern? Schrieben

Sie gestern einen Brief? An wen schrieben Sie? Können Sie einen deutschen Brief schreiben? Wollen Sie einen schreiben? Haben Sie eine Briefmarke für mich? Wer hat eine? Sammeln Sie Briefmarken?

e. Haben Sie eine schöne Wohnung? Wieviel Zimmer hat sie? was für Zimmer? Haben Sie auch einen Garten? einen kleinen oder einen großen? Haben Sie ein Studierzimmer? Haben Sie einen Wagen? einen neuen oder einen alten?

f. Was lesen Sie gerade? Welches Buch (welche Bücher) lesen Sie gerade? Welche Bücher lasen Sie letztes Jahr? Lesen Sie gern? Haben Sie schöne Bilder gern? Was taten Sie gestern abend? Mußten Sie studieren? Was studierten Sie? Verstanden Sie alles? Schrieben Sie einen Brief? Lasen Sie die Zeitung oder ein Buch? was für eine Zeitung? welches Buch? Mochten Sie es? Mußten Sie viel für heute tun? Was sollen Sie für morgen tun? Müssen Sie es tun? Dürfen Sie jetzt nach Hause gehen? Mögen Sie das?

„Morgen! Morgen! Nur nicht heute!
sagen alle faulen Leute."

DIE ZEHNTE STUNDE

I. SPRECHEN UND LESEN

1. Auf dem Fahrrad und im Auto

Ich schreibe meinem Freund Richard oft nach Deutschland. Ich erzähle ihm, was ich tue und treibe.[1] Er antwortet mir pünktlich. Er erzählt mir, was er in Deutschland tut und was er dort sieht und hört. Uns beiden macht das Briefschreiben Vergnügen.

Gestern schrieb mir Richard, daß man in Deutschland heute fast ebenso viele Automobile auf der Straße sieht wie hierzulande.[2] Früher waren Automobile in Deutschland sehr teuer. Auch heute noch können sich dort weniger Leute ein Automobil leisten als in Amerika, denn man verdient in Deutschland nicht so viel wie hier. Auch Benzin und Öl kosten in Deutschland mehr.

In Deutschland hat nur etwa jeder vierzehnte[3] Mensch einen Wagen.[4] Die deutschen Straßen sind aber gewöhnlich nicht so breit und in den Städten nicht so gerade wie unsere Straßen. Deshalb glaubt man,[5]

---

[1] "what I am doing." [2] in this country. [3] fourteenth. [4] *in the U.S. every third (1962).* [5] one believes.

so schreibt Richard, ebenso viele Automobile auf den Straßen zu sehen wie hier — besonders am Wochenende [1] und in der Stoßzeit.

Sehr viele Leute fahren aber in Deutschland immer noch mit Rädern zur Arbeit, zur Schule und zum Vergnügen. Radfahren war
5 und ist in Deutschland auch als Sport beliebt.[2]

Am Sonntag fahren oft ganze Familien mit ihren Rädern aufs Land. Dann sieht man den Vater und die Mutter auf ihren großen Rädern und die Kinder auf ihren kleinen und niedrigen Rädern in der Mitte. Ganz kleine Kinder fahren zuerst noch in einem Korb [3] vor oder hinter dem
10 Vater oder der Mutter, denn man kann sie ja nicht allein zu Hause zurücklassen.

So ein Rad ist billig und bequem.[4] Aber man muß sich vor Dieben in acht nehmen.[5] Man kann ein Rad nicht zu lang allein vor einem Haus oder vor einem Geschäft stehen lassen. Vor der Universität und
15 vor vielen anderen Gebäuden [6] sind Ständer aufgestellt,[7] an die man sein Rad mit einem Schloß anschließen kann.[8]

Richard schrieb auch von den vielen Motorrädern. Sie machen großen Lärm und sie sind recht gefährlich. Aber viele Leute gebrauchen [9] sie, denn sie brauchen viel weniger Benzin und Öl als ein Automobil.
20 Deshalb sieht man auch sehr viele kleine Motorroller.

Ich habe es viel besser, denn vor ein paar Tagen [10] kaufte ich mir mein eigenes [11] Automobil. Es ist freilich nicht neu und auch nicht sehr schön, denn es ist ein billiges Auto. Ich bin nämlich nicht reich und konnte nicht viel dafür bezahlen. Aber es hat vier Räder und es
25 fährt. Gestern fuhr ich ein wenig mit meinem Automobil spazieren; morgen fahre ich zum ersten Mal [12] damit in die Schule.

2. Ein Gespräch

ORT: eine Straße in einer deutschen Stadt
ZEIT: Stoßzeit
PERSONEN: ein Amerikaner und ein Deutscher

DER AMERIKANER: Entschuldigen Sie, bitte! Wie kommt man hier über die Straße? [13]

---

[1] during the weekend.   [2] popular.   [3] basket.   [4] *here:* convenient.
[5] "watch out for thieves." [6] buildings. [7] stands are set up. [8] to which one can attach . . . with a lock. [9] use. [10] a couple of days ago. [11] own.
[12] for the first time. [13] How do you cross here?

DER DEUTSCHE:	Genau so wie in Amerika. Bei rotem Licht bleibt man stehen und wartet. Bei grünem Licht geht man über die Straße.
DER AMERIKANER:	Das weiß ich schon, aber es hilft mir nichts. Wenn nämlich[1] das Licht rot ist, darf ich nicht gehen. Wenn das Licht grün wird,[2] kommen zuerst viele Autos, dann nach den Autos eine große Menge Radfahrer; viele von ihnen fahren sehr langsam. Bis sie alle vorbei sind,[3] wird das Licht wieder rot; dann darf ich nicht mehr gehen. So stehe und warte ich hier schon etwa zwanzig Minuten.
DER DEUTSCHE:	Ja, das ist schon richtig. Diese Radfahrer sind eine große Gefahr. Wenn Sie Angst vor ihnen haben,[4] müssen Sie eben warten, bis die Stoßzeit vorbei ist.

3. Aus einem bekannten Gedicht in Prosa:[5]

Die Weise von Liebe und Tod des Cornets Christoph Rilke (1899), von Rainer Maria Rilke [6]

> Reiten, reiten, reiten, durch den Tag, durch
> die Nacht, durch den Tag.
> Reiten, reiten, reiten.
> . . . Es gibt keine Berge mehr, kaum einen Baum.
> . . . Und immer das gleiche Bild.
> Man hat zwei Augen zuviel.

II. WORTSCHATZ

*1. Means of locomotion

a. Ich **gehe** nicht in die Schule, sondern ich **fahre** mit der Straßenbahn. Heute aber **fahre** ich nicht, ich **gehe zu Fuß**. Mein bester Freund **reitet** gern, denn er hat ein schönes Pferd (*horse*). Er **fliegt** auch jeden Sommer nach Europa.

gehen, ging to go, walk	**fliegen, flog** to fly; go (*by plane*)
zu Fuß gehen to go on foot, walk	**reiten, ritt** to ride (*on animals*)
fahren (fährt), fuhr to ride, drive; go (*vehicle*)	

[1] for if.   [2] turns green.   [3] when they have gone through.   [4] if you're afraid of them.   [5] **die Prosa** prose.   [6] 1875–1926.

b. **gehen**

Er geht nicht mehr in die Schule.	*He no longer goes to school.*
Wir gehen nächstes Jahr nach Europa.	*We are going to Europe next year.*
Meine Uhr geht nicht, sie steht.	*My watch is not running; it has stopped.*
So geht's! So geht es im Leben.	*"That's the way it goes." ("That's life.")*

Gehen means *to go, walk.* It is also used very much like the English *to go* in the sense of *to proceed* if no vehicle is mentioned. With mechanical contrivances **gehen** means *to work, run.*

2. Der Verkehr' (traffic)

das **Benzin'** : das **Öl** gasoline, benzine : oil
*die **Gefahr'**, –en danger
gefähr'lich dangerous
der **Lärm** noise
das **Licht**, –er light
der **Motor**, Moto'ren motor
der **Motorroller**, – motor scooter
der **Platz**, ̈e room; (public) square

*das **Rad**, ̈er wheel; bicycle
das **Fahrrad**, ̈er bicycle
das **Motorrad**, ̈er motorcycle
der **Schutzmann**, ̈er *or* **Schutzleute** policeman
die **Stoßzeit**, –en rush hour
die **Straße**, –n street; road

*stehen-bleiben, blieb . . . stehen to stop

3. Wir wollen uns etwas kaufen

*das **Geld**, –er money
*der **Preis**, –e price; prize

*billig : teuer cheap : expensive, dear

geben (gibt), gab to give
aus-geben (gibt . . . aus), gab . . . aus to spend
*kaufen : verkau'fen to buy : to sell
der **Kauf**, ̈e : der **Verkauf'**, ̈e purchase : sale
der **Käufer**, – : der **Verkäu'fer**, – buyer : seller, salesman
ein-kaufen to shop, go shopping
*kosten to cost
sich (*dat.*) leisten to afford
*verdie'nen to earn
*zahlen *or* bezah'len to pay

4. Nützliche Ausdrücke (useful expressions)

Entschuldigen Sie, bitte!	*Excuse me, please!*
Verzeihen Sie, bitte!	*Pardon me, please!*
Viel Vergnügen! (Viel Spaß!)	*Enjoy yourself! (Have fun!)*
zum Vergnügen	*for pleasure, for fun*
Es macht mir (uns) Vergnügen (Freude).	*It is a pleasure (joy) for me (us).*

III. ERLÄUTERUNGEN

1. The dative forms of noun modifiers and pronouns

a.

DATIVE OF	*SINGULAR*		*PLURAL*
	WITH **der**-NOUNS & **das**-NOUNS: **−m**	WITH **die**-NOUNS: **−r**	WITH ALL NOUNS: **−n**
dieser-words	dem, diesem Stuhl dem, diesem Buch	der, dieser Feder	den, diesen Stühlen / Büchern / Federn
ein-words	einem, meinem Stuhl einem, meinem Buch	einer, meiner Feder	keinen, meinen Stühlen / Büchern / Federn
unpreceded adjectives	kaltem Kaffee kaltem Wasser	schöner Musik	alten Freunden / Büchern / Federn
pronouns	(er, es) ihm (wer?) wem?	(sie) ihr	(sie, Sie) ihnen, Ihnen

▶ The unpreceded adjective endings in the dative are

−em with **der**-nouns and **das**-nouns in the singular;
−er with **die**-nouns in the singular;
−en with all nouns in the plural.

b. Er gibt es seinem gut**en** alt**en** Freund.
Sie schrieb immer mit einer rot**en** Feder.
Diese Stadt mit ihren schön**en** alt**en** Häusern ...

143

The ending –en is used on preceded adjectives in all cases except the nominative singular with all nouns, and the accusative singular with das-nouns and die-nouns (see *Neunte Stunde*, III, 1).

c.	Kommen Sie mit **mir**! Kommen Sie mit **uns**!	*... with **me**!* *... with **us**!*
	Ich sagte **mir** ... Wir sagten **uns** ...	*I said to **myself** ... We said to **ourselves** ...*

The dative of **ich** is **mir**; the dative of **wir** is **uns**. — **Mir** and **uns** are also used where English uses reflexive pronouns.

d.	Er dachte bei **sich** ...	*He thought to **himself** ...*
	Sie verdiente **sich** das Leben.	*She earned her living ("for **herself**").*
	Können Sie es **sich** leisten?	*Can you afford it ("for **yourself**")?*

The reflexive pronoun in the third person, **sich** (*himself, herself, itself, themselves, yourself, yourselves*), is both dative and accusative, singular and plural (*Fünfte Stunde*, III, 3).

2. The dative forms of nouns

a. mit meinem Freunde; zu Hause

Nouns do not ordinarily show any change in the dative singular. However, most **der**-nouns and **das**-nouns of one syllable may add **–e**.

b. mit diesen Schülern, Büchern, Freunden, Federn, Uhren, Autos, usw.

In the dative plural **–n** is added to the nominative plural, unless this form ends in **–n** or **–s**.

c.	Der Herr ist schon hier. Ich sagte es dem Herrn (den Herren).	*The gentleman is already here. I told the gentleman (gentlemen).*
	Ein Student muß studieren. Helfen Sie dem Studenten (den Studenten)!	*A student must study. Help the student (students).*

A few nouns show the ending **–en** in all cases except the nominative singular (*Sechste Stunde*, III, 4). These are mainly nouns of foreign origin that are accented on the last syllable (**Student'**, **Kamerad'**) and **der**-nouns ending in **–e** (**der Junge, der Neffe, der Beam'te, der Löwe**). **Herr** takes only **–n** in the singular.

144

3. Uses of the dative case

a. The indirect object:

Ich gebe **dem** Lehrer das Buch.	*I give the teacher the book.*
Er sagte **mir** alles.	*He told me everything.*
Das rate ich **Ihnen.**	*I advise that to (for) you.*
Er gab es **dem** Kind, er gab es **ihm.**	*He gave it to the child, he gave it to him.*

The dative is said to be the case of the indirect object, that is, of the person or thing indirectly affected by the action of the verb. In German, case forms reveal this function. In English, however, word order has taken the place of case forms: the direct object follows the indirect object. Therefore you must say "I give the teacher the book," and you cannot say "I give the book the teacher." — If you use a different word order in English, you must insert "to" and say: "I give the book *to* the teacher."

Note that German does not use any preposition for the indirect object, but only the dative case forms. Note also that in German the indirect object ordinarily stands before the direct object, as in the examples given. If the *direct* object happens to be a pronoun, however, it will precede the indirect object, as in the last example.

*b. Verbs with the dative:

antworten to answer	Er antwortete **mir** sofort.
danken to thank	Sein Freund dankte **ihm.**
folgen to follow	Der Hund folgt **dem** Kind nach Hause.
gefal'len (gefällt), gefiel to please	Deutsch gefällt **den** Schülern gut.
gehö'ren to belong	**Wem** gehört dieses Buch?
helfen (hilft), half to help	Helfen Sie **ihnen** doch!

Some verbs are regularly followed by the dative case in German; these verbs are so listed in the Vocabulary.

*c. Prepositions with the dative case:

The dative case is the most common case form with prepositions. The following important prepositions are regularly followed by the dative:

aus *out of (from)*

z.B.: der Lehrer geht aus dem Zimmer; ich nehme die Feder aus der Tasche; mein Wagen kommt aus der Stadt Detroit

145

bei (beim = bei dem) *at* (*at the house of*); *with, in* (*in connection with*); *among*

> z.B.: ich bin bei (*with, at the house of*) meinem Freund; beim Kaffee; bei rotem Licht; ich hatte kein Geld bei mir; er wohnt bei seinen Eltern; bei uns (*at our house; back home, "back in the old country"*); bei den Chinesen (*among the Chinese*)

mit *with* (*along with; in the company of; by means of*)

> z.B.: er ging mit seinem Bruder; wir sehen mit den Augen; ich schreibe mit einer Feder; ich fahre mit der Straßenbahn

nach *after; to, toward* (especially with place names)

> z.B.: nach der Stunde; nach der Schule gehen wir nach Hause; es war schon nach neun Uhr; wir fuhren nach Europa, nach Deutschland, nach München

seit *since* (*"for"*)

> z.B.: ich lerne seit einer Woche, seit einem Monat, seit vielen Jahren Deutsch (*I have been studying German for a week, for a month, for many years [and still am]*); er wohnt seit einem Jahr in New York

von (vom = von dem) *from; by*

> z.B.: er kam von New York; er kommt vom Fenster zurück; er nimmt den Hut vom Tisch; wir hören viel Deutsch von unserem Lehrer; das Buch war nicht von ihm

zu (zum = zu dem; zur = zu der) *to* (usually with persons)

> z.B.: der Schüler geht heute zum Lehrer; der Lehrer sprach zu den Schülern; ich gehe selten zu einem Arzt

4. Pronunciation and spelling

THE SOUNDS SPELLED **ng, gn, g, j,** AND **y**

In German, the letter combination **ng** stands for the single nasal consonant as in English *bang* or *singer;* a **g** is practically never spoken as it is in words like *linger* or *mingle*.[1]

---

[1] Only in those rare cases where a full, stressed vowel follows, the **g** is pronounced separately: **Kon-go, Man-gan.**

146

On the other hand, the **g** is always pronounced in the combination **gn,** thus: **Verg-nügen.**

The letter **g** in German always sounds as in *get* or *give*, never as in *gem* or *ginger*. The sound which, in such English words, is represented by *g* and often also by *j* (*jingle, joy*) does not normally occur in German.

The letter **j** — called "**jot**" in the German alphabet — always stands for the sound spelled *y* in English: **ja, jeder, jung, Juni.**

The letter **y** occurs in German only in words of foreign — usually of Greek — origin (**Physik′, Gymna′sium**) and is pronounced like German **ü,** sometimes, in frequently occurring words (e.g., **Zylin′der** *piston*), like **i.**

IV. ÜBUNGEN

A. *Listen to the following sentences, then read them aloud several times:*

Das Ding ging gar nicht gut.
Was hängt dort an der Wand?
Wir haben fünf Finger an jeder Hand.
Wir singen zum Vergnügen.
Aus dem langen Brief lernte ich eine ganze Menge.

Der Junge geht seit einem Jahr ins Gymnasium.
Diese jungen Leute fangen langsam an, Deutsch zu verstehen.
Im Januar ist es gewöhnlich kalt, im Juni und Juli ist es warm.

B. *Complete the following passages as indicated:*

1. Ein Freund von —— (*me*) kommt aus Deutschland. 2. Er wohnt aber schon seit einig- Jahr- in Amerika. 3. Fritz, so heißt er, kann natürlich gut Deutsch, aber er findet die englische Sprache schwer. Deshalb helfe ich —— (*him*) bei sein- englisch- Aufgabe-. 4. Fritz schreibt auch oft sein- Freund- in Deutschland, und diese Freunde antworten —— (*him*). 5. Fritz zeigt —— (*me*) oft diese Briefe; aus —— (*them*) lerne ich viel Deutsch.

6. Heute wollte Hans ein- gut- Freund die Stadt zeigen. 7. Zuerst kaufte er —— (*himself*) etwas Benzin. 8. Dann fuhr er mit sein- neu- Auto zu sein- Freund. Natürlich fuhr er zu schnell. 9. Ein Schutzmann sah das, und Hans mußte stehenbleiben. Der Schutzmann fragte unser- Hans: „Warum fahren Sie denn so schnell?" 10. Hans antwortete —— (*him*): „Entschuldigen Sie, bitte, ich fahre erst seit einig- Tag- Auto!" 11. Der Schutzmann sagte freundlich zu —— (*the*) jung- Mann: 12. „Es ist gefährlich, bei so groß- Verkehr so schnell zu fahren. Diesmal kostet es noch

Frankfurt am Main

„Wie kommt man hier über die Straße?"

„Sehr viele Leute fahren immer noch mit Rädern zur Arbeit."

Berlin: Kurfürstendamm

nichts, aber passen Sie besser auf, und viel Vergnügen!" 13. Nachher erzählte Hans sein– Freund alles. 14. Dieser lachte nur und riet —— (him),
das nächste Mal mit ein– alt– Fahrrad zu kommen.

C. *Answer in German, using dative singular forms of* **der, ein, mein,** *etc., as the
context permits, with as many nouns as you can think of:*

> PATTERN: Wem sagten Sie das? : Ich sagte es **dem Lehrer** (**meinem Lehrer,
> einem Freund** usw.).

1. Wem schreiben Sie? Ich schreibe (Bruder, Freund usw.).
2. Wem antwortete der Schüler? Er antwortete (Professor, Vater usw.).
3. Wem erklärte der Lehrer die Aufgabe? Er erklärte sie (Kind, Student
   usw.).
4. Wem helfen Sie? Ich helfe (Arzt, Junge usw.).
5. Mit wem ging er? Er ging mit (Schutzmann, Kamerad usw.).
6. Wem dankt er? Er dankt (Mutter, Schwester usw.).
7. Wem gab sie das Geld? Sie gab es (Tante, Mädchen usw.).
8. Wem zeigte sie ihr Fahrrad? Sie zeigte es (Freundin, Nachbar usw.).
9. Von wem bekamen Sie den Brief? Ich bekam ihn von (Freund, Freundin,
   Kamerad usw.).
10. Womit (*with what*) fahren Sie? Ich fahre mit (Fahrrad, Auto, Wagen).

D. *Answer questions 1, 3, 4, 8, in C again, this time using the dative plural of the noun:*

> PATTERN: Ich sagte es **meinen Freunden.**

E. (*a*) *Insert an appropriate descriptive adjective in each blank space.* (*b*) *Then
reread each sentence, replacing the dative construction with the corresponding pronoun:*

> PATTERN: (*a*) Wir gaben dem **armen** Mann etwas Geld. (*b*) Wir gaben **ihm**
> etwas Geld.

1. Wir müssen unsrer —— Katze etwas zu fressen geben. 2. Er wohnte
lange bei der —— Frau. 3. Diese Bücher gehören alle den —— Schülern.
4. Der Hund folgte seinem —— Herrn in die Schule. 5. Was hören Sie von
Ihrem —— Freund Jakob? 6. Die Großmutter erzählt den —— Kindern
gern Märchen. 7. Er gab dem —— Vogel seine Freiheit wieder.

F. *Read the following sentences in the past tense:*

1. Ich *schreibe* meinem Freund Richard und er *schreibt* mir. 2. Die Kinder
fahren mit kleinen Fahrrädern in die Schule. 3. Er *soll* sein Rad nicht allein
stehen lassen. 4. Der Student *kann* sich das nicht leisten. 5. Er *raucht*

immer zuviel. 6. Wie lange *haben* Sie dieses Auto schon? 7. Seit diesem Tage *wohnt* er in Berlin. 8. Wieviel *kostet* das Buch da mit den vielen Bildern? 9. Von wem *bekommt* er so viel Geld? 10. Er *hilft* mir gern bei meiner Arbeit.

G. *Ask yourself and others questions like the following and answer them in German:*

a. Wie geht es Ihnen heute? Seit wann wohnen Sie in dieser Stadt? Wo wohnten Sie früher? Bei wem wohnen Sie jetzt? Wer wohnt noch da? Wie lange studieren Sie schon Deutsch? Seit wann studieren Sie Fremdsprachen? Gefällt Ihnen Deutsch? — Müssen Sie immer „Ja!" sagen? Oder dürfen Sie auch „Nein!" sagen?

b. Haben Sie ein Auto? Hatten Sie früher eines? Wollen Sie sich ein neues Auto kaufen? Glauben Sie, daß Sie sich eines leisten können? Wann kauften Sie Ihr altes Auto? Fahren Sie gern? Fahren Sie gern bei großem Verkehr? Darf man bei rotem Licht über die Straße gehen? Haben Sie ein Fahrrad? Reiten Sie gern? Können Sie fliegen?

c. Bekommen Sie gern Briefe? Schreiben Sie auch gern Briefe? Wem schreiben Sie? Von wem bekommen Sie Briefe? Brauchen Sie auch Briefmarken? Gehen Sie zum Postamt? Kaufen Sie sich Briefmarken? Wollen Sie mir auch einige kaufen?

d. Was machen Sie nach der Stunde? Gehen Sie nach Hause? Fahren Sie mit der Straßenbahn? Fahren Sie mit Freunden oder allein? Machen Sie Ihre Schularbeiten mit einem Freund? mit einer Freundin? Hilft er (sie) Ihnen? Helfen Sie ihm (ihr) auch?

e. Arbeiteten Sie letzten Sommer? Verdienten Sie viel Geld? Wieviel verdienten Sie? Gaben Sie es gleich wieder aus? Konnten Sie sich ein Auto kaufen? Was kauften Sie sich dafür? Kostete das viel? Arbeitet Ihr Bruder? Was tut er? Was kauft er sich? Arbeitet Ihre Schwester? Hilft sie der Mutter in der Küche?

f. Sieht man in Deutschland viele Autos auf der Straße? So viele wie in Amerika? Sind deutsche Autos so groß wie unsere Autos? Warum nicht? Wieviel kostet ein neues Auto hier? ein altes? Womit fährt man viel in Deutschland? Ist ein Auto billig? Ist ein Fahrrad teuer? Ist das genug für heute? Nun, viel Vergnügen!

> „*Mit dem Hute in der Hand*
> *kommt man durch das ganze Land.*"

DIE ELFTE STUNDE

I. SPRECHEN UND LESEN

1. Ins Freie hinaus

Die großen Städte haben ihre Lichtseiten: sie bringen interessante Menschen zusammen; da sind die großen Bibliotheken,[1] die Museen, die Theater und Konzertsäle.[2] Die Hotels sind gut und bequem, in den Restaurants ißt man gut, und in den vielen großen Geschäften kauft man gut und billig ein. Und wenn man kein Geld hat, um einzukaufen, kann man durch die Straßen wandern und die schönen Schaufenster bewundern.

Aber wir kennen alle auch die Schattenseiten der großen Städte: den Lärm, den Rauch und den Schmutz, die engen Straßen und die dunklen Wohnungen. Der Dichter [3] Rainer Maria Rilke, zum Beispiel, beschrieb die großen Städte so:

> Da leben Menschen, leben schlecht und schwer
> in tiefen Zimmern, bange von Gebärde . . .

---

[1] libraries.   [2] **der Saal, Säle** hall.   [3] poet.

152

Da wachsen Kinder auf an Fensterstufen,
die immer in demselben Schatten sind,
und wissen nicht, daß draußen Blumen rufen
zu einem Tag voll Weite, Glück und Wind . . .[1]

Wenn uns eine solche Stimmung packt,[2] dann ist es Zeit, ins Freie [5]
zu fahren. Das ist heutzutage[3] viel leichter, als es in den Tagen Rilkes
war. Wir setzen uns auf die Eisenbahn,[4] in die Straßenbahn, einen
Autobus oder in unseren eigenen Wagen — und in ein oder zwei
Stunden sind wir draußen in der guten frischen Luft.

Die Fahrt geht durch kleine Orte und offenes[5] Land. Aus den [10]
Fenstern schauen wir hinaus auf Hügel und Berge, auf weidendes Vieh,[6]
auf bunte Wiesen und Felder oder im Winter über die weiße saubere
Schneedecke.[7]

Vielleicht fahren wir an einen See. Wenn es warm genug ist, ziehen
wir uns schnell aus[8] und springen ins Wasser. Vielleicht macht uns das [15]
Fischen Spaß und wir setzen uns an das Ufer eines Baches. Dort sitzen
wir dann stundenlang. Vielleicht fangen wir sogar ein Fischlein. Vielleicht sind wir Bergsteiger; dann wandern wir in die Berge und steigen
auf einen hohen Gipfel.

Auf jeden Fall[9] sind wir am Abend todmüde und wir haben einen [20]
schönen Vorrat[10] von frischer Luft angesammelt, wenn wir wieder in die
Stadt zurückfahren.

2. Aus einem Brief Hugo von Hofmannsthals an Arthur Schnitzler (1895)[11]

„Das Radfahren macht mir eine große Freude: Es ist wunderschön,
ein bisl (*a little*) ermüdet und erhitzt (*hot*) sich irgendwo hinzusetzen
und über die Sträucher, die Wiesen und Hügel hinzuschauen, und am
Abend ist es sogar wunderschön, in den Straßen der Vorstädte zu fahren."

---

[1] "There are people living there, a life both hard and poor / in deep-down
rooms, of worried mien and gesture . . . / Children grow up there at basement
windows / where never-changing shadows ever linger; / they do not know that
out there flowers call / them to a day of space and wind and pleasure . . ."
[2] "when such a mood seizes us." [3] nowadays. [4] railroad; *here:* "train."
[5] open. [6] grazing cattle. [7] blanket of snow. [8] **sich aus-ziehen** to undress. [9] in any case. [10] supply. [11] Hugo von Hofmannsthal, *poet and
writer (1874-1929)* and Arthur Schnitzler, *novelist and dramatist (1862-1931)
were both born and raised in Vienna. As young men they "discovered" — on
common "Bicycle-Fahrten" — "the background of a simple life."* (Quotations
from Olga Schnitzler, *Spiegelbild der Freundschaft*, Salzburg, 1962)

3. Ein bekanntes deutsches Lied

DER LINDENBAUM

Am Brunnen vor dem Tore
da steht ein Lindenbaum.
Ich träumt' in seinem Schatten
so manchen süßen Traum.
Ich schnitt in seine Rinde
so manches liebe Wort.
Es zog in Freud' und Leide
zu ihm mich immer fort.[1]

Worte von Wilhelm Müller
Musik von Franz Schubert

II. WORTSCHATZ

1. Passen Sie auf!

a.
    bequem' : **un'bequem** comfortable, convenient : uncomfortable, inconvenient
    frisch : **müde (ermü'det)** fresh : tired
    ***hoch** [2] : **tief** : **nieder (niedrig)** high : deep : low
    sauber : **schmutzig** clean : dirty
        der Schmutz dirt, filth

    eigen own
    irgendwo somewhere
    ***minu'tenlang, stundenlang, tagelang usw.** for minutes, for hours, for days, etc.

    bewun'dern to admire
    schauen to look
    ***schicken** to send
    wandern to wander; hike

*b. **liegen (lag) : legen; sitzen (saß) : setzen; stehen (stand) : stellen**

Er legt das Buch auf den Tisch; jetzt liegt es darauf (auf dem Tisch). Ich setzte mich auf den Stuhl; nun sitze ich darauf (auf dem Stuhl). Wir stellen Blumen auf den Tisch; dann stehen sie darauf (auf dem Tisch).

---

[1] At the fountain in front of the gate / there stands a linden tree. / I dreamed in its shade / many a sweet dream. / I cut into its bark / many a sweet word. In joy and in pain / it always drew me back. [2] **hoch** drops the **c** when it adds an ending: **hohe Berge.**

German distinguishes carefully between action and position in several verb pairs such as those above. Although most such pairs have disappeared from English, better usage still requires us to distinguish between "to sit : to set," "to lie : to lay," and "to fall : to fell."

The verbs **legen, setzen, stellen** may all frequently be translated quite simply as *to put*. Where German uses **liegen, sitzen, stehen**, English would often be content to use the verb *to be*.

c. **Es gibt : es ist, es sind**

Im Winter gibt es viel Schnee.	*There is a lot of snow in winter.*
Es gibt keine grünen Hunde.	*There are no green dogs.*
Es gab viel zu tun.	*There was a lot to do.*
Was gibt's Neues?	*What's new?*
Es ist ein fremder Herr da.	*There is a strange man here.*
Es sind heute zwanzig Studenten hier.	*There are twenty students here today.*

Es gibt serves a similar purpose in German as *there is, there are* in English, but it is used far less frequently. **Es gibt** is more indefinite than its English counterpart; it shows only general existence or occurrence and is never used in the sense of "to be present."

*2. **Auf dem Lande**

die Fahrt, –en drive, ride, trip	**der Berg, –e** mountain
der Ort, –e *or* ⸚**er** place; town	**der Gipfel, –** peak
	der Hügel, – hill
die Erde, –n earth	**das Tal, ⸚er** valley
das Feld, –er field	
der Wald, ⸚er woods, forest	**der Bach, ⸚e** brook
die Wiese, –n meadow	**der Fluß, Flüsse** river
	der See, –n lake
der Baum, ⸚e tree	**das Ufer, –** bank
die Blume, –n flower	
das Gras, ⸚er grass	**die Luft, ⸚e** air
der Stein, –e stone	**die Natur', –en** nature
der Strauch, ⸚er bush, shrub	**der Wind, –e** wind

aufs Land to the country
ins Freie out into the open
auf dem Land(e) in the country
im Freien out in the open

155

3. A few more compound words

> bringen : zusam'men-bringen to bring : to bring together
> fahren : zurück'-fahren to ride, drive : to ride back, drive back
>
> der Bergsteiger = der Berg + steigen = mountain climber
> die Lichtseite = das Licht (light) + die Seite = bright side
> die Schattenseite = der Schatten (shadow) + die Seite = dark side
> das Schaufenster = schauen (to look, see) + das Fenster = show window
> todmüde = der Tod (death) + müde (tired) = dead tired
> die Vorstadt = vor·+ Stadt = suburb

*4. Hin und her (back and forth)

Wo sind Sie?	*Where are you?*
Wohin gehen Sie? Wo gehen Sie **hin?**	*Where are you going (to)?*
Wo**her** kommen Sie? Wo kommen Sie **her?**	*Where do you come from?*
Gehen Sie **hin**ein! Kommen Sie **her**ein!	*Go in! Come in!*
Gehen Sie **hin**aus! Kommen Sie **her**aus!	*Go out! Come out!*
Wir schauten auf die Berge **hin**aus.	*We looked out at the mountains.*
Es ist wunderschön, sich **hin**zusetzen.	*It is delightful to sit down.*

The little words **hin** and **her** crop up continuously with verbs suggesting motion toward or away from a given point. They are used either by themselves or combined with some other word. They usually do not have a modern English equivalent: **hin** merely shows motion away from the speaker, **her** motion toward the spot where the speaker is located. — Compare older English usage: whither? (**wohin?**); whence? (**woher?**); thither (**dahin, dorthin**); thence (**daher, dorther**).

5. Location

> au**ß**en : **innen** (on the) outside : (on the) inside
>   drau**ß**en : drinnen outside, out there : inside, in there
> hinten : vorn(e) in back : in front
> oben : unten up above; upstairs : down below; downstairs
>   droben : drunten up there : down there
> drüben over there

III. ERLÄUTERUNGEN

*1. Nine prepositions in answer to *wo?* or *wohin?*

Wo?   **Wohin?**

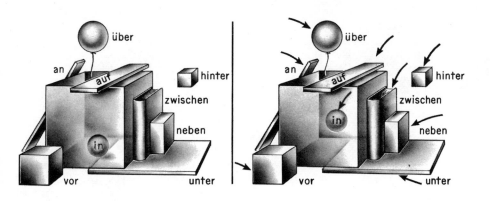

DATIVE   ACCUSATIVE

Ich bin in der Schule.	Ich gehe in die Schule.
Es liegt auf dem Tisch.	Er legt es auf den Tisch.
Sie steht an der Tür.	Sie geht an die Tür.
Er läuft im Garten herum.	Er läuft in den Garten.

When the nine prepositions in the diagrams above show *place where*, they are followed by the dative; when they show *place to which*, they are followed by the accusative.

2. The nine prepositions in other uses

Er denkt oft **an sie.**	*He often thinks of her.*
Mein Freund wartet **auf mich.**	*My friend is waiting for me.*
Wir haben keine Angst **vor ihm.**	*We are not afraid of him.*
Er schrieb mir **über deutsche Städte.**	*He wrote me about German cities.*

The nine prepositions shown in the diagrams above are often used in other senses than *place where* or *place to which*. The vocabulary listing will then tell you what case to use, for instance: **warten (auf**/*acc.*) *to wait (for).*

157

Ins freie hinaus

Upper Bavaria: The Königssee

„In zwei Stunden sind wir draußen in der guten frischen Luft."

*3. Contractions of prepositions with the definite article

am = an dem	fürs = für das	im = in dem
ans = an das	zum = zu dem	ins = in das
beim = bei dem	zur = zu der	aufs = auf das

*4. Prepositions always followed by the accusative

durch through
    durch den Wald through the woods
für for
    für meinen Freund for my friend
gegen against, toward
    gegen den Verkehr against the traffic

ohne without
    ohne meinen Wagen without my car
um around
    um den Platz around the square

*5. *Wo* + preposition; *da* + preposition

Womit schreibe ich? Schreibe ich mit der Kreide? Ja, ich schreibe **damit.**

*With **what** am I writing? Am I writing with the chalk? Yes, I am writing **with it.***

Woraus liest er? Liest er aus dem Buche? Ja, er liest **daraus.**

*From **what** is he reading? Is he reading from the book? Yes, he is reading **from it.***

Worauf warten Sie? Warten Sie auf die Glocke? Ja, wir warten **darauf.**

*What are you waiting **for**? Are you waiting for the bell? Yes, we are waiting **for it.***

(Auf **wen** warten Sie, auf Ihren Freund? Ja, ich warte auf **ihn.**
Mit **wem** spielt er, mit seinem Hund? Ja, er spielt mit **ihm.**)

*(For **whom** are you waiting, for your friend? Yes, I am waiting for **him.** With **whom** is he playing, with his dog? Yes, he is playing with **him.**)*

Personal pronouns are seldom used with a preposition when the pronoun refers to a *thing* or *things;* **da**– (**dar**– before vowels) is combined with the preposition instead. — Compare the older English forms *there*by, *there*from, *there*with, etc.

Similarly, **wo**– (**wor**– before vowels) usually replaces the interrogative pronoun with prepositions if the pronoun refers to a thing or things. — Compare older English forms: *where*by, *where*fore, *where*with, etc.

6. Time when

am Montag, am Dienstag usw.	*on Monday, on Tuesday, etc.*
am Morgen, am Abend usw.	*in the morning, in the evening, etc.*
im Januar, im Februar usw.	*in January, in February, etc.*
in der Nacht	*at night*

"Time when" is treated similarly to "place where" in that the dative case is used after the prepositions **an** and **in**. Note also the use of the definite article in the examples given.

7. Pronunciation and spelling

ON WORD ACCENT

a. The basic pattern of English and German is very similar:

In both languages the first syllable of a word generally bears the main stress: **antworten** *to answer*, **Übung** *exercise*, **Klassenzimmer** *classroom*, **Vorstadt** *suburb*, **aufmachen** *to open*.

In both languages there are unstressed prefixes; of these you have met in German so far: **be–** (**bekom′men, Bedeu′tung**), **ge–** (**gefal′len, Gefahr′**), **er–** (**erzäh′len, Erklä′rung**), **ver–** (**verges′sen, Verkäu′fer**). Compare English: *become, defeat, return, forget*.

b. There is, however, an important difference between English and German in the treatment of the many words and forms that have, in both languages, been taken over from foreign sources, most often from or through French:

In English, such words and forms are usually adapted to the native stress pattern, while German prefers to preserve the accent they had in the language of their origin. Thus we get a different stress pattern for many otherwise similar words in English and German, e.g., *minute* : **Minu′te**, *student* : **Student′**, *study* : **studie′ren**, *interesting* : **interessant′**, *person* : **Person′**, *family* : **Fami′lie**, *million* : **Million′**.

A German used to his type of stress will often find it impossible to understand what you mean when you inadvertently stress such words the English way. It pays, therefore, to be especially careful in this respect.

Remember also that in German unstressed vowels usually retain their full value. Thus, the first syllable in **Student′** is to be spoken with the normal open and short German **u,** the first syllable of **Minu′te** with the open and short German **i.**

IV. ÜBUNGEN

A. Listen to the difference in stress between the following English and German words, then practice:

minute	: Minu′te		family	: Fami′lie
automobile	: Automobil′		bureau	: Büro′
student	: Student′		physics	: Physik′
study	: studie′ren		music	: Musik′
nature	: Natur′		interesting	: interessant′
paper	: Papier′		person	: Person′

B. Supply the dative form of the definite article or the dative form required:

1. Die Augen sind in —— Kopf. 2. Die Ohren sitzen an —— Kopf. 3. Die Finger sind an —— Hand. 4. An —— Händen trägt man Handschuhe. 5. Die Brille sitzt auf —— Nase. 6. Der Kopf sitzt auf —— Hals. 7. Auf —— Kopf trägt man einen Hut.

8. Wir sind in —— Schule. 9. Vor —— Tafel steht ein Tisch. 10. An —— Tisch sitzt unser Lehrer auf ein– Stuhl. 11. Auf —— Tisch liegen Bücher. 12. Wir müssen in unser– Bücher– lesen.

13. Unsere Familie wohnt in ein– großen Stadt. 14. Wir sind aber alle gern auf —— Land. 15. Mit unser– neuen Auto sind wir in wenig– Minuten draußen. 16. Aus —— offenen Fenstern schaut man hinaus auf Wiesen und Felder. 17. Nachher sitze ich an ein– Bache und fische. 18. Neben —— (*me*) auf ein– großen Stein sitzt mein Bruder. 19. In —— Bach schwimmen viele Fische. 20. Neben —— (*us*) liegen schon zwei von —— (*them*).

C. Complete the following passages with the accusative forms of the definite article, or as indicated:

1. Heute abend fährt unsere ganze Klasse auf —— Land. 2. Wir setzen uns in ein– Autobus und fahren in ein– schönen Wald. 3. Dann wandern wir

durch —— Wald und über ein– Wiese. 4. Wir steigen dann alle auf ein– niedrigen Berg. 5. Von dort können wir über grün– Wiesen und Felder auf ein– kleinen See hinunterschauen.

6. Meine Freundin und ich fuhren gestern zusammen in —— Schule. 7. Der Lehrer kam spät in —— Klassenzimmer. 8. Er ging sofort an —— Tafel. 9. Er schrieb einige Sätze an —— Tafel und setzte sich dann bequem an sein– Tisch. 10. Nun mußten wir die Sätze in unser– Hefte schreiben.

D. *Complete with the dative or accusative form of the definite article, or as indicated:*

1. Unsere Familie ist gern auf —— Lande. 2. Wir fahren oft mit einig– Freund– ins Freie hinaus. 3. Nach der Fahrt wandern wir durch ein– Wald. 4. Danach essen wir unser Mittagessen unter hoh– schön– Bäumen. 5. Wir müssen oft an unser– ander– arm– Freunde zu Hause denken, denn wir können nur zwei oder drei in unser– klein– Wagen hineinbringen. 6. Für —— anderen ist kein Platz in unser– Wagen. 7. Bald aber müssen wir in —— Stadt zurückfahren. 8. Wir steigen alle aus —— Auto.

9. Ich habe nun wirklich mein eigen– Auto! 10. Es gehört —— (*to me*) ganz allein. 11. Heute fahre ich zum ersten Mal in —— Schule. 12. Es fahren einige Freunde mit —— (*me*). 13. Einer von mein– Freunden sitzt neben —— (*me*), die anderen setzen sich hinter —— (*us*). 14. Ich fahre sehr langsam durch —— Straßen. 15. Vor —— Schule steht gerade mein Deutsch- lehrer. 16. Ich grüße —— (*him*). 17. Er dankt —— (*me*) und sagt: ,,Aha, mein Lieber, ich sehe, Sie haben jetzt ein– Wagen. 18. Da brauchen Sie nicht so lange, um in —— Schule zu kommen, und haben also mehr Zeit, Ihr Deutsch zu studieren.`` 19. Ich denke bei —— (*myself*), vielleicht komme ich morgen doch wieder ohne —— (*my*) Auto in —— Schule.

E. *Supply* **wo-**compounds or **da-**compounds, or the proper form of the personal pro- noun:

PATTERNS: **Mit wem** gehen Sie? Mit meinem Freund. Ich gehe **mit ihm.**
Womit schreiben Sie? Mit der Feder. Ich schreibe **damit.**

1. (*On what*) sitzen Sie? Auf einem Stuhl. Ich sitze (*on it*).
2. (*On what*) setzten Sie sich? Auf einen Stuhl. Ich setzte mich (*on it*).
3. (*In what*) liest man? In Büchern. Man liest (*in them*).
4. (*With what*) fahren Sie? Mit dem Rad. Ich fahre (*with it*).
5. (*With whom*) fuhren Sie? Mit dem Bruder. Ich fuhr (*with him*).
6. (*For what*) warten Sie? Auf mein Essen. Ich warte (*for it*).

7. (*For whom*) warteten Sie? Auf eine Freundin. Ich wartete (*for her*).
8. (*With whom*) spielte er? Mit seinem Hunde. Er spielte (*with him*).
9. (*Of what*) denken Sie? Ich denke an meine Arbeit. Ich denke (*of it*).

F. *Ask yourself and others questions like the following and answer them in German:*

a. Wie heißen Sie? Wo wohnen Sie? Bei wem wohnen Sie? In welcher Straße wohnen Sie? in welcher Stadt? Wann gingen Sie heute morgen in die Schule? Fuhren oder gingen Sie? Gehen Sie jeden Tag in die Schule?

b. Haben Sie ein Auto? Fahren Sie damit in die Schule? Womit fahren Sie? Kamen Sie heute ohne Ihren Wagen in die Schule? Gehen Sie oft zu Fuß? Sind Sie fleißig? Machten Sie gestern abend Ihre deutsche Aufgabe? Bereiteten Sie sich für die deutsche Stunde vor? Lasen Sie die Zeitung? Lasen Sie eine deutsche Zeitung?

c. Wo liegt Ihr Buch? Wo liegen meine Bücher? Worauf sitzen Sie? Wo steht der Lehrer? Woran schreibt er? Womit schreibt er? Womit schreiben Sie? Schreiben sie gern an die Tafel? Womit hört man? Womit sieht man? Wann kommt der Lehrer ins Klassenzimmer? Wohin legt er seine Bücher? Wo liegen sie jetzt? Wohin legt er den Hut? Wo liegt er jetzt?

d. Sind Sie gern auf dem Lande? Fahren Sie oft aufs Land? Mit wem fahren Sie hinaus? Was sehen Sie dort? Was tun Sie dort? was noch? (Was kann man noch tun?) Waren Sie im Sommer auf dem Lande? Was taten Sie dort? Fahren Sie gern durch die Stadt?

e. Beschreiben Sie noch schnell Ihr Auto! Beschreiben Sie das Klassenzimmer! Ihre Wohnung! ein Hochhaus! den Lehrer! Beschreiben Sie den Studenten, der neben Ihnen sitzt! die Studentin, die da vor Ihnen sitzt! einen Freund! eine Freundin! usw.

„*Wer selbst im Glashaus sitzt,*
soll nicht mit Steinen werfen."

DIE ZWÖLFTE STUNDE

I. SPRECHEN UND LESEN

1. Freuden der Liebe

Heute beginne ich ein Tagebuch;[1] denn einem Tagebuch kann ich sagen, was ich sonst noch niemandem sagen will: ich bin verliebt.

Das kam ganz plötzlich;[2] nämlich so: Ich gehe am Mittag gewöhnlich mit einigen Freunden in ein Restaurant. Heute war auch die Schwester eines meiner Freunde da. Sie ist groß und schlank.[3] Ihre 5 Augen sind blau, ihre Haare sind blond und der Ton ihrer Stimme ist angenehm. Sie lachte nicht nur mit dem Mund, sondern auch mit den Augen. Wenn sie lacht, sieht man eine Reihe der schönsten Zähne.[4]

Während des Essens erzählte sie mir von sich. Sie heißt Susan. Sie will Sängerin werden. Sie ist die Schülerin eines bekannten Opern- 10 sängers. Das Studium kostet viel Geld. Deshalb arbeitet sie während der halben Woche als Verkäuferin in einem Warenhaus.[5] Während der anderen halben Woche studiert sie. Sie nimmt nicht nur Gesangs-

---

[1] diary. [2] suddenly. [3] tall and slender. [4] a row of the most beautiful teeth. [5] **die Ware, –n** (wares, goods) + **das Haus** = department store.

stunden. Sie studiert auch Italienisch und sie hat es sehr gern. Später will sie auch Deutsch studieren. Sie will einmal deutsche Lieder singen, vor allem [1] die Lieder von Schubert, Brahms und Richard Strauß.

Und nun die Hauptsache: ich bat sie, am nächsten Sonntag mit mir
5 auszugehen, und sie sagte ja. Wegen ihrer vielen Arbeit geht sie wenig aus. Aber sie geht mit mir. Das freut mich. Wir gehen in ein Konzert. Das Konzert beginnt um halb neun Uhr. Ich treffe sie um sechs Uhr im Haus ihrer Eltern. Dann gehen wir zum Essen und danach ins Konzert. Nach dem Konzert bringe ich sie nach Hause.
10 Ich kenne viele Mädchen, aber noch keine gefiel mir so gut wie Susan. Ich kann den Sonntag kaum erwarten.[2] Ich habe keine Lust zu arbeiten und ich habe keinen Hunger. Ich denke immer an Susan. Ich höre den Ton ihrer Stimme und ich sehe das Lachen ihrer Augen. Ich bin wirklich bis über die Ohren verliebt.

2. Wie man um Auskunft bittet (asking for information)

a. Im Kino

— Fräulein, darf ich Sie um Information bitten?
— Bitte sehr!
— Wann beginnt der Hauptfilm [3] und um wieviel Uhr ist er zu Ende?
— Er beginnt pünktlich um Viertel acht und ist um halb zehn Uhr zu Ende.
— Besten Dank!

b. Im Warenhaus

— Verzeihen Sie, wo bekommt man hier Plattenspieler und Tonbandgeräte?
— Sie sehen den Aufzug dort drüben, nicht wahr? Fahren Sie damit in den vierten Stock hinauf, dann gehen Sie nach rechts und geradeaus.
— Danke sehr!

---

[1] above all, especially.   [2] hardly wait for.   [3] main feature.

3. Merkverse

EINST UND JETZT

(*Then and now*)

Einst [1] hatte man Grammophone [2]
mit Trichter [3] und lautem Tone.
Jetzt kommen die Töne von Bändern.
Ei,[4] wie die Zeiten sich ändern! [5]

DIE STIMME SEINES HERRN

(*His master's voice*)

Es sitzt ein Hund bei einem Grammophon.
Er stellt [6] die Ohren; hört er einen Ton?
Man sieht es gleich: er hat den Ton sehr gern,
er hört gewiß [7] die Stimme seines Herrn.

II. WORTSCHATZ

*1. Vergessen Sie uns nicht!

a. **eines Tages, eines Morgens, eines Nachts** usw. one (some) day / morning / night, etc.

morgens, abends, nachts usw. in the morning, mornings; in the evening, evenings; at night, nights, etc.

b. **begeg′nen** (*dat.*) to meet, encounter
bitten, bat (**um** / *acc.*) to ask (for), request
um Auskunft (**Information′**) **bitten** to ask for information
Ich bat sie um eine Verabredung. I asked her for a date.

kennen-lernen (**lernt . . . kennen**) to meet, get to know
treffen (**trifft**), **traf** to meet

angenehm : unangenehm pleasant : unpleasant

c. **sich** (*acc.*) **freuen** to be happy, be glad
Ich freue mich über (*acc.*) **das Buch.** I am pleased about the book.
Er freut sich auf (*acc.*) **das Konzert.** He is looking forward to the concert.

Es freut mich, Sie kennenzulernen. I am happy to meet you.

d. **die Liebe** love

lieben to love

beliebt′ popular
geliebt′ beloved
verliebt′ in love

---

[1] *here:* once upon a time.   [2] phonographs.   [3] *here:* horn.   [4] *A very common interjection expressing astonishment.*   [5] change (cf. **anders** different).   [6] pricks up.   [7] certainly.

*2. Telling time: quarter and half hours

Wir essen um (ein) **Viertel sieben** (Uhr).	*We eat at **quarter past six.***
Das Konzert beginnt um **halb neun** (Uhr).	*The concert starts at **half past eight.***
Um **drei Viertel elf** (Uhr) ist es aus.	*It is over at **quarter to eleven.***

Although German tells time very much in the same way as English (*Fünfte Stunde*, II, 3), the quarter hours and half hours follow a different pattern. The hour from 8 to 9 is actually the *ninth* hour of the day. Therefore 8:15 is **ein Viertel neun**; **drei Viertel neun** tells us that three quarters of the ninth hour are past, that it is 8:45. The half hour is almost always indicated in this way: 8:30 is **halb neun**, 12:30 is **halb eins**, and so on.

Train time and theater time are usually announced by the 24-hour clock: **20 Uhr** = ·8 p.m., **16.30** = 4:30 p.m., etc.

3. Places to go

Wir gehen gern **ins** Kino, **ins** Konzert, **ins** Theater. Wir sind gern **im** Kino, **im** Konzert, **im** Theater.

das Kino, –s	**das Konzert', –e**	***das Thea'ter, –**

Am Sonntag geht man **in die** Kirche. Während der Woche gehen die Schulkinder **in die** Schule. Abends geht man vielleicht **in die** Oper. (Man ist **in der** Kirche, **in der** Schule, **in der** Oper.) Man fährt **in die** Stadt; dann ist man **in der** Stadt (*down town*).

***die Kirche, –n**	**die Oper, –n**	***die Schule, –n**

*4. An important pattern

Ich habe Durst; ich habe keinen Durst.	*I am (am not) thirsty.*
Ich habe Hunger; ich habe keinen Hunger.	*I am (am not) hungry.*
Ich habe Schlaf; ich habe keinen Schlaf.	*I am (am not) sleepy.*
Ich habe Angst; ich habe keine Angst.	*I am (am not) worried.*
Ich habe Lust; ich habe keine Lust.	*I want to; I do not want to.*

168

*5. Die Zahlen über 100

hundert, zweihundert, dreihundert usw.
hunderteins, hundertzwölf, hundertvierundzwanzig usw.

tausend, zweitausend, dreitausend usw.
tausendzweihundertsechsunddreißig usw.

eine Million', zwei Millio'nen usw.
eine Milliar'de (*billion*), zwei Milliar'den usw.

Jahreszahlen: 1492 vierzehnhundertzweiundneunzig
            1964 neunzehnhundertvierundsechzig

6. Die Nation' und die Sprache

die **Nation'**, –en nation
national' national

(das) **Ame'rika**	(das) **Deutschland**
amerika'nisch	deutsch
der Amerika'ner, –	der Deutsche, –n (*adj. noun*)
die Amerika'nerin, –nen	die Deutsche, –n (*adj. noun*)
(das) **England**	(das) **Frankreich**
englisch	franzö'sisch
der Engländer, –	der Franzo'se, –n, –n
die Engländerin, –nen	die Franzö'sin, –nen
(das) **Ita'lien**	(das) **Rußland**
italie'nisch	russisch
der Italie'ner, –	der Russe, –n, –n
die Italie'nerin, –nen	die Russin, –nen

7. Das Tonbandgerät

Auf einem Tonbandgerät kann man ganze Opern und Konzerte spielen. Man kann damit auch die Stimmen berühmter Sänger und Sängerinnen hören. Die Hauptsache [1] aber ist natürlich: man kann die deutschen Stunden dieses Buches auf einem Tonband hören. Dabei lernt man sehr bequem Deutsch.

das Tonband = der Ton, ⸚e (tone) + das **Band**, ⸚er (ribbon, tape) = (sound) tape
das Tonbandgerät' = das Tonband + das **Gerät'**, –e (appliance) = tape recorder

[1] die **Hauptsache** = das Haupt, ⸚er (head, chief) + die **Sache**, –n thing = the main thing, "most important."

Franz Schubert

Johannes Brahms

Wolfgang Amadeus Mozart

„Wir gehen ins Konzert."

III. ERLÄUTERUNGEN

1. The genitive forms of nouns, noun modifiers, and *wer?*

	SINGULAR		PLURAL
GENITIVE OF	WITH **der**-NOUNS & **das**-NOUNS: −s	WITH **die**-NOUNS: −r	WITH ALL NOUNS: −r
dieser-words	des, dieses Tisches des, dieses Fensters	der, dieser Zeit	der, dieser Tische / Fenster / Zeiten
ein-words	eines, meines Wagens eines, meines Buches	einer, meiner Feder	keiner, meiner Wagen / Bücher / Federn
unpreceded adjectives	(kalten Kaffees, kalten Wassers)	schöner Musik	alter Tische / Bücher / Zeiten
wer?	wessen?		

▶ **Dieser**-words and **ein**-words show the following genitive endings:

> −es with **der**-nouns and **das**-nouns in the singular;
> −er with **die**-nouns in the singular;
> −er with all nouns in the plural.

▶ **Der**-nouns and **das**-nouns usually have an −s in the genitive singular;[1] if the noun ends in an s-sound, −es is used. — Note also that one-syllable nouns may use −es instead of −s.

▶ No **die**-nouns and no nouns in the plural ever have a special genitive ending.

2. Preceded adjectives in the genitive

meines **guten** Freund(e)s   der **jungen** Frau   der **alten** Häuser
dieses **großen** Land(e)s
(kalten **Kaffees**, kalten **Wassers**)

---

[1] You have already met a few **der**-nouns such as **der Student, −en, −en** which show the ending −en in all cases except the nominative singular (*Sechste Stunde*, III, 4; *Zehnte Stunde*, III, 2c; Appendix **II,** IIIe). Except for such rare irregular forms, our *Wortschatz* will continue to list only the plural endings of nouns, since almost all **der**-nouns and **das**-nouns end in −s (−es) in the genitive. The end vocabulary, however, gives the genitive singular and the nominative plural of all **der**-nouns and **das**-nouns: **der Wagen, −s, − = des Wagens, die Wagen.**

Remember that preceded adjectives have the ending –en in all cases except the nominative singular with all nouns and the accusative singular with das-nouns and die-nouns. — In contemporary German, unpreceded adjectives also usually end in –en with der-nouns and das-nouns in the genitive singular.

3. Personal pronouns in the possessive function

Er ist kein Freund **von mir, von ihm, von ihr, von uns, von ihnen, von Ihnen.**	*He is no friend of mine, of his, of hers, of ours, of theirs, of yours.*

Although genitive forms of the personal pronouns do exist (Appendix **II**, Va), they are almost never used. **Von** with the dative forms of the personal pronouns has replaced them.

4. Uses of the genitive case

a. Possession:

Wessen Buch ist das? Es ist das Buch **des** Lehrers.
Der Wagen mein**es** Bruders ist ganz neu.
Die Tage **der** Woche heißen Montag, Dienstag usw.
Ich sehe das Lachen **ihrer** Augen.

The forms of the genitive primarily express the function of *possessing* or of belonging to somebody or something. (In English: *the teacher's book* or *the book of the teacher*.)

*b. Prepositions with the genitive:

anstatt eines Konzerts, **anstatt** dieser Übung	*instead of*
während des Tages, **während** dieser Stunde	*during*
wegen des Geldes, **wegen** ihrer Augen	*because of, on account of*
also: des Geldes **wegen**	
meinetwegen, seinetwegen, uns(e)retwegen, ihretwegen	*on (my, his, our, their) account*

Only three of the more common German prepositions are regularly followed by the genitive: **anstatt (statt), während,** and **wegen.**

173

5. The formation of compound nouns

> das Tonbandgerät (der Ton, das Band, das Gerät)
> die Hauptsache (das Haupt, die Sache); die Hauptstadt (das Haupt, die Stadt); der Hauptfilm (das Haupt, der Film)
> das Tagebuch (der Tag, das Buch)
> der Opernsänger (die Oper, der Sänger)
> das Warenhaus (die Ware, das Haus)
> die Gesangsstunde (der Gesang [*singing*], die Stunde)
> die Jahreszahl (das Jahr, die Zahl)

Generally, compound nouns are formed by joining two or more nouns in their nominative singular form. Quite often, however, a connecting sound or syllable is inserted, frequently an **e**, **(e)s**, **(e)n**.

Remember that the last component determines the class of the compound noun and is also the only one to be changed for case and number.

Other parts of speech can also be joined to a noun to form a compound noun, e.g., **das Schaufenster (schauen, das Fenster), die Vorstadt (vor, die Stadt)**.

6. Pronunciation and spelling

a. THE ENDING –tion

die Nation', die Information'

This ending — of Latin-French derivation — is well known to you from many English words of like origin. In German, however, it always carries the main accent, and the **t** is spoken as a **z** (**ts**), the **i** as a semivowel (English *y*, German **j**).

All nouns with the ending –tion are **die**-nouns.

There are many parallel words of this kind in English and in German, e.g., **Inspektion', Inspiration', Revolution'**. Even though the German noun has not always quite the same meaning as its English counterpart, you will usually be understood when using it — provided you stress it in the German manner and give each vowel its full value.

b. THE SPELLING **th**

This spelling is an archaic alternate for **t**. In modern German it only occurs in a few words of Greek origin, e.g., **Thea'ter,** and in some names, as **Goethe, Hofmannsthal, Thomas.** The sounds spelled *th* in English, as in *thick* or *this,* do not exist in German.

IV. ÜBUNGEN

A. *Listen to the following words, then read them aloud several times:*

die Aktion, die Auktion, die Inspektion, die Reflektion, die Installation, die Diskretion, die Insubordination, die Revolution, die Injektion, die Spekulation, die Agitation, die Inspiration

B. *Supply genitive forms as indicated:*

1. Die Fenster unser– Zimmers sind hoch und schmal. 2. Im Hause sein– Eltern stellte man immer Blumen auf den Tisch. 3. Während d– Woche muß er schwer arbeiten. 4. Der Gipfel d– Berges lag im Schatten. 5. Das Lernen ein– Sprache braucht Zeit. 6. Der Wagen mein– Eltern war sehr alt, aber der Motor d– alt– Wagens ging noch sehr gut. 7. Er setzte sich auf den Stuhl ein– Schulkameraden. 8. Die Kleider mein– Schwester sind recht teuer. 9. Anstatt ein– Bleistifts nahm ich meine Feder. 10. Die Hände d– klein– Kindes waren nicht gerade sauber. 11. Die Stimme sein– Freundin war sehr angenehm. 12. D– Lehrers Stimme ist nicht immer angenehm. 13. Das Wasser d– klein– Sees wurde während d– Nacht sehr kalt. 14. Er tat es nur —— (*on their account*), denn er war ein guter Freund —— —— (*of theirs* [*dat.*]). 15. Die Sätze dies– Übung sind oft recht dumm.

C. *Supply genitive endings as indicated:*

1. Wessen Wagen ist das? Es ist der Wagen mein– Lehrer–, mein– Bruder–, unser– Eltern, ein– Onkel–.
2. Wessen Tagebuch lesen Sie da? Ich lese das Tagebuch ein– Freund–, mein– jung– Schwester, ein– gut– Freundin.
3. Wessen Hut liegt dort? Es ist der Hut ein– Schülerin, ein– Studentin, unser– Lehrer–, unser– deutsch– Lehrer–.

4. Wessen Blumen stehen dort? Es sind die Blumen mein– gut– Mutter, ein– klein– Mädchen–, Ihr– Schwester.
5. Wessen Hund bellte so laut? Der Hund dies– Kind–, dies– klein– Kinder, unser– Nachbarin bellte laut.
6. Wessen Stimmung war schlecht? Die Stimmung mein– Vater–, unser– Lehrer–, mein– Kamerad– war schlecht.

D. *Lesen Sie auf deutsch:*

a. *als gewöhnliche Zahlen!*

100, 110, 120 usw. bis 200
211, 322, 433 usw. bis 988
1 010, 2 020, 3 030 usw. bis 10 100
1 200, 2 300, 3 400 usw. bis 10 000
11 437, 29 777, 329 550, 817 206
1 500 000, 50 000 000, 120 000 000 000

b. *als Jahreszahlen!*

1066, 1492, 1776, 1812, 1929, 1964

E. *Answer the following questions in German in as many different ways as you can:*

a. Ist das da mein Buch? Ist es Ihr Buch? Wessen Buch ist es? Gehört es mir? Wem gehört es? Wessen Heft liegt da auf dem Tisch? Gehört es Ihnen? Ist das da Ihr Mantel? Wessen Mantel ist es? Ist es der Mantel eines Studenten oder einer Studentin? Ist das mein Hut? Sind das Ihre Handschuhe? Wessen Feder ist dies? Ist es Herrn Schmidts Feder? Mit wessen Feder schreiben Sie? usw.

b. Wessen Uhr ist dies? Ist es meine Uhr? Wessen Uhr hängt dort an der Wand? Wem gehört sie? Was für eine Uhr ist es? Ist es eine Wanduhr oder eine Taschenuhr? Geht sie manchmal vor oder nach? Haben Sie auch eine gute Taschenuhr? Was für eine Uhr haben Sie? Bleibt sie oft stehen? Müssen Sie sie oft zum Uhrmacher bringen? Haben Sie einen guten Uhrmacher? Ist er sehr teuer?

c. Sind die Antworten von Schülern gewöhnlich richtig? Sind des Lehrers Antworten immer richtig? Ist es Ihnen unangenehm, wenn Sie oft antworten müssen? Wollen Sie, daß der Lehrer Sie oft fragt? Haben Sie Angst, eine falsche Antwort zu geben? Freuen Sie sich, wenn Sie richtig antworten können? Freut sich der Lehrer, wenn Sie richtig antworten?

d. Fahren Sie manchmal mit dem Wagen Ihres Vaters? Fuhren Sie heute mit einem Auto in die Schule? Mit wessen Auto fuhren Sie? Haben Sie Ihr eigenes Auto? Ist es ein guter Wagen? Geht der Motor dieses Wagens noch gut? Bleibt er manchmal stehen? Braucht er viel Benzin? Fahren Sie auch manchmal damit aufs Land? Haben Sie vielleicht auch ein Fahrrad? Ist es alt oder neu? Hat ein Freund von Ihnen auch ein Fahrrad?

e. Haben Sie jetzt Hunger? Wann essen Sie gewöhnlich? Haben Sie Durst? Haben Sie Lust, heute abend ins Theater zu gehen? Gehen Sie oft ins Theater? in die Oper? Wohin gehen Sie sonst gern am Abend? Wo treffen Sie Ihre Freunde gewöhnlich? Haben Sie schon eine Verabredung für heute abend? für nächsten Sonntag? Haben Sie viele Verabredungen oder sind Sie gern allein? Was tun Sie gern, wenn Sie allein sind? Lesen Sie viel? Hören Sie gern Musik?

f. Wie heißt der Titel dieser Stunde? Beschreiben Sie die Zeichnung über diesem Titel! Was sehen Sie darauf?

g. Wann standen Sie heute auf? Um wieviel Uhr gingen Sie in die Schule? Um wieviel Uhr begann unsere deutsche Stunde? Begann sie um halb neun? Wann ist sie aus? Wann kommen Sie wieder hierher? Freuen Sie sich darauf?

„Aller guten Dinge sind drei."

DIE DREIZEHNTE STUNDE

I. SPRECHEN UND LESEN

1. Die schönste Jahreszeit

Die schönste Jahreszeit in den Vereinigten Staaten ist der Herbst. In Deutschland ist es der Frühling. Im Frühling ist das Wetter gewöhnlich schöner als in den anderen Jahreszeiten. Es ist weder zu kalt noch zu heiß. Die Luft ist frisch und angenehm. Während des Tages
5 scheint die Sonne. Die Nächte sind kühl. Es regnet wenig.

Wenn der Lehrer am Morgen in die Stunde kommt, dann singen die Kinder:

> „Der Himmel ist blau, das Wetter ist schön;
> Herr Lehrer, wir wollen spazierengehn!"

10 Die Deutschen gehen sehr gern spazieren. Deutschland ist ja viel kleiner als die Vereinigten Staaten, alle Entfernungen [1] sind daher auch kleiner, und man kommt zu Fuß schneller zum Ziel.[2] In früheren Jahren war das Spazierengehen ein nationaler Sport der Deutschen. Damals

[1] distances.   [2] goal.

spielte natürlich das Autofahren noch kaum eine Rolle.[1] Aber sogar heute, wo, wie wir wissen, jeder vierzehnte Deutsche sein Auto und fast jeder ein Fahrrad hat, ist das Spazierengehen immer noch ein beliebtes Vergnügen der Deutschen.

Es gibt viele Fußwege über Wiesen und Felder und durch die 5 Wälder. Am Sonntag nehmen die Jungen ihren Rucksack über die Schulter und wandern übers Land. Die Alten machen es sich etwas leichter. Sie nehmen die Bahn [2] oder einen Autobus, oft fahren sie auch zu Rad, und die glücklichen Besitzer [3] eines Automobils fahren damit aufs Land. Dort wandern sie ein wenig und setzen sich dann in 10 einen Biergarten. Da sitzen sie an Tischen unter Kastanien- und Lindenbäumen,[4] essen Brot, Wurst und Käse und trinken Bier. Am Abend kehren Alte und Junge müde und zufrieden in die Stadt zurück.[5]

Es ist wohl kein Zufall,[6] daß eines der schönsten von Schillers Gedichten „Der Spaziergang" heißt. Darin beschreibt Schiller die 15 Geschichte der Menschen als eine Wanderung über Berg und Tal, eine Wanderung durch Regen und Sturm, aber auch eine Wanderung über freundliche Felder und sonnige Höhen.[7]

Jeder deutsche Student kennt die Schlußzeile [8] dieses Gedichts:

„Und die Sonne Homers, siehe! [9] sie lächelt auch uns!" 20

2. Ein Gespräch

(zwischen Vera Schöller und Walter Klein)

VERA: Morgen will ich mit einer Freundin aufs Land fahren. Wollen Sie mitkommen,[10] Walter?

WALTER: Sehr gern. Wohin fahren Sie denn?

VERA: Meine Freundin hat einen Wagen; damit fahren wir an den Mondsee. Dort wollen wir dann schwimmen und uns in die Sonne setzen. Sie können doch schwimmen?

WALTER: Ja freilich, das kann ich besser als Deutsch. Soll ich etwas zum Essen mitbringen?

---

[1] **spielte ... Rolle** was hardly of any importance. [2] **die Eisenbahn.** [3] owners. [4] chestnut and linden trees. [5] **zurück'-kehren** to return. [6] "It is indeed not surprising" (*literally:* no accident). [7] heights. [8] final line. [9] behold. [10] come along.

VERA: Nein, gar nichts. Ich habe schon alles zu Hause, was wir brauchen: Brot, Wurst und Käse. Heute abend mache ich dann Brötchen und entweder Tee oder Kaffee. Was ist Ihnen lieber?

WALTER: Kaffee ist mir lieber, wenn er nicht zu stark ist. Und wann und wo treffen wir uns?

VERA: Meine Freundin kommt um acht Uhr morgens zu mir nach Haus. Am besten kommen Sie auch hin! Und ziehen Sie sich warm genug an! Der Wagen meiner Freundin ist offen, und am Abend wird es vielleicht kühl.

WALTER: Vera, Sie sind ein kluges Mädchen, Sie denken wirklich an alles. Ich hoffe [1] nur, daß wir gutes Wetter haben. Oder wollen Sie auch fahren, wenn es donnert und blitzt?

VERA: Keine Angst, Walter! Es wird [2] weder donnern noch blitzen. Kennen Sie nicht das deutsche Sprichwort: „Wenn Engel reisen,[3] lacht der Himmel"?

3. Aus einem Gedicht von Ludwig Uhland [4]

FRÜHLINGSGLAUBE [5]

Die Welt [6] wird schöner mit jedem Tag,
man weiß nicht, was noch werden mag,
das Blühen [7] will nicht enden.
Es blüht [7] das fernste,[8] tiefste Tal:
nun, armes Herz, vergiß der Qual! [9]
Nun muß sich alles, alles wenden.[10]

II. WORTSCHATZ

*1. Passen Sie auf!

a. Es ist **entweder** zu heiß **oder** zu kalt. *either . . . or*
Es ist **weder** zu heiß **noch** zu kalt. *neither . . . nor*

---

[1] I hope. [2] it will. [3] when angels travel. [4] 1787–1862. [5] **der Glaube** faith. [6] world. [7] **blühen** to bloom. [8] **fern** far away, remote. [9] **vergiß der Qual!** forget your pain. [10] **wenden** to turn, change.

b. Er ißt Brot **gern.**
Er ißt **lieber** Brot mit Wurst.
Am liebsten ißt er Brot mit Käse.

Er **hat** Wurst **gern,** aber Käse ist ihm **lieber.**

*He **likes** (to eat) bread.*
*He **prefers** (to eat) bread and sausage.*
***Most of all** he **likes** (to eat) bread and cheese.*

*He **likes** sausage, but he **prefers** cheese.*

c. das **Glück :** das **Unglück** happiness; luck : misfortune; accident
glücklich : unglücklich happy, fortunate : unhappy, unfortunate
viel Glück! lots of luck!

der **Spazier'gang,** ⸗e walk
die **Verei'nigten Staaten** the United States

d. **einst** formerly, once

damals at that time; then

*2. Die vier Jahreszeiten (the four seasons)

der **Frühling,** –e spring
der **Sommer,** – summer

der **Herbst,** –e autumn, fall
der **Winter,** – winter

*3. Das Klima und das Wetter (climate and weather)

die **Temperatur',** –en temperature
die **Wärme :** die **Kühle** warmth : coolness
warm : kühl warm : cool

der **Himmel,** – sky
der **Mond,** –e moon
die **Sonne,** –n sun
die **Wolke,** –n cloud

der **Sturm,** ⸗e storm
blasen (bläst), blies to blow

blitzen to lighten, flash
der **Blitz,** –e lightning, flash
donnern to thunder
der **Donner** thunder
frieren, fror to freeze
das **Eis** ice
regnen to rain
der **Regen** rain
schneien to snow
der **Schnee** snow

4. Einige Kleidungsstücke (some articles of clothing)

Wenn es kalt oder kühl ist, zieht man sich warm an. Wenn es aber warm oder heiß ist, zieht man sich leicht an.

Herrenkleider:

> Ein Mann (ein Herr) oder ein Junge (ein Knabe) trägt einen Anzug, nämlich eine Jacke und eine Hose, manchmal auch eine Weste. Er trägt auch ein Hemd mit einem Kragen und oft eine Krawatte. An den Füßen trägt er Socken und Schuhe.

Damenkleider:

> Eine Frau (eine Dame) oder ein Mädchen trägt entweder ein Kleid oder einen Rock und eine Bluse, oft auch ein Kostüm. Anstatt der Socken tragen die meisten Frauen Strümpfe.

> Oft trägt man auch einen Hut, einen Mantel und Handschuhe. Wenn es regnet, braucht man einen Regenschirm oder man zieht einen Regenmantel an. Frauen tragen auch eine Handtasche. Männer brauchen keine Handtasche, denn sie haben genug Taschen in ihrem Anzug.

> **an-ziehen, zog an : aus-ziehen, zog aus** to dress, put on : to undress, take off
> **sich** (*acc.*) **an-ziehen : sich** (*acc.*) **aus-ziehen** to dress (oneself), get dressed : to undress (oneself), get undressed

der **Anzug**, ⸚e man's suit	*der **Rock**, ⸚e skirt; (coat)
die **Bluse**, –n blouse	die **Socke**, –n sock
*das **Hemd**, –en shirt	*der **Strumpf**, ⸚e stocking
*die **Hose**, –n trousers	*die **Tasche**, –n pocket; bag
das **Kostüm'**, –e woman's suit	die **Handtasche**, –n handbag, pocket-
die **Krawat'te**, –n tie	book
*der **Mantel**, ⸚ coat	die **Weste**, –n vest
der **Regenmantel**, ⸚ raincoat	

*5. Vom Essen und Trinken

Was man ißt:

das **Brot** bread	die **Kartof'fel**, –n potato
das **Brötchen**, – roll	der **Käse**, – cheese
die **Butter** butter	die **Nachspeise**, –n dessert
das **Fleisch** meat	die **Suppe**, –n soup
das **Gemü'se**, – vegetable	die **Wurst**, ⸚e sausage

Was man trinkt:

das **Bier**, –e beer	der **Wein**, –e wine
die **Milch** milk	

182

III. ERLÄUTERUNGEN

1. The comparison of adjectives and adverbs

POSITIVE	COMPARATIVE	SUPERLATIVE
a. klein	kleiner	der, das, die kleinste; am kleinsten
schön	schöner	der, das, die schönste; am schönsten
interessant′	interessan′ter	der, das, die interessan′teste; am interessan′testen

Similarly to English, the comparative ending in German is –er, the superlative ending –st–. When the stem of the adjective ends in –t, –d, an s-sound, or a vowel, the superlative ending is usually –est–.

Note that German does not use forms like the English "*more* beautiful," "*most* interesting," etc.

*b. alt	älter	der, das, die älteste; am ältesten
dumm	dümmer	der, das, die dümmste; am dümmsten
jung	jünger	der, das, die jüngste; am jüngsten
kurz	kürzer	der, das, die kürzeste; am kürzesten
rot	röter	der, das, die röteste; am rötesten

Many adjectives of one syllable have umlaut in the comparative and superlative (cf. English "old, elder, eldest").

*c. groß	größer	der, das, die größte; am größten
gut	besser	der, das, die beste; am besten
hoch	höher	der, das, die höchste; am höchsten
nahe	näher	der, das, die nächste; am nächsten
viel	mehr	der, das, die meiste; am meisten
gern	lieber	am liebsten

Some few adjectives are irregular in their comparison; so is the adverb **gern**.

d. der alte Freund; der ältere Freund; der älteste Freund; er ist der ältere, der älteste.

Paul ist ein alter Freund, er ist ein älterer Freund, er ist mein ältester Freund; ich habe keinen älteren; er ist der älteste von allen meinen Freunden.

Er trägt einen alten Mantel und alte Schuhe; er trägt seinen älteren Mantel, seinen ältesten Mantel; dieser Mantel ist sein ältester, diese Schuhe sind seine ältesten.

An adjective which stands with a noun or refers to a noun takes the same endings in the comparative and superlative as in the positive.

  e. Frankfurt ist **groß**, München ist **größer**, Berlin ist **am größten**.

  Walter spricht Deutsch **gut**; Vera spricht es **besser**; der Lehrer spricht es **am besten**.

When an adjective does not stand with a noun and does not refer to a noun (e.g., **er ist der ältere** in III, 1d), or when it is used as an adverb, the comparative — like the positive in these cases — takes no ending. The superlative, however, takes a special form, the so-called **am-form**: the adjective is preceded by **am** and takes, in all cases, the ending –(e)sten.

  f. Making comparisons:

Er ist **so** alt **wie** ich.	*He is **as** old **as** I.*
Er ist älter **als** ich.	*He is older **than** I.*

When persons or things are being compared, **so ... wie** (*as ... as*) is used with the positive; **als** (*than*) is used after comparatives.

2. Pronunciation and spelling

PUNCTUATION

The most important differences between English and German punctuation are the following:

▶ In German, every subordinate clause is set off by commas, regardless of its meaning or intonation, e.g.:

Es ist kein Zufall, daß eines der schön-   *It is not surprising that* ...
sten von Schillers Gedichten „Der
Spaziergang" heißt.

When you read German, these commas can be a great help to you in correctly analyzing the structure of complex sentences.

No comma is written before the word **und** (unless this spot happens to coincide with the end of a clause), e.g.:

Sie essen Brot, Wurst und Käse.   *They eat bread, sausage, and cheese.*

▶ The exclamation point is mandatory after all imperative sentences, e.g.:

Beschreiben Sie noch schnell Ihr Auto!
Ziehen Sie sich warm genug an!

▶ The apostrophe shows the omission of a sound, usually an **e,** e.g.:

Morgenstund' hat Gold im Mund.

▶ Quotation marks are written as follows:

„Gut!" sagte er.

IV. ÜBUNGEN

A. *Treat the following sentences as the pattern shows:*

PATTERN: Mein Freund ist ... *alt* ... ich: Mein Freund ist **so** alt **wie** ich.
Mein Freund ist **älter als** ich.

1. Der Herbst ist ... *warm* ... der Frühling. 2. Die dreizehnte Stunde ist ... *leicht* ... die zwölfte. 3. Im Frühling sind die Tage ... *lang* ... die Nächte. 4. Der Stuhl dort ist ... *bequem* ... dieser hier. 5. Ist es heute ... *kalt* ... gestern? 6. Der Käse war ... *gut* ... die Wurst. 7. Ein Anzug kann ... *warm* ... ein Mantel sein.

B. *Supply the adjective endings required:*

1. der jung– Schüler; der jüngst– Sohn; mein gut– Kamerad; kein besser– Mann
2. das modern– Deutschland; jedes schöner– Lied; das billigst– Auto; ihr schönst– Buch
3. diese gut– Wurst; eine wichtig– Stunde; keine schöner– Nacht; unsere kältest– Jahreszeit

„Da sitzen sie an Tischen
unter Kastanien= und Lindenbäumen..."

„Die schönste Jahreszeit in Deutschland ist der Frühling."

„Am Sonntag nehmen die Jungen ihren Rucksack und wandern übers Land."

4. meine alt– Schuhe; die meist– Mädchen; lieb– Freunde; höher– Berge; heißer– Tage

5. mit meinem gut– Freund; mit seinem älter– Bruder; von den größt– Städten; in der schönst– Jahreszeit

C. *Ask yourself and others questions like the following and answer in German:*

1. Was ist größer, ein Tisch oder ein Stuhl? eine Landkarte oder ein Stück Schreibpapier? ein Hund oder eine Katze? ein Haus oder eine Kirche? ein Fuß oder sein Schuh? der Fluß oder der Bach? das Haus oder seine Zimmer? Berlin oder München? (Was ist am größten?)

2. Was ist länger, eine Zigarre oder eine Zigarette? dieser Bleistift oder eine Kreide? eine Stunde oder ein Tag? (Was ist am längsten, eine Zigarre, eine Kreide oder diese Feder?)

3. Was ist interessanter, Lesen oder Sprechen? Deutsch oder Englisch? die Übungen oder die Erläuterungen? die Lesestücke oder die Fragen? (Was ist am interessantesten, das Kino, ein Konzert oder die deutsche Stunde?)

4. Was essen Sie lieber, Wurst oder Käse? Fisch oder Fleisch? Gemüse oder Kartoffeln? (Was essen Sie am liebsten?)

5. Was trinken Sie lieber, Tee oder Kaffee? Wasser oder Milch? Bier oder Wein? (Was trinken Sie am liebsten?)

6. Wer ist größer, das Kind oder sein Vater? eine Frau oder ein Mädchen? Ihre Mutter oder Ihre Schwester? ich oder Sie? (Wer ist am größten?)

7. Wer ist klüger, der Sohn oder sein Vater? die Kinder oder die Eltern? Sie oder Ihr Bruder? (Wer ist am klügsten?)

8. Wer ist älter, die Tochter oder ihre Mutter? der Lehrer oder seine Schüler? Ihr Freund oder seine Freundin? der Mann oder seine Frau? Ihr Großvater oder Ihre Großmutter? (Wer ist am ältesten?)

D. *Ask yourself and others questions like the following and answer them in German:*

a. In welcher Jahreszeit sind die Tage am längsten? am schönsten? Welche Jahreszeit haben Sie am liebsten? Warum? Wann regnet es am meisten? Wann ist es am kältesten? Welches ist die wärmste Jahreszeit? Wann werden die Nächte kürzer? Wann beginnt der Sommer? der Herbst? Wann schneit es?

b. Regnet es heute? Schneit es? Bläst der Wind? Regnete oder schneite es gestern? Hatten wir einen Sturm? War es gestern eisig kalt? Oder schien die Sonne warm? Ist es heute wärmer und schöner?

c. Machen Sie nach dem Essen einen kleinen Spaziergang? Haben Sie Lust,
heute spazierenzugehen? Ist es Ihnen zu heiß? Gehen Sie gern spazieren,
wenn es regnet? wenn es blitzt und donnert? wenn es schneit? Brauchen Sie einen Schirm? Tragen Sie einen Regenmantel? Braucht ein
Mann eine Handtasche? Warum nicht? Wer trägt Socken, wer Strümpfe?
Wer trägt Blusen? Was trägt ein Mann? Was trägt ein Mädchen?

d. Haben Sie einen Bruder? Ist er älter als Sie? Haben Sie einen jüngeren
Bruder? Haben Sie eine Schwester? eine ältere oder eine jüngere Schwester?
Wer ist der älteste in Ihrer Familie? Wer ist der größte?

e. Was ist teurer, ein Anzug oder ein Mantel? Was fährt schneller, ein Auto
oder ein Autobus? Wer ist schöner, Sie oder ich? Sie oder Ihre Freundin?
Wer in dieser Stunde spricht am lautesten? Wer lernt am schnellsten? Wer
ist der beste Student? Wer ist die beste Studentin? Wer studiert am
meisten? Wer lacht am öftesten? usw.

„Die dümmsten Bauern haben die größten Kartoffeln.“

ZWEITE WIEDERHOLUNGSSTUNDE

I. SPRECHEN UND LESEN

Sie kam, sah und siegte [1]

Gestern war der große Tag oder vielmehr [2] der große Abend. Der Abend mit Susan nämlich. Punkt sechs Uhr stand ich vor ihrem Haus und läutete. Susan selber öffnete die Tür. Sie bat mich gleich, hereinzukommen und ihre Eltern zu begrüßen.

Sie sah noch hübscher aus als das erste Mal, und ich war aufgeregter [3] als ein junger Mann sein sollte, wenn er einen guten Eindruck machen will.

Meine Aufregung legte sich [4] aber schnell, als ich Susans Eltern sah. Die waren nämlich so natürlich, daß man sie gern haben mußte. Man bot mir ein Glas Sherry an, [5] man sprach ein wenig

Sie kam, sah und siegte [1]

Gestern war der große Tag oder vielmehr [2] der große Abend. Der Abend mit Susan nämlich. Punkt sechs Uhr stand ich vor ihrem Haus und läutete. Susan selber öffnete die Tür. Sie bat mich gleich, hereinzukommen und ihre Eltern zu begrüßen.

Sie sah noch hübscher aus als das erste Mal, und ich war aufgeregter [3] als ein junger Mann sein sollte, wenn er einen guten Eindruck machen will.

Meine Aufregung legte sich [4] aber schnell, als ich Susans Eltern sah. Die waren nämlich so natürlich, daß man sie gern haben mußte. Man bot mir ein Glas Sherry an, [5] man sprach ein wenig über das

[1] conquered. [2] rather. [3] more excited. [4] **sich legen** to subside. [5] **anbieten, bot . . . an** to offer.

190

über das Wetter, über mein Studium und über Musik — und schon war ich mit Susan auf dem Weg in die Stadt. Zum Essen führte ich Susan in ein kleines Restaurant im deutschen Viertel, denn ich wollte mich ein wenig mit meinem Deutsch großtun.[1] (Ich bin wirklich ein dummer, eitler Kerl[2] — muß versuchen, mich zu bessern.) Der Kellner in dem Restaurant sprach aber gar nicht Deutsch, und das Essen war auch nicht besonders gut. Die Suppe war kalt und versalzen,[3] das Fleisch war hart, die Nachspeise war zu süß, und am Tisch neben uns rauchte jemand eine schlechte Zigarre. Das war die gerechte Strafe für meine Eitelkeit[4] — geschieht mir ganz recht.[5]

Das Konzert gefiel mir auch nicht besonders gut. Ich singe wohl gern und höre auch gern Musik, aber drei volle Stunden Musik sind etwas viel für mich, besonders wenn es sich um drei Stunden moderner Musik handelt.[6] Im allgemeinen[7] ist mir nämlich klassische Musik lieber. Ich glaube[8] natürlich nicht, daß ältere Musik immer besser ist als neue, aber ich verstehe eben die ältere Musik besser. Ehe[9] ich Susan kannte, hatte ich nicht viel Gelegenheit,[10] Musik zu hören und was ich hörte, waren entweder moderne Tanzkapellen[11] oder berühmte ältere Komponisten wie Bach, Beethoven und Brahms. So ist mein Ohr an diese „klassische" Musik gewöhnt,[12] und ein modernes Stück klingt mir oft mehr wie

---

¹ to show off. ² vain fellow. ³ oversalted. ⁴ just punishment for my vanity. ⁵ "serves me right." ⁶ **wenn es sich um ... handelt** "when it is a matter of." ⁷ in general. ⁸ believe. ⁹ before. ¹⁰ chance. ¹¹ dance bands. ¹² accustomed.

Lärm als wie Musik. Einem solchen Stück zu folgen, ist für mich gewöhnlich mehr Arbeit als Vergnügen. Ich muß da immer an den bekannten Vers von Wilhelm Busch denken:

„Musik wird oft nicht schön empfunden, zumal sie mit Geräusch verbunden."[1]

Außerdem[2] war es viel zu heiß im Konzertsaal, und die Sitze waren eng und unbequem.

All das klingt[3] wie ein mißglückter[4] Abend. In Wirklichkeit waren mir das Essen und die Musik ganz gleichgültig.[5] Denn Susan fand alles gut und interessant. Sie war mit allem zufrieden. Auf dem Heimweg unterhielten wir uns glänzend[6] und wir lachten viel. Solange Susan zufrieden ist, ist mir alles recht.

Was mich angeht,[7] kann Susan ruhig sagen: ich kam, sah und siegte.

als Vergnügen. Ich muß da immer an den bekannten Vers von Wilhelm Busch denken:

„Muſik wird oft nicht ſchön empfunden, zumal ſie mit Geräuſch verbunden."[1]

Außerdem[2] war es viel zu heiß im Konzertſaal, und die Sitze waren eng und unbequem.

All das klingt[3] wie ein mißglückter[4] Abend. In Wirklichkeit waren mir das Eſſen und die Muſik ganz gleichgültig.[5] Denn Suſan fand alles gut und intereſſant. Sie war mit allem zufrieden. Auf dem Heimweg unterhielten wir uns glänzend[6] und wir lachten viel. Solange Suſan zufrieden ist, ist mir alles recht.

Was mich angeht,[7] kann Suſan ruhig ſagen: ich kam, ſah und ſiegte.

II. WORTSCHATZ

*1. Merken Sie sich's!

a. **einmal, zweimal usw.** once, twice, etc.
das erste Mal, das zweite Mal usw. the first time, etc.
zum ersten Mal, zum zweiten Mal usw. for the first time, etc.

b. **merken** to note, notice
sich (*dat.*) **merken** to remember, bear in mind
suchen to seek, look for
versu′chen to try, attempt

die Ruhe calm, peace, rest
ruhig calm, peaceful, quiet; "without worrying"

unterhal′ten (unterhält), unterhielt to entertain
sich (*acc.*) **unterhalten** to have a good time; converse
verlas′sen (verläßt), verließ to leave (*a place or person*)

---

[1] "Music is hard t'appreciate / when it and noise affiliate." [2] besides.
[3] sounds. [4] "gone wrong." [5] "a matter of indifference." [6] splendidly. [7] "as far as I am concerned."

c. **hart : weich** hard : soft   **süß : sauer : bitter** sweet : sour : bitter
    hübsch pretty   **wohl** well; indeed, to be sure

*2. How long and how long ago

Ich sprach **eine Stunde lang** mit ihr.   *...for an hour ...*
    einen Monat, einen Monat lang; den ganzen Monat
    (lang); eine Woche (lang), die ganze Woche (lang)
    usw.

Ich sah Susan **tagelang** nicht.   *...for days ...*
    minutenlang, stundenlang, wochenlang, jahrelang
    usw.

Susan kam **vor einer Stunde.**   *...an hour ago.*
    vor fünf Minuten, vor einem Jahr, vor vielen Jahren
    usw.

3. Review on "time when"

Die Stunde beginnt **um neun (Uhr).**   *The lesson begins at nine (o'clock).*
Am Sonntag wandern die Jungen.   *On Sunday(s) the young go hiking.*
Im Frühling ist das Wetter schön.   *In spring the weather is nice.*

In stating "time when," **um** is used for hours (clock time), **an** for days, dates, and parts of days, **in** for most other cases.

*4. Selber, selbst

ich selber; der Lehrer selber   *I myself; the teacher himself*
ich selbst; der Lehrer selbst   *I myself; the teacher himself*
selbst ich; selbst der Lehrer   *even I; even the teacher*

5. Im Restaurant

Wir haben Hunger. Wir gehen also in ein Restaurant zum Essen. Wir setzen uns an einen Tisch. Der Kellner bringt uns die Speisekarte. Er fragt, was wir wünschen. Wir bestellen eine Suppe, Fleisch, Gemüse und eine Nachspeise. Ich verlange auch ein Glas kaltes Bier. Wir essen und

193

trinken. Dann ist es Zeit zum Fortgehen. Ich rufe: „Herr Ober, bitte, zahlen!" Der Kellner bringt uns die Rechnung, und ich bezahle sie. Ich gebe dem Kellner ein Trinkgeld. Dann stehen wir auf und verlassen das Restaurant.

*der **Kellner**, – waiter	**bestel′len** to order
der **Oberkellner**, – head waiter	*verlan′gen** to ask for, request; demand
(Herr) **Ober!** waiter!	*wünschen** to wish, want
die **Rechnung**, –en bill, check	
das **Restaurant′**, –s restaurant	
die **Speisekarte**, –n menu	
das **Trinkgeld**, –er tip	

6. Building your vocabulary

a. Nouns ending in –**ung**:

> **biegen : die Biegung** to bend : the bend, curve
> **enden : die Endung** to end : the ending
> **üben : die Übung** to practice : the exercise, practice
> **verab′reden : die Verab′redung** to make a date : the date, appointment
> **vorbereiten : die Vorbereitung** to prepare : the preparation

There are many nouns in German which derive from the stems of verbs + the ending –**ung**. They are always **die**-nouns; their plurals end in –**en**: **die Wohnung, die Wohnungen**. — Form similar nouns from: **bewundern, erklären, erläutern, erzählen, wandern, zeichnen!**

b. "Agent" nouns:

> **an-fangen : der Anfänger** to begin : the beginner
> **kaufen : der Käufer** to buy : the buyer
> **lehren : der Lehrer** to teach : the teacher
> **Schuhe machen : der Schuhmacher** to make shoes : the shoemaker
> **zeigen : der Zeiger** to show, indicate : the indicator, hand of a watch

Both English and German form a great number of "agent" nouns from verbs by adding –**er** to the verb stem. These nouns usually mean the person who does whatever the verb suggests, or the tool with which the action is performed.

194

1. The pattern of the past tense

INFINITIVE AND MEANING	1ST & 3RD SING.	1ST & 3RD PL.
sein, haben, werden	ich, er, es, sie	wir, sie, Sie
sein to be	war	waren
haben to have	hatte	hatten
werden to become	wurde	wurden
Regular verbs		
lachen to laugh	lach*te*	lach*ten*
warten to wait	wart*ete*	wart*eten*
öffnen to open	öffn*ete*	öffn*eten*
auf-regen to excite	reg*te* . . . auf	reg*ten* . . . auf
besuchen to attend	besuch*te*	besuch*ten*
Irregular verbs		
steigen to climb	st*ieg*	st*iegen*
aus-gehen to go out	g*ing* . . . aus	g*ingen* . . . aus
beginnen to begin	beg*ann*	beg*annen*
Hybrids		
nennen to name, call	nann*te*	nann*ten*
bringen to bring	brach*te*	brach*ten*
Modal auxiliaries and **wissen**		
können to be able to	konn*te*	konn*ten*
wissen to know	wu*ßte*	wu*ßten*

▶ Regular verbs end in –(e)te in the first and third person singular in the past tense, and in –(e)ten in the first and third person plural.

▶ Irregular verbs show a vowel change (ablaut) in the past tense. They have no ending in the first and third person singular; they add –en in the first and third person plural.

▶ The hybrids show a vowel change to –a– in the past, but have the normal endings of regular verbs.

▶ The modal auxiliaries have no umlaut in the past tense, but have the normal endings of regular verbs.

2. Adjective endings

a. Endings on "unpreceded" adjectives:

	SINGULAR			PLURAL
	WITH **der**-NOUNS	WITH **das**-NOUNS	WITH **die**-NOUNS	WITH ALL NOUNS
NOM.	**–er** gut*er* alt*er* Wein best*er* Freund mein gut*er* Freund	**–es** heiß*es* sonnig*es* Wetter kälter*es* Wetter ein gut*es* Buch	**–e** gut*e* kalt*e* Milch liebst*e* Freundin	**–e** schön*e* alt*e* } Bäume / besser*e* } Häuser / } Zeiten
ACC.	**–en** gut*en* alt*en* Wein größer*en* Hunger			
DAT.	**–em** gut*em* kalt*em* Wein / Wasser heißer*em* Kaffee / Wetter		**–er** gut*er* kalt*er* Milch älter*er* Zeit	**–en** schön*en* alt*en* } Bäumen / besser*en* } Häusern } / Zeiten
GEN.	**–en** gut*en* kalt*en* Weins / Wassers besser*en* Weins / Wassers			**–er** schön*er* alt*er* } Bäume / besser*er* } Häuser / } Zeiten

Remember that we call an adjective "unpreceded" when it is not preceded by a definite article, a **dieser**-word, or an **ein**-word with a case ending.

b. Endings on "preceded" adjectives:

	SINGULAR			PLURAL
	WITH **der**-NOUNS	WITH **das**-NOUNS	WITH **die**-NOUNS	WITH ALL NOUNS
NOM.	der hoh*e* Berg dies*er* gut*e* Freund	das hoh*e* Haus welch*es* hoh*e* Haus	die / diese / eine braun*e* Tür	die / diese / keine hoh*en* Berge / Häuser / Türen
ACC.	den / diesen / einen hoh*en* Berg			
DAT.	dem / jedem / einem hoh*en* Berg / Haus		der / mancher / einer braun*en* Tür	den / allen / keinen hoh*en* Bergen / Häusern / Türen
GEN.	des / jedes / eines hoh*en* Berg(e)s / Hauses			der / solcher / keiner hoh*en* Berge / Häuser / Türen

Remember that we call an adjective "preceded" when it follows a definite article, a **dieser**-word, or an **ein**-word with a case ending.

Remember also that all adjectives standing with the same noun have the same endings.

3. About prepositions

a. Er kam **aus dem Haus** / **mit mir** / **zu mir.**
Sie stand lange **am Fenster.** Es lag **auf dem Tisch.**
bei rot**em** Licht; seit kurz**er** Zeit

The most common case after prepositions in German is the dative. The forms of the dative are always used after a great number of very common prepositions such as **aus, mit, zu usw.** (*Zehnte Stunde,* III, 3c) The dative also shows "place where" after **an, auf, in usw.** (*Elfte Stunde,* III, 1)

b. Er tat es **für seinen Freund** / **ohne ihn.**
Wir fuhren **durch den Wald** / **gegen einen Baum.**
Der Wagen kam **um die Ecke.**
Er ging **ins Zimmer** / **an die Tafel.**

Im Restaurant

„Ich verlange auch ein Glas kaltes Bier."

The accusative case forms are always used after the prepositions **durch, für, gegen, ohne, um** (*Elfte Stunde,* III, 4).

The accusative also shows "place to which" after **in, an, auf, usw.** (*Elfte Stunde,* III, 1)

    c. Er kam nie **während des Tag(e)s.**

Only three common prepositions are usually followed by the forms of the genitive: **anstatt (statt), während, wegen** (*Zwölfte Stunde,* III, 4b).

4. Pronunciation and spelling

    a. The important difference between voiced and unvoiced sounds is due to the presence or absence of vibration of the vocal cords.

    b. The German s-sounds: The s before vowels is usually voiced, the s in final position is always unvoiced. The letter **s** stands for both, the voiced and the unvoiced s-sound. The spellings **ss** and **ß** always represent the unvoiced s-sound. Initial **sp** and **st** are pronounced "**schp**" and "**scht**" respectively.

    c. German has no voiced stops in final position: Thus, at the end of a word or syllable, **b** becomes **p**, **d** becomes **t**, and **g** becomes **k** (or **ch** in the ending **–ig**). "Final position" also refers to occurrence of these letters within the final consonant cluster (e.g., **lebt, singt**).

    d. The letter **g** in German is always pronounced as in English *get* or *give*, never as in *gem* or *gin*.

    e. The letter combination **ng** almost always sounds like in English *sing*, and never as in English *single*.

    f. In German, the letter **j** stands for the sound represented in English by *y*. The letter **y** occurs in German only in words of foreign (mainly Greek) origin, and is usually pronounced like German **ü**.

    g. Word accent: In native German words the first syllable bears the main stress unless there is an unstressed prefix, as **be–, ge–, er–, ver–**. Unstressed vowels retain their full value.

In words of foreign origin, however, the last or next to last syllable often bears the main stress (**Nation'**, **Minu'te**).

h. Punctuation: In German, every subordinate clause is set off by commas, every command is followed by an exclamation mark.

IV. WIEDERHOLUNGSÜBUNGEN

A. *Listen carefully to the following sentences, then practice:*

a. THE S-SOUNDS

1. Sie lasen diese Stunde sehr gern. 2. Sie aßen dies nicht gern. 3. Wir sollen singen, aber wir müssen nicht singen. 4. Im Sommer spielt man gern Fußball. 5. War es gestern eisig kalt? 6. Sechs Stunden klassischer Musik. 7. Die Nachspeise war zu süß. 8. Susan sah sehr hübsch aus. 9. Der Herbst ist die schönste Jahreszeit.

b. **b : p, d : t, g : k (ch)**

1. Ich lebe in Amerika, Richard lebt in Deutschland. 2. Ich schreibe einen Brief an Richard, Richard schreibt einen Brief an mich. 3. Richard schrieb mir viele Briefe. 4. Wann standen Sie heute auf? Ich stand sehr früh auf. 5. Ich mag Hunde. Ich habe einen Hund. 6. Es regnete zwei Tage, dann schien einen Tag die Sonne. 7. Die Vereinigten Staaten sind größer als Deutschland. 8. Er ist ein fleißiger Schüler; er ist sehr fleißig. 9. Dies ist eine wichtige Übung; diese Übung ist sehr wichtig.

c. **g, j, y; ng, gn**

1. Ich singe gern. 2. Ich habe fünf Finger an jeder Hand. 3. Das Briefschreiben macht mir Vergnügen. 4. Es regnete einige Tage, aber heute regnet es nicht. 5. Man studiert neun Jahre auf dem Gymnasium. 6. Walter studiert Physik.

d. WORD ACCENT

1. Müssen Sie viel arbeiten? 2. Arbeiten Sie gern? 3. Studieren Sie viel? 4. Antworten Studenten immer richtig? 5. Stehen Sie immer früh auf? 6. Verstehen Sie diese Übung? 7. Zählen Sie von eins bis zehn! Erzählen

201

Sie mir etwas! Vergessen Sie aber nichts! 8. Haben Sie ein Automobil? Hat es einen guten Motor? 9. Haben Sie Musik gern? 10. Können Sie die Wörter „Revolution" und „Insubordination" richtig auf deutsch sagen?

B. *Reread the following anecdote, changing all italicized verb forms to the past tense:*

1. Hermann und Fritz *wollen* zusammen nach Wien fahren. 2. Fritz *soll* die Fahrkarten (*tickets*) kaufen und er *tut* es auch. 3. Jetzt *sitzen* die beiden da und *warten* auf den Schaffner (*conductor*). 4. Fritz *nimmt* eine Fahrkarte aus der Tasche. 5. Aber Hermann *merkt* sofort, daß Fritz nur e i n e Fahrkarte *hat.* 6. Die zweite *kann* er nicht finden. 7. Die beiden *suchen* überall und *machen* sogar den Koffer auf. 8. Aber die zweite Fahrkarte *finden* sie nicht.

9. Jetzt *hören* sie, wie der Schaffner *kommt.* 10. „Schnell," *ruft* da Fritz, „unter die Bank!" 11. Hermann *weiß* sofort, was er tun *muß,* und schon *liegt* er unter der Bank. 12. Bequem *ist* es freilich nicht, aber der Schaffner *sieht* ihn so nicht. 13. Der Schaffner *öffnet* nämlich schon die Tür und *bittet* sofort um die Fahrkarten. 14. Fritz *gibt* ihm nicht e i n e Fahrkarte nach Wien, sondern zwei. 15. „Wie kommt das?" *fragt* der Schaffner, „Sie sind allein und haben zwei Fahrkarten?" 16. Fritz *lächelt* ruhig und *antwortet:* „Nein, ich bin nicht allein. Wollen Sie bitte unter die Bank schauen . . ."

C. *Complete the following with dative forms of the words given in parentheses:*

1. Ich schreibe (*my*) Freund Richard oft. 2. Er antwortet (*me*) immer pünktlich. 3. Ich lerne viel aus (*his*) Briefen. 4. In (*his*) letzten Brief erzählte (*me*) Richard von (*the many*) Fahrrädern in Deutschland. 5. Am Sonntag fahren oft ganze Familien mit (*their*) Rädern aus (*the*) Stadt ins Freie hinaus.

6. Ich habe seit (*short*) Zeit viele Freunde. 7. Denn vor (*a few*) Tagen kaufte ich (*myself*) ein Auto und fahre (*with it*) in die Schule. 8. Es ist ein altes Auto, aber es gehört (*to me*) und es gefällt (*my*) Freunden. 9. Sie wollen alle (*in it*) fahren. 10. An Wochentagen fahre ich mit (*them*) in die Schule, am Sonntag folgen sie (*me*) aufs Land.

D. *Supply the appropriate dative or accusative forms for the words in parentheses:*

1. Er legt das Buch auf (der Tisch); jetzt liegt es auf (der Tisch).
2. Der Brief ist immer noch in (meine Tasche); jetzt stecke ich ihn aber schnell in (der Briefkasten).
3. Haben Sie keine Angst und setzen Sie sich neben (ich)! Was liegt denn dort neben (Sie)?
4. Er wohnt seit (viele Jahre) in (diese enge Wohnung).

5. Sind Sie am liebsten in (das Wasser), auf (das Wasser) oder an (das Wasser), wenn Sie an (ein See) sind?
6. Die Jungen spielten stundenlang in (der frische weiße Schnee).
7. Bei (schlechtes Wetter) sollte man nicht ohne (ein wärmerer Mantel) ausgehen.
8. Sie stand an (ihr Fenster) und sah auf (die Straße) hinaus.

E. *Combine the words after the colon with the words preceding the colon by putting them in the genitive:*

PATTERN: der Anfang : der Tag = der Anfang des Tages

1. die Farbe : der Anzug; das Haus; die Berge
2. das Kleid : das kleine Mädchen; meine ältere Schwester
3. die Freiheit : der Bürger; ein Student; die Menschen
4. der Kauf : eine gute Uhr; ein teurer Wagen; ein schönes Bild
5. die Augen : ihre Katze; ein wildes Tier; junge Leute
6. die Freuden : wahre Liebe; ein gutes Essen; die Musik
7. der Gipfel : der höchste Berg; die Dummheit

F. *Supply the appropriate case forms for the words in parentheses:*

1. An (welcher Tag) der Woche geht man nicht in die Schule? 2. In (die Sommermonate) gehen die Deutschen gern spazieren; das Spazierengehen ist wichtig für (sie). 3. Die Monate (ein Jahr) sind nicht alle gleich lang, aber die Minuten (eine Stunde) sind gleich lang.

4. Sie fuhr an (der Morgen) mit (ihr Auto) auf (das Land) hinaus. 5. Wegen (ihre viele Arbeit) mußte sie an (der Nachmittag) wieder in (die Stadt) sein. 6. Wir studieren jeden Tag für (unsere deutsche Stunde). 7. Wir lernen Deutsch aus (unsere deutschen Bücher), aber auch von (deutsche Schallplatten). 8. Manchmal hilft (ich) mein Vater bei (meine Aufgaben).

9. Bei (das Essen) oder, wenn Ihnen das lieber ist, während (das Essen) soll man nicht lesen. 10. Ein Glas Wein schmeckt gut zu (das Essen). 11. Vor (eine Mahlzeit) sagt man in Deutschland gewöhnlich „Guten Appetit!" und nach (das Essen) sagt man oft „Gesegnete Mahlzeit!"

G. *Supply the appropriate comparative form of the italicized word in each sentence in the first blank space and the appropriate superlative form in the second:*

PATTERN: Ein Motorroller fährt nicht sehr *schnell*. Mit einem Wagen kann man **schneller** fahren. Mit einem Motorrad fährt man **am schnellsten**.

1. Er liest *viel*, aber er sollte noch —— lesen. Die —— Studenten lesen weniger als er.
2. Italien ist ein *großes* Land, aber Deutschland ist noch ——. Rußland ist das —— Land in Europa.
3. Heute ist es nicht so *kalt* wie gestern. Es wird aber ——. Wir erwarten den —— Tag des Jahres.
4. Sie hatte ein *gemütliches* Zimmer, aber sie suchte ein ——. Ihr Bruder wohnte in dem —— Zimmer.
5. Die Zugspitze ist ein *hoher* Berg in den deutschen Alpen. Das Matterhorn in der Schweiz ist ——. Wie heißt der —— Berg der Welt?
6. Er ißt Wurst *gern*. Ich esse Käse ——. Wir essen beide eine süße Nachspeise ——.
7. Ist das eine *teure* Bluse? Ja, sie ist —— als diese hier, aber nicht die —— im Geschäft.

H. *Ask yourself and others questions like the following and answer them in German:*

a. Kennen Sie schon viele deutsche Zeitwörter? Kennen Sie ihre Formen? in der Gegenwart? in der Vergangenheit? in allen Personen? Geben Sie mir ein paar Beispiele! Wie heißt die Einzahl von „sitzen" in der Vergangenheit? Wie heißt die Mehrzahl von „anfangen" in der Vergangenheit?

b. Waren Sie schon einmal verliebt? Wo trafen Sie Ihren Freund (Ihre Freundin) zum ersten Mal? Waren Sie sehr aufgeregt? Wollten Sie einen guten Eindruck machen?

c. Gibt es in unsrer Stadt ein deutsches Viertel? Waren Sie schon dort? Vor wie langer Zeit? Waren Sie schon einmal in einem deutschen Restaurant? Was gab es zu essen? Mögen Sie deutsches Essen? Essen Sie gern etwas Süßes? Kennen Sie einige deutsche Nachspeisen? Wissen Sie, was ein Kuchen ist? Wissen Sie, was eine Torte ist? Wer weiß es? Soll ich eine Torte beschreiben? Essen Sie lieber hartes oder weiches Brot?

d. Haben Sie Musik gern? Haben Sie klassische oder moderne Musik lieber? Hören Sie lieber ernste oder lustige Musik? Können Sie stundenlang ernste Musik hören?

e. Waren Sie schon einmal in Italien (Rußland, Frankreich usw.)? Welche Sprache spricht man dort? Kennen Sie einige Italiener (Russen, Franzosen usw.)? Wer in dieser Klasse spricht Italienisch?

„Hunger ist der beste Koch."

DIE VIERZEHNTE STUNDE

I. SPRECHEN UND LESEN

1. Was man in Deutschland ißt und trinkt

Mein Freund Richard ist kein Feinschmecker;[1] er ißt fast alles und hat alles gern. Ein Stück Brot mit Käse und ein Glas Wasser sind ihm oft lieber als Austern, Kaviar und Sekt.[2] Aber das Brot soll gut sein, der Käse schmackhaft[3] und das Wasser frisch.

Wie[4] Richard noch in den Staaten war, haben wir oft gern zusammen eingekauft und gekocht.   5

Es ist nur natürlich, daß sich Richard jetzt auch dafür interessiert, was man in Deutschland ißt und trinkt. Gestern hat er mir ausführlich[5] darüber geschrieben. Er sagt, daß im großen und ganzen[6] das deutsche Essen einfacher ist als unser Essen. Das kommt, so meint er, daher, daß[7] 10 der deutsche Boden[8] ärmer ist als unser Boden. Auch ist das Klima in Deutschland oft rauh und kalt, weil dort die Winter lang und die Sommer kurz und regnerisch sind. Richard hat auch gefunden, daß in vielen

---

[1] gourmet.   [2] oysters, caviar, and champagne.   [3] tasty.   [4] **wie = als** (*colloquial*).   [5] at length.   [6] on the whole.   [7] **daher, daß** from the fact that.   [8] *here:* soil.

Gegenden Deutschlands Obst und Gemüse weniger reichlich [1] und viel teurer sind als hier und daß daher viele Leute in solchen Gegenden hauptsächlich von Roggen [2] und Kartoffeln leben müssen.

Natürlich gibt es auch Ausnahmen.[3] In manchen Gebieten wächst
5 gutes Obst und Gemüse, in anderen ist das nasse Klima gut für Wiesen und Weiden; [4] dort gibt es dann schönes fettes Vieh. Daher kommt es, daß deutsche Würste und deutscher Käse oft sehr gut sind. Richard sagt zum Beispiel, daß er den Allgäuer Käse so gut findet wie den berühmten Emmentaler oder „Schweizer" Käse. Die Schweiz ist ja auch gar nicht
10 weit vom Allgäu, und das ist der Grund, warum Boden und Klima in den beiden Gebieten recht ähnlich sind.

Mit dem Trinken ist es wieder etwas anderes. Deutscher Wein und deutsches Bier sind seit langer Zeit überall berühmt. Der Wein wächst hauptsächlich in den Tälern des Rheins, des Mains und der Mosel.
15 Das bekannteste Bier kommt aus München. Wer hat nie vom Rheinwein oder vom Münchner Bier gehört!

Die Deutschen, wie alle Europäer, trinken gern eine Flasche Wein oder ein Glas Bier zu ihren Mahlzeiten. Richard schreibt, daß das sehr gut schmeckt. Wie es schmeckt, kann er mir natürlich nicht in einem
20 Brief erklären. Das muß man schon selber versuchen.

2. In einem deutschen Restaurant

Eine Familie — Vater, Mutter und zwei Kinder — kommt zur Tür herein.

EINE KELLNERIN *begrüßt sie:* Guten Tag, die Herrschaften! [5] Wünschen die Herrschaften zu speisen? [6]

VATER: Jawohl, einen Tisch für vier, bitte!

KELLNERIN: Hier ist ein schöner Tisch am Fenster, wenn er den Herrschaften gefällt.

MUTTER: Ich möchte lieber [7] dort in der Ecke sitzen, da ist es gemütlicher.

KELLNERIN: Bitte sehr, die Herrschaften, ganz wie Sie wünschen.

Man setzt sich und studiert die Speisekarte.[6]

---

[1] abundant. [2] rye. [3] exceptions. [4] pastures. [5] "ladies and gentlemen," *a much used form of address.* [6] to eat; **die Speisekarte, –n** menu. [7] I'd prefer to.

MUTTER:	Hier gefällt es mir.
VATER:	Ja, es ist hübsch hier. Nun, was wollen wir essen? Vielleicht für jeden einen Teller Suppe und dann ein Wiener Schnitzel [1] mit Kartoffelsalat und danach ein Stück Apfelkuchen?
DIE KINDER:	Ja, das mögen wir gern.
VATER *ruft die Kellnerin:*	Fräulein, ich möchte bestellen: vier mal Suppe, drei Wiener Schnitzel — die Kinder bekommen zusammen eines — mit Kartoffelsalat und vier mal Apfelkuchen. Bitte, bringen Sie uns auch ein paar Brötchen [2] — und machen Sie schnell,[3] wir haben alle großen Hunger.
KELLNERIN:	Wünschen die Herrschaften auch etwas zu trinken?
VATER:	Natürlich, zwei Glas Bier [4] für mich und meine Frau, eine kleine Flasche Mineralwasser [5] für die Kinder.

Nach kurzer Zeit bringt die Kellnerin die Suppe und sagt:

„Guten Appetit, die Herrschaften!‟

Alle beginnen sofort zu essen. Man sieht, daß es ihnen schmeckt.

II. WORTSCHATZ

1. Merken Sie sich's!

a. *fein fine
naß : trocken wet : dry
rauh : mild raw, rough : mild
*scharf sharp

das Gebiet', –e territory, district
die Gegend, –en region; neighborhood

*sich (*acc.*) interessie'ren (für/*acc.*) to be interested (in)
das Interes'se, –n interest
*wachsen (wächst), wuchs to grow
auf-wachsen to grow up

b. *irgendein any, any at all
irgendein Buch any book at all
irgendwann any time

irgendwie in any way; somehow
irgendwo : nirgends : überall anywhere: nowhere : everywhere

---

[1] "Vienna cutlet," *a breaded veal cutlet.*   [2] rolls.   [3] **schnell machen** to hurry.
[4] *Nouns denoting quantity or amount (except* **die-***nouns ending in* –e) *are always used in the singular form only (see also Vierte Wiederholungsstunde, II, 2c).*
[5] mineral (soda) water.

*2. Vom Essen und Trinken

Man ißt von Tellern mit einer Gabel und einem Messer oder mit einem Löffel. Man trinkt aus Gläsern oder Tassen. Oft stellt man eine Flasche Wein auf den Tisch.

Während des Essens hält man das Messer in der rechten und die Gabel in der linken Hand. Man darf weder Messer noch Gabel aus der Hand legen, solange noch etwas auf dem Teller liegt.

die **Gabel,** –n fork
der **Löffel,** – spoon
das **Messer,** – knife

die **Flasche,** –n bottle
    eine **Flasche Wein** a bottle *of* wine

das **Glas,** ⸚er glass
    ein **Glas Bier** a glass *of* beer
die **Tasse,** –n cup
der **Teller,** – plate

3. Die deutschen Mahlzeiten

Die Deutschen nehmen gewöhnlich drei Mahlzeiten am Tage ein.

Das Frühstück: zum Frühstück trinkt man gewöhnlich Kaffee. Dazu ißt man Brot oder Brötchen mit Butter, manchmal auch ein weiches Ei oder ein Spiegelei.

Das Mittagessen: es ist die Hauptmahlzeit. Da gibt es Suppe, Fleisch, Fisch, Gemüse und Salat. Nachher gibt es auch eine Nachspeise, z.B. einen Kuchen. Zum Essen trinkt man Bier, Wein oder Wasser. Milch trinken gewöhnlich nur die Kinder, und Kaffee trinkt man nie zum Essen, sondern nur nachher. Es gibt oft Brot zum Essen, aber nie mit Butter, wenn das Essen warm ist.

Das Abendessen: am Abend ißt man oft kalt, z.B. Schinken, Wurst und Käse, die sogenannte kalte Platte. Dazu trinkt man Tee, oder auch Bier oder Wein. Viele Leute essen auch warm zu Abend. So ein warmes Abendessen ist dem Mittagessen ähnlich.

*das **Ei,** –er egg
    das **Spiegelei,** –er fried egg
die **kalte Platte** cold plate
*der **Salat',** –e salad
    der **grüne Salat** lettuce
    der **Kartof'felsalat** potato salad
*der **Schinken,** – ham

der **Pfeffer** pepper
*das **Salz** salt
*der **Zucker** sugar

*der **Kuchen,** – cake
    die **Torte,** –n (layer) cake
*das **Obst** fruit
    der **Apfel,** ⸚ apple

ein-nehmen to take in, eat
*kochen to cook; boil
   der **Koch,** ⸚e (*male*) cook
   die **Köchin,** –nen (*female*) cook

*schmecken to taste
   es schmeckt gut it tastes good
   es schmeckt mir I like it (I like its taste)

zum Essen with the meal; "to eat"
zum Frühstück usw. for breakfast, etc.

4. Das Einmaleins und Verwandtes

× *or* ·	+
ein **mal** eins ist eins	zehn **und** zehn ist zwanzig
ein mal zwei ist zwei	
ein mal drei ist drei	−
	zehn **weniger** zehn ist null
zwei mal zwei ist vier	
	:
drei mal drei ist neun usw.	zwanzig **geteilt durch** zehn ist zwei

III. ERLÄUTERUNGEN

1. Conjunctions

Conjunctions are words that connect words, phrases, or clauses. They are conventionally divided into *coordinating* and *subordinating* conjunctions (and, but, etc. : because, when, etc.). In English there is, practically speaking, no significant difference between them except for a traditional difference in punctuation.

In German a careful distinction is made between the two groups. Coordinating conjunctions do not affect word order. All *subordinate* or *dependent clauses*, i.e., all clauses introduced by a subordinating conjunction, are characterized by a change in the position of the verb. For instance, compare:

Coordinate clause: Ich gehe nicht ins Kino, **denn** ich **habe** kein Geld.
Subordinate clause: Ich gehe nicht ins Kino, **weil** ich kein Geld **habe.**

English: I am not going to the movies because (for) I have no money.

„Der Wein wächst
hauptsächlich in
den Tälern des
Rheins, des Mains
und der Mosel."

„...das muß man schon selber versuchen!"

2. Dependent word order

a. Das Klima ist rauh, **weil** die Winter lang **sind.**
Es war nur natürlich, **daß** er oft zu seinen Eltern **ging.**
Ich muß Geld haben, **bevor** ich mir ein neues Auto kaufen **kann.**

In clauses which are introduced by subordinating conjunctions, the inflected verb normally stands at the end of the clause. Remember that all subordinate clauses are set off by commas in German.

b. The position of the separable prefix:

Er **schlief** immer wieder **ein.**
Er lernte nicht viel, **weil** er immer wieder **einschlief.**

You will recall that the separable prefix of a verb normally stands at the end of the clause. In subordinate clauses, however, the inflected part of the verb shifts to the end of the clause. Accordingly the verb and its prefix are again joined and written as one word.

c. The main clause in second position:

Wenn der Sommer schön ist, **studiert man** wenig.
Da er immer gut aufpaßte, **lernte er** viel.

If the subject does not begin the sentence, it normally follows the verb (*Zweite Stunde*, III, 3a). This also applies to sentences in which a subordinate clause begins the sentence.

*3. The more common subordinating conjunctions

a. **bevor´, ehe** *before*
Er verstand uns schon, **bevor** wir ein Wort sagten.

bis *until*
Warten Sie nur noch ein paar Minuten, **bis** der Kellner kommt!

damit´ *so that, in order that*
Er erklärt uns die Erläuterungen, **damit** wir sie besser verstehen.

daß *that, "the fact that"*

Wir wissen, **daß** deutsches Bier berühmt ist.

Er sollte **daran** denken, **daß** es schon spät ist. *He ought to remember (think of the fact) that it is already late.*

Das kommt **daher, daß** der deutsche Boden arm ist. *That comes from (is a result of) the fact that German soil is poor.*

A **da**-compound often anticipates the subordinate clause introduced by **daß**; notice that you must recognize the connection between the **da**-compound and **daß** in order to understand such sentences readily.

indem' *as, while; by ("in that")*

Man spricht, **indem** man die Lippen bewegt.

Man lernt viel, **indem** man fleißig studiert. (*by studying*)

ob *whether*

Er fragt Susan, **ob** sie mit ihm ausgeht.

obwohl', obgleich', obschon' *although*

Er mußte lange auf sie warten, **obgleich** sie sich schnell anzog.

sobald' *as soon as*

Sobald er kommt, essen wir.

b. **wann? : als : wenn**

wann? *when?* (used only in questions)

Wann kommen Sie? Er fragte mich, **wann** ich kommen kann.

als *when* (used only for past time in the sense of *at the time when*)

Ich hatte noch wenige Freunde, **als** ich ein Auto kaufte.

wenn *when, whenever; if* (used with any tense of the verb)

Wenn es warm ist, zieht man sich leicht an.

Wenn sie sang, hörten wir immer gut zu.

Wenn man viel studiert, dann lernt man viel.

wenn (omitted)

Ist es warm, so zieht man sich leicht an.

Studiert man fleißig, so lernt man vielleicht etwas.

213

German often omits **wenn**. The signal that **wenn** has been omitted is the position of the verb at the head of the clause. — So *then* often introduces the main clause when **wenn** is omitted. — Cf. English: Had I (If I had) only known that!

c. **da : da** *there, then : since*

> **Da** ist er. **Da** sagte ich ihm alles. *There ... Then ...*
> **Da** das Wetter schön war, wanderten wir aufs Land hinaus. *Since ...*

Da usually means *there; then*. **Da** is also used as a conjunction in the meaning of *since (because)*. The position of the verb at the end of the clause tells you at once when **da** is being used as a conjunction.

d. **seitdem′, seit** *since*

> **Seitdem** (**Seit**) wir hier sind, regnet es jeden Tag. *Since ...*
> **Seit** diesem Tage spricht sie nicht mehr mit ihm. *Since this day ...*
> **Seitdem** spricht sie nicht mehr mit ihm. *Since then ...*

Both **seitdem** and **seit** are used as conjunctions in the sense of *since, since the time that*. — Notice that **seit** is also used as a preposition: *since (this day)*; **seitdem** is also used as an adverb: *since then*.

The position of the verb at the end of the clause will tell you when **seit** and **seitdem** are being used as conjunctions.

e. **weil : während** *because : while*

> Er ißt gerne bei uns, **weil** meine Mutter so gut kocht.
> **Während** er bei uns wohnte, war er immer freundlich.

Do not confuse **weil** *because* and **während** *while*.

*4. Coordinating conjunctions

> Er fährt in die Schule, **aber er geht** zu Fuß nach Hause.
> Er trinkt viel Kaffee **und dann studiert er** bis spät in die Nacht hinein.

Coordinating conjunctions have no effect on word order. The most common coordinating conjunctions are:

aber but	**denn** for
sondern but (on the contrary)	**oder** or
allein′ but (only)	**und** and

5. Pronunciation and spelling

a. The consonant combination **chs** is pronounced as **k** + **s** (**x**) when the s is part of the word stem, as in **sechs** or **wachs-en**. When the s is not part of the word stem, the **ch** and the **s** (always voiceless) are pronounced like normal **ch** + **s**, e.g., **des Buchs, des Strichs.**

b. You will probably find it hard, at first, to pronounce the word **Pfeffer** since, in English, the sequence *pf* never occurs at the beginning of a word or syllable — and, for that matter, very seldom in any position. In German, this sequence is quite common and not infrequently begins a word or syllable. To get used to it, you may start by saying: *hopeful*, then: *cupful*, then: **Apfel,** then: [**a**]**Pfeffer,** and, finally, **Pfeffer** alone.

IV. ÜBUNGEN

A. *Join the following clauses and read as a single sentence:*

PATTERN: Er sagte, daß . . . es ist kalt: Er sagte, daß es kalt **ist.**

1. Richard sagt, daß . . . das deutsche Essen ist einfacher als unser Essen.
2. Das ist so, weil . . . der deutsche Boden ist ärmer als unser Boden. 3. Das Klima ist rauh, da . . . die Winter sind lang und die Sommer kurz.

4. Ich höre wenig von Marie, seit . . . sie lebt in Deutschland. 5. Susan arbeitete als Verkäuferin, weil . . . die Gesangsstunden kosteten sehr viel Geld. 6. Ich frage Susan, ob . . . sie geht mit mir aus. 7. Man soll nicht aufgeregt sein, wenn . . . man will einen guten Eindruck machen.

8. Ich führte Susan in ein deutsches Restaurant, damit . . . ich konnte Deutsch sprechen. 9. Ich kann es kaum erwarten, bis . . . ich sehe Susan wieder. 10. Ich war nie verliebt, bevor . . . ich sah Susan zum ersten Mal. 11. Susan will Deutsch lernen, damit . . . sie kann später deutsche Lieder singen.

B. *Complete the following sentences as the pattern shows:*

PATTERN: Man zieht sich warm an, wenn es kalt ist: Wenn es kalt ist, **zieht man sich warm an.** (Ist es kalt, [so] zieht man sich warm an.)

1. Die Kinder wollten spazierengehen, weil das Wetter schön war. Weil das Wetter schön war, . . .
2. Ich will keine Musik hören, während ich studiere. Während ich studiere, . . .
3. Mir schmeckt alles, wenn ich Hunger habe. Wenn ich Hunger habe, . . . Habe ich Hunger, so . . .
4. Ich fahre erst nach Deutschland, wenn ich besser Deutsch kann. Erst wenn ich besser Deutsch kann, . . .
5. Man antwortet gewöhnlich „bitte," wenn jemand „danke" sagt. Wenn jemand „danke" sagt, . . . Sagt jemand „danke," dann . . .
6. Er mußte sein Auto verkaufen, da er Geld brauchte. Da er Geld brauchte, . . .

C. *Join the following sentences as indicated. Change the position of the verb whenever necessary!*

1. Hans hat kein Auto. (aber) Er hat viele Freunde.
2. Er wollte das Buch lesen. (denn) Es interessierte ihn sehr.
3. (Obwohl) Ich gehe oft aus. Ich studiere immer fleißig.
4. Wir tranken Kaffee. (als) Wir waren mit dem Essen fertig.
5. Die Studenten warten alle darauf. (daß) Die Glocke läutet.
6. (Da) Die Luft ist kühl. Ich machte das Fenster zu.
7. (Als) Heinrich war in Deutschland. Er lernte viel Deutsch.
8. (Während) Sie studiert ihre deutsche Aufgabe. Sie hört gern Radio.

D.a. *Read the following problems in German:*

$7 + 9 = 16$	$10 - 2 = 8$	$100 : 5 = 20$
$90 + 190 = 280$	$47 - 16 = 31$	$88 : 2 = 44$
$10 \times 10 = 100$	$100 - 27 = 73$	$400 : 25 = 16$
$12 \times 12 = 144$	$842 - 131 = 711$	$781 : 11 = 71$
$700 \cdot 3 = 2\,100$	$1\,400 - 1\,200 = 200$	$10\,000 : 4 = 2\,500$

b. Wie weit können Sie mit dem Einmaleins auf englisch kommen? auf deutsch? Versuchen Sie es einmal!

E. *Ask yourself and others questions like the following and answer them in German:*

a. Wie viele Mahlzeiten nehmen die Deutschen gewöhnlich ein? Wie heißen diese Mahlzeiten? Welches ist die Hauptmahlzeit? Wann nehmen Sie Ihre Hauptmahlzeit ein? Was essen Sie gewöhnlich zum Frühstück? Was hatten Sie heute zum Frühstück? Was essen die Deutschen zum Frühstück? Was ißt man in Deutschland zum Mittagessen? zum Abendessen? Trinkt man in Deutschland so viel Milch wie hier? Wer trinkt dort hauptsächlich Milch? Trinkt man in Deutschland Kaffee? Wann trinkt man Kaffee? Wissen Sie, ob man in Deutschland Bier oder Wein zum Essen trinkt?

b. Woraus trinkt man Kaffee oder Tee? Woraus trinkt man Bier oder Wein? Wovon ißt man? Womit ißt man? Womit schneidet man Fleisch? Womit führt man es zum Mund? Womit ißt man Suppe? Wann ißt man gewöhnlich Eier? Essen Sie Eier gern? Was für Eier essen Sie am liebsten, harte, weiche oder Spiegeleier? Mögen Sie Eiersalat? Kartoffelsalat? grünen Salat? Essen Sie lieber Salat oder Gemüse? Trinken Sie lieber warme oder kalte Milch? Macht kalter Kaffee wirklich schön?

c. Wann zieht man sich warm an? Warum? Wann zieht man sich leicht an? Warum? Tragen Sie eine Krawatte? immer? Haben Sie bunte Krawatten gern? Wann zieht man den Mantel aus? Warum? Wann braucht man einen Regenschirm? Warum? Wann trägt man einen Hut?

d. Wann hat man mehr Durst, wenn es heiß oder wenn es kalt ist? Wann haben Sie gewöhnlich großen Hunger? bevor Sie mit der Arbeit beginnen? nachdem Sie fertig sind? Wann hat man mehr Lust zum Arbeiten, im Sommer oder im Winter? wenn es regnet oder wenn die Sonne scheint? Warum ist das so? Warum studieren Sie Deutsch? Wollen Sie gern nach Deutschland fahren? jetzt, oder nachdem Sie gut Deutsch können? Waren Sie schon einmal in Deutschland? Waren Sie schon im Ausland? Wann waren Sie dort?

e. Lesen Sie manchmal auf der Straße? Warum soll man nicht lesen, während man auf der Straße geht? Warum soll man nicht schlafen, während der Lehrer spricht? Warum soll man in der Stunde gut aufpassen? Warum lernt man fremde Sprachen?

> *„Es ist im Leben häßlich eingerichtet,*
> *daß bei den Rosen gleich die Dornen stehn."*

DIE FÜNFZEHNTE STUNDE

I. SPRECHEN UND LESEN

1. Ein Telefongespräch

Susan hat begonnen, Deutsch zu studieren! Sie hat mir noch nicht
gesagt, warum sie es getan hat. Vielleicht bin ich schuld daran? Es ist
jedenfalls [1] hübsch, daß wir jetzt dieselbe Sprache lernen; so haben wir
einen neuen Gesprächsgegenstand [2] und einen Grund, öfter zusammen-
5 zukommen.

Und einen solchen Grund haben wir sehr nötig; denn ich habe Susan
eine ganze Woche lang nicht gesehen. Ihre Mutter war krank, und
deshalb hat Susan außer ihrer gewöhnlichen Arbeit noch den Haushalt [3]
übernehmen müssen. Deshalb hat sie die ganze Woche keinen einzigen [4]
10 freien Abend gehabt.

Gestern abend haben wir zum ersten Mal länger miteinander [5] am

---

[1] at any rate.   [2] **das Gespräch'** (conversation) + **der Gegenstand** (object)
= topic (for conversation).   [3] household.   [4] single.   [5] with each other.

Telefon gesprochen. Gott sei Dank [1] geht es ihrer Mutter wieder besser; daher wird Susan nächste Woche wieder mehr freie Zeit haben, und wir hoffen, daß wir am nächsten Samstag oder Sonntag zusammen ausgehen können.

Kaum hatte mir Susan gesagt, daß sie angefangen hat, Deutsch zu [5] studieren, habe ich mir den Spaß gemacht, sie auf deutsch zu fragen: „Finden Sie Deutsch schwer, gnädiges Fräulein?" [2] Da hat sie gelacht und sofort auf deutsch geantwortet: „Nein, Herr Doktor, ich finde Deutsch nicht sehr schwer; Deutsch und Englisch sind ja recht ähnlich. ‚I study German,' zum Beispiel, heißt auf deutsch: ‚ich studiere [10] Deutsch.'" Dann mußten wir aufhören zu sprechen, und ich habe nur noch schnell ins Telefon hineingerufen: „Auf baldiges Wiedersehn, Fräulein Susanne!"

Aus ihrer Antwort habe ich gesehen, daß Susan dasselbe deutsche Lehrbuch benützt [3] wie ich. Das ist sehr nett von ihr. Sie muß mich [15] doch recht gern haben.

Aber was die Ähnlichkeit zwischen Deutsch und Englisch angeht, [4] bin ich nicht mehr so ganz sicher. Es ist schon [5] richtig, daß „I study German" auf deutsch heißt: „ich studiere Deutsch." Aber in der Vergangenheit ist es nicht mehr ganz so einfach; denn für „I studied German [20] last year" sagt man auf deutsch oft: „ich habe letztes Jahr Deutsch studiert." Das ist doch [6] ganz anders als im Englischen.

2. Wie man telefoniert

Hans Müller will zum Arzt gehen. Er geht also ans Telefon, nimmt den Hörer ab [7] und wählt [8] die Nummer von Dr. Kurt Heuser. Dann wartet er, bis sich eine Stimme meldet.[9]

DIE STIMME: Hier bei Dr. Heuser.

HANS MÜLLER: Hier Müller. Kann ich Herrn Dr. Heuser sprechen?

DIE STIMME: Der Herr Doktor ist leider nicht da. Kann ich ihm etwas ausrichten? [10]

---

[1] "Thank goodness!" *In German, expressions such as* **Gott sei Dank** *are usually considerably weaker than their literal English translations.* [2] *here, humorous formal address:* "Miss" *(literally:* "gracious Miss"). [3] *uses.* [4] *was* **die Ähnlichkeit . . . angeht** *as far as the similarity is concerned.* [5] "quite; to be sure." [6] "after all." [7] *takes off the receiver.* [8] *dials.* [9] *answers (on the phone).* [10] *give him a message.*

HANS MÜLLER: Nein danke; aber Sie können mir wohl sagen, wann der Herr Doktor Sprechstunde [1] hat?

DIE STIMME: Gewiß; jeden Tag, außer Samstag und Sonntag, von vier bis sechs Uhr nachmittags. Aber kommen Sie lieber vor fünf Uhr, damit Sie nicht so lange warten müssen. Die meisten Patienten kommen nach fünf Uhr.

HANS MÜLLER: Besten Dank!

DIE STIMME: Bitte sehr! Guten Tag!

Hans Müller legt den Hörer auf.[2]

3. Der Schlußchor aus Schillers *Braut* [3] *von Messina*

Das Leben ist der Güter höchstes nicht.
Der Übel größtes aber ist die Schuld.

II. WORTSCHATZ

*1. Aufgepaßt! [4]

a. **auf-hören** to stop
glauben to believe
  ich glaube es (*acc.*) I believe it (*thing*)
  ich glaube Ihnen (*dat.*) I believe you (*person*)
hoffen to hope

außer (*prep. / dat.*) besides, in addition to; except
  außerdem besides, moreover
bald soon
  auf baldiges Wiederseh(e)n! see you soon!

frei free; unoccupied
kaum hardly
krank : gesund' sick, ill : healthy
sicher certain, sure

die Nummer, –n number
das Telefon' (Telephon'), –e *or* **der Fernsprecher, –** telephone
telefonie'ren (telephonie'ren) to (tele)phone

---

[1] office hours. [2] puts down the receiver. [3] bride. [4] *The perfect participle is sometimes used as a strong imperative* (see also *Sechste Stunde*, II, 1b).

b. das **Gut,** ⸗er : das **Übel,** – good,
    treasure : evil
die **Not,** ⸗e need
    nötig necessary
    er hat es nötig he needs it

die **Schuld,** –en debt; (*sing. only*) fault
schuld sein (**an** / *dat.*) to be to blame
    (for)
ich bin schuld daran it is my fault

c. **derselbe,**[1] **dasselbe, dieselbe usw.**
    the same

*2. The principal parts of some irregular verbs

INFINITIVE (3RD SING. PRESENT)	1ST & 3RD SING. PAST	PERFECT PARTICIPLE	MEANING
Two special verbs			
haben	hatte	gehabt	*to have*
tun	tat	getan	*to do*
Verbs with the same vowel in the infinitive and perfect participle			
essen (ißt)	aß	gegessen	*to eat*
geben (gibt)	gab	gegeben	*to give*
lesen (liest)	las	gelesen	*to read*
sehen (sieht)	sah	gesehen	*to see*
aus-sehen (sieht aus)	sah aus	ausgesehen	*to look, appear*
vergessen (vergißt)	vergaß	vergessen	*to forget*
waschen (wäscht)	wusch	gewaschen	*to wash*
an-fangen (fängt an)	fing an	angefangen	*to begin*
gefallen (gefällt)	gefiel	gefallen	*to please*
halten (hält)	hielt	gehalten	*to hold; stop*
lassen (läßt)	ließ	gelassen	*to let, allow*
raten (rät)	riet	geraten	*to guess; advise*
schlafen (schläft)	schlief	geschlafen	*to sleep*
heißen	hieß	geheißen	*to be named*
rufen	rief	gerufen	*to call*
an-rufen	rief an	angerufen	*to call, telephone*
bekommen	bekam	bekommen	*to get, receive*

[1] **Der + selbe: der** is the definite article; **–selb–** is therefore treated like a preceded adjective and so adds the ending **–e** in the nominative singular with all nouns, in the accusative singular with **das**-nouns and **die**-nouns, and the ending **–en** in all other cases.

INFINITIVE (3RD SING. PRESENT)	1ST & 3RD SING. PAST	PERFECT PARTICIPLE	MEANING

Verbs with the same vowel in the past tense and perfect participle

scheinen	schien	geschienen	*to shine; seem*
schreiben	schrieb	geschrieben	*to write*
verlieren	verlor	verloren	*to lose*
stehen	stand	gestanden	*to stand*
verstehen	verstand	verstanden	*to understand*

Verbs with a progressive vowel change

finden	fand	gefunden	*to find*
singen	sang	gesungen	*to sing*
trinken	trank	getrunken	*to drink*
beginnen	begann	begonnen	*to begin*
helfen (hilft)	half	geholfen	*to help*
nehmen (nimmt)	nahm	genommen	*to take*
sprechen (spricht)	sprach	gesprochen	*to speak*
treffen (trifft)	traf	getroffen	*to meet; hit*
liegen	lag	gelegen	*to lie*
sitzen	saß	gesessen	*to sit*

III. ERLÄUTERUNGEN

1. The pattern of the perfect tenses

INFINITIVES: haben, sagen, warten, auf-hören; erklären, studieren, übersetzen, vorbereiten; singen, aus-sehen; bekommen; tun; müssen, wissen

PRESENT PERFECT:

I have had, etc. ich habe.............

er, es, sie hat.........

wir, sie, Sie haben.....

PAST PERFECT:

I had had, etc: ich, er, es, sie hatte....

wir, sie, Sie hatten.....

gehabt
gesagt
gewartet
aufgehört
erklärt
studiert
übersetzt
vorbereitet
gesungen
ausgesehen
bekommen
getan
gemußt
gewußt

▶ The *present perfect* tense consists of the *present* tense of the auxiliary and the *perfect* participle of the main verb. The *past perfect* tense consists of the *past* tense of the auxiliary and the *perfect* participle of the main verb. (In English: I have + said; I had + said.) As in English, the perfect participle remains unchanged for all persons, singular and plural.

2. About the perfect participle

a. ich habe . . . **ge**sagt; ich habe . . . **gewartet**

The perfect participle of regular verbs shows the prefix **ge–** and the ending –t (**–et,** if the stem of the verb already ends in a –t– or if some other unpronounceable consonant cluster would result).

b. ich habe . . . **gesungen**

The perfect participle of irregular verbs shows the prefix **ge–** and the ending **–en.** Since a vowel variation also is involved, the perfect participles of irregular verbs must be memorized.

c. ich habe . . . **auf**gehört; ich habe . . . **aus**gesehen

Verbs with separable prefixes, both regular and irregular, have normal perfect participles. Note that the prefix precedes the participle, but is written as part of the verb form.

d. ich habe . . . **erklärt**; ich habe . . . **bekommen**; ich habe . . . **übersetzt**

Verbs with inseparable prefixes do not add the prefix **ge–** in the perfect participle. The prefixes **be–, emp–, ent–, er–, ge–, ver–, zer–** never stand separately from the verb. A few other prefixes, especially **über–** and **wieder–,** are sometimes separable, sometimes inseparable.

e. ich habe . . . **vorbereitet**

Verbs that have a separable prefix in addition to an inseparable one also do not add **ge–** in the perfect participle.

f. ich habe . . . **studiert**

Verbs whose infinitives end in **–ieren** do not have **ge–** in the perfect participle.

g. ich habe . . . **gemußt**; ich habe . . . **gewußt**

The modal auxiliaries (*Neunte Stunde*, II, 6b) and **wissen** all have perfect participles ending in –t. — Note also that they all have the same vowel in their perfect participles as in their past tense forms.

3. About the position of the verb

a. (Er will es mir nicht **sagen.**)   (*He does not want to tell me.*)
Er hat es mir nicht **gesagt.**   *He has not told me.*

The perfect participle, like the infinitive, stands last in a sentence or main clause. All the other words retain their normal position.

b. (Sie hat mir gesagt, daß sie morgen   (*She told me that she wants to start to-*
anfangen **will.**)   *morrow.*)
Sie hat mir gesagt, daß sie gestern   *She told me that she started yesterday.*
angefangen **hat.**

In subordinate clauses the inflected part of the verb stands at the very end (*Vierzehnte Stunde*, III, 2a).

4. The double infinitive

(Er hat das nicht **gewollt.**)   (*He did not want that.*)
Er hat das nicht **glauben wollen.**   *He did not want to believe that.*
Da er es **hat glauben wollen,** . . .   *Since he wanted to believe it,* . . .

The six modal auxiliaries, and also usually **hören, lassen,** and **sehen,** use a form identical with the infinitive instead of the perfect participle when the infinitive of another verb is used with them. — This "double infinitive" stands at the end of the sentence or clause, even in dependent clauses.

5. Past tense or present perfect?

a. Literary usage:

In a letter or as a part of a story:
Es **regnete** gestern den ganzen Tag.

In a weather report or in a dialogue:
Es **hat** gestern den ganzen Tag **geregnet.**

*It **rained** all day yesterday.*

224

In modern German, both the past and the present perfect tenses are used to express genuine past time. However, modern literary usage tends strongly to use the *past* tense for narrative and descriptive passages, where a series of related events is involved. The *present perfect* tense is used to report isolated facts which have little or no connection with other events, therefore also commonly in dialogue.

b. Regional considerations:

In everyday usage the line of demarcation between the forms of the past tense and the present perfect is not a line of logical reasoning, but a line which follows the Main River. That is to say, the South Germans have a strong preference for the present perfect forms, the North Germans for the forms of the past tense.

c. A rule of thumb:

Er **wusch** sich die Hände.	*He **washed** (**was washing**) his hands.*
Er **hat** sich die Hände **gewaschen**.	*He **washed** (**has washed**) his hands.*

If you are in doubt about which tense to use, use the *past* tense in German whenever you would use the past "progressive" form in English; use the *present perfect* tense in German if you would use it in English. Otherwise follow the literary convention of using the past tense for narration and description, the present perfect for reporting isolated facts and in dialogue.

6. Pronunciation and spelling

Remember that separable prefixes are always strongly stressed, while inseparable prefixes are always unstressed. Note also the connection between stress and the form of the perfect participle:

▶ The prefix **ge–**, always unstressed, is omitted when an accumulation of unstressed syllables would otherwise occur. It never precedes another unstressed prefix (**verkauft′, bekom′men, wiederholt′**) or an unstressed syllable of the verb stem (**studiert′, telefoniert′**).

Deutsche
Industrie

Volkswagen assembly line

IBM plant in Berlin

Jena glass factory in Mainz

Working on a big generator

IV. ÜBUNGEN

A. *Read the following passage, then reread it, changing all italicized verb forms to the present tense:*

1. Susan *hat begonnen*, Deutsch zu studieren. 2. Sie *hat* mir nicht *gesagt*, warum sie es getan hat. 3. Denn Susan *hatte* sehr wenig Zeit. 4. Ihre Mutter ist nämlich krank, und Susan *hat* außer ihrer gewöhnlichen Arbeit auch noch den Haushalt übernehmen *müssen*. 5. Manchmal *habe* ich Susan *angerufen*, aber wir *haben* immer nur ein paar Minuten miteinander sprechen *können*. 6. Susan *hat* die ganze Woche keinen einzigen freien Abend *gehabt*. 7. Für nächsten Sonntag *habe* ich mich wieder mit ihr *verabredet*.

B. *Change the following sentences to the present perfect tense:*

PATTERNS: Ich frage (sehe) den Lehrer: Ich **habe** den Lehrer **gefragt** (**gesehen**).

Glauben Sie alles, was er sagt (erzählt)? : **Haben** Sie alles **geglaubt**, was er **gesagt** (**erzählt**) **hat?**

Ich mache die Tür auf (mache . . . zu): Ich **habe** die Tür **aufgemacht** (**zugemacht**).

1. Ich mache (beginne, übersetze, wiederhole, schreibe) meine Aufgabe.
2. Wir kaufen (bekommen, finden, nehmen, tun) nichts für ihn.
3. Sie bewundern (sehen, beschreiben) die schönen Schaufenster.
4. Er antwortet (hilft, gefällt) mir.
5. Ich telefoniere (studiere, spreche, treffe mich, singe) oft mit Susan.
6. Regnet (donnert, blitzt, schneit) es den ganzen Nachmittag?
7. Wir fangen um zehn Uhr an (hören . . . auf, ziehen uns . . . um).
8. Man glaubt (versteht, merkt sich, vergißt) alles, was er sagt (tut).
9. Fragen Sie ihn, warum er nicht antwortet (studiert, liest, schreibt, aufpaßt, sich nicht vorbereitet)!
10. Ich will (kann, muß, soll, mag, darf) das nicht tun.

C. *Reread, changing the italicized verbs to (a) the past tense, (b) the present perfect tense:*

a. 1. Mein Freund *heißt* Richard. 2. Er *lebt* in Deutschland. 3. Seine Briefe *interessieren* mich sehr. 4. Susan *beginnt*, Deutsch zu studieren, weil das mir *gefällt*. 5. Ich *helfe* ihr bei ihren Aufgaben. 6. Sie *lernt* schnell und leicht. 7. Sie *findet* Deutsch nicht schwer.

b. 1. Der Mond *scheint* in das Zimmer. 2. Auf dem Tisch *liegen* ein alter Hut und ein Paar Socken. 3. Daneben *steht* ein Plattenspieler. 4. Auf dem Boden *liegen* Bücher und Hefte. 5. Auf dem Bett *sitzt* ein junger Mann. 6. Er *hat* eine Pfeife im Mund. 7. In der linken Hand *hält* er ein Buch, in der rechten einen Bleistift. 8. Er *läßt* das Buch fallen. 9. Er *nimmt* die Pfeife aus dem Mund und *legt* sie auf den Stuhl neben dem Bett. 10. Er *läßt* sich auf das Bett fallen. 11. Wir *sagen* leise: ,,Gute Nacht!`` und *lassen* unseren Studenten bei seinen Träumen.

D. *Reread Ca, changing all italicized verbs to the past perfect tense.*

E. *Combine the following sentences as indicated in the pattern:*

PATTERN: Ich verstand ihn nicht. (weil) Er hat zu schnell gesprochen: Ich verstand ihn nicht, weil er zu schnell gesprochen hat.

1. Wir arbeiten am besten. (wenn) Wir haben gut geschlafen.
2. Waschen Sie die Teller und Tassen? (nachdem) Sie haben gegessen.
3. Ich habe sie angerufen. (als) Ich wollte mit ihr sprechen.
4. Wir konnten nicht ausgehen. (da) Es hat den ganzen Abend geregnet.
5. Ich mußte Geld haben. (bevor) Ich habe mir ein neues Auto kaufen können.
6. Er hat sich verliebt. (als) Er hat sie singen hören.

F. *Ask yourself and others questions like the following and answer them in German:*

a. Wann haben Sie begonnen, Deutsch zu studieren? Haben Sie schon viel gelernt? Haben Sie immer alle Ihre Aufgaben gemacht? Haben Sie alle Fragen verstanden? Haben Sie immer richtig antworten können? Haben Sie immer aufgepaßt? Haben Sie manchmal während der Stunde geschlafen? Haben Sie sich gut für heute vorbereitet? Haben Sie deutsche Schallplatten gehört? Haben Sie sie gut verstehen können? Haben Sie schon einmal einen deutschen Film gesehen? Hat er Ihnen gefallen?

b. Wie lange schlafen Sie gewöhnlich? Wie lange haben Sie gestern nacht geschlafen? Wann haben Sie heute gefrühstückt? Haben Sie die Morgenzeitung gelesen? Haben Sie alle Wörter dieser Stunde gelernt? Wie viele davon haben Sie vergessen? Was haben Sie am letzten Sonntag getan? Waren Sie im Kino? Haben Sie einen interessanten Film gesehen?

229

c. Haben Sie schon einmal eine Landkarte von Deutschland gesehen? Haben Sie versucht, selbst eine solche Landkarte zu zeichnen? Wie hat die Hauptstadt von Deutschland vor 1945 geheißen? An welchem Fluß liegt Wien?

d. Was haben Sie heute zum Frühstück gegessen? Was haben Sie dazu getrunken? Lesen Sie jeden Tag ein wenig? Haben Sie gestern etwas gelesen? Was haben Sie gelesen? Hat es Ihnen gefallen?

e. Bekommen Sie viel Post? Haben Sie heute morgen einen Brief bekommen? eine Postkarte? von wem? Schreiben Sie selber viele Briefe? Haben Sie gestern einen Brief oder eine Postkarte geschrieben? Können Sie auf deutsch telefonieren? Sagen Sie mir bitte Ihre Telefonnummer! Können Sie sich Telefonnummern merken, oder vergessen Sie sie leicht? Haben Sie heute etwas vergessen? Was haben Sie vergessen?

„Gesagt, getan!"

DIE SECHZEHNTE STUNDE

I. SPRECHEN UND LESEN

1. Ein Telegramm

Das war eine Überraschung![1] Vorgestern ganz früh läutet die
Hausglocke. Ich laufe hinaus und sehe, daß ein Telegramm unter der
Tür liegt. Ich glaube zuerst, es ist für meinen Vater. Aber es ist für
mich und darin steht: Ankomme Dienstag 16.30 Flugplatz[2] Richard.

Und gestern ist Richard wirklich angekommen. Leider ist er heute 5
früh schon wieder abgereist. Er hat ein paar Wochen Ferien und konnte
nur über Nacht hierbleiben, ehe er weiterfuhr zum Besuch seiner Eltern.
Die Sache war ihm ganz unerwartet[3] gekommen, und er hatte keine Zeit
gehabt zu schreiben. Daher das plötzliche Telegramm.

Ich bin natürlich zum Flugplatz gefahren, um ihn abzuholen. Zuerst 10
konnte ich ihn gar nicht finden. Alle Passagiere waren schon ausgestiegen, und von Richard war nichts zu sehen.[4] Dann hörte ich meinen
Namen im Lautsprecher; es hieß,[5] ich sollte in den Wartesaal[6] kommen

---

[1] surprise. [2] airport. [3] unexpected(ly). [4] "to be seen." [5] "it was
announced." [6] waiting room.

— und da stand Richard. Er war mit einem früheren Flugzeug [1] geflogen.

Ich war froh, ihn zu sehen. Er sah gut aus und war sehr vergnügt; [2] er war auch ein wenig gewachsen, seit ich ihn zuletzt gesehen hatte, und
5 sein Gesicht war voller geworden. Aber sonst ist er ganz der Alte geblieben. Wie in den alten Tagen hatte er großen Hunger, und so sind wir gleich ins Flugplatzrestaurant gegangen, um uns zu stärken. [3]

Vor lauter [4] Fragen und Antworten sind wir aber kaum zum Essen gekommen. Zuerst mußte ich alles von mir erzählen, dann kam die Reihe
10 an Richard. [5] Er will Diplomat werden und hat eine sehr interessante Stellung [6] im Außendienst [7] der Regierung. [8] Einzelheiten [9] darf er nicht erzählen; die sind Staatsgeheimnisse. [10] Aber von seinem Leben im allgemeinen hat er mir eine Menge ernste und lustige Dinge erzählt.

Er ist über zwei Jahre in Deutschland gewesen und er spricht
15 Deutsch fließend. [11] Manchmal fällt ihm sogar das deutsche Wort vor dem englischen ein. Als wir mit dem Essen fertig waren, ist er aufgestanden und hat laut auf deutsch gerufen: „Ober, zahlen!" Er hatte ganz vergessen, daß er nicht mehr in Deutschland war. Als er merkte, was geschehen war, ist er ganz rot geworden, und dann haben wir beide
20 lang und herzlich gelacht.

2. Ein surrealistisches Gespräch

(zwischen dem Autor [12] dieses Buchs und Vera Schöller)

Vera und der Autor treffen sich irgendwo.

VERA: Guten Tag, lieber Autor! Es freut mich, Sie endlich kennenzulernen.

AUTOR: Vera! Ich hatte gar nicht gewußt, daß es Sie wirklich gibt [13] — so also sehen Sie aus! Ich muß sagen, Sie gefallen mir.

VERA: Danke für das Kompliment! [14] Und besten Dank dafür, daß Sie mich ins Leben gerufen haben!

AUTOR: Bitte sehr! Ich hoffe nur, es tut Ihnen nicht leid, daß Sie nun existieren. [15]

---

[1] plane.   [2] gay.   [3] to strengthen.   [4] "from nothing but."   [5] "then it was Richard's turn."   [6] position.   [7] foreign service.   [8] government.   [9] details.
[10] **das Geheim′nis, –nisse** secret.   [11] fluently.   [12] author.   [13] that you actually exist.   [14] *Note the accent in German:* **das Kompliment′, -e.**   [15] exist.

VERA: Nein, gar nicht. Aber leider haben Sie mich seit einigen „Stunden" ganz vergessen. Warum lassen Sie mich denn gar nicht mehr an Ihren „Gesprächen" teilnehmen? [1]

AUTOR: Vera, ich bitte um Verzeihung, aber es ist mir nichts mehr für Sie eingefallen. Nachdem ich Sie jetzt persönlich kennengelernt habe, fällt mir sicher bald wieder etwas ein.

VERA: Auf baldiges Wiedersehen, also, mein lieber Autor!

3. Ein Merkvers

FREUD' UND LEID

Deutsch zu sprechen und zu lesen
ist uns oft eine Freude gewesen.
Manchmal freilich wird's zum Leid,
wenn uns fehlt die nötige Zeit.

II. WORTSCHATZ

*1. Merken Sie sich's!

ein-fallen (fällt ein), fiel ein, ist eingefallen to occur to one; remember

Es fällt mir ein. It occurs to me. I remember.

der Einfall, ⸗e idea

fehlen to be missing, be lacking; be absent

Mir fehlt (die) Zeit. I lack (the) time.

Wer fehlt heute? Who is absent today?

der Fehler, – mistake, error

holen to (go and) get, fetch

ab-holen to (go and) get, "pick up"

leiden, litt, gelitten to suffer

Es tut mir leid. I am sorry.

Sie tat mir leid. I was sorry for her.

das Leid suffering, sorrow

leider unfortunately

die Ferien (*pl. only*) vacation

die Sache, –n thing; affair, matter

plötzlich sudden(ly)

2. A help in recognizing some nouns

Quite a few important German nouns are derived from irregular verbs, most frequently from the perfect participle.[2] These are usually **der**-nouns, with plurals ending in (⸗)**e**.

[1] der **Teil** + **nehmen** = take part, participate. [2] If the vowel of the participle is **o**, the noun has **u**.

binden, gebunden	der **Bund** league, federation
brechen, gebrochen	der **Bruch** break, fracture; fraction
fallen, gefallen	der **Fall** fall; case
fließen, geflossen	der **Fluß** river
raten, geraten	der **Rat** advice; councilor
ziehen, gezogen	der **Zug** train; draft

Similarly, many nouns are derived from other forms of the verb; these are frequently **die**-nouns, with plurals ending in −(e)n.

helfen, **hilft**	die **Hilfe** help, assistance
liegen, **lag**	die **Lage** location, situation
sprechen, **sprach**	die **Sprache** language, speech
tun, **tat**	die **Tat** act, deed

*3. Some regular verbs that form their perfect tenses with *sein*

INFINITIVE	3RD SING. PRESENT PERFECT	MEANING
auf-wachen (s) [1]	ist aufgewacht	*to wake up*
folgen (*dat.*) (s)	ist gefolgt	*to follow*
reisen (s)	ist gereist	*to travel*
ab-reisen (s)	ist abgereist	*to leave on a trip*

*4. Some irregular verbs that form their perfect tenses with *sein*

INFINITIVE (3RD SING. PRESENT)	1ST & 3RD SING. PAST	3RD SING. PRESENT PERFECT	MEANING
Two special verbs			
sein (ist)	war	ist gewesen	*to be*
werden (wird)	wurde	ist geworden	*to become*
Verbs with the same vowel in the infinitive and perfect participle			
geschehen (geschieht)	geschah	ist geschehen	*to happen*
fahren (fährt)	fuhr	ist gefahren	*to ride, drive*
ab-fahren (fährt ab)	fuhr ab	ist abgefahren	*to depart*
wachsen (wächst)	wuchs	ist gewachsen	*to grow*
auf-wachsen (wächst auf)	wuchs auf	ist aufgewachsen	*to grow up*

[1] **(s)** after a verb indicates that the auxiliary in the perfect tenses is **sein**.

INFINITIVE (3RD SING. PRESENT)	1ST & 3RD SING. PAST	3RD SING. PRESENT PERFECT	MEANING
ein-schlafen (schläft ein)	schlief ein	ist eingeschlafen	*to fall asleep*
fallen (fällt)	fiel	ist gefallen	*to fall*
laufen (läuft)	lief	ist gelaufen	*to run*
kommen	kam	ist gekommen	*to come*
an-kommen	kam an	ist angekommen	*to arrive*

Verbs with the same vowel in the past tense and perfect participle

bleiben	blieb	ist geblieben	*to stay, remain*
stehen-bleiben	blieb stehen	ist stehengeblieben	*to stop*
erscheinen	erschien	ist erschienen	*to appear*
reiten	ritt	ist geritten	*to ride (horseback)*
steigen	stieg	ist gestiegen	*to climb*
aus-steigen	stieg aus	ist ausgestiegen	*to climb out, get out*
fliegen	flog	ist geflogen	*to fly*
fließen	floß	ist geflossen	*to flow*
(stehen [1]	stand	ist gestanden	*to stand)*
auf-stehen	stand auf	ist aufgestanden	*to stand up, get up*

Verbs with a progressive vowel change

sinken	sank	ist gesunken	*to sink*
springen	sprang	ist gesprungen	*to jump*
verschwinden	verschwand	ist verschwunden	*to disappear*
schwimmen	schwamm	ist geschwommen	*to swim*
sterben (stirbt)	starb	ist gestorben	*to die*
gehen	ging	ist gegangen	*to go; walk*
fort-gehen	ging fort	ist fortgegangen	*to go away, leave*

III. ERLÄUTERUNGEN

1. The verb *sein* (to be) as an auxiliary

In English the verb *to have* is used in forming the perfect tenses, although there are a few remnants of older usage where the verb *to be* was once

---

[1] In southern Germany **stehen, liegen, sitzen** are commonly used with **sein** in the perfect tenses.

employed. For instance, compare "he is gone" with "he has gone." You will also find many examples of the use of the verb *to be* as an auxiliary in older English: "And when much people *were gathered* together, and *were come* to him out of every city, he spake by a parable," Luke 8, 4; "The scandalous corruptions in which these people *are fallen* . . . ," Jonathan Swift, *Gulliver's Travels*, Part I, Chapter VI.

In German most verbs use **haben** as their auxiliary in the perfect tenses. However, quite an important minority stubbornly stick to the auxiliary **sein**, among them such everyday verbs as **bleiben, folgen, kommen, sein,** and **werden.** This group includes all verbs which imply a change of position (**gehen, laufen usw.**) or of condition (**sterben, wachsen usw.**), provided that they are being used as intransitive verbs.

You have already encountered a number of very important verbs that use **sein** in the formation of their perfect tenses; they are listed for you in the *Wortschatz.* You will find that the most satisfactory way to master these verbs is to memorize their perfect participles with **ist,** as they are listed.

2. The pattern of the perfect tenses with *sein*

INFINITIVES: sein, werden; folgen, ab-reisen; gehen, ein-schlafen, verschwinden

PRESENT PERFECT:

I have been, etc.	ich bin............	gewesen
	er, es, sie ist........	geworden
	wir, sie, Sie sind	gefolgt
		abgereist
PAST PERFECT:		gegangen
I had been, etc.	ich, er, es, sie war...	eingeschlafen
	wir, sie, Sie waren...	verschwunden

▶ Except for the fact that the auxiliary is **sein** instead of **haben,** the perfect tenses of the **sein**-verbs are formed exactly like the perfect tenses of the **haben**-verbs. Review especially the comments on the formation of the perfect participle, *Fünfzehnte Stunde,* III, 2.

IV. ÜBUNGEN

A. *Reread the following passage in the past tense, changing all italicized verbs:*

1. Ich *bin* heute sehr früh *aufgestanden.* 2. Um 7 Uhr morgens *hat* die Hausglocke *geläutet.* 3. Ich *bin* schnell an die Tür *gelaufen.* 4. Unter der Tür *hat* ein Telegramm von meinem Freund Richard *gelegen.*

5. Richard *ist* auf Ferien *gekommen.* 6. Er *ist* über das Meer *geflogen,* um seine Eltern zu besuchen. 7. Er *ist* aber einen Tag und eine Nacht hier *geblieben,* ehe er *weitergefahren ist.* 8. Er *ist* um 2 Uhr *angekommen.* 9. Ich *bin* zum Flugplatz *gefahren,* um ihn abzuholen. 10. Ich *bin* sehr froh *gewesen,* Richard wiederzusehen. 11. Er *ist* ganz der Alte *gewesen.* 12. Wir *sind* gleich in das Flugplatzrestaurant *gegangen.*

13. Richard *hat* fließend Deutsch *gesprochen.* 14. Manchmal *ist* ihm sogar das deutsche Wort vor dem englischen *eingefallen.* 15. Nach dem Essen *ist* folgendes *geschehen:* Richard *ist aufgestanden* und *hat* laut auf deutsch *gerufen:* „Ober, zahlen." 16. Alles *hat gelacht.* 17. Da *ist* Richard ganz rot *geworden.*

B. *Change the following sentences to the present perfect tense:*

PATTERN: Ich reise nach Deutschland (reise . . . ab): Ich **bin** nach Deutschland **gereist (abgereist).**

1. Ich gehe (laufe, springe) hinaus.
2. Hier geschieht (verschwindet) nichts.
3. Wir wandern (reiten, schwimmen) jeden Tag.
4. Diese jungen Leute wachsen schnell, sie werden größer und dicker.
5. Wie lange waren (reisten, blieben) Sie in Deutschland?
6. Wir schliefen schnell ein, wachten aber nach kurzer Zeit wieder auf.
7. Hugo von Hofmannsthal und Arthur Schnitzler wuchsen beide in Wien auf; Hofmannsthal starb im Jahr 1929, Schnitzler starb zwei Jahre später.
8. Richard kommt (erscheint) ganz plötzlich, bleibt aber nicht hier, sondern reist (fährt) schon nach einigen Stunden wieder ab (fort).
9. Ich war sehr traurig, als Richard fortging (fortfuhr).
10. Die Uhr blieb nicht stehen, obwohl sie vom Tisch auf den Boden fiel.
11. Nachdem das Flugzeug ankam, stiegen die Passagiere aus und gingen sofort in das Restaurant.

„Ober, zahlen!"

„Sind Sie schon einmal geflogen?"

Air view of Hamburg

C. *Change all italicized verbs to the (a) past, (b) present perfect, and (c) past perfect tenses:*

a. 1. Am Sonntag *fahren* ein paar Freunde und ich in meinem Auto an einen See. 2. Wir *fahren* um 6 Uhr morgens *ab*, um 10 Uhr *kommen* wir am See *an*. 3. Wir *steigen aus* und *springen* gleich ins Wasser. 4. Wir *schwimmen* viel und lang. 5. Dann *werden* wir müde, *legen* uns unter einen Baum und *schlafen ein*.

b. 1. Tagelang *fällt* kein Regen. 2. Der Boden *wird* hart und trocken. 3. Das Gras *wird* braun und die Blumen *sterben*. 4. Die Blätter *fallen* von den Bäumen. 5. Das Bächlein, das sonst so vergnügt durch das grüne Gras *fließt*, *verschwindet*. 6. Es *wächst* nichts. 7. Das Land *ist* tot.

D. *Ask yourself and others questions like the following and answer them in German:*

a. Um wieviel Uhr stehen Sie gewöhnlich auf? Wann sind Sie heute morgen aufgestanden? (Wann standen Sie auf?[1]) Wann haben Sie das Haus verlassen? Wann sind Sie fortgegangen? Sind Sie heute in die Schule gegangen oder gefahren? Wieviel Schüler (Studenten) sind heute hier? Fehlt jemand? Wer fehlt? Ist jemand krank? Haben Sie Ihre Aufgabe gemacht? Sind viele Fehler darin?

b. In welche Schule gehen Sie jetzt? Seit wann gehen Sie in diese Schule? In welche Schule sind Sie früher gegangen? (In welche Schule gingen Sie früher?[1]) Wie alt waren Sie, als Sie zum ersten Mal in die Schule gingen? (Wie alt sind Sie gewesen, als Sie zum ersten Mal in die Schule gegangen sind?) Wie alt sind die deutschen Jungen und Mädchen, wenn sie zuerst in die Grundschule gehen? Wie viele Jahre geht man in Deutschland aufs Gymnasium? auf die Universität? Haben Sie sich das alles gemerkt? Oder haben Sie es schon vergessen?

c. Waren Sie gestern im Theater? Sind Sie ins Kino gegangen? mit wem? Um wieviel Uhr sind Sie nach Haus gekommen? Gehen Sie oft ins Kino, oder fehlt Ihnen die nötige Zeit? Fahren Sie manchmal aufs Land? Wo sind Sie am letzten Sonntag gewesen? Sind Sie aufs Land gefahren? Sind Sie geschwommen oder geritten? Haben Sie schon Ferien? Tut Ihnen das leid? Haben Sie bald Ferien? Wann? Freuen Sie sich darauf? Wollen Sie die Stadt verlassen? Wohin fahren Sie in den Ferien?

---

[1] See *Fünfzehnte Stunde*, III, 5b.

d. Sind Sie schon auf viele Berge gestiegen? Wer ist schon auf einen Berg gestiegen? auf welchen Berg? Sind Sie schon einmal geflogen? Wer ist schon geflogen? Fliegen Sie gern? Haben Sie Angst, wenn Sie fliegen? Womit fliegt man gewöhnlich? Womit fährt man? Worauf reitet man? Womit geht man?

e. Essen Sie manchmal in einem Restaurant? Essen Sie lieber in einem Restaurant oder zu Hause? Wo ißt man billiger? Können Sie eine deutsche Speisekarte lesen? Wie bestellt man in einem deutschen Restaurant? Wie verlangt man ein Glas Bier? Was sagt man, wenn man bezahlen will? Gibt man in Deutschland gewöhnlich Trinkgeld?

f. Wissen Sie, daß Shakespeare heute der am meisten gespielte Autor des deutschen Theaters ist? Wissen Sie, wer Shakespeare ins Deutsche übersetzt hat? Welche Fragen fallen Ihnen noch ein?

„Es ist noch kein Meister vom Himmel gefallen.“

DIE SIEBZEHNTE STUNDE

I. SPRECHEN UND LESEN

1. Wir werden tanzen

Samstag früh

Heute nacht werde ich wenig schlafen. Susan hat von ihrem Gesanglehrer zwei Eintrittskarten zu einem Künstlerball für heute abend bekommen und sie hat mich eingeladen, mit ihr zu kommen. Ich habe noch nie mit Susan getanzt und bin sehr neugierig,[1] wie es gehen wird.
5 Aber Susan tanzt sicher ausgezeichnet und das wird mir helfen, sie gut zu führen.

Der Ball ist ein Kostümfest. Susan meinte, wir sollten uns als Figuren aus einer deutschen Oper anziehen, denn sie wird ja Sängerin, und wir beide studieren Deutsch. Ich schlug *Die Zauberflöte*[2] vor.
10 So werden wir als „Tamino" und „Pamina"[3] gehen. *Die Zauberflöte* ist meiner Meinung nach eine der schönsten deutschen Opern; darin kommt meine Lieblingsarie[4] vor:

[1] curious. [2] "The Magic Flute." [3] zwei Personen aus Mozarts Oper, *Die Zauberflöte*. [4] favorite aria.

242

In diesen heil'gen Hallen
kennt man die Rache nicht;
und ist ein Mensch gefallen,
führt Liebe ihn zur Pflicht.[1]

Außerdem spielt *Die Zauberflöte* im Land der Phantasie. Es wird 5
also nicht schwer sein, Kostüme für uns zurechtzumachen.[2] Ein Bett-
tuch [3] schwungvoll [4] über die Schultern geworfen, ein farbiges Tuch um
die Hüften [5] gebunden, ein Paar Sandalen an den Füßen: das wird
reichen.

Jetzt aber Schluß mit dem Schreiben! Ich muß mir noch die Haare 10
schneiden lassen, einige neue Tanzschritte üben und mein Kostüm her-
richten.[6]

Sonntag, um 4 Uhr morgens

Nur schnell ein paar Zeilen, ehe ich zu Bett gehe: es war herrlich!
Susan wird die allerschönste auf dem ganzen Ball gewesen sein.[7] Wir 15
trafen eine Menge Freunde. Susans Gesanglehrer war auch da. Als er
sie kommen sah, hat er gleich angefangen, die Arie des Tamino aus der
Zauberflöte zu singen:

Dies Bildnis ist bezaubernd schön —
wie noch kein Auge je gesehn! [8]
20

Das ist genau, was ich auch fühle — Gute Nacht!

2. Vorbereitung zum Kinobesuch

ORT: die deutsche Stunde

LEHRER: Ehe wir mit der Stunde beginnen, will ich Ihnen einen
Vorschlag machen: ich kann billige Eintrittskarten für
das deutsche Kino am Freitag abend bekommen. Wer
will mitgehen?

EIN SCHÜLER: Darf ich fragen, welchen Film man spielen wird?

---

[1] "In this holy hall / they know not vengeance' wrath / and if you chance
to fall, / love shows you duty's path." [2] "to make up." [3] **das Tuch, ⸗er**
cloth, sheet. [4] "with a flourish." [5] hips. [6] get ready. [7] **wird ...
gewesen sein** (probably) was. [8] "Enchanting is this picture; she / is love-
lier than e'er was seen."

LEHRER: Das ist noch nicht ganz sicher. Es wird entweder *Der Hauptmann von Köpenick* [1] sein, ein Film nach dem bekannten Stück [2] von Zuckmayer, [3] oder *Der Rosenkavalier*, nach der Oper von Richard Strauß. Beide sind ausgezeichnete Filme. Daneben wird noch ein lustiger Kurzfilm laufen. Hände hoch, wer mitgehen will!

(Nur e i n Schüler hebt die Hand nicht.)

LEHRER: Na, [4] Robert, was ist denn los, warum kommen Sie nicht mit?

ROBERT: Es tut mir leid, Herr Professor, aber ich bin am Freitag zum Abendessen eingeladen.

LEHRER: Schade! [5] Aber alle anderen werden kommen, wie ich sehe. Ich schreibe jetzt die Adresse des Kinos hier an die Tafel und erwarte Sie alle am Freitag abend pünktlich um acht Uhr vor dem Kino. Ich hoffe, daß Sie mir dann am Montag in der deutschen Stunde erzählen werden, wie Ihnen der Film gefallen hat. Auf deutsch, natürlich!

3. Ein Merkvers

GUTE VORSÄTZE [6]

Hier sitz' ich in der deutschen Stunde,
doch kommt kein Wort aus meinem Munde.
Der Lehrer fragt — ich schweige still,
obwohl ich etwas sagen will.
Ich bin ganz wirr [7] in meinem Innern [8]
und kann mich an kein Wort erinnern.
Heut' abend werd' ich fest [9] studieren,
werd' alle Wörter memorieren.
Dann werd' ich morgen Antwort geben.
Da wird der Lehrer was erleben! [10]

---

[1] The Captain of Köpenick. [2] play. [3] Carl Zuckmayer, *well-known writer and dramatist (1896–).* [4] *Interjection, very common in colloquial speech.* [5] Too bad! [6] **der Vorsatz,** ⸚e intention. [7] confused, mixed up. [8] **in ... Innern** inside. [9] hard. [10] "see something."

244

II. WORTSCHATZ

*1. Merken Sie sich's!

schließen, schloß, geschlossen to close
der Schluß, Schlüsse conclusion, end
Schluß damit! "that's enough!"

schreiten, schritt, ist geschritten to step, stride
der Schritt, –e step

vor-schlagen (schlägt vor), schlug vor, vorgeschlagen to suggest
der Vorschlag, ⸚e suggestion

*2. Aufpassen! [1]

a. Do not confuse:

genau′ : genug′ exact(ly) : enough
weiter : wieder farther, further : again
    Lesen Sie weiter! Go on reading! Continue reading!
    Lesen Sie das wieder! Read that again!

b. Ich **lasse** mir die Haare **schneiden.**
Ich **lasse** ihn **rufen.**

    *I **have** my hair **cut.***
    *I **have** him **called.***

meiner Meinung **nach**
seinen Worten **nach**

    in my opinion
    according to his words

Ich **reiche** ihm die Karte.
Mein Geld **reicht** nicht.

    I hand (reach) him the ticket.
    My money is not enough.

3. Die Einladung, –en (invitation)

ein-laden (lädt ein), lud ein, eingeladen to invite
*feiern to celebrate
die Feier, –n celebration
tanzen to dance
der Tanz, ⸚e dance
*träumen to dream
der Traum, ⸚e dream

*der Ball, ⸚e ball
der Eintritt admission
die (Eintritts)karte, –n ticket
*das Fest, –e festival
*die Kunst, ⸚e art
der Künstler, – artist

---

[1] The infinitive is often used as a "generalized" command, i.e., a command not directed at a specific person or group of persons.

der **Friseur'**, –e barber, hairdresser
  (der **Damenfriseur**, der **Herren-**
   friseur)
die **Schere**, –n (pair of) scissors
der **Spiegel**, – mirror

kämmen to comb
  der **Kamm**, ⸚e comb
*__schneiden, schnitt, geschnitten__ to cut
  der **Schneider**, – tailor

ausgezeichnet excellent
*__herrlich__ splendid

4. The meanings of the inseparable prefixes

Although the meanings of the inseparable prefixes in German have shifted considerably and have developed many variations, it is still often possible to recognize the effect such a prefix has.

be– changes intransitive verbs to transitive
  forms new verbs from other verbs and parts of speech

  antworten : **beant'worten** to answer (*a person*) (*dat.*) : to answer (*acc.*)
  frei : **befrei'en** free : to free
  sprechen : **bespre'chen** to speak : to discuss
  treten : **betre'ten** to step : to step into, enter

ent– (**emp–**)   "away from," "out of"

  decken : **entde'cken** to cover : to discover
  fern : **entfer'nen** distant, far away : to remove
    sich **entfernen** to go away
  stehen : **entste'hen** to stand : to arise, originate

er– "from," "out of," indicating the beginning or end of an action
  forms verbs which suggest making or doing

  leben : **erle'ben** to live : to live through, experience
  warten : **erwar'ten** to wait : to await, expect

ge– denotes what is fitting or completed
  forms collective nouns

  fallen : **gefal'len** to fall : to please, be pleasing to
  brauchen : der **Gebrauch'** to need; use : usage, custom
  der Berg : das **Gebir'ge** mountain : mountains, mountain range

ver– suggests "completely," "thoroughly," "through"

  bringen : **verbrin'gen** to bring : to spend *or* pass time
  gehen : **verge'hen** to go : to pass away; fade
  lassen : **verlas'sen** to let, leave : to leave (*a place or person*), abandon
  sprechen : **verspre'chen** to speak : to promise

zer– "to pieces"

> **brechen : zerbre′chen** to break : to break to pieces
> **stören : zerstö′ren** to disturb : to destroy

*5. The hybrids

brennen	brannte	gebrannt	*to burn*
kennen	kannte	gekannt	*to be acquainted with, know*
nennen	nannte	genannt	*to name*
rennen	rannte	ist gerannt	*to run*
senden [1]	sandte	gesandt	*to send*
wenden [1]	wandte	gewandt	*to turn*
bringen	brachte	gebracht	*to bring*
denken	dachte	gedacht	*to think*

The verbs listed above have a –t in the past tense and in the perfect participle, like regular verbs, but also show a vowel change, like irregular verbs.

III. ERLÄUTERUNGEN

1. The future tense of all verbs

ich werde. . . . . ⎫ sein
er, es, sie wird. . . . . . . ⎬ haben
               werden
wir, sie, Sie werden. . . ⎪ sagen
              ⎭ zurückkommen

The *future* tense of all verbs in German consists of the *present* tense of **werden,** here used as an auxiliary, and the *infinitive* of the main verb.

2. The future perfect tense [2]

Verbs with the auxiliary **haben**

ich werde. . . . . ⎫ gehabt haben
er, es, sie wird. . . . . . . ⎬ gesagt haben
               gesprochen haben
wir, sie, Sie werden. . . ⎭ angefangen haben

---

[1] For **senden** and **wenden** regular forms are also used, especially in modern colloquial speech (cf. Appendix **II,** II D). [2] The future perfect tense is rare and is included primarily so that you may have a complete picture of the German tense system.

Verbs with the auxiliary **sein**

	gewesen sein
ich werde...........	geworden sein
er, es, sie wird........	gefolgt sein
	gegangen sein
wir, sie, Sie werden...	zurückgekommen sein

The *future perfect* tense of all verbs consists of the *future* tense of the auxiliary and the *perfect* participle.

Remember that the auxiliary of most verbs is **haben**. Only verbs that do not take a direct object and that also show change of position or condition use **sein**.

3. The position of the finite verb

Er **wird** früh **zurückkommen**.	*He will come back early.*
Weil er zurückkommen **wird,** ...	*Because he will come back* ...
Er **wird es gelesen haben**.	*He will have read it.*
Weil er es gelesen haben **wird,** ...	*Because he will have read it* ...

The perfect participle and the infinitive usually stand *last*, in that order, if both occur in a sentence or clause. Remember, however, that the *finite* verb normally moves to final position in all subordinate clauses.

4. The future tense: a note on usage

a. Ich komme morgen.
Ich werde morgen kommen. } *I am coming / I am going to come / I'll come tomorrow.*

Ich tue das nie und nimmer. *I'll never do that!*

The *present* tense is widely used in German to state *future time*, especially when the fact that future time is meant is either obvious or immaterial. The present progressive form is used in this way in English, but far less frequently: "I am going to New York next week."

b. Er wird (wohl) krank sein. *He is probably sick.*

The future tense form — with or without **wohl** — is also used to express probability of a present action or condition.

5. The future perfect: a note on usage and meaning

Er wird seine Aufgabe schon gemacht haben.   *He will have done his lesson already. / He probably has already done his lesson.*

The future perfect tense is rare in both German and English.   When it does occur in German, it is commonly used to express probability of a past action or condition.   In this usage **wohl** or **schon** are often present in the sentence.

IV. ÜBUNGEN

A. *See whether you can determine the connection in meaning between the following pairs:*

antworten : beantworten   klar : erklären
schreiben : beschreiben   zählen : erzählen
suchen : besuchen   hören : gehören
gehen : entgehen   brennen : verbrennen
ganz : ergänzen   bringen : verbringen
kennen : erkennen   geben : vergeben

B. *Read the following passage in the present tense:*

1. Was da kommen wird. 2. Eines Tages wird man wohl auf den Mond fahren können. 3. Aber was man dort finden wird, wird vielleicht gar nicht so interessant sein. 4. Was in 200 oder 500 Jahren auf unserer Erde geschehen wird, wird wohl viel aufregender sein. 5. Werden wir raten können, was es da alles geben wird? 6. Wir werden es einmal versuchen!

7. Hitze und Kälte werden unsere Kinder nicht mehr stören. 8. Sie werden nur in luftgekühlten Wohnungen leben. 9. Auch die Temperatur auf den Straßen wird angenehm sein. 10. Mit dem Essen wird man wenig Zeit verlieren, denn unsere Kinder werden von Pillen leben können. 11. Anstatt Fleisch werden sie zum Beispiel eine rote Pille einnehmen, anstatt Brot eine blaue usw. 12. Diese Pillen werden auch besser schmecken, als was wir heute essen.

13. Niemand wird mehr als zwei Wochen im Jahr arbeiten müssen. 14. Die anderen fünfzig Wochen wird man reisen, lesen und denken. 15. Ein jeder wird auch sein eigenes Automobil haben. 16. Diese Automobile werden aber fliegen können, wie die Vögel. 17. Man wird mit ihnen (damit) zum Himmel und den Sternen hinauffahren. 18. So schön wird es sein!

249

„Susan tanzt ausgezeichnet."

„Der Ball ist ein Kostümfest."

„Wir werden tanzen."

C. *Change the italicized verbs to the future tense:*

1. Ich *mache* immer meine Aufgaben. 2. Ich *passe* auch immer gut *auf.*
Dann *beantworte* ich alle Fragen des Lehrers richtig. 3. Wenn der Lehrer
spricht, höre ich immer gut *zu;* es *entgeht* mir kein Wort. 4. Der Lehrer
erklärt die Landkarte. 5. Er *erzählt* von Deutschland. 6. Er *ergänzt* das
Lehrbuch mit seinen Erzählungen. 7. Wir *erwarten* die deutsche Stunde
immer mit Vergnügen.

8. Freunde von mir *fahren* in die Schweiz. 9. Sie *reisen* übermorgen *ab.*
10. Sie *verbringen* den Sommer im Gebirge. 11. Ich bin neugierig zu hören,
wie es ihnen dort *gefällt.*

12. Ich *gehe* im Sommer auf ein Jahr nach Deutschland. 13. Ich *besuche* dort
eine Hochschule. 14. Ich *erlebe* dann Deutschland persönlich. 15. Ich glaube
sicher, daß mir das Jahr sehr schnell *vergeht.* 16. Wenn ich *zurückkomme,*
erzähle ich allen meinen Freunden, was ich erlebt habe.

D. *Change the italicized verbs to (a) the past and (b) the present perfect tense:*

1. Wer *rennt* dort? 2. Wissen Sie, warum der Mann dort *rennt?* 3. *Kennen*
Sie ihn? 4. Nein, ich *kenne* ihn nicht. 5. Er *rennt* so schnell, daß man ihn
nicht *erkennt.*

6. Wo *brennt* es? 7. Es *brennt* nirgends. 8. Warum *rennen* denn alle diese
jungen Leute, wenn es nicht *brennt?* 9. Sie *rennen,* um nicht zu spät in die
Schule zu kommen.

10. Einige Schüler *kennen Die Zauberflöte* nicht. 11. Der Lehrer *denkt,* sie
sollten sie kennen. 12. Deshalb *bringt* er einen Plattenspieler und einige
Platten in die deutsche Stunde. 13. Er *spielt* die Arie ,,Dies Bildnis ist
bezaubernd schön.'' 14. Dann *wendet* er die Platte *um.* 15. Das *ist* eine
angenehme deutsche Stunde.

E. *Ask yourself and others questions like the following and answer them in German:*

a. Studieren Sie gewöhnlich noch nach der Schule? Werden Sie heute nach der
Schule studieren? Werden Sie sich auf morgen vorbereiten? Werden Sie
nächsten Sonntag aufs Land fahren? Wissen Sie schon, wohin Sie fahren
werden? Werden Sie sich mit einem Freund verabreden? Werden Sie
spazierengehen? Was werden Sie sonst tun?

b. Wie oft lassen Sie sich die Haare schneiden? Wann werden Sie sie wieder schneiden lassen? Zu wem gehen Sie? Tragen Sie das Haar gern kurz? Können Sie sich selbst die Haare schneiden? Was brauchen Sie dazu? Kaufen Sie Ihre Schuhe fertig oder lassen Sie sie machen? Wo läßt man Schuhe machen? Wo läßt man sich einen Anzug machen? ein Kleid? Wo läßt man sich die Haare schneiden? Zu wem geht ein Mann? eine Frau?

c. Haben Sie schon einmal eine Oper von Mozart gehört? Welche seiner Opern haben Sie gehört? Kennen Sie einige Arien aus der *Zauberflöte?* Kennen Sie andere deutsche Opern? Haben Sie sie im Theater gehört oder auf Schallplatten? Nennen Sie einige der bekanntesten deutschen Opern!

d. Was besprechen Sie da, Herr ... ? — Störe ich? — Gehen Sie am Samstag tanzen? Wann ist der nächste große Ball? Tanzen Sie gern? Kennen Sie viele Tanzschritte? Wer tanzt mit Ihnen? Wo tanzen Sie meistens? Wollen wir jetzt singen? Welches Lied schlagen Sie vor? Wer hat noch einen Vorschlag?

,,Kleider machen Leute.''

DIE ACHTZEHNTE STUNDE

I. SPRECHEN UND LESEN

1. Die Stadt, die Österreich ist

Marie, meine alte Freundin, die seit zwei Jahren in München lebt, hat mich also doch nicht vergessen! Ihr Brief, der heute morgen ankam, klingt so frisch und natürlich, daß man glaubt, sie selbst sprechen zu hören. „Warum ich so lange nichts hatte hören lassen?"[1] schreibt sie.
5 „Sehr einfach: ich hatte nichts zu schreiben. Es war nichts los, rein gar nichts. Ein Tag wie der andere: Arbeiten, Essen, Schlafen, sonst nichts.

Letzte Woche aber ist endlich etwas geschehen. Ich hatte einige Tage frei, die ich im Salzkammergut verbrachte. So nennt man die Gegend um Salzburg — eine alte österreichische Stadt, die nahe der
10 deutschen Grenze[2] liegt. Die Reise war wundervoll! Und wie die Deutschen sagen, wenn einer eine Reise tut, so kann er was[3] erzählen. Also hör zu! Ich werde versuchen, alles schön der Reihe nach zu erzählen:

Mit dem Autobus ging's[4] die breite Autobahn entlang — nach

---

[1] **Warum ... lassen** Why I was silent so long.   [2] border.   [3] = **etwas**.
[4] it (the ride) went.

Südosten, den Alpen entgegen. Die Bergkette,[1] die zuerst wie eine leichte Schattenlinie am Horizont aufgetaucht war, wurde immer klarer, bis man schließlich all die Gipfel und Täler, die Felsen,[2] Wiesen und Wälder so deutlich unterscheiden[3] konnte wie auf einer dieser fabelhaften modernen Panorama-Aufnahmen.[4] Kurz vor dem Ende der Reise ging's durch die rot-weiß-roten österreichischen Grenzpfähle,[5] und in ein paar Minuten sahen wir Salzburg auftauchen, wie eine Stadt aus dem Märchenbuch, mit seinen Giebeldächern[6] und Türmen[7] und darüber auf dem Hügel die alte Festung.[8]

Die Landschaft[9] um Salzburg ist bezaubernd: die vielen blauen Seen, an denen die reinlichen Dörfer[10] aufgereiht liegen zwischen dunklen Wäldern und hellgrünen Wiesen; die Blumen, die die Fenster und die langen Balkone der Bauernhäuser schmücken;[11] die schlanken spitzen[12] Kirchtürme; die klare Luft und die hohen Berge im Hintergrund; all das wird man kaum irgendwo sonst so zusammen finden.

Aber der Höhepunkt ist doch Salzburg selbst. Da ist Mozarts Geburtshaus,[13] da sind die berühmten Festspiele,[14] da sind die schönen Parks, Dome und Paläste. Da kann man stundenlang durch die Straßen wandern, ohne sich zu langweilen,[15] und da kann man auch stundenlang vor einem Café im Freien auf der Straße sitzen mit einem Glas Bier oder einer Tasse Kaffee, während man die Leute begrüßt, seine Zeitung liest oder sich nur seines Daseins freut.[16] Das ist es, was man die berühmte österreichische Gemütlichkeit[17] nennt, und die findet man in Salzburg so konzentriert wie kaum anderswo.[18] Ludwig Thoma,[19] der in die Stadt verliebt war, hat einmal gesagt: ‚Für mich ist diese Stadt Österreich' — und ich will es ihm gern glauben."

2. Zwei Meister der Pointe:

Georg Christoph Lichtenberg[20] und Wilhelm Busch

Hier sind einige ihrer berühmten Aphorismen und Verse. Wir hoffen, daß Sie Freude daran haben und auch etwas über das Relativpronomen daraus lernen werden:

[1] **die Kette, –n** chain. [2] rocks, cliffs. [3] distinguish. [4] **die Aufnahme, –n** photograph. [5] **der Pfahl, ⸚e** post, pole. [6] **der Giebel, –** (gable) + **das Dach, ⸚er** (roof). [7] **der Turm, ⸚e** tower. [8] fortress. [9] landscape. [10] **das Dorf, ⸚er** village. [11] decorate. [12] pointed. [13] **die Geburt', –en** birth. [14] festivals. [15] without getting bored. [16] "just is happy to be alive." [17] "comfort." [18] "any place else." [19] *Bavarian writer (1867–1921).* [20] 1742–1799.

Lichtenberg:

Der Amerikaner, der den Kolumbus zuerst entdeckte, machte eine böse Entdeckung.

Auch selbst den weisesten unter [1] den Menschen sind die Leute, die Geld bringen, mehr willkommen [2] als die, die welches [3] holen.

Schön nennen die Leute alles, was ihnen gefällt, und das ist relativ.

Busch:

Ein Onkel, der Gutes mitbringt, ist besser als eine Tante, die nur Klavier [4] spielt.

Enthaltsamkeit [5] ist das Vergnügen
an Dingen, welche wir nicht kriegen.[6]

Das Gute — dieser Satz steht fest —
ist stets das Böse, was man läßt.[7]

II. WORTSCHATZ

1. Allerlei (all sorts of things)

a. ***die Reihe, –n** row
   er ist an der Reihe it is his turn
   er kommt bald an die Reihe soon
   it will be his turn

der Reihe nach in order, in sequence
   auf-reihen to arrange in rows

b. **dunkelrot** dark red
   hellgrün bright green

rötlich, gelblich usw. reddish, yellowish,
   etc.

c. **entsetz′lich** horrible
   entsetzlich heiß "horribly hot"
   fabelhaft fabulous
   fabelhaft schön "fabulously beautiful"

furchtbar frightful, awful
   furchtbar unbequem "awfully uncomfortable"
   *rein (reinlich) clean, pure
   rein gar nichts absolutely nothing at all

---

[1] among. [2] welcome. [3] *here:* some, it. [4] piano. [5] abstinence. [6] get.
[7] The good we do — this much is true — / is but the evil we don't do.

2. Vom Reisen

Vor der Reise: Man macht einen Reiseplan; man freut sich auf die Reise; man packt seinen Koffer; man steckt Geld ein. Man reist ab.

Auf der Reise: Man fährt mit der Eisenbahn, mit einem Autobus, einem Schiff usw., oder man fliegt mit einem Flugzeug. Man fährt oder fliegt mehrere Stunden oder Tage. Man kommt am Ziele an. Dort bleibt man einige Tage oder Wochen. Dann fährt oder fliegt man wieder zurück.

Nach der Reise: Man ist müde und hat kein Geld mehr. Man packt seinen Koffer aus und freut sich, daß man wieder zu Hause ist.

reisen (s) to travel	***die Eisenbahn, –en** railroad, train
die Reise, –n trip	***das Flugzeug, –e** plane
ab-reisen (s) to leave on a trip	***das Schiff, –e** ship
die Abreise departure	***der Zug, ⁼e** train
an-kommen, kam an, ist angekommen to arrive	
die Ankunft arrival	**der (Hand)koffer, –** bag, suitcase
	der (große) Koffer trunk
	der (Reise)paß, –pässe passport
packen to pack	**der Reiseplan, ⁼e** travel plan, itinerary
ein-packen to pack in, pack up	***das Ziel, –e** goal
aus-packen to unpack	

3. Die vier Himmelsrichtungen (the four points of the compass)

*der **Norden** : nördlich	*der **Osten** : östlich
*der **Süden** : südlich	*der **Westen** : westlich
der **Nordosten** : nordöstlich	der **Südosten** : südöstlich
der **Nordwesten** : nordwestlich	der **Südwesten** : südwestlich

4. Some separable prefixes and their meanings

an– "at"	**ein–** "in"
an-reden to address, speak to	**ein-nehmen** to take (in), swallow
an-sehen to regard, look at	**ein-stecken** to stick in, put in one's pocket

257

auf– "up"

   auf-bauen to build up, erect
   auf-tauchen to emerge

aus– "out"

   aus-gehen to go out
   aus-sehen to look, appear

weiter– "further" ("to continue to")

   weiter-fahren to drive on, ride on
   weiter-sprechen to go on talking

zurück'– "back"

   zurück'-bringen to bring back
   zurück'-geben to give back

The importance of separable prefixes in German can hardly be overestimated. Often prepositions in their origin, they combine readily with a multitude of verbs. Familiarity with the most common such prefixes will help you greatly in developing a fluent control of German.

III. ERLÄUTERUNGEN

1. The relative pronoun in general

Mein Freund, der in Deutschland lebt, ...   *My friend who lives in Germany* ...

Das Buch, das wir jetzt lesen, ...   *The book (which) we are reading now* ...

Die Stadt, die Österreich ist, ...   *The city which is Austria* ...

The pronoun which *relates* a subordinate clause to a noun (or pronoun) of another clause is called a relative pronoun. In German it cannot be omitted as it often is in English.

2. The forms of the relative pronoun

	SINGULAR			*PLURAL*
a. Referring to:	**der**-NOUNS	**das**-NOUNS	**die**-NOUNS	ALL NOUNS
Nominative	der	das	die	die
Accusative	den			
Dative	dem		der	**denen**
Genitive	**dessen**		**deren**	**deren**

In most cases, the forms of the relative pronoun are those of the definite article. Notice, however, the expanded forms that are given in heavy black type.

    b. The appropriate forms of **welcher, welches, welche** are also sometimes used as relative pronouns in all cases but the genitive.

3. The choice of the proper relative pronoun

Der Brief, **der** heute morgen ankam, . . .	*The letter which came . . .*
Der Brief, **den** ich heute morgen bekam . . .	*The letter (which) I received . . .*
Der Park, **in dem** ich oft spazierengehe, . . .	*The park in which . . .*
Der Student, **dessen** Arbeit noch nicht fertig ist, . . .	*The student whose work . . .*
Das Brot, **das** wir täglich essen, . . .	*The bread (that) we eat . . .*
Die Reise, **die** wir nach Österreich machten, . . .	*The trip (that) we took . . .*
Die Freunde, **mit denen** wir oft Karten spielen, . . .	*The friends with whom we . . .*
Er sah **seinen** Freund, **der** die Straße entlangkam.	*He saw his friend who was coming along the street.*

In English, the choice of the relative pronoun depends on the meaning of the noun referred to, whether it represents a human being or a thing. In German, the choice of the relative pronoun is purely a matter of grammatical agreement:

▶ In reference to a **der**-noun a form of **der** must be used, in reference to a **das**-noun a form of **das**, in reference to a **die**-noun a form of **die**.

▶ In reference to a singular noun a singular form of the relative pronoun is used, in reference to a plural noun a plural form of the pronoun.

▶ The choice of the proper *case* form depends on the function of the relative pronoun within the relative clause: whether it is subject, object, etc. Note that the same is true in the case of English *who, whose,* and — where it is still used — *whom.* In German, such a distinction has to be made in all cases.

„...wie eine Stadt aus dem Märchenbuch, mit Giebel=
dächern und Türmen, und darüber auf dem Hügel die
alte Festung."

Salzburg

Two Salzburg Festival performances: *Die Zauberflöte* and *Jedermann*

4. Word order in relative clauses

a. Der Freund, **mit dem** ich aufs Land
fahre, . . .

*The friend with whom I go to the
country . . .*

The relative pronoun generally stands at the head of the relative clause.
Prepositions, however, precede it.

b. Der Brief, auf den ich so lange gewartet **habe,** . . .

The letter for which I waited so long . . .

Relative clauses are dependent clauses. Therefore the *inflected* part of the
verb stands last. In writing, relative clauses — like all dependent clauses
— are set off by commas.

5. *Wer, was* as relative pronouns

a. **Wer** zuletzt lacht, lacht am besten.
„**Wer** nicht kommt zur rechten Zeit,
der muß essen, was übrig bleibt.“
Was Susan gefällt, (das) gefällt mir
auch.

He who laughs last laughs best.
*Whoever does not come in time must
eat whatever is left.*
What(ever) Susan likes I like too.

Wer and **was** are frequently used in the sense of *he who, whoever,* and *that
which, what, whatever.* An emphatic **der** or **das** may or may not be inserted
in the main clause.

b. Er sagt, er studiert fleißig, **was** ich
aber nicht glaube.
Alles, **was** er getan hat, war richtig.
. . . das Böse, **was** man läßt.
Alles, **worauf** ich so lange gewartet
hatte, wurde wahr.

*He says he is studying hard, **which** I do
not believe, however.*
Everything (that) he did was right.
. . . the evil (which) one does not do.
*Everything for **which** I had been waiting so long (be)came true.*

Was is also used as a relative pronoun in referring back to

▶ an entire clause
▶ a preceding **das, etwas, alles, viel(es), wenig(es), manches, nichts**
▶ an adjective used as a **das**-noun.

However, **was** cannot be used after a preposition. The combination
wo(r) + preposition is used instead. (See *Elfte Stunde,* III, 5 for other
uses of this form.)

6. Interrogatives, direct and indirect

<table>
<tr><td align="center">THE DIRECT QUESTION</td><td align="center">THE INDIRECT QUESTION</td></tr>
<tr><td>„Wer ist sie?“</td><td>Er fragt, wer sie ist.</td></tr>
<tr><td>„Was haben Sie da?“</td><td>was ich da habe.</td></tr>
<tr><td>„Mit wem ist er gekommen?“</td><td>mit wem er gekommen ist.</td></tr>
<tr><td>„Wen laden Sie ein?“</td><td>wen ich einlade.</td></tr>
<tr><td>„Warum tut er das?“</td><td>warum er das tut.</td></tr>
<tr><td>„Wie macht man das?“</td><td>wie man das macht.</td></tr>
</table>

The inflected verb in the indirect question stands at the end of its clause.

IV. ÜBUNGEN

A. *Supply the appropriate forms of the relative pronoun as indicated:*

PATTERNS: Das Buch, **das** (**welches**) hier liegt, ist interessant. Das Buch, **in dem** (**in welchem**) wir lesen, ist neu.

1. Der Brief (das Schreiben; die Postkarte), —— (*nom.*) heute ankam, ist interessant. 2. Briefe (Karten), —— (*nom.*) aus Deutschland kommen, haben deutsche Briefmarken.

3. Der Tanz (das Fest; die Reise), auf —— (*acc.*) ich mich so sehr freue, wird lustig sein. 4. Die Strümpfe (die Kleider), —— (*acc.*) das Kind ausgezogen hatte, lagen noch auf dem Boden.

5. Ist der Zug (das Schiff; der Wagen), mit —— (*dat.*) wir fahren, schon hier? 6. Löwen und Tiger sind Tiere, vor —— (*dat.*) man Angst haben muß.

7. Ein Brief (ein Schreiben; eine Postkarte), —— (*gen.*) Adresse man gut lesen kann, kommt schnell an. 8. Kinder (Buben; kleine Mädchen), —— (*gen.*) Hände immer sauber sind, nennt man brav.

B. *Supply the proper forms of* **der** *or* **welcher:**

1. Der Herr, —— eben zur Tür hereingekommen ist, war der Lehrer. 2. Das Buch, —— er in der Hand trug, war unser Lehrbuch. 3. Der Lehrer mag die Schüler gern, —— Antworten immer richtig sind.

4. Die Tür, durch —— man in ein Haus eintritt, nennt man die Haustür.
5. Eine Tür, —— in ein Zimmer führt, ist eine Zimmertür. 6. Die Zeitung,
—— am Morgen kommt, heißt die Morgenzeitung. 7. Wie heißt die Zeitung,
—— man am Abend kauft? 8. Eine Zeitung, —— am Sonntag erscheint,
ist eine Sonntagszeitung.

9. Die Straße, auf —— Marie von München nach Salzburg gefahren ist, ist
eine Autobahn. 10. Autobahnen sind Straßen, auf —— nur Automobile
fahren dürfen. 11. In Deutschland gibt es viele Wege, auf —— man nur mit
einem Rad fahren darf: die sogenannten Radfahrwege.

12. Mozart, —— Geburtshaus in Salzburg steht, war ein sehr bekannter
Musiker und Komponist. 13. Die deutschen Komponisten, —— Opern man
am öftesten hört, sind Mozart, Weber, Wagner und Strauß. 14. Der Strauß,
—— wir hier meinen, ist Richard Strauß.

15. Die Wörter, —— man sich nicht merken kann, schreibt man am besten
in ein kleines Heft. 16. Das Heft, in —— diese Wörter stehen, steckt man
dann ein.

17. Ich freue mich schon jetzt auf die Reise, —— ich im Sommer machen
werde. 18. Ich kenne schon all die Berge, auf —— ich steigen und all die
Seen, in —— ich schwimmen werde. 19. Wenn das Geld, —— ich mitnehmen werde, ausgegeben ist, werde ich traurig wieder zurückfahren.

C. *Supply the proper forms of* **wer** *or* **was**:

1. —— nie arbeitet, ist faul. 2. —— nicht für mich ist, der ist gegen mich.
3. —— er schrieb, war höchst interessant. 4. ,,—— nicht hören will, muß
fühlen.'' 5. Ich habe nicht ganz verstanden, —— Sie wollen. 6. Er fragte,
—— ich treffen wollte. 7. Sagen Sie mir doch, mit —— Sie sprechen wollen!
8. Alles, —— sie uns über Salzburg erzählten, hat uns interessiert. 9. Ich
habe eine Eintrittskarte in die Oper bekommen können, —— mich sehr
freute. 10. Wiederholen Sie, bitte, —— Sie eben gesagt haben!

D. *Reread, changing all italicized verbs to the present perfect tense:*

1. Das Restaurant, in dem wir *essen, ist* sehr teuer. 2. Das Essen, für das
man so viel *bezahlt, ist* nicht einmal gut. 3. Der Kellner, dem wir das hohe
Trinkgeld *geben, dankt* uns nicht.

4. Ich *nehme* den Bleistift, der hier auf dem Tisch *liegt,* und *beginne,* einen Mann zu zeichnen. 5. Aber der Mann, den ich *zeichne, gefällt* mir nicht. 6. Er *glaubt* alles, was wir *sagen.* 7. Wer das alles glauben *kann, ist* nicht sehr klug.

E. *Ask yourself and others questions like the following and answer them in German:*

a. Wie heißt die Straße, in der Sie wohnen? Wie heißt die Stadt, in der Sie leben? Wo sind Sie aufgewachsen? Wie heißen die Schulen, die Sie besucht haben? Wie heißt die deutsche Schule, in der man viele fremde Sprachen lernt? Wie heißt das Lehrbuch, aus dem Sie Deutsch lernen?

b. Wie heißen die Länder, in denen man Deutsch spricht? Kennen Sie einige dieser Länder? Wie heißt das Land, dessen Hauptstadt Wien ist? Welches ist die europäische Hauptstadt, die am Rhein liegt? Wie heißt der Fluß, der von Westen nach Osten durch Deutschland fließt? Kennen Sie drei Länder, deren Hauptstädte an der Donau liegen?

c. Wie heißt der berühmte Komponist, dessen Geburtshaus in Salzburg steht? Wie heißen die deutschen Komponisten, deren Opern man am öftesten hört? Ist Mozart alt geworden? Wie alt war er, als er starb? Wer weiß es?

d. Wollen Sie nächsten Sommer eine Reise machen? Wohin wollen Sie fahren? Haben Sie schon einen Reiseplan? Werden Sie viele Koffer mitnehmen? Wann wollen Sie abreisen? Wann wollen Sie zurückkommen? Freuen Sie sich schon auf die Reise? Worauf freuen Sie sich am meisten? Was braucht man, wenn man eine Reise macht? Braucht man immer einen Reisepaß? Wer kommt jetzt an die Reihe?

e. Schreiben Sie die Wörter, die Sie sich nicht merken können, in ein kleines Heft? Stecken Sie dieses Heftchen ein? Nehmen Sie es am Abend wieder heraus? Lernen Sie dann die Wörter, die Sie vergessen haben? Wiederholen Sie diese Wörter am Morgen, während Sie sich anziehen? Finden Sie, daß Ihnen das hilft? Lesen Sie auch immer die Sprichwörter, die am Ende jeder Stunde stehen? Gefallen Ihnen diese Sprichwörter? Welche haben Ihnen am besten gefallen? Haben Sie sich einige gemerkt? welche?

„Es ist der Geist, der sich den Körper baut."

Schiller

DIE NEUNZEHNTE STUNDE

I. SPRECHEN UND LESEN

1. Vom Duzen

In den deutschen Schulen, so erzählte mir Richard, sagen die Lehrer „du" zu den Kindern unter vierzehn Jahren. Danach ändern sie die Anrede zu „Sie." Ein junger Mensch ist natürlich stolz, wenn er zum ersten Mal mit „Sie" angeredet wird.[1] Aber er findet bald heraus,
5 daß es nichts ausmacht,[2] ob der Lehrer sagt: „Ich strafe dich, weil du zu spät kommst," oder: „Ich strafe Sie, weil Sie zu spät kommen." „Sie sind faul" klingt auch nicht viel besser als „du bist faul" oder „ihr seid faul."

Etwas ganz anderes ist es, wenn Freunde oder Verliebte zum ersten
10 Mal „du" zueinander sagen. Das ist gewöhnlich ein großes Ereignis.[3] Wenn zwei sich gut verstehen, dann wird der eine oder andere vorschlagen: „Wollen wir uns nicht duzen?" In den ersten Tagen versprechen sich[4] die beiden natürlich noch oft, aber bald gewöhnen sie sich daran.

---

[1] "is addressed."   [2] it doesn't matter.   [3] event.   [4] make mistakes in speaking.

Und dann weiß jeder, daß die beiden gute Freunde oder Liebesleute [1] sind.

Man kann doch unmöglich sagen: ,,Ich liebe Sie!" Nur: ,,ich liebe dich" klingt für einen Deutschen echt. So steht es auch in allen berühmten Gedichten der Liebe und Freundschaft. Eines der schönsten [5] Liebeslieder Heines [2] beginnt: ,,Du bist wie eine Blume," und Goethe hat nicht nur gesungen: ,,O Mädchen, Mädchen, wie lieb' ich dich! Wie blickt dein Auge! Wie liebst du mich!" — er sagt sogar ,,du" zu der Liebe selbst: ,,Krone [3] des Lebens, Glück ohne Ruh', Liebe bist du!" Eichendorff, [4] der in die Natur verliebt war, steht sogar mit dem [10] Wald auf du und du: [5] ,,Wer hat dich, du schöner Wald, aufgebaut so hoch da droben?" Und jeder Deutsche kennt natürlich das alte Lied: ,,Du, du liegst mir im Herzen, du, du liegst mir im Sinn; du, du machst mir viel Schmerzen, [6] weißt nicht, wie gut ich dir bin." [7]

In den alten Tagen waren das ,,du" und das ,,ihr" auch unter [15] Erwachsenen [8] noch viel gebräuchlicher [9] als heute. Aus dieser Zeit stammt [10] der hübsche Gesang des Nachtwächters, [11] wie man ihn bis vor hundert Jahren noch in jeder deutschen Stadt um zehn Uhr nachts hören konnte:

> ,,Hört, Ihr Herrn, und laßt Euch sagen, [20]
> die Glock' hat zehne geschlagen.
> Bewahrt das Feuer und auch das Licht,
> damit der Stadt kein Schaden g'schicht,
> und lobet Gott den Herrn!" [12]

2. Ein Gespräch

Vera Schöller und Walter Klein treffen sich vor der deutschen Stunde.

VERA: Guten Morgen, Walter! Wie geht es Ihnen? Da fällt mir etwas ein: nachdem wir jetzt gelernt haben, daß gute Freunde auf deutsch ,,du" zueinander sagen, wollen wir uns nicht duzen? Wir sind doch gute Freunde?

WALTER: Das ist eine fabelhafte Idee! Fangen wir gleich damit an! Also: wie geht es dir?

[1] sweethearts. [2] Heinrich Heine, *German poet, critic, and journalist (1797–1856).* [3] crown. [4] Joseph von Eichendorff, *German poet (1788–1857).* [5] on a **du** " basis. [6] pain. [7] "how much I like you." [8] adults. [9] more customary. [10] "comes." [11] night watchman. [12] "Listen, all good gentlemen, / the bell has sounded ten. / Guard your fire and candle, too; / no harm must come to the town or you; / and praise we God the Lord."

VERA: Danke, sehr gut, und dir?

WALTER: Sehr gut, danke. Und ich will dir auch gleich einen Vorschlag machen: willst du heute abend mit mir ausgehen, damit wir unser „Duzen" bei einer Flasche Wein gehörig [1] feiern können?

VERA: Ja gerne, Walter.

WALTER: Ist es dir recht,[2] wenn ich dich um sechs Uhr abhole? Wir können dann zusammen zu Abend essen und dabei eine Flasche Wein trinken und uns im Du-sagen üben.

VERA: Ausgezeichnet! Aber paß nur auf, daß du jetzt nicht auch zum Lehrer „du" sagst!

3. Aus dem *Buch der Lieder*

von Heinrich Heine

Sie aßen und tranken am Teetisch
und sprachen von Liebe viel.
Die Herren, die waren ästhetisch,
die Damen von zartem [3] Gefühl.

Am Tische war noch ein Plätzchen,
mein Liebchen,[4] da hast du gefehlt.
Du hättest [5] so hübsch, mein Schätzchen,[4]
von deiner Liebe erzählt.

II. WORTSCHATZ

1. Merke dir's!

a. *stolz (auf / acc.) proud (of)

  *das Feuer, – fire
    Haben Sie Feuer? Do you have a light (match)?
  *das Licht, –er light

*der Sinn, –e sense
  im Sinn in mind

gewöh'nen (an / acc.) to accustom (to)
  ich gewöhne mich daran I am getting accustomed to it

---

[1] properly. [2] Is it all right with you ...? [3] zart tender. [4] darling, sweetheart. [5] You would have.

*b. loben : tadeln to praise : to censure, blame
das Lob : der Tadel praise : censure, blame

lohnen : strafen to reward : to punish
der Lohn, ⸗e : die Strafe, –n reward, pay : punishment

c. nützen (*dat.*) to be helpful (to)
das nützt dir nichts that won't help you
der Nutzen use, usefulness
nützlich useful
benüt'zen (benut'zen) to use

*schaden (*dat.*) to be harmful (to), damage
das schadet dir nichts that won't hurt you
der Schaden, ⸗ harm, damage
(das ist) schade (that is) too bad
schädlich harmful

2. Höfliche Anrede (polite address)

Guten Morgen, Herr Müller.
Guten Morgen, Herr Lehrer / Herr Doktor / Herr Professor / Herr Obersekretär / Herr Rechtsanwalt (*attorney*).
Guten Morgen, Frau Müller. Guten Morgen, gnädige Frau.
Guten Morgen, Frau Lehrer / Frau Doktor / Frau Professor / Frau Obersekretär / Frau Rechtsanwalt.
Guten Morgen, Fräulein Müller.

Herr, Frau, and **Fräulein** correspond to the English *Mr., Mrs.,* and *Miss.* They are used either with the person's name or with his title, if he has one. Such titles are very common, and it is better form to use the title rather than the person's name in addressing him, unless you happen to be a close acquaintance. A titleholder's wife is entitled to be addressed by her husband's title if she has none of her own. This custom, however, is losing favor with the younger generation. — The form **gnädige Frau** is still quite common, especially in Austria.

3. Writing to people

Formal letters usually begin:

Sehr geehrter Herr Doktor, / Sehr geehrte Frau Doktor, / *or*
Sehr geehrter Herr Müller! / Sehr geehrte Frau Müller! /

and end:

hochachtungsvoll *"Respectfully yours"* (*"Sincerely"*)

or, less formally:

mit freundlichem Gruß (mit freundlichen Grüßen)

269

Informal letters often begin:

> Lieber Hans! / Liebe Marie!
> Lieber Freund! / Liebe Freundin!
> Liebes Fräulein Marie!

and end:

> mit herzlichen Grüßen (viele Grüße usw.)
> Ihr Karl / Ihre Marie
> Dein Karl / Deine Marie

If forms of **du** or **ihr** are used in a letter, it is customary to capitalize them: **Du, Dein; Ihr, Euer usw.**

4. More separable prefixes

fort– (weg–) "away"

    fort-gehen to go away, leave
    fort-laufen to run away

vor– "ahead, in advance"

    vor-haben to intend to do, "have on"
    vor-kommen to happen

mit– "along"

    mit-bringen to bring along
    mit-nehmen to take along

zusam'men– "together"

    zusam'men-kommen to come together
    zusam'men-legen to lay together, fold

III. ERLÄUTERUNGEN

1. Duzen

Duzen means to use **du**-forms or **ihr**-forms with the person or persons you are talking to; these forms reveal close friendship or relationship. (Compare the Quaker use of *thou, thee* in English.) The American student generally will have little occasion to use these familiar forms of address, although he will encounter them frequently in literature. Therefore you should continue to use the polite forms of **Sie,** unless you have a very specific reason to use a familiar form.

The **du**-forms of the verb are used in prayer, to address a close relative or a close friend, a child under about fourteen years of age, or a pet or animal. The **ihr**-forms are used if more than one person is being addressed.

2. The verb forms of familiar address

INFINITIVES: sein, haben, werden; sagen, warten, reisen; gehen, geben, tragen; können, wissen

2ND SING. PRESENT	2ND PL. PRESENT	2ND SING. PAST	2ND PL. PAST
Auxiliaries			
du bist	ihr seid	du warst	ihr wart
du hast	ihr habt	du hattest	ihr hattet
du wirst	ihr werdet	du wurdest	ihr wurdet
Regular verbs			
du sagst	ihr sagt	du sagtest	ihr sagtet
du wartest	ihr wartet	du wartetest	ihr wartetet
du reist (reisest)	ihr reist	du reistest	ihr reistet
Irregular verbs			
du gehst	ihr geht	du gingst	ihr gingt
du gibst	ihr gebt	du gabst	ihr gabt
du trägst	ihr tragt	du trugst	ihr trugt
Modal auxiliaries and **wissen**			
du kannst	ihr könnt	du konntest	ihr konntet
du weißt	ihr wißt	du wußtest	ihr wußtet

PRESENT PERFECT	PAST PERFECT
Verbs with **haben**	
du hast ... } gehabt ihr habt ... } gesagt usw.	du hattest ... } gehabt ihr hattet ... } gesagt usw.
Verbs with **sein**	
du bist ... } gewesen ihr seid ... } geworden usw.	du warst ... } gewesen ihr wart ... } geworden usw.

271

FUTURE	FUTURE PERFECT
All verbs	*Verbs with* **haben**

du wirst ... ⎫ haben
ihr werdet ... ⎭ gehen usw.

Verbs with **haben**

du wirst ... ⎫ gehabt haben
ihr werdet ... ⎭ gesagt haben usw.

Verbs with **sein**

du wirst ... ⎫ gewesen sein
ihr werdet ... ⎭ geworden sein usw.

▶ Regular verbs have the personal endings –st in the second person singular and –t in the second person plural in the present tense. After a –t, or if an unpronounceable consonant cluster would otherwise result, –est and –et are used (du wart**est**). Similarly, after the –t– of the past tense, –est and –et are used (du sagt**est**, ihr sagt**et**).

▶ If the stem of the verb ends in an s-sound, the second person singular either drops an –s– (du reist) or adds –est (du reisest) in the present tense.

▶ The personal endings of the irregular verbs in both the present and past are –st in the second person singular and –t in the second person plural.

▶ If the irregular verb or modal auxiliary has a vowel change in the present tense, third person singular (er gibt / trägt; er kann), this change is retained in the second person singular (du gibst / trägst; du kannst).

▶ The compound tenses for the second person follow exactly the same patterns as for other persons of the verb, as the examples above show.

3. The familiar imperatives

SINGULAR:	sei!	habe!	werde!	sage!	warte!	trage!	sprich!
PLURAL:	seid!	habt!	werdet!	sagt!	wartet!	tragt!	sprecht!

▶ The familiar command form in the singular ordinarily ends in –**e,** but this –e is often dropped (**gehe! geh!**).

▶ Irregular verbs which show the vowel variation a–ä or **au–äu** in the present tense do not have an umlaut in the singular imperative (**du trägst : trage! du läufst : laufe!**).

▶ Irregular verbs which show the vowel variation e–i (ie) never add –e for the singular imperative (**du sprichst : sprich! du liest : lies!**).

▶ The command form in the plural is identical with the second person plural of the verb (**seid! sagt! wartet!**).

4. The familiar forms of the personal pronoun and the possessive adjective

Karl, wo bist **du?** Ich sehe **dich** nicht. — Hast du **dir** das Gesicht gewaschen? Zeig mir **deine** Hände!

Kinder, wo seid **ihr?** Ich sehe **euch** nicht. — Habt ihr **euch** das Gesicht gewaschen? Zeigt mir **eure** Hände!

The accusative of **du** is **dich,** the dative is **dir.** The accusative and dative of **ihr** is **euch.** The possessive adjective for **du** is **dein;** the possessive adjective for **ihr** is **euer** (**eur–** when an ending is added).

IV. ÜBUNGEN

A.a. Change the following sentences to (a) the third person singular and then (b) the first person singular:

PATTERN: Du fragst zuviel: **Er fragt** zuviel; **ich frage** zuviel.

1. Du machst es falsch.
2. Du tust nichts.
3. Du antwortest nie.
4. Du sprichst Deutsch.
5. Trägst du einen Hut?
6. Du paßt immer auf.
7. Du mußt etwas tun.
8. Du freust dich sehr.

b. Change the following sentences to the third person plural:

PATTERN: Ihr kommt spät: **Sie kommen** spät.

1. Ihr geht zu früh.
2. Ihr könnt das tun.
3. Ihr arbeitet zuviel.
4. Ihr habt nichts zu sagen.
5. Ihr bringt nichts mit.
6. Ihr erkältet euch hier.
7. Ihr unterhaltet euch gut.
8. Seid ihr fertig?

B.a. Read the following passage in the future tense:

1. Du fährst mit dem Autobus nach Salzburg. 2. Du hast eine sehr interessante Reise. 3. Du triffst dort Freunde. 4. Salzburg gefällt euch sicher sehr gut.

„Wer hat dich, du schöner Wald, aufgebaut so hoch da droben?" (Eichendorff)

Du, du liegst mir im Herzen

Volkslied, um 1820

Volksweise

Sehr mäßig

Du, du liegst mir im Her - zen, du, du liegst mir im Sinn;

du, du machst mir viel Schmer-zen, weißt nicht, wie gut ich dir bin;

ja, ja, ja, ja, weißt nicht, wie gut ich dir bin! . .

b. Read the following passage in the past tense:

1. Du hast eine deutsche Stunde. 2. Du lernst viel. 3. Du liest und sprichst dort viel. 4. Du schreibst auch etwas. 5. Du fragst den Lehrer und er antwortet dir. 6. Du kannst schon recht gut antworten. 7. Du bist zufrieden. 8. Du darfst darauf stolz sein.

c. Read the following passage in the present perfect tense:

1. Reist du mit einigen Freunden nach Deutschland? 2. Wann fahrt ihr ab? 3. Nehmt ihr ein Schiff oder fliegt ihr? 4. Wann kommt ihr zurück? 5. Welche Städte besucht ihr? 6. Was willst du alles sehen? 7. Wirst du es sehen?

C. *Replace all the italicized forms of* **du** *and* **dein** *in the following passage with the appropriate forms of (a)* **ihr** *and* **euer,** *then of (b)* **Sie** *and* **Ihr.** *Be sure to change the verb!*

1. Den ganzen Abend *spielst du* alte Schallplatten. 2. Erst spät *legst du dich* ins Bett. 3. Noch lange geht *dir* die schöne Musik durch den Kopf. 4. Schließlich aber *schläfst du* fest ein.

5. *Du wachst* auf. 6. *Du siehst,* daß die Sonne in *dein* Zimmer scheint. 7. *Du merkst,* daß es schon sehr spät ist. 8. *Weißt du,* wieviel Uhr es ist? 9. *Du kommst* zu spät in die Schule. 10. *Du ziehst dich* schnell an. 11. *Du hast* keine Zeit für *dein* Frühstück. 12. *Du ißt* nur schnell ein Stück trockenes Brot und *trinkst* ein Glas kaltes Wasser.

13. *Du läufst* auf die Straße hinaus. 14. *Du siehst* aber nur wenige Leute. 15. *Du kennst* sie nicht. 16. Endlich *triffst du deine* Nachbarin. 17. *Du redest* sie an. 18. *Du fragst* sie, was los ist. 19. *Du hörst,* daß es Sonntag ist. 20. *Du kannst* also wieder nach Hause gehen. 21. Zuhause *mußt du deinen* Kaffee kalt trinken.

D. *Supply the appropriate imperatives:*

1. Hans, (sprechen) laut und deutlich! 2. Gretl, (bringen) deine Freundin mit! 3. (Geben) mir ein Stück Kuchen, Mutter! 4. (Laufen), Hündchen, (laufen)! 5. Kinder, (kommen) schnell und (waschen) euch die Hände! 6. (Sein) brav und (essen) eure Suppe auf!

E. *Ask yourself and others questions like the following and answer them in German:*

a. Was versteht man unter „Duzen"? Zu wem sagt man „du"? Sagen die
Schüler „du" zu ihrem Lehrer? Sagt ein Lehrer „du" zu seinen Schülern?
Zu welchen Schülern sagt er „du"? Redet ein Professor seine Studenten mit
„ihr" an? Warum tut er das nicht? Sagt man „du" und „ihr" zu seinen
Eltern? Zu wem sonst sagt man gewöhnlich „du" oder „ihr"? Werden Sie
sich schnell daran gewöhnen?

b. Also, wie geht es dir? Bist du jetzt an der Reihe? Sprichst du gut Deutsch?
Sprecht ihr alle gut Deutsch? Bist du immer fleißig? Seid ihr alle fleißig?
Paßt du auch immer gut auf? Warum paßt du nicht auf? Du wirst doch
nicht in der Schule schlafen? Hast du heute deine Aufgabe gemacht? Habt
ihr alle eure Aufgaben gemacht? Was hast du letzten Sonntag getan? Wann
bist du fortgegangen? Wie viele wart ihr? Habt ihr euch gut unterhalten?
Bist du aufs Land gefahren? Oder hast du vielleicht ein Fußballspiel gesehen?
Hast du dich gut unterhalten?

c. Wann stehst du gewöhnlich auf? Wann bist du heute aufgestanden? Kannst
du am Sonntag lange schlafen? Tust du das auch so gern wie ich? Wohin
gehst du heute nach der Schule? Willst du nicht vielleicht mit mir ins Kino
gehen? und nach dem Kino in meinem Auto nach Hause fahren? Oder hast
du selbst etwas vor? Was hast du vor? Kennt ihr das Lied „Du, du liegst
mir im Herzen"? Wollt ihr es lernen und singen?

„Wie du mir, so ich dir."

DRITTE WIEDERHOLUNGSSTUNDE

„Amerika, du hast es besser . . .“

Man kann oft lesen: Amerika ist ein
junges Land, Deutschland ist ein altes.
Aber das ist nur zum Teil[1] richtig;
denn als ein moderner Staat sind die
Vereinigten Staaten etwa zweimal so
alt wie das Deutsche Reich, das erst
aus dem Jahre 1871 stammt.[2]
Auch die Bevölkerung Deutschlands
ist natürlich nicht älter als die Bevölkerung Amerikas. Die Amerikaner
sind ja nicht plötzlich im Jahre 1776
vom Himmel gefallen, sondern ihre Vorfahren[3] waren fast alle aus dem alten
Europa herübergekommen. Wir wissen
auch, daß die englische Sprache genau
so alt ist wie die deutsche. Dasselbe

„Amerika, du haſt es beſſer . . .“

Man kann oft leſen: Amerika iſt ein junges
Land, Deutſchland iſt ein altes. Aber das
iſt nur zum Teil[1] richtig; denn als ein
moderner Staat ſind die Vereinigten Staaten
etwa zweimal ſo alt wie das Deutſche Reich,
das erſt aus dem Jahre 1871 ſtammt.[2]

Auch die Bevölkerung Deutſchlands iſt natürlich nicht älter als die Bevölkerung
Amerikas. Die Amerikaner ſind ja nicht
plötzlich im Jahre 1776 vom Himmel gefallen, ſondern ihre Vorfahren[3] waren faſt
alle aus dem alten Europa herübergekommen. Wir wiſſen auch, daß die engliſche
Sprache genau ſo alt iſt wie die deutſche.
Dasſelbe kann man auch von der Religion

---

[1] partly.   [2] **das erst aus . . . stammt** “which only goes back to.”   [3] an-
cestors.

kann man auch von der Religion sagen. Was in Deutschland älter ist als in den Vereinigten Staaten, das ist die Tradition vieler Einrichtungen[1] und Gebräuche, wie sie sich seit etwa tausend Jahren in dem Land zwischen den Tälern des Rheins und der Oder entwickelt haben.

Oft sieht man der deutschen Landschaft und den deutschen Menschen diese Tradition schon von außen an.[2] Davon, daß[3] deutsche Städte anders aussehen als amerikanische Städte, haben wir schon auf früheren Seiten dieses Buchs gelesen. Es gibt auch in Deutschland noch eine ganze Menge alter Schlösser und Burgen — oft sind sie halb verfallen,[4] dann nennt man sie Ruinen — und in den alten Dörfern und Städten sieht man viele Häuser, die 300 Jahre oder älter sind. Ein Haus, das nicht älter ist als 50 Jahre, wird man gewöhnlich „neu" nennen.

Die Großindustrie und Massenproduktion haben in Deutschland das Leben jedes einzelnen Bürgers noch nicht so stark beeinflußt wie in den Vereinigten Staaten. Obwohl in den letzten Jahren vieles anders geworden ist — Deutschland hat sich, wie man sagt, stark „amerikanisiert" — bestehen[5] doch immer noch einige Unterschiede. So sind zum Beispiel elektrische Kühlschränke[6] und fließendes[7] warmes Wasser noch nicht so allgemein[8] in Gebrauch wie hier bei uns. Auch Konserven[9] findet man in Deutschland weniger als hierzu-

sagen. Was in Deutschland älter ist als in den Vereinigten Staaten, das ist die Tradition vieler Einrichtungen[1] und Gebräuche, wie sie sich seit etwa tausend Jahren in dem Land zwischen den Tälern des Rheins und der Oder entwickelt haben.

Oft sieht man der deutschen Landschaft und den deutschen Menschen diese Tradition schon von außen an.[2] Davon, daß[3] deutsche Städte anders aussehen als amerikanische Städte, haben wir schon auf früheren Seiten dieses Buchs gelesen. Es gibt auch in Deutschland noch eine ganze Menge alter Schlösser und Burgen — oft sind sie halb verfallen,[4] dann nennt man sie Ruinen — und in den alten Dörfern und Städten sieht man viele Häuser, die 300 Jahre oder älter sind. Ein Haus, das nicht älter ist als 50 Jahre, wird man gewöhnlich „neu" nennen.

Die Großindustrie und Massenproduktion haben in Deutschland das Leben jedes einzelnen Bürgers noch nicht so stark beeinflußt wie in den Vereinigten Staaten. Obwohl in den letzten Jahren vieles anders geworden ist — Deutschland hat sich, wie man sagt, stark „amerikanisiert" — bestehen[5] doch immer noch einige Unterschiede. So sind zum Beispiel elektrische Kühlschränke[6] und fließendes[7] warmes Wasser noch nicht so allgemein[8] in Gebrauch wie hier bei uns. Auch Konserven[9] findet man in Deutschland weniger als hierzulande. Die Arbeit der Hausfrau ist daher schwerer und braucht

---

[1] *here:* institutions. [2] **sieht ... von außen an** "sees ... by looking at." [3] "of the fact that." [4] **verfal'len** to fall into ruins. [5] "there are." [6] **kühl** + **der Schrank,** ⸚e (cupboard, closet) = icebox, refrigerator. [7] running. [8] generally. [9] preserves, canned goods.

lande. Die Arbeit der Hausfrau ist daher schwerer und braucht mehr Zeit. Deshalb haben Frauen seltener selbständige [1] Berufe oder Stellungen.

Was das Denken und Fühlen angeht, so trägt jeder Deutsche eine viel größere Last [2] von geschichtlich gewachsenen Gewohnheiten [3] und Vorurteilen mit sich herum als der Amerikaner. Auch den Unterschied zwischen den Ständen fühlt man in Deutschland noch mehr. Die Unterschiede, zum Beispiel, zwischen dem Stand der Gebildeten und dem der Ungebildeten, zwischen dem Arbeiter- und dem Bauernstand, haben auch heute noch eine gewisse Bedeutung. Der Übergang [4] von einem Stand zu dem anderen ist nicht so einfach wie in Amerika.

Schon der große deutsche Dichter Goethe hat gelegentlich mit Neid [5] nach Amerika herübergeschaut, und er hat seinen Neid in den folgenden hübschen Versen zum Ausdruck gebracht:

Amerika, du hast es besser
als unser Kontinent, der alte.
Hast keine verfallene Schlösser
und keine Basalte.

Dich stört nicht im Innern
zu lebendiger Zeit
unnützes Erinnern
und vergeblicher Streit.

Benutzt die Gegenwart mit Glück,
und wenn nun eure Kinder dichten,
bewahre sie ein gut Geschick
vor Ritter-, Räuber- und Gespenstergeschichten. [6]

---

[1] independent. [2] burden. [3] historically developed habits. [4] transition.
[5] envy. [6] "America, thy lot is better / than this old continent's, our own. / No ruined castles thee enfetter, / no lava turned to stone. / Nor useless memory / nor futile strife / perturb thee deeply / in the midst of life. / To present happiness give sway! / And once your children start to write, / may fate be kind and keep away / all tales of robber, ghost, and knight."

II. WORTSCHATZ

1. Einige neue Wörter und Ausdrücke

an-gehen, ging an, angegangen to concern
   es geht dich nichts an it does not
   concern you
*bilden to form, shape; instruct
   der Gebil'dete (*adj. noun*) educated
   man
   die Bildung education; culture
*brauchen to need; use
   der Gebrauch', ⸚e use, usage; custom
*entwi'ckeln to develop
   die Entwick'lung, –en development
unterschei'den, unterschied, unterschieden to distinguish, differ-
   entiate
   der Un'terschied, –e difference

urteilen to judge
   das Urteil, –e judgment
   das Vorurteil, –e prejudgment, prejudice

der Einfluß, –flüsse influence
   beein'flussen to influence
die Gele'genheit, –en opportunity
   gele'gentlich occasional(ly), on occasion
*die Zukunft future

*einzeln single, individual
*einzig sole, only

2. *Der Staat, –en (state)

die Republik', –en republic
*das Reich, –e empire; realm
die Religion', –en religion

der Stand, ⸚e class; profession; position
*das Volk, ⸚er people; folk
die Bevöl'kerung, –en population

3. *Das Gebäu'de, – (building, structure)

die Burg, –en castle, citadel
der Dom, –e cathedral; dome
der Palast', ⸚e palace

die Rui'ne, –n ruin
das Schloß, Schlösser castle; palace

4. Verwandte Wörter (related words; cognates)

English and German are both members of the Germanic branch of the
Indo-European family of languages. The close relationship of the two
languages is evident in the great number of related words in them. Hundreds of these cognates are so obvious that they need no further explanation:
Haus, Maus, singen, senden usw.

Many other cognates are easily recognized if you know what consonants or vowels correspond to each other in the two languages, even though the cognates may have drifted apart somewhat in meaning. A few examples are given below; can you add to the lists?

GERMAN	ENGLISH COGNATE & MEANING	GERMAN	ENGLISH COGNATE	ENGLISH MEANING
t	d	z	t	
a. Blut	blood	b. Zahl	tale (tally)	number
leiten	lead	Zaun	town	fence
Not	need	Zeit	(Yule)tide	time
Tat	deed	Zoll	toll	toll, customs
unter	under	Zweig	twig	twig, branch

III. DAS WICHTIGSTE AUS DEN ERLÄUTERUNGEN

1. The basic verb patterns

a. In the present and past tense — a regular verb (**machen**); an irregular verb (**geben**); a verb with a separable prefix (**zu-hören**); a modal auxiliary (**können**):

PRESENT

ich	mache	/ gebe	/ höre zu	/ kann
er, es, sie	macht	/ gibt	/ hört zu	/ kann
du	machst	/ gibst	/ hörst zu	/ kannst
wir, sie, Sie	machen	/ geben	/ hören zu	/ können
ihr	macht	/ gebt	/ hört zu	/ könnt

PAST

ich, er, es, sie	machte	/ gab	/ hörte zu	/ konnte
du	machtest	/ gabst	/ hörtest zu	/ konntest
wir, sie, Sie	machten	/ gaben	/ hörten zu	/ konnten
ihr	machtet	/ gabt	/ hörtet zu	/ konntet

b. In the future tense — all verbs:

FUTURE

ich werde...........⎫
er, es, sie wird.......⎪
du wirst............⎬ machen / geben / zuhören / können
wir, sie, Sie werden...⎪
ihr werdet..........⎭

c. In the perfect tenses — verbs with **haben** and verbs with **sein**:

PRESENT PERFECT

ich habe............⎫   ich bin............⎫
er, es, sie hat........⎪gemacht er, es, sie ist........⎪gefolgt
du hast ....⎪gegeben   du bist............⎪gegangen
                    ⎬angezogen   ⎬abgereist
wir, sie, Sie haben....⎪besucht wir, sie, Sie sind....⎪verschwunden
ihr habt............⎭   ihr seid...........⎭

PAST PERFECT

ich, er, es, sie hatte...⎫   ich, er, es, sie war...⎫
du hattest..........⎪gemacht du warst..........⎪gefolgt
                    ⎪gegeben   ⎪gegangen
wir, sie, Sie hatten....⎪angezogen wir, sie, Sie waren...⎪abgereist
ihr hattet...........⎭besucht   ihr wart...........⎭verschwunden

FUTURE PERFECT

ich werde...........⎫
er, es, sie wird.......⎪gemacht haben   gefolgt sein
du wirst............⎪gegeben haben   gegangen sein
                    ⎬angezogen haben   abgereist sein
wir, sie, Sie werden...⎪besucht haben   verschwunden sein
ihr werdet..........⎭

2. To summarize:

In German

▶ verbs may be regular: ▶ or irregular:

machen, mach**te,** gemacht   singen, **sang,** gesungen

In the second and third person singular, present tense

▶ most irregular verbs have normal forms:

    gehen: er geht, du gehst

▶ a few irregular verbs show a vowel variation:

    geben: er gibt, du gibst
    tragen: er trägt, du trägst

Many regular and irregular verbs

▶ have a separable prefix:

    zu-hören, hörte **zu,** hat **zu**gehört
    an-ziehen, zog **an,** hat **an**gezogen

▶ have an inseparable prefix:

    besuchen, **be**suchte, hat **be**sucht
    verschwinden, **ver**schwand, ist **ver**schwunden

In the perfect tenses

▶ most verbs have the auxiliary **haben:**

    hören: er **hat** gehört
    singen: er **hat** gesungen
    besuchen: er **hat** besucht
    an-ziehen: er **hat** angezogen

▶ many common verbs have the auxiliary **sein:**

    folgen: er **ist** gefolgt
    gehen: er **ist** gegangen
    ab-reisen: er **ist** abgereist
    verschwinden: er **ist** verschwunden

A few verbs fit neither pattern exactly: the auxiliaries **sein, haben, werden;** the modal auxiliaries and **wissen;** the hybrids; **tun.**

3. About German word order

▶ Elements in initial position

    (*a*) "Normal" word order: 1. Subject. 2. Inflected verb.

        Die Amerikaner sind nicht vom Himmel gefallen.

        The Americans did not fall from the sky.

    (*b*) "Inverted" word order: 1. Any unit. 2. Inflected verb. 3. Subject.

        Oft sind die Burgen halb verfallen.
        Diesen Unterschied fühlt man noch sehr.

        Often the castles are half in ruins.
        One still feels this difference very much.

A unit of the sentence other than the subject may stand in first position. Since the subject then follows the verb, we now have an important grouping of *three* words or phrases at the head of the sentence.

▶ Elements in final position

(*a*) Normal or inverted word order:

Das geht mich nichts **an.**	*That does not concern me.*
Vorurteile kann man sich nicht **leisten.**	*One cannot afford prejudices.*
Wir haben das schon **gelesen.**	*We have already read that.*

In final position in simple sentences you find the separable prefix, the infinitive, the perfect participle; all are elements of the sentence which are indispensable to its understanding.

(*b*) "Transposed" word order:

... das Deutsche Reich, das erst aus dem Jahre 1871 **stammt.**	... *the German Empire, which only goes back to the year 1871.*

In all subordinate clauses even the inflected verb shifts to final position.

▶ Initial and final position

In brief, then, the basic German sentence is suspended between two poles, so to say, between initial and final position. It might be described as a sandwich, except that the meat is on the outside and the bread in the middle. To carry the metaphor further: when you take a bite of this German sandwich-sentence, you must take a whole bite, a bite which includes both of the outside elements, both the beginning and end of the sentence.

IV. WIEDERHOLUNGSÜBUNGEN

A. *Join the following clauses or sentences with the italicized conjunctions as indicated, changing the position of the inflected verb forms whenever necessary:*

PATTERN: Er kommt nicht, *weil* ... er hat keine Zeit: Er kommt nicht, **weil** er keine Zeit **hat.**

1. Ich muß mein Auto verkaufen, *denn* ... ich brauche Geld. 2. Du kannst dir kein Auto kaufen, *da* ... du hast nicht genug Geld. 3. *Nachdem* ... du hast genug Geld, ... du wirst dir ein neues Auto kaufen.

285

„In den alten Dörfern und Städten sieht man viele Häuser, die 300 Jahre oder älter sind."

*„Es gibt in Deutschland noch eine ganze
Menge alter Schlösser und Burgen."*

4. Ihr habt davon gelesen, *daß* ... deutsche Städte sehen anders aus als amerikanische Städte. 5. Das kommt daher, *daß* ... die deutschen Städte sind gewöhnlich älter. 6. In Deutschland muß ein Haus über 50 Jahre alt sein, *wenn* ... man nennt es alt.

7. Ich habe Susan einige Tage nicht gesehen, *da* ... ihre Mutter ist krank und liegt im Bett. 8. Ich kann es kaum erwarten, *bis* ... ich werde Susan wiedersehen. 9. Leider kann ich sie nicht sehen, *während* ... ihre Mutter ist krank. 10. Ich freue mich sehr auf das Kostümfest, *obwohl* ... ich habe noch nie mit Susan getanzt.

11. *Indem* ... man liest oft die Zeitung, ... man lernt die Politik besser verstehen. 12. Wir haben die Zeitung oft gelesen, *damit* ... wir haben die Politik besser verstehen können.

B. *Supply the proper form of the relative pronoun:*

1. Der Tisch, —— hier vor Ihnen steht, ist für den Lehrer. 2. Der Tisch, —— Sie dort an der Wand sehen, ist für Bücher und Blumen. 3. Die Landkarte, —— hier neben der Tafel hängt, zeigt Europa. 4. Das Land, —— hier in der Mitte Europas liegt, ist Deutschland.

5. Die oberen Klassen des Gymnasiums sind für die Deutschen ungefähr, —— für uns das Junior College ist. 6. Den Studenten, —— seinen Doktor gemacht hat, begrüßen die Mitmenschen mit „Herr Doktor."

7. Die Brüder Grimm sammelten die berühmten Märchen, —— heute die ganze Welt kennt. 8. Sie waren aber auch bedeutende Menschen und Bürger, —— die Freiheit liebten und für sie kämpften.

9. Der Frühling ist die Jahreszeit, in —— in Deutschland das Wetter gewöhnlich am schönsten ist. 10. Die Städte, —— Klima am schlechtesten ist, sind oft die größten und wichtigsten. 11. Der Freund, —— Briefe ich oft aus Deutschland bekomme, heißt Richard. 12. Er ist derselbe, —— ich oft nach Deutschland schreibe.

13. Eine Frau, —— Hausarbeit nicht schwer ist, hat mehr Zeit für einen Beruf. 14. —— alle diese Übungen richtig machen kann, ist ein sehr guter Schüler.

C. *Reread the following passage, changing all italicized verbs to the past tense:*

1. Mein Freund Hans *wohnt* erst seit kurzer Zeit in Amerika. 2. Wir *wollen*, daß er mit uns Baseball spielt. 3. Er *fragt* uns, was man da tun muß. 4. Wir

erklären ihm: „Du mußt nur den Ball so weit wie möglich ins Feld hinausschlagen." 5. „Gut!" *sagt* er. 6. Gleich sein erster Ball *landet* wirklich weit draußen im Feld. 7. Hans *steht* nur da und *lächelt*. 8. Wir alle *rufen* ihm *zu*: „Lauf doch!" 9. Aber er *versteht* nicht, was wir *wollen*. 10. Endlich *versteht* er es, aber dann *ist* es schon zu spät. 11. Nun *lachen* wir alle. 12. Aber Hans *wird* ganz böse und *meint*: „Ich *kann* doch unmöglich wissen, daß man auch laufen muß."

D. *Reread, changing all italicized verbs to the future tense:*

1. Nanni machte mir heute einen Vorschlag: „Morgen abend *gehen* wir ins Konzert. 2. Es *gefällt* dir sicher sehr gut, denn man *spielt* nur klassische Musik. 3. Da *kannst* du ruhig einschlafen. 4. Du *ziehst* natürlich deinen neuen dunklen Anzug *an*. 5. Dein Bruder und seine Frau Shirley *kommen* auch. 6. Nachher *setzen* wir uns in ein Café. 7. Ihr beide *könnt* dann eure Zigarren rauchen und euch über Politik unterhalten. 8. Ich *spreche* mit Shirley über Kleider. 9. So *wird* es sehr nett für uns alle." 10. Ich *tue* natürlich alles genau so, wie Nanni es will. 11. Ihr *glaubt* doch nicht, daß ich „nein" *sage*, wenn Anna Maria mir etwas vorschlägt?

E. *Reread, changing all italicized verbs to the present perfect tense:*

1. Heinrich *gibt* nicht gern Geld *aus*. 2. Seine Frau *mag* das nicht, denn sie *kauft* sich immer gern etwas Schönes. 3. Eines Tages *bekommt* sie einen schönen Ring von ihrer Großmutter. 4. Sie *zeigt* ihn ihrem Mann. 5. „Was, glaubst du, wird so ein Ring kosten?" *fragt* sie ihn. 6. Heinrich *nimmt* den Ring in die Hand und *sieht* ihn genau *an*. 7. „Nun, *kostet* er vielleicht zehn Dollar?" 8. „Zehn Dollar!" *ruft* seine Frau da, „vierhundert Dollar *mußte* Großmutter dafür ausgeben." 9. Nur langsam *antwortet* Heinrich: „So, vierhundert Dollar? *Ist* auch nicht teuer . . ."

F. *Reread, changing all italicized verbs to the past perfect tense:*

1. Nachdem das Telegramm *ankam*, *fuhr* ich sogleich zum Flugplatz. 2. Zuerst *konnte* ich Richard gar nicht finden. 3. Alle Passagiere *stiegen aus*, und doch *sah* ich Richard nicht. 4. Nachdem ich in den Wartesaal *eintrat*, *fand* ich ihn aber sofort. 5. Richard *war* zwei Jahre in Deutschland. 6. Er *wuchs* in diesen zwei Jahren ein wenig. 7. Ehe mir Richard sehr viel erzählen *konnte*, *mußte* er schon wieder abreisen. 8. Leider *blieb* er nur einige Stunden hier.

G. *Ask yourself and others questions like the following and answer them in German:*

a. Wie alt sind die Vereinigten Staaten? Aus welchem Jahr stammt das moderne Deutschland? Ist es eine Republik? War das Deutsche Reich im Jahr 1871 eine Republik? Ist die deutsche Sprache älter als die englische? Woher sind die meisten Amerikaner gekommen?

b. Gibt es in Deutschland viele Häuser, die älter sind als hundert Jahre? Möchten Sie in einem solchen Haus wohnen? Wird ein solches Haus gewöhnlich einen Aufzug haben? Wird es fließendes warmes Wasser haben? Was meinen Sie?

c. Warum haben Frauen in Deutschland selten selbständige Berufe? Haben Frauen in Deutschland soviel Einfluß wie hier? Welche Stände findet man in Deutschland heute noch? Sind die Unterschiede zwischen den Ständen groß? Gibt es in den Vereinigten Staaten einen Bauernstand?

d. Haben Sie Goethes Verse über Deutschland und Amerika verstanden? Wie haben sie Ihnen gefallen? Hat uns Amerikaner das Geschick wirklich vor „Ritter-, Räuber- und Gespenstergeschichten" bewahrt? Haben Sie Edgar Allan Poe gelesen? Lesen Sie gern Detektivromane? Lesen Sie Geschichten von Reisen zum Mond? — Wie groß ist die Bevölkerung des Planeten Mars?

e. Sie duzen sich jetzt wohl alle, nicht wahr? Vielleicht versuchen Sie einmal, die Fragen unter d an einen Ihrer Freunde zu stellen, wie folgt: „Weißt du, wer Goethe war? Hast du Goethes Verse verstanden? Wie haben sie dir gefallen?" — Das gibt Ihnen Gelegenheit, die „du-Formen" zu üben, nicht wahr?

„Vorgetan und nachgedacht
hat manchem schon viel Leid gebracht."

DIE ZWANZIGSTE STUNDE

I. SPRECHEN UND LESEN

1. Ein literarischer Brief aus Deutschland

München, den 10. Juni 1963

Lieber Hans!

Herzlichen Dank für Deinen lieben Brief! Ich habe mich wirklich sehr darüber gefreut, daß Dir die Beschreibung meines Ausflugs[1] ins Salzkammergut so gut gefallen hat: „geteilte Freud' ist doppelte Freud'," wie man hier so hübsch sagt. Ich hoffe, Du wirst all das auch mal[2] sehen können. Könntest[3] Du nicht vielleicht in Deinen Ferien eine Studienreise nach Deutschland machen und so das Nützliche mit dem Angenehmen verbinden?

Du scheinst ja das Studium der deutschen Sprache wirklich ernst zu nehmen. Aber Du erwartest wohl etwas zuviel von mir. Über die deutsche Literatur möchtest[4] Du etwas von mir wissen? Du hast recht, ich kann Deutsch jetzt schon gut lesen — aber meistens fehlt

---

[1] excursion. [2] = einmal. [3] could. [4] would like.

291

mir leider die Zeit dazu. Aber Du hast Glück! Ich habe nämlich letzten Winter eine Reihe von Vorlesungen über deutsche Literatur gehört. Allerdings sind wir nicht viel über Goethe [1] und Schiller [2] hinausgekommen.

5 Du weißt ja, daß Goethe und Schiller die größten Repräsentanten der Periode sind, die man die „klassische" nennt. So nennt man sie wegen des großen Einflusses, den die Alten, besonders die alten Griechen, in dieser Zeit auf die deutsche Literatur gehabt haben. Goethe gilt allgemein als der größte deutsche Dichter. Seine Gesammelten Werke 10 umfassen über 100 Bände und enthalten außer den lyrischen und epischen Gedichten eine lange Reihe von Dramen, Romanen und Schriften [3] auf fast allen Gebieten der Kunst und Wissenschaft. Schiller war ein Freund Goethes. Er ist jung gestorben und ist der Dichter der deutschen Jugend [4] geblieben. Seine Hauptthemen waren Freiheit, Menschlichkeit [5] 15 und die Ideale des Wahren und Schönen. Sein reiner Idealismus hat die besten seiner vielen Dramen und Gedichte zeitlos [6] gemacht.

Goethes bekanntestes Werk ist das poetisch-philosophische Drama *Faust.* Mir persönlich haben die lyrischen Gedichte besonders gut gefallen. Einige davon kann man noch heute als Lieder hören. Mehrere 20 von Schillers Dramen habe ich auf der Bühne gesehen. *Don Carlos* und *Wallenstein* haben auf mich den größten Eindruck gemacht.

So, mein Lieber, das ist das Beste, was ich als literarische Beraterin [7] für Dich tun kann. Laß Dir's gut gehen und schreib bald wieder! Herzliche Grüße von Deiner alten

Marie

2. Ein Tribut Goethes an Schiller

Ein Vers aus Goethes *Epilog zu Schillers* „*Glocke,*" gedichtet kurz nach Schillers Tod im Jahr 1805

Denn er war unser! Mag das stolze Wort
den lauten Schmerz gewaltig übertönen!
Er mochte sich bei uns im sichern Port
nach wildem Sturm zum Dauernden gewöhnen.

---

[1] Johann Wolfgang von Goethe, geboren 1749, gestorben 1832. [2] Friedrich (von) Schiller, geboren 1759, gestorben 1805. [3] publications. [4] youth. [5] humanity. [6] timeless, ageless. [7] advisor.

Indessen schritt sein Geist gewaltig fort
ins Ewige des Wahren, Guten, Schönen,
und hinter ihm in wesenlosem Scheine
lag, was uns alle bändigt, das Gemeine.[1]

II. WORTSCHATZ

1. Merke dir's!

enthal'ten (enthält), enthielt, enthalten to contain
*gelten (gilt), galt, gegolten to be valid,
  be worth
  Er gilt als der größte Dichter. He
  is considered the greatest poet.
verbin'den, verband, verbunden to
  connect
  die Verbin'dung, –en connection

*allerdings to be sure, of course
allgemein general
  im allgemeinen in general
außer except (for)
*doppelt double
ernst : komisch earnest, serious : funny, comical

*die Person', –en person
persön'lich personal
die Persön'lichkeit, –en personality
*die Vorlesung, –en lecture

2. Die Dichtung, –en (literature, poetry, creative writing)

*dichten to write (*creatively*)
der Dichter, – writer, poet
das Gedicht', –e poem
*fassen to seize, grasp
umfas'sen to include
verfas'sen to write, compose
der Verfas'ser, – author

der Band, ⸚e volume
die Bühne, –n stage

das Drama, Dramen drama
die Literatur', –en literature
litera'risch literary
die Novel'le, –n "Novelle" ("novelette")
der Roman', –e novel
das Schauspiel, –e play
der Schauspieler, – actor
das (Thea'ter)stück, –e (stage) play
*das Werk, –e work

---

[1] For he was ours! May this joyful claim
drown out the voice of grief in our breast.
While he was wild and stormy when he came,
with us he found enduring peace and rest.
Thence took his mind the very highest aim
for what is beautiful and true and best.
The common stuff of life that cramps us all
was far beneath him, had on him no call.

3. Wörter aus dem Lateinischen und Griechischen (words from Latin and Greek)

Although German often prefers to construct compounds of its own (der Eindruck *impression*), in the areas of the arts and of modern inventions especially it makes wide use of words derived from Latin and Greek which are immediately comprehensible to the speaker of English. Be sure to give these words their German pronunciation when you use them! — Can you add to the examples below?

modern′	der Tribut′
poe′tisch	das Ideal′; der Idealis′mus
der Vers	die Perio′de; perio′disch
das Thema	die Philosophie′; philoso′phisch
die Epik; episch	die Elektrizität′; elek′trisch
die Klassik; klassisch	das Radio
die Lyrik; lyrisch	die Mas′senproduktion′
der Prolog′, der Epilog′	usw.

Do not conclude that all such words are identical in meaning. For instance, die Propagan′da is *publicity* as well as *propaganda;* die Technik means *technical science, technology, industry* as well as *technique.*

III. ERLÄUTERUNGEN

1. More about numerals

a. der, das, die erste / dritte / achte   *the first / third / eighth*

der, das, die zweite / vierte / fünfte usw. bis zum neunzehnten
der, das, die zwanzigste / einundzwanzigste usw.

Ordinals are numerical adjectives. Up to 20 they are formed by adding –t– to the cardinal; from 20 on –st– is added. They add the same case endings as descriptive adjectives.

b. erstens, zweitens, drittens usw.   *first(ly), second(ly), etc.*

c. der Bruch, ⁻e (fraction)

die Hälfte	*half*
das Drittel / Viertel / Fünftel usw.	*third / fourth / fifth, etc.*
das Zwanzigstel / Einundzwanzigstel usw.	*twentieth / twenty-first, etc.*

Fractions are formed with the suffix –tel up to 20; from 20 on –stel is used. Note that this suffix is related to **teilen** *to divide* and to **der Teil, –e** *part, share.*

> *d.* München, den 10. Juni 1963 (den zehn**ten** Juni)
>
> 2,7 (zwei Komma sieben)
>
> 2 000 000 (zwei Millionen)

A period (.) after a numeral indicates the ordinal; a comma (,) is used as a decimal point; a space is left to separate hundreds from thousands, etc., if necessary. — Notice that dates at the head of a letter are written in the accusative.

> *e.* Der wievielte ist heute? (Den wie-   *What is today's date?*
> vielten haben wir heute?)

2. The adjective formed from the infinitive ("present participle")

> *a.* **singen : singend**
>
> der singende Vogel; ein singender   *the singing bird; a singing bird;*
> Vogel; singende Vögel usw.   *singing birds, etc.*
>
> **folgen : folgend**
>
> die folgende Frage; die folgenden   *the following question; the following*
> Fragen (folgende Fragen) usw.   *questions, etc.*

Any infinitive can be transformed into an adjective by merely adding –**d.** Such adjectives take the usual adjective endings.

> *b.* **ein** laut singender **Vogel**   *a loudly singing bird*
> **der** in seinen letzten Jahren noch   *Goethe, who was still writing in his*
> dichtende **Goethe** . . .   *last years, . . .*

In the first example given above **laut** has no ending; therefore it cannot be an adjective in this position, but must be an adverb. Similarly, **in seinen letzten Jahren** is an adverbial phrase. Such "participial constructions" are far more common in German than in English, where we would use a subordinate clause instead of a long participial construction.

295

Friedrich Schiller

Marbach/Neckar:
the house in which Schiller was born

Johann Wolfgang von Goethe

Frankfurt: corner of study in the Goethe House

3. The perfect participle as an adjective

> *a.* das gesprochene / geschriebene Wort   *the spoken / written word*
> geteilte Freude ist doppelte Freude   *pleasure shared is double pleasure*

As in English, the perfect participle may be used as an adjective in German. Such verb-adjectives take the usual adjective endings.

> *b.* **der** ernst gemeinte **Rat**   *the seriously-meant advice, the advice which is (was) meant seriously*
>
> **die** von den Brüdern Grimm gesam-   *the fairy tales collected by the Grimm* melten **Märchen**   *brothers*

We are here again dealing with participial constructions in German which are comparatively rare in English.

Notice the "polar" aspect of these participial constructions; the clause is suspended, so to say, between two poles. The first and the last elements must in effect be grasped simultaneously, together with the participle and its modification, in order to be comprehended easily. For the German this is not difficult, since he is used to waiting for the end of the clause or sentence anyway, and since he automatically reacts to adjective endings — or the absence of such endings!

4. Adjectives as nouns

> der Reisende; die Reisende; die Rei-   *the traveling man; the (woman) trav-* senden (Reisende)   *eler; the travelers (travelers)*
> der Verwandte; die Verwandte; die   *the (male) relative; the (female) rela-* Verwandten (Verwandte)   *tive; the relatives (relatives)*
> das schon Gesagte   *that which has already been said*
> die Ideale des Wahren und Schönen   *the ideals of the true and the beautiful*
> „und so das Nützliche mit dem Ange-   *"and thus combine profit and pleas-* nehmen verbinden"   *ure"*

Like other adjectives, the "present participle" and the perfect participle can be used as nouns. Compare *Neunte Stunde*, III, 2. Remember: the adjective used as a noun always takes the normal adjective endings and is capitalized in writing. Furthermore: the adjectival **der**-noun refers to a man, the **die**-noun to a woman, and the plural noun to people. The adjectival **das**-noun refers to things in general.

5. The infinitive of the verb as a noun

Arbeiten, Essen, Schlafen	*working, eating, sleeping*
Radfahren ist als Sport beliebt.	*Bicycle riding is popular as a sport.*
Das Fischen macht uns Spaß.	*We enjoy fishing.*
das Lachen ihrer Augen	*the laughter in her eyes*
Reden ist Silber, **Schweigen** ist Gold.	*Speech is silver, silence gold.*

German regularly uses the infinitive of the verb as a noun. The infinitive in this usage is always a **das**-noun and is capitalized in writing. The English verb with the suffix *–ing* (the gerund) usually, but not always, corresponds to these German verbal nouns.

IV. ÜBUNGEN

A. *Supply endings as indicated:*

a. Anreden:

1. An einen Mann: Mein Lieb–! Mein Gut–!
2. An eine Frau: Meine Lieb–! Meine Liebst–!
3. An zwei oder mehr Leute: Meine Lieb–! Meine Best–!

b. 1. Unter den deutsch– Dichtern gilt Goethe als der Größt–. 2. Schiller ist auch ein Groß–. 3. Rilke ist vielleicht kein– der ganz Groß–, aber einige seiner lyrisch– Gedichte gehören zum Best– der deutsch– Literatur. 4. Plato glaubte an das Wahr–, Gut– und Schön–. 5. Schiller meinte, daß das Wahr– auch das Schön– sein muß.

c. 1. Es gibt auf der Welt Klug– und Dumm–, Arm– und Reich–. 2. Die Reich– sind wahrscheinlich nicht glücklicher als die Arm–. 3. Aber das Gleich– gilt nicht für die Klug– und die Dumm–. 4. Der Klug– denkt mehr, und das Denken macht ihn oft unzufrieden. 5. Ist der Klug– aber deshalb unglücklicher? 6. Ein Dumm– kann mehr fragen, als zehn Klug– beantworten können.

d. 1. Das gesprochen– Wort ist oft leichter zu verstehen als das geschrieben–. 2. Die lachend– Augen meiner Freundin Susan gefallen mir gut. 3. Die Mona Lisa ist vor allem wegen ihr– lächelnd– Mundes berühmt. 4. Dieser vor drei Wochen geschrieben– Brief ist erst heute angekommen. 5. Mein gestern hier angekommen– Freund muß morgen schon wieder abfahren. 6. Er fährt zu sein– im Westen lebend– Eltern. 7. „Bellend– Hunde beißen nicht“ ist ein allgemein bekannt– Sprichwort. 8. Das wichtigste in diesem Band enthalten– Stück ist *Iphigenie auf Tauris.*

B. *Read in German:*

a. 1. Die 2. Übung dieser Stunde war sehr schwer. 2. Außer im Februar ist der 30. oder 31. Tag eines jeden Monats der letzte Tag des Monats. 3. Der 12. Monat des Jahres ist der Dezember. 4. Die letzte Woche eines jeden Jahres ist die 52. Woche. 5. In Amerika ist der Sonntag der 1. Tag der Woche, in Deutschland ist der Sonntag der 7. und der Montag der 1. Tag der Woche.

6. George Washington war der 1. Präsident der Vereinigten Staaten, Abraham Lincoln der 16., Franklin D. Roosevelt der 32. 7. Der 3. und letzte Kaiser des modernen Deutschland(s) war Wilhelm II. 8. Die jetzige Königin von England ist Elisabeth II.

b. 1. Der 4. Juli ist immer ein Feiertag in den Vereinigten Staaten. 2. In Deutschland beginnen die Sommerferien gewöhnlich am 15. Juli. 3. Am 15. September fängt die Schule wieder an. 4. Der 1. Januar eines jeden Jahres ist der Neujahrstag. 5. In Deutschland nennt man den Abend des 31. Dezember den Silvesterabend.

c. 1. Goethe ist am 28. August 1749 geboren; er ist am 22. März 1832 gestorben. 2. George Washington ist am 22. Februar 1732 geboren; er ist am 14. Dezember 1799 gestorben. 3. Friedrich Schiller ist am 10. November 1759 geboren und am 9. Mai 1805 gestorben.

d. 1. München, den 10. Mai 1963. 2. Berlin, den 3. Juli 1871. 3. Frankfurt, den 23. Februar 1957. 4. Bonn, den 14. August 1949.

e. $\frac{1}{3}$ $\frac{2}{5}$ $\frac{4}{7}$ $\frac{7}{10}$ $\frac{11}{20}$ $\frac{29}{100}$; 21,2 79,71 133,27; 3 500 000

C. *Ask yourself and others questions like the following and answer them in German:*

a. Wann sind Sie geboren? Wo sind Sie geboren? Sprechen Sie manchmal Deutsch mit Ihren Freunden? Sagen Sie „Sie“ oder „du“ zu ihnen? Zu welchen Freunden sagt ein Deutscher „du“? Duzen Sie den Lehrer? warum nicht?

b. Wie viele Studenten sind heute hier? Sind alle hier oder fehlen einige? Wer fehlt heute? Seit wann studieren Sie Deutsch? Ist gesprochenes oder geschriebenes Deutsch leichter für Sie? Was ist im allgemeinen leichter zu verstehen, Gesprochenes oder Geschriebenes? Fällt Ihnen Schreiben oder Sprechen schwerer? Was ist Ihnen angenehmer, ein leise gesungenes Wiegenlied oder ein laut gespielter Tanz? Wissen Sie bestimmt, ob bellende Hunde beißen oder nicht? Wer ist stiller, ein ruhig schlafendes Kind oder ein schlecht vorbereiteter Student?

c. Der wievielte ist heute? Der wievielte ist morgen? Mit welchem Tag beginnt die Woche für uns? Mit welchem Tag beginnt sie in Deutschland? Der wievielte Monat ist März? Der wievielte Präsident war Washington?

d. Wer gilt als der größte deutsche Dichter? Kennen Sie die Namen einiger anderer Großen der deutschen Literatur? Wissen Sie, wann Goethe geboren ist? Wann ist er gestorben? Haben Sie schon ein wenig in Goethes Werken gelesen? Kennen Sie einige Gedichte von Goethe? Was hat Goethe noch geschrieben?

e. Glauben Sie, daß das Wahre auch das Schöne ist? Welcher deutsche Dichter hat das geglaubt? Haben Sie schon ein wenig in den Werken von Schiller gelesen? Haben Sie ein Drama von Schiller auf der Bühne gesehen? welches? Welches ist das erste Drama gewesen, das Schiller geschrieben hat? Welches war sein letztes? Wer weiß das? Wann ist Schiller gestorben? Ist er sehr alt geworden?

f. Lesen Sie viel? Lesen Sie lyrische Gedichte gern? Oder lesen Sie Romane und Novellen lieber? Haben Sie schon einmal Shakespeare in deutscher Übersetzung gelesen? Was lesen Sie am liebsten? Welche Dichter kennen Sie? Kennen Sie sie persönlich oder nur aus ihren Werken?

g. Wie schreibt man die Anrede eines Briefes? Wie schreibt man die Adresse? Wie schreibt man das Datum? Wie schließt man einen Brief? Haben Sie schon einmal versucht, einen deutschen Brief zu schreiben? Versuchen Sie es heute!

„Das Bessere ist der Feind des Guten.“

DIE EINUNDZWANZIGSTE STUNDE

I. SPRECHEN UND LESEN

1. Ein Interview

Ich fragte Richard, ob er mir nicht noch ein wenig mehr von Deutschland erzählen wolle.[1] Er erklärte, er wolle das gern tun; aber da wir so wenig Zeit hätten, meinte er: „Wie wäre es mit einem Interview? [2] Du fragst und ich antworte. Ich gebe dir zehn Minuten." So machten
5 wir's — und hier ist das Ergebnis.[3]

ICH: Ich habe so viel von Weihnachten gehört; könntest [4] du mir kurz das deutsche Weihnachtsfest beschreiben?

RICHARD: Ja natürlich! Weihnachten ist das wichtigste der drei großen religiösen Feste des Jahres. Es beginnt am Abend des 24. Dezem-
10 ber. Das ist der Weihnachtsabend. Da wird der Christbaum zum ersten Mal angezündet.[5] Danach versammelt sich [6] die Familie um den Baum und singt Weihnachtslieder.

ICH: Könntest du mir vielleicht noch . . .

RICHARD: Einen Augenblick, bitte! Ich darf nicht vergessen zu

---

[1] **ob er . . . wolle** "whether he would." [2] "How about an interview?"
[3] result. [4] could. [5] **wird . . . angezündet** is lighted. [6] assembles.

erwähnen,[1] daß die Kerzen [2] am Baum wirklich brennen. Ein Baum
mit elektrischen Kerzen wäre [3] gar kein richtiger Christbaum.

ICH: Was sagt denn da die Feuerpolizei dazu?

RICHARD: Gar nichts. Man hat mir gesagt, daß es fast nie einen
Brand [4] gäbe.[5] Die brennenden Kerzen am Weihnachtsbaum sind eine 5
so alte Tradition, daß alle Leute von Kind auf daran gewöhnt sind,
vorsichtig [6] zu sein. Außerdem sind in Deutschland — wenigstens in
den Städten — alle Häuser aus Stein.

ICH: Du hast von den drei großen Festen des Jahres gesprochen.
Das zweite Fest ist wohl Ostern. Aber welches wäre [7] das dritte?   10

RICHARD: Das ist Pfingsten, „das liebliche [8] Fest," wie es Goethe
genannt hat; den Deutschen ist dieses Fest nämlich besonders lieb, weil
es in den schönen warmen Frühsommer fällt.

ICH: Du hast vorher erwähnt, daß „wenigstens in den Städten"
alle Häuser aus Stein seien.[9] Wo sind sie denn nicht aus Stein?   15

RICHARD: In den Dörfern. In Deutschland besteht [10] ein großer
Unterschied zwischen Stadt und Dorf. Die Dörfer sind die Bauernge-
meinden.[11] Ein Dorf ist kleiner als eine Stadt, und seine Häuser sind oft
ganz oder teilweise [12] aus Holz; aber ein Dorf hat Straßen und Plätze [13]
wie eine Stadt. Die Bauern wohnen da zusammen ähnlich wie die 20
Städter in der Stadt und nicht ein jeder auf seinem eigenen Grundbesitz,[14]
wie die meisten unserer „farmers". — Aber die zehn Minuten sind
jetzt um [15] . . .

ICH: Richtig, und vielen Dank für das interessante Interview!

2. Zwei deutsche Weihnachtsgedichte *

WEIHNACHTEN

von

Joseph von Eichendorff

Markt und Straßen stehn verlassen,
still erleuchtet [16] jedes Haus;
sinnend [17] geh' ich durch die Gassen,[18]
alles sieht so festlich [19] aus.

---

*The footnotes for these poems can only give you some broad hints as to the general
meaning of certain words and phrases. The simple charm and imaginative mood
of the poems cannot be rendered in any translation. Understanding and enjoying
them is one of the prizes held out by the study of German.*

[1] mention.   [2] candles.   [3] would be.   [4] fire.   [5] "is."   [6] cautious.
[7] "is."   [8] gracious.   [9] "are."   [10] exists.   [11] **der Bauer + die Gemein'de**
(community; parish).   [12] partly.   [13] squares.   [14] property.   [15] "up."
[16] "is lit up."   [17] musing.   [18] (narrow) streets.   [19] festive.

An den Fenstern haben Frauen
buntes Spielzeug [1] schön geschmückt.[2]
Tausend Kindlein stehn und schauen,
sind so wunderstill beglückt.[3]

Und ich wandre aus den Mauern [4]
bis hinaus ins freie Feld,
hehres Glänzen,[5] heil'ges Schauern! [6]
Wie so weit und still die Welt!

Sterne hoch die Kreise schlingen,[7]
aus des Schnees Einsamkeit [8]
steigt's [9] wie wunderbares Singen —
O du gnadenreiche [10] Zeit!

WEIHNACHTSLIED

von

Theodor Storm

Vom Himmel in die tiefsten Klüfte [11]
ein milder Stern herniederlacht [12];
vom Tannenwalde [13] steigen Düfte [14]
und hauchen [15] durch die Winterlüfte
und kerzenhelle [16] wird die Nacht.

Mir ist das Herz so froh erschrocken,[17]
das ist die liebe Weihnachtszeit!
Ich höre fernher Kirchenglocken
mich lieblich heimatlich [18] verlocken [19]
in märchenstille Herrlichkeit.[20]

II. WORTSCHATZ

1. Einige wichtige Feiertage (some important holidays)

(die) **Ostern** *or* (das) **Ostern** Easter
  Fröhliche Ostern! Happy Easter!
(die) **Pfingsten** *or* (das) **Pfingsten**
  Whitsuntide, Pentecost

(die) **Weihnacht(en)** *or* (das) **Weih-
  nachten** Christmas
  Fröhliche Weihnachten! Merry
  Christmas!

---

[1] toys.   [2] adorned, decorated.   [3] quietly and blissfully happy.   [4] walls.
[5] splendid brightness.   [6] sacred awe.   [7] wind (their way).   [8] solitude.
[9] (something) rises.   [10] gracious, blessed.   [11] clefts, chasms.   [12] **hernieder
= herunter.**   [13] pine forest.   [14] scents.   [15] breathe.   [16] **hell durch Kerzen.**
[17] frightened, awed.   [18] **die Heimat** = home (land), home (town).   [19] entice.
[20] splendor.

(das) **Neujahr** New Year

  (ein) **glückliches Neujahr!** Happy New Year!

(der) **Silves'terabend,** –e New Year's Eve

schenken to give (*a present*)

  das Geschenk', –e present, gift

2. Zeitung und Zeitschrift

Eine Zeitung bringt die neuesten Nachrichten. Der Journalist schreibt Artikel für eine Zeitung oder eine Zeitschrift.

Eine Zeitung erscheint gewöhnlich jeden Tag (täglich). Eine Zeitschrift erscheint einmal in der Woche (wöchentlich) oder einmal im Monat (monatlich), vielleicht auch nur alle drei oder sechs Monate (vierteljährlich oder halbjährlich).

Eine Zeitung oder eine Zeitschrift mit vielen Bildern ist eine illustrierte Zeitung oder Zeitschrift, oder einfach eine ,,Illustrierte." Der ,,Stern" und die ,,Frankfurter Illustrierte" sind sehr bekannt.

In den deutschen Zeitungen stehen die Leitartikel gewöhnlich auf der ersten Seite; Reklamen und Anzeigen stehen hinten.

die Anzeige, –n ad; announcement

der Arti'kel, – article

  der Leitartikel, – editorial

das Interview, –s interview

der Journalist', –en journalist

die Nachricht, –en news

die Rekla'me, –n advertising; advertisement

die Zeitschrift, –en magazine, periodical

  erschei'nen to appear (in print), be published

  illustrie'ren to illustrate

3. Einige wichtige Metalle und andere Stoffe

das Metall', –e metal

  das Alumi'nium aluminum

*das Eisen iron

*das Gold gold

  das Kupfer copper

*das Silber silver

  der Stahl steel

*der Stoff, –e material

  der Gummi rubber

*das Holz, ⸚er wood

*die Kohle, –n coal

*der Stein, –e stone

*die Wolle wool

  die Baumwolle cotton

4. Stadt und Dorf

In der Stadt

wohnen die Städter oder Bürger;
lebt man meistens in Wohnungen;

sind die Gebäude aus Stein;

sind Warenhäuser, Hotels und Restaurants;
sind die Fabriken und Industrien.

Im Dorf

wohnen die Bauern;
hat jede Bauernfamilie gewöhnlich
ihr eigenes Haus;
sind die Bauernhäuser oft ganz oder
teilweise aus Holz;
sind nur kleine Geschäfte und einige
Wirtshäuser;
sind die Scheunen und Ställe für die
Pferde und das Vieh.

*der Bürger, – citizen
die Fabrik', –en factory
*das Hotel', –s hotel
die Industrie', –n industry
der Städter, – city dweller
das Warenhaus, ⸚er department store

*der Bauer, –n (die Bäuerin, –nen)
peasant
*das Dorf, ⸚er village
*der Wirt, –e (die Wirtin, –nen) inn-
keeper, host (hostess)
das Wirtshaus, ⸚er inn

*der Hof, ⸚e court; courtyard; farm
der Bauernhof, ⸚e farm
die Scheune, –n shed, barn
*der Stall, ⸚e barn, stable

*der Esel, – donkey
*die Gans, ⸚e goose
*die Kuh, ⸚e cow
*das Pferd, –e horse
*das Schwein, –e pig
*das Vieh cattle

III. ERLÄUTERUNGEN

1. A note about subjunctive forms

In the text of this lesson, and occasionally in previous lessons, you have
met with such verb forms as sei, hätte, würde, wolle, möchte, gäbe. These
are *subjunctive* forms, while the verb forms you have already studied are
called *indicative* forms.

In modern English distinctive subjunctive forms have almost disappeared.
To be sure, refined usage still preserves a very few of them, as when we say
"If he *were* only here!" instead of "If he *was* only here," and such forms
as *could, should, would, might, ought to* are still significant to us. In general,

however, tense usage has taken over the functions of the subjunctive forms. Compare:

He *will* if he *can* : He *would* if he *could*.
I *shall* not do it : I *should* not do it.
If I *have*, I *will tell* you : If I *had*, I *would tell* you.
He said he *will do* it : He said he *would do* it.

Modern German does have more specific subjunctive forms left than modern English, even though German also shows a tendency to use indicative rather than subjunctive forms, particularly in colloquial speech and informal situations. The current lesson will give you a survey of the subjunctive forms in German; their principal uses will be taken up in the two following lessons.

2. A survey of subjunctive forms

INFINITIVES: sein, haben, werden; sagen, warten; gehen, sprechen, tragen; können, sollen; wissen; tun

a. PRESENT SUBJUNCTIVE:

Singular	*Plural*
ich, er, es, sie **–e**	wir, sie, Sie **–en**
sei / habe / werde	seien / haben / werden
sage / warte	sagen / warten
gehe / spreche / trage	gehen / sprechen / tragen
könne / solle / wisse	können / sollen / wissen
tue	tuen
du **–est**	ihr **–et**
seiest / habest / werdest	seiet / habet / werdet
sagest / wartest	saget / wartet
gehest / sprechest / tragest	gehet / sprechet / traget
könnest / sollest / wissest	könnet / sollet / wisset
tuest	tuet

▶ Inflected verbs regularly have the endings **–e, –est, –en, –et** in the subjunctive. Note that there are no irregularities in the present subjunctive except for **sein: ich, er, es, sie sei.**

Upper Bavaria: Reit im Winkel

Partenkirchen: Floriansbrunnen

Das Weihnachtsfest

b. PAST SUBJUNCTIVE

Singular	*Plural*

ich, er, es, sie   **–e**

  wäre / hätte / würde
  sagte / wartete
  ginge / spräche / trüge
  könnte / sollte / wüßte
  täte

wir, sie, Sie   **–en**

  wären / hätten / würden
  sagten / warteten
  gingen / sprächen / trügen
  könnten / sollten / wüßten
  täten

du   **–est**

  wärest / hättest / würdest
  sagtest / wartetest
  gingest / sprächest / trügest
  könntest / solltest / wüßtest
  tätest

ihr   **–et**

  wäret / hättet / würdet
  sagtet / wartetet
  ginget / sprächet / trüget
  könntet / solltet / wüßtet
  tätet

▶ The auxiliaries **sein, haben, werden** all have an umlaut in the past subjunctive.

▶ The past "subjunctive" forms of the regular verbs are identical with their indicative forms!

▶ Irregular verbs all have an umlaut in the past subjunctive if the vowel of their past tense form permits it. Note the full subjunctive endings!

▶ The modal auxiliaries **dürfen, können, mögen, müssen** have an umlaut in the past subjunctive, as do **wissen** and **tun; sollen** and **wollen** do not.[1]

▶ Notice the following past subjunctive forms:

  stehen: **stände** *or* **stünde**   sterben: **stürbe**
  helfen: **hülfe**   werfen: **würfe**

c. The compound tenses:

PRESENT PERFECT SUBJUNCTIVE   PAST PERFECT SUBJUNCTIVE

Verbs with **haben**   *Verbs with* **haben**

ich, er, es, sie habe... ⎫ gehabt   ich, er, es, sie hätte... ⎫ gehabt
du habest.......... ⎪ gesagt   du hättest.......... ⎪ gesagt
wir, sie, Sie haben.... ⎬ getragen   wir, sie, Sie hätten... ⎬ getragen
ihr habet........... ⎭ usw.   ihr hättet........... ⎭ usw.

---

[1] For the past subjunctive forms of the hybrids see Appendix **II,** II D, page 401.

PRESENT PERFECT SUBJUNCTIVE	PAST PERFECT SUBJUNCTIVE

Verbs with **sein** · *Verbs with* **sein**

ich, er, es, sie sei... ⎤ gewesen	ich, er, es, sie wäre... ⎤ gewesen
du seiest......... ⎟ geworden	du wärest.......... ⎟ geworden
wir, sie, Sie seien... ⎰ gegangen	wir, sie, Sie wären.... ⎰ gegangen
ihr seiet.......... ⎦ usw.	ihr wäret.......... ⎦ usw.

FUTURE SUBJUNCTIVE · FUTURE CONDITIONAL

ich, er, es, sie werde... ⎤ sein	ich, er, es, sie würde... ⎤ sein
du werdest.......... ⎟ haben	du würdest.......... ⎟ haben
wir, sie, Sie werden.... ⎰ tragen	wir, sie, Sie würden.... ⎰ tragen
ihr werdet.......... ⎦ usw.	ihr würdet.......... ⎦ usw.

FUTURE PERFECT SUBJUNCTIVE · FUTURE PERFECT CONDITIONAL

Verbs with **haben** · *Verbs with* **haben**

ich, er, es, sie werde... ⎤ gehabt haben	ich, er, es, sie würde... ⎤ gehabt haben
du werdest.......... ⎟ gesagt haben	du würdest.......... ⎟ gesagt haben
wir, sie, Sie werden.... ⎰ getragen haben	wir, sie, Sie würden.... ⎰ getragen haben
ihr werdet.......... ⎦ usw.	ihr würdet.......... ⎦ usw.

Verbs with **sein** · *Verbs with* **sein**

ich, er, es, sie werde... ⎤ gewesen sein	ich, er, es, sie würde... ⎤ gewesen sein
du werdest.......... ⎟ geworden sein	du würdest.......... ⎟ geworden sein
wir, sie, Sie werden.... ⎰ gegangen sein	wir, sie, Sie würden.... ⎰ gegangen sein
ihr werdet .... ⎦ usw.	ihr würdet.......... ⎦ usw.

▶ The compound tenses of the subjunctive are formed in exactly the same way as those of the indicative, except that *subjunctive* forms of **sein**, **haben**, and **werden** are used.

▶ Note that the "conditional" forms of the future and of the future perfect use the past tense of **werden**. Compare:

He *will* say : he *would* say.   He *will* have said : he *would* have said.

3. A note on terminology

For convenience in dealing with certain aspects of the subjunctive later on, we may group the tenses of the subjunctive according to whether the inflected verb is in the present or the past tense, as follows:

TYPE I	TYPE II
Present	*Past*
er habe	er hätte
Present Perfect	*Past Perfect*
er habe . . . gehabt	er hätte . . . gehabt
Future	*Future Conditional*
er werde . . . haben	er würde . . . haben
Future Perfect	*Future Perfect Conditional*
er werde . . . gehabt haben	er würde . . . gehabt haben

IV. ÜBUNGEN

A. *In the following passage, replace the italicized subjunctive forms with forms of the present indicative:*

PATTERN: Goethe, sagte er, *sei* der größte deutsche Dichter: Goethe, sagte er, **ist** der größte deutsche Dichter.

1. Gestern hörte ich eine Vorlesung über Goethe und Schiller. Goethe, sagte der Professor, *gelte* als der größte deutsche Dichter. 2. Er *sei* im Jahr 1749 geboren und *sei* 83 Jahre alt geworden. 3. Er *habe* eine große Menge Gedichte, Romane und anderes geschrieben. 4. Seine Gesammelten Werke *umfaßten* über 100 dicke Bände. 5. In ihnen *finde* man die schönsten Verse und die größte Weisheit, die es in der deutschen Sprache *gebe*.

6. Das Werk Goethes, das man im Ausland am besten *kenne, sei* der Faust. 7. Dieses Drama, das Goethe selbst „eine Tragödie" genannt *habe, enthalte* viel von Goethes Philosophie. 8. Die Gedichte *seien* im Ausland weniger bekannt, weil man sie nicht in fremde Sprachen übersetzen *könne;* in der Übersetzung *verlören* sie zuviel. 9. In Deutschland selbst *lebten* noch heute viele seiner Gedichte als Lieder.

10. Schiller, so fuhr der Professor fort, *sei* zehn Jahre jünger gewesen als Goethe. 11. Er *sei* nur 45 Jahre alt geworden. 12. Man *nenne* Schiller oft den Dichter der deutschen Jugend. 13. Die meisten von Schillers Dramen *könne* man noch heute oft auf der Bühne sehen. 14. Aus ihnen und aus Schillers Gedichten *spreche* der höchste Idealismus.

B. *Can you give the subjunctive forms required below?*

  a. *Present Subjunctive and Past Subjunctive:*

ich, er, es, sie (machen; lesen; wol-   wir, sie, Sie (folgen; fahren; ver-
len)   stehen)
du (können; aus-sehen)   ihr (finden; verfassen)

  b. *Present Perfect Subjunctive and Past Perfect Subjunctive:*

ich, er, es, sie (schenken; geben)   wir, sie, Sie (auf-hören; werden)
du (können; versprechen)   ihr (erzählen; ein-schlafen)

  c. *Future Subjunctive and Future Conditional:*

ich, er, es, sie (packen; schweigen)   wir, sie, Sie (haben; gehen)
du (versuchen; bringen)   ihr (ab-holen; an-kommen)

  d. *Future Perfect Subjunctive and Future Perfect Conditional:*

ich, er, es, sie (hoffen; arbeiten)   wir, sie, Sie (versuchen; essen)
du (aus-geben; laufen)   ihr (öffnen; singen)

C. *The following passage as it stands is quite acceptable German, but informal in its use of indicative forms. If you now replace all italicized forms with subjunctive forms in the same tense, the passage will correspond to literary usage. (Note that in most cases either one of two subjunctive forms may be used.)*

PATTERN: Richard sagte, er *weiß* (*wußte*) das schon: Richard sagte, er **wisse** (**wüßte**) das schon.

1. Richard sagte, er *kommt* (*kam*) direkt von Frankfurt. 2. Er *freut* sich, Amerika wiederzusehen. 3. Er dankte mir dafür, daß ich ihn abgeholt *hatte*. 4. Er sagte weiter, er *ist* (*war*) geflogen, weil er sehr wenig Zeit *hat* (*hatte*). 5. Er *macht* diese Reise zum Vergnügen. 6. Er *will* auch seine Eltern besuchen. 7. Er *wird* morgen früh gleich weiterfahren, und zwar *wird* er fliegen; denn er *muß* (*mußte*) in zwei Wochen wieder zurückfahren.

8. Ich fragte Richard, ob er mir nicht ein wenig von Deutschland erzählen *kann* (*konnte*). 9. Er meinte, da *gibt* (*gab*) es so viel zu erzählen, daß er gar nicht *weiß* (*wußte*), wo er anfangen *soll*. 10. Zuerst erzählte er mir dann von den alten Städten, die er gesehen *hat* (*hatte*). 11. Dann sprach er von den drei großen Festen des Jahres und davon, was der Weihnachtsabend für die Deutschen *bedeutet*.

12. Dann aber wollte Richard wissen, wie es mir *geht* (*ging*). 13. Er fragte, was ich die ganze Zeit getan *hatte*, ob ich verliebt *bin* (*war*), und ob ich nicht

313

nächsten Sommer nach Deutschland reisen *will*. 14. Er *hofft*, daß mir die Reise sehr gut gefallen *wird*.

D. *Ask yourself and others questions like the following and answer them in German:*

a. Wie heißen die drei großen religiösen Feste in Deutschland? Welches dieser Feste ist das wichtigste und schönste? Was tut eine deutsche Familie am Weihnachtsabend? Kennen Sie ein deutsches Weihnachtslied? In welche Jahreszeit fällt Ostern? Wann ist Pfingsten?

b. Kennen Sie den Unterschied zwischen Stadt und Dorf? Wer lebt in der Stadt und wer auf dem Dorf? Gibt es Dörfer in den Vereinigten Staaten? Sind alle Häuser in amerikanischen Städten aus Stein? in deutschen Städten? Gibt es in einem deutschen Dorf Warenhäuser und Hotels? Wo wohnt und ißt ein Fremder in einem Dorf? Wo hält der Bauer seine Pferde und sein Vieh? Wozu hält ein Bauer Pferde? Wozu hält er Kühe? wozu Schweine?

c. Haben Sie schon einmal eine deutsche Zeitung gesehen? Haben Sie versucht, sie zu lesen? Haben Sie es schwer gefunden? Sind deutsche Zeitungen so groß und dick wie unsere Zeitungen? Was ist der Unterschied zwischen einer Zeitung und einer Zeitschrift? Was kann man in einer Zeitung lesen? in einer Zeitschrift? Wie oft erscheint eine Zeitung gewöhnlich? Wie oft erscheint eine Zeitschrift?

d. Kennen Sie deutsche Automobile? Sind deutsche Automobile so groß wie amerikanische? Welcher Motor braucht mehr Benzin und Öl? Gibt es in Deutschland soviel Benzin und Öl wie hier?

e. Gibt es in Deutschland Eisen und Stahl? Hat Deutschland soviel Stahl und Eisen wie die Vereinigten Staaten? Hat es soviel Holz? soviel Kohle? Wozu benützt man Kohle?

f. In welchen Ländern findet man heutzutage Gold? Silber? Wo gibt es Kupfer? Wer hat Geographie studiert? Wer weiß, aus welchem Land der meiste Gummi kommt? Haben wir viel Aluminium in den Vereinigten Staaten? Woraus macht man Stahl? Gibt es heute noch Geld aus Gold und Silber? Woraus ist das Geld heute gewöhnlich?

> *„Eines schickt sich nicht für alle!*
> *Sehe jeder, wie er's treibe,*
> *sehe jeder, wo er bleibe,*
> *und wer steht, daß er nicht falle."*

Johann Wolfgang von Goethe

DIE ZWEIUNDZWANZIGSTE STUNDE

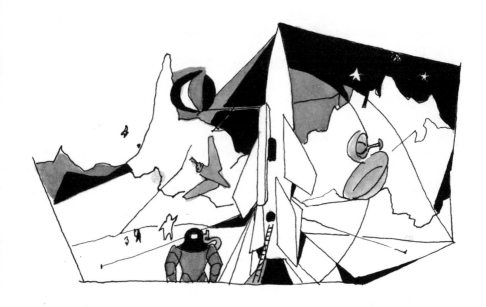

I. SPRECHEN UND LESEN

1. Wenn das Wörtchen „wenn" nicht wär' . . .

Gestern ist Richard auf der Rückreise[1] nach Deutschland wieder hier durchgekommen. Wir haben ein paar Freunde angerufen und sind dann alle zusammen ausgegangen. Es war ein sehr lustiger Abend, denn wir waren alle in bester Stimmung.

Natürlich sprachen wir viel vom Reisen, und ich bekam große Lust, 5 eine Reise um die Welt zu machen. Ich sagte zu Richard: „Wenn ich nur Zeit und Geld hätte, würde ich gleich morgen mit dir wegfahren." „Ja, ja," meinte Richard, der jetzt immer ein deutsches Zitat[2] bei der Hand[3] hat, „wenn das Wörtchen ‚wenn' nicht wär', wär' mein Vater Millionär." 10

Das brachte uns auf alle möglichen dummen Einfälle, was wir tun würden, wenn wir nur genug Zeit und Geld hätten. Einer sagte, er würde den ganzen Tag schlafen; ein anderer wollte sich den neuesten eu-

---

[1] rück = zurück. [2] quotation. [3] at hand.

ropäischen Sportwagen kaufen. Ein Dritter meinte ganz mit Recht: „Wie wäre es, wenn es keine Luftschlösser gäbe? Dann würden uns nämlich nicht so viele dumme Sachen einfallen." Das störte uns aber gar nicht in unseren geistreichen [1] Hypothesen.

5 Schließlich beschlossen [2] wir, daß wir eine Gesellschaft zur Erforschung des Monds gründen würden. Wir würden zuerst ein riesiges [3] Raumschiff bauen,[4] wenn wir nicht vielleicht irgendwo eine gebrauchte Rakete auftreiben [5] könnten. Das Raumschiff müßte groß genug sein, damit wir genug Sauerstoff und Nahrungsmittel [6] mitnehmen könnten, 10 um uns monatelang am Leben zu erhalten.[7] Auch müßten mehrere Automobile hineingehen, damit wir auf dem Mond herumfahren könnten. Natürlich würden wir auch die besten Fotoapparate mitnehmen, und viele Kilometer Film, besonders Farbfilm. Wir würden dann unsere Aufnahmen an eine der großen illustrierten Zeitschriften verkaufen und 15 dadurch die Mittel [8] für weitere Forschungsreisen auf den Mond zusammenbringen.

Richard, der immer einen Apfel oder eine Birne in der Tasche hat, meinte, es wäre keine schlechte Idee, tiefgefrorenes Obst mitzunehmen, denn das gäbe es sicher auf dem Mond nicht. Nun hatte jeder von 20 uns etwas anderes vorzuschlagen, und wir besprachen unsere Pläne bis spät in die Nacht.

Als wir dann durch die sternenhellen [9] Straßen nach Hause gingen, grüßte der Mond so freundlich zu uns herunter, als ob [10] er unsere ganze Unterhaltung gehört hätte und als ob er uns zuriefe: „Auf baldiges 25 frohes Wiedersehen!"

2. Eine berühmte Stelle [11] aus Shakespeares *Romeo und Julia*

Shakespeare's plays are as beloved and well known in Germany as in the English-speaking world. They are performed more often on the German stage than the works of any other dramatic author dead or living. To a great extent this is due to the highly successful translations done by the two poets August Wilhelm Schlegel (1767–1845) and Ludwig Tieck (1773–1853), from which the following passage is taken.

[1] witty.　[2] decided.　[3] giant.　[4] build.　[5] procure.　[6] food.　[7] keep.
[8] means.　[9] **der Stern, –e** star.　[10] as though.　[11] passage.

JULIA: Was Romeo! Warum denn Romeo?
Verleugne deinen Vater, deinen Namen!

Dein Nam' ist nur mein Feind. Du bliebst du selbst
und wärst du auch kein Montague. Was ist
denn Montague? Es ist nicht Hand, nicht Fuß,
nicht Arm, noch Antlitz, noch ein andrer Teil.
Was ist ein Name? Was uns Rose heißt,
wie es auch hieße, würde lieblich duften.[1]

Romeo und Julia, 2. Akt, 2. Szene

II. WORTSCHATZ

*1. Blumen und Früchte

die **Blume,** –n flower
die **Rose,** –n rose
das **Veilchen,** – violet

die **Beere,** –n berry
der **Busch,** ⸚e bush
die **Frucht,** ⸚e fruit

der **Apfel,** ⸚ apple
die **Birne,** –n pear

die **Kirsche,** –n cherry
das **Obst** fruit (*of a tree*)
der **Obstbaum,** ⸚e fruit tree
    der **Apfelbaum,** der **Birnbaum,** der
    Kirschbaum

blühen to flower, blossom
duften to smell

lieblich lovely; sweet

2. *Die Gesell'schaft, –en (society, company)

gründen to found
*wählen to elect, choose; vote
die **Wahl,** –en election; choice

das **Mitglied,** –er member
die **Stimme,** –n vote
*der Verein', –e club; association

[1] JULIET: O Romeo, Romeo! wherefore art thou Romeo?
Deny thy father and refuse thy name.

'Tis but thy name that is my enemy.
Thou art thyself, though not a Montague.
What's Montague? It is nor hand nor foot,
nor arm, nor face, nor any other part
belonging to a man. O, be some other name!
What's in a name? That which we call a rose
by any other name would smell as sweet.

Romeo and Juliet, Act II, Scene 2

3. Entde'cken, Erfor'schen und Erfin'den

*entde'cken to discover
  der Entde'cker, – discoverer
  die Entde'ckung, –en discovery
*forschen to do research
  der Forscher, – researcher, scholar
  die Forschung, –en research
erfor'schen to investigate, explore
  die Erfor'schung, –en investigation, exploration
*erfin'den, erfand, erfunden to invent
  der Erfin'der, – inventor
  die Erfin'dung, –en invention

*der Apparat', –e apparatus, device
*die Idee', –n idea
*die Kraft, ⸚e strength, power
*der Plan, ⸚e plan
*der Raum, ⸚e space; room
der Sauerstoff oxygen
der Wasserstoff hydrogen

4. Fotografie'ren

die Aufnahme, –n photograph, picture
  eine Aufnahme machen to take a picture
der Film, –e film
das Foto, –s photograph

der Fotograf', –en, –en photographer
der (Foto)apparat', –e camera
die Kamera, –s camera

knipsen to snap a picture

5. Noch einige verwandte Wörter

GERMAN	ENGLISH COGNATE & MEANING	GERMAN	ENGLISH COGNATE & MEANING
–s, –ss–, –ß	–t, –t–	d	th
aus	out	beide	both
das, daß	that	Ding	thing
grüßen	greet	Erde	earth
hassen	hate	Feder	feather

Can you add to these lists?

III. ERLÄUTERUNGEN

1. Uses of the subjunctive: contrary-to-fact conditions

Probably the most important use of the subjunctive is in conditional sentences of the following type:

Wenn ich Zeit hätte, würde ich reisen.   *If I had time, I would travel.*

The *if*-clause of such sentences states a condition as contrary to fact.[1]

In English, such contrary-to-fact conditions are marked by the use of the past tense in the *if*-clause for present or future time, and by the past perfect tense for past time. Notice also the frequent occurrence of such forms as *could, should, would, might, ought to*, especially in the conclusion.

In German, subjunctive forms are used for contrary-to-fact conditions, commonly in the same tense as in English. Note that only Type II forms can be used, never Type I, in both the **wenn**-clause and the conclusion.

2. The pattern of contrary-to-fact conditions

	if-CLAUSE	CONCLUSION
present or future time	*If he had the money,* Wenn er das Geld **hätte,**	*(then)* he **would give** *it to me.* (so) **würde** er es mir **geben.*** (so **gäbe** er es mir.)
	English: Past German: Past Subjunctive	English: Future Conditional German: Future Conditional * (Past Subjunctive)
past time	*If he had had the money,* Wenn er das Geld **gehabt hätte,**	*(then)* he **would have given** *it to me.* (so **würde** er es mir **gegeben haben.**) (so **hätte** er es mir **gegeben.***
	English: Past Perfect German: Past Perfect Subjunctive	English: Future Perfect Conditional German: (Future Perfect Conditional) Past Perfect Subjunctive *

* Preferred forms.

[1] We are not concerned here with so-called simple conditions which are treated exactly the same in English and in German: Wenn ich Zeit habe, reise ich (werde ich reisen). *If (whenever) I have time, I travel (I'll travel).*

Berchtesgaden: Jenner cable car

„Wenn ich nur Zeit und Geld hätte, würde ich mit dir wegfahren!"

The Hamburg-Altona railroad station

▶ If you study the preceding table carefully, you will have all the information you need to deal with contrary-to-fact conditions in German. Refer back to it as you read the further comments below.

▶ **Wenn**-clauses are subordinate clauses; therefore the inflected form of the verb stands at the end of the clause.

▶ In the conclusion, if it comes after the **wenn**-clause as in the examples in the preceding table, the subject follows the verb.

3. Why "preferred forms"?

    a. Wenn er es wüßte,   *If he knew it, he would tell you.*
        so **würde** er es Ihnen **sagen**.
        (so **sagte** er es Ihnen.)

The conclusion of contrary-to-fact conditions in present time may use either the past subjunctive or the future conditional. Since the past subjunctive forms are often identical with the past indicative — for instance, regular verbs in the past tense are the same in both indicative and subjunctive — German usually employs the future conditional.

    b. Wenn er das gewußt hätte,   *If he had known that, he would have*
        so **hätte** er es Ihnen **gesagt**.   *told you.*
        (so **würde** er es Ihnen **gesagt haben**.)

The German preference for the past perfect subjunctive in the conclusion in past time may be due to the fact that such forms as **er hätte es gesagt** and **er wäre gekommen** are always clearly subjunctive. At the same time they are not as awkward as the future perfect conditional: **er würde es gesagt haben, er würde gekommen sein.**

4. Isolated "if-clauses" and conclusions

    Wenn es nur wärmer wäre!   *If it were only warmer!*
    Wenn wir nur studiert hätten!   *If only we had studied!*
    Das würde ich nicht sagen.   *I wouldn't say that.*
    Sie hätte es nicht geglaubt.   *She wouldn't have believed it.*

Either the *if*-clause or the conclusion of a conditional sentence may stand by itself. Tense usage follows the pattern given in the preceding table.

5. The omission of *wenn*

Käme er, so würden wir uns freuen.	*If he came, we would be happy.*
Hätte er es gewußt, so hätte er es gesagt.	*Had he known it, he would have said so.*
Wären wir nur früher gekommen!	*Had we only come earlier!*
Und **wär(e)st du** auch kein Montague.	*And if you were no Montague (Though not a Montague).*

As you know, German frequently omits **wenn** (*Vierzehnte Stunde*, III, 3b). This omission is indicated by putting the inflected part of the verb ahead of the subject. Thus it usually begins the clause. — English sometimes uses the same device to indicate the omission of *if.*

6. An important pattern

Ich **hätte** eine Aufnahme **machen sollen.**	*I should have taken a picture.*
Du **hättest** mich **rufen können.**	*You could have called me.*

The German pattern of the past perfect subjunctive of the modal auxiliary with other verbs has no exact parallel in English, which has to use such phrasings as *could have done, should have done, would have liked to do, would have been able to do, etc.* Notice the double infinitive construction in German (*Fünfzehnte Stunde*, III, 4).

7. The subjunctive in polite requests

(Können) Könnten Sie mir sagen . . .	*(Can) Could you tell me . . .*
(Werden) Würden Sie so gut sein . . .	*(Will) Would you be so good . . .*
(Darf) Dürfte ich Sie bitten . . .	*(May) Might I ask you . . .*

The past subjunctive is frequently used when one wishes to be especially polite or formal in making a request.

IV. ÜBUNGEN

A. *Change the following contrary-to-fact conditions to simple conditions by substituting present tense indicative forms for the italicized subjunctive forms. Be sure you understand the difference!*

PATTERN: Wenn es kalt *wäre, würde* sie einen Mantel tragen. (*If it **were** cold, she **would** wear a coat.*) : Wenn es kalt **ist, wird** sie einen Mantel tragen. (*If it **is** cold, she **will** wear a coat.*)

1. Wenn Sie Platz *hätten, würden* wir mitfahren. 2. Es *würde* uns sehr leid tun, wenn du nicht kommen *könntest.* 3. Wenn ich plötzlich reich *würde,* dann *wollte* ich ein Flugzeug haben. 4. Wenn das Wetter schön gewesen *wäre, wäre* ich spazierengegangen. 5. *Spräche* er langsamer, so *würde* man ihn besser verstehen. 6. Wenn Susan mehr Zeit *hätte,* dann *könnten* wir öfters zusammen ausgehen. 7. Wenn es nicht zu spät *wäre, riefe* ich Susan an. 8. Wir *unterhielten* uns besser, wenn wir ein paar Schallplatten *hätten.*

B. *Change the following simple conditions to contrary-to-fact conditions in (a) present time and (b) past time:*

PATTERN: Wenn wir nichts lernen, wird der Lehrer böse:

    (a) Wenn wir nichts lernten, **würde** der Lehrer böse.
                würde der Lehrer böse **werden.**
    (b) Wenn wir nichts gelernt hätten, **wäre** der Lehrer böse **geworden.**

1. Wenn ich genug Geld habe, dann kaufe ich ein Auto. 2. Wenn das Wetter schön ist, brauche ich keinen Regenschirm. 3. Wenn ich nicht arbeiten muß, gehe ich ins Kino. 4. Ich freue mich, wenn du mit mir gehst. 5. Er geht zum Arzt, wenn er krank ist. 6. Können Sie fotografieren, wenn Sie eine Kamera haben? 7. Wenn ich Ferien habe, dann kann ich fischen gehen. 8. Wenn wir etwas erfinden, so werden wir vielleicht reich.

C. *Omit **wenn** in the following sentences, beginning each sentence with the verb:*

PATTERN: Wenn ich reich wäre, würde ich mir ein Flugzeug kaufen: **Wäre ich** reich, (so) würde ich mir ein Flugzeug kaufen.

1. Wenn ich Zeit hätte, würde ich nach Deutschland fahren. 2. Wenn er heute nicht kommt, kommt er morgen. 3. Wenn du das nur nicht gesagt hättest! 4. Wenn die Sonne scheint, mag man nicht zu Hause bleiben. 5. „Wenn es keine Löffel gäbe, so müßte man die Suppe mit der Gabel essen."

D. *Begin each of the following sentences with the "if-clause":*

PATTERN: Ich würde spazierengehen, wenn das Wetter schön wäre: **Wenn** das Wetter schön wäre, **würde ich** spazierengehen.

324

1. Ich würde ihn besser verstehen, wenn er langsamer spräche. 2. Ich kann ihm nicht helfen, wenn er selbst nichts tun will. 3. Ich hätte das nicht geglaubt, wenn ich es nicht selbst gesehen hätte. 4. Wir hätten ihn gefunden, wenn es nicht so dunkel gewesen wäre. 5. Man kann eine Sprache nicht lernen, wenn man nicht viel übt.

E. *The following two folk songs are charming examples of contrary-to-fact conditions; study them carefully!*

> a. Wär' ich ein Vögelein,
> wollt' ich bald bei dir sein.
> Scheut' Falk' und Habicht nicht,[1]
> flög' hin zu dir.
> Schöss'[2] mich ein Jäger[3] tot,
> fiel' ich in deinen Schoß.[4]
> Säh'st du mich traurig an, —
> gern stürb' ich dann.

> b. Wenn ich ein Vöglein wär'
> und auch zwei Flüglein[5] hätt',
> flög' ich zu dir. —
> Weil's aber nicht kann sein,
> bleib' ich allhier.

F. *Ask yourself and others questions like the following and answer them in German:*

a. Könnten wir nicht besser arbeiten, wenn die Luft in diesem Zimmer besser wäre? Wie wäre es also, wenn wir die Fenster aufmachten? Wäre das nicht eine gute Idee? Herr Müller, würden Sie so freundlich sein (wären Sie so freundlich), das Fenster dahinten aufzumachen? Nun, ist es jetzt nicht viel angenehmer?

b. Oder stört Sie jetzt der Lärm von der Straße? Würden Sie mich besser verstehen (Verstünden Sie mich besser), wenn wir das Fenster wieder zumachten? Was ist Ihnen lieber, schlechte Luft oder der Straßenlärm?

c. Was würden Sie tun, wenn Sie plötzlich reich würden? Was würden Sie sich kaufen? Wem würden Sie auch etwas kaufen? was? Würden Sie viel reisen? Möchten Sie eine Reise um die Welt machen? Wohin würden Sie am liebsten reisen? Würden Sie den Mond erforschen wollen? den Ozean? die Stratosphäre?

---

[1] "would not fear falcon and hawk."   [2] **schießen** to shoot.   [3] hunter.
[4] lap.   [5] little wings.

d. Nennen Sie die Namen einiger bekannter Forscher und Erfinder! Haben Sie schon etwas über das Leben von Columbus gelesen? von Marco Polo? Welche Gegend ist von Lewis und Clark erforscht worden? Wann war das? Wer hat das Grammophon erfunden? Wer erfand den Dieselmotor? Was hat der berühmte deutsche Forscher Schliemann gefunden? Wer hat Shakespeare ins Deutsche übersetzt?

e. Gibt es in Deutschland so viel Obst und Gemüse wie in den Vereinigten Staaten? warum nicht? Wo wächst in Deutschland das beste Obst und Gemüse? Wer weiß das? Welches Obst essen Sie am liebsten? Auf welchem Baum wächst es? Essen Sie auch Beeren gern? Haben Sie Blumen gern? Welche Blumen haben Sie am liebsten? Welche Blumen duften (riechen) am besten? In welcher Jahreszeit blühen die Bäume? In welchen Monaten blühen Rosen, Veilchen, Schneeglöckchen?

f. Fotografieren Sie gern? viel? Sind Sie ein guter Fotograf? Haben Sie Ihre eigene Kamera? Was für einen Apparat haben Sie? Können Sie farbige Aufnahmen damit machen? Möchten Sie nicht vielleicht Ihren Apparat einmal in die deutsche Stunde mitbringen? Wäre es nicht nett, wenn Sie eine Gruppenaufnahme der ganzen Klasse machten?

„Lernt' ich was, so wüßt' ich was."

DIE DREIUNDZWANZIGSTE STUNDE

I. SPRECHEN UND LESEN

1. Besuch in der Schweiz

Heute kam ein großer Luftpostbrief von Richard. Er ist gut drüben angekommen. Er bedankt sich[1] herzlich für die freundliche Aufnahme,[2] die er bei uns gefunden habe, und er schreibt, er hoffe, daß ich ihn bald drüben besuchen könne. — Ich wollte, ich hätte das Reisegeld schon beisammen![3]

In dem Brief beschreibt Richard auch seine Reise. Er fuhr mit einem italienischen Schiff und landete in Genua. Von dort fuhr er in die Schweiz und blieb einige Tage zu Besuch bei Freunden in Bern.

Die Schweiz hat ihm sehr gut gefallen. Wie er schreibt, habe er allerdings wenig von den berühmten Bergbahnen,[4] Aussichtspunkten,[5] Gletschern,[6] Wasserfällen und Hotels gesehen. Aber diese sogenannte Fremdenindustrie,[7] diese tolle Touristenjagd[8] über die Berge, habe ihn auch nicht besonders interessiert.

---

[1] thanks (us).   [2] reception.   [3] = **zusammen.**   [4] mountain railways.
[5] "views."   [6] glaciers.   [7] tourist industry.   [8] mad tourist chase.

Was ihm zuerst aufgefallen sei, schreibt er, war die Sprache. Er habe wohl ohne Schwierigkeit die Zeitungen der deutschen Schweiz lesen können, aber wenn man mit ihm sprach, habe er anfangs fast nichts verstehen können. Der Dialekt der Deutsch-Schweizer, das sogenannte 5 „Schwyzerdütsch,‟ klinge zuerst, als wäre es eine fremde Sprache; mit der Zeit gewöhne man sich freilich daran. Dann sei ihm die Sauberkeit in Stadt und Dorf aufgefallen. Sogar die Straßen und die Fußböden [1] seien so sauber, daß man von ihnen essen könnte.

Am meisten aber habe er sich für das tägliche Leben der Menschen 10 und deren Meinungen interessiert; denn die Schweiz ist ja die älteste moderne Republik und Demokratie. Toleranz und die Liebe für Freiheit und Frieden sind dort zuhaus.

Daß die Schweizer Stadt Genf der Sitz des ersten internationalen Parlaments — des Völkerbunds [2] — gewesen ist, habe ich natürlich ge-15 wußt. Aber ich hatte nicht gewußt, daß, wie Richard schreibt, das internationale Rote Kreuz von einem Schweizer ins Leben gerufen wurde.[3]

Zum Schluß erwähnt Richard noch ein paar der bedeutendsten Schweizer auf den Gebieten der Literatur, Kunst und Wissenschaft, wie den Erzieher Pestalozzi,[4] den Geschichtsschreiber Jakob Burckhardt,[5] 20 die Maler Arnold Böcklin [6] und Paul Klee,[7] die Dichter Konrad Ferdinand Meyer [8] und Gottfried Keller.[9] Des letzteren Erzählungen, so meint Richard, gehörten zu den schönsten der deutschen Literatur. Sobald ich genug Deutsch könne, schreibt er, müsse ich beginnen, sie zu lesen.

2. Russische Beharrlichkeit

Die folgende Stelle aus Bismarcks [10] *Gedanken und Erinnerungen* 25 (1. Band, 10. Kapitel) ist ebenso charakteristisch für Bismarck — einen äußerst [11] beharrlichen Mann — wie für den russischen Nationalcharakter. Die Stelle ist auch ein schönes Beispiel für gute, einfache Prosa des 19. Jahrhunderts.

...Von einer russischen Eigentümlichkeit [12] gab es bei meiner 30 ersten Anwesenheit [13] in Petersburg [14] 1859 eine Probe. In den ersten

---

[1] floors. [2] League of Nations. [3] was called. [4] 1746–1827. [5] 1818–1897. [6] 1827–1901. [7] 1879–1940. [8] 1825–1898. [9] 1819–1890. [10] Otto von Bismarck (1815–1898) — *later founder and first chancellor of the German Empire — was from 1859 to 1862 Prussian ambassador to Russia.* [11] extremely. [12] peculiarity. [13] *here:* visit. [14] *now* Leningrad.

Tagen des Frühlings machte damals der Hof seinen Spaziergang in den Sommergarten. Dort war es dem Kaiser aufgefallen, daß in der Mitte einer Wiese ein Posten [1] stand. Da der Soldat [2] auf die Frage, warum er da stehe, nur die Auskunft zu geben wußte: es ist befohlen,[3] so ließ [5] sich der Kaiser auf der Wache [4] erkundigen,[5] erhielt aber auch 5 keine andere Erklärung, als daß der Posten Winter und Sommer dort stehe. Der ursprüngliche [6] Befehl [3] sei nicht mehr zu ermitteln.[7] Die Sache wurde bei Hofe zum Tagesgespräch [8] und kam auch zur Kenntnis [9] der Dienerschaft.[10] Aus dieser meldete sich ein alter Pensionär und gab an,[11] daß sein Vater ihm einmal im Sommergarten gesagt habe, während 10 sie an der Schildwache vorbeigegangen: ,,Da steht er noch immer und bewacht [12] die Blume; die Kaiserin Katharina hat an der Stelle einmal ungewöhnlich früh im Jahre ein Schneeglöckchen [13] entdeckt und befohlen, man solle sorgen,[14] daß es nicht abgepflückt [15] werde." Diesen Befehl hatte man durch Aufstellung einer Schildwache ausgeführt,[16] 15 und seitdem hatte der Posten Jahr aus Jahr ein dort gestanden. Dergleichen [17] erregt [18] unsere Kritik und Heiterkeit,[19] ist aber ein Ausdruck der elementaren Kraft [20] und Beharrlichkeit, auf denen die Stärke des russischen Wesens gegenüber [21] dem übrigen Europa beruht.[22] Man erinnert sich dabei der Schildwachen, die während der Überschwem- 20 mung [23] in Petersburg 1825, im Schipka-Paß 1877 nicht abgelöst [24] wurden, und von denen die einen ertranken,[25] die anderen auf ihren Posten erfroren.[26]

II. WORTSCHATZ

1. Einige nützliche Wörter

a. **auf-fallen (fällt auf), fiel auf, ist aufgefallen** to strike, be striking

    es fällt mir auf it strikes me

*erzie′hen, erzog, erzogen** to educate, bring up

    der Erzie′her, – educator

    die Erzie′hung education

---

[1] sentry, guard. [2] soldier. [3] **befeh′len, befahl, befohlen** to order; **der Befehl′, –e** order. [4] guard room. [5] **ließ ... erkun′digen** inquired. [6] original. [7] **sei ... zu ermit′teln** could not be ascertained. [8] topic of the day. [9] **kam ... zur Kenntnis** became known. [10] servants (quarters). [11] stated. [12] **bewa′chen** to guard. [13] snowdrop. [14] take care. [15] **abpflücken** to pick. [16] executed by placing a guard there. [17] "this sort of thing." [18] **erre′gen** to provoke. [19] merriment. [20] strength. [21] opposite; compared with. [22] rests, is based. [23] inundation. [24] **ablösen** to relieve. [25] **ertrin′ken** to drown. [26] **erfrie′ren** to freeze to death.

kreuzen to cross
das Kreuz, –e cross
die Kreuzung, –en crossing
malen to paint
der Maler, – painter
die Malerei' painting

*der Platz, ⁻e place, seat; public square
*die Stelle, –n place; passage
das Wesen, – being; nature; character; essence

vorher : nachher before : later; afterwards

*b. Arnold Böcklin und Gottfried Keller waren Schweizer. **Der erstere (Jener)** war Maler, **der letztere (dieser)** war Dichter.

der erstere : der letztere ⎫
jener : dieser ⎭ the former : the latter

2. Staat und Regie'rung

regie'ren to govern, rule
die Regie'rung, –en government

die Demokratie', –n democracy
*das Land, ⁻er country, land; state
*die Macht, ⁻e power
die Monarchie', –n monarchy
*das Rathaus, ⁻er city hall

*der Fürst, –en, –en prince
*der Hof, ⁻e court
*der Kaiser, – emperor; kaiser
*der Kanzler, – chancellor
*der König, –e king
das Parlament', –e parliament
der Präsident', –en, –en president

3. *Die*-nouns in *–heit* and *–keit*

gesund' : die Gesund'heit healthy : health
krank : die Krankheit sick, ill : sickness; disease
neu : die Neuheit new : newness; novelty
ähnlich : die Ähnlichkeit similar : similarity
beharr'lich : die Beharr'lichkeit persistent; tenacious : persistency; tenacity
sauber : die Sauberkeit clean : cleanliness
schwierig : die Schwierigkeit difficult : difficulty

Many abstract German nouns, always **die-nouns** with **–en** in the plural, are formed from adjectives with **–heit** or **–keit**. They often correspond to English nouns in *–ty* or *–ness*.

4. Verbs of expression

*denken, dachte, gedacht to think
   der Gedan'ke, –ns, –n [1] thought, idea
*glauben to believe, think
   der Glaube, –ns [1] belief; faith
*meinen to believe, think; express *or* have an opinion; "mean"
   die Meinung, –en opinion

*behaup'ten to state, assert, maintain
   die Behaup'tung, –en assertion
*bemer'ken to remark
   die Bemer'kung, –en remark
berich'ten to report
   der Bericht', –e report
*erzäh'len to relate, tell
   die Erzäh'lung, –en story, narrative

The exact meaning of these verbs of expression becomes clearer if you associate them with the related nouns as given above.

III. ERLÄUTERUNGEN

1. The subjunctive of indirect discourse

The secondhand report of someone's words or thoughts is called indirect discourse; cf. *He said, "I am coming"* and *He said that he was (is) coming.*

In English, subjunctive *forms* seldom occur any more in indirect discourse, although *tense* usage is still reminiscent of older language habits. In German, subjunctive forms in indirect discourse are still quite common, although there is also a strong tendency to be satisfied with the indicative. This is especially true for colloquial and informal speaking or writing. But even in the formal language the subjunctive of indirect discourse is commonly used today only when the introductory word of saying or thinking is in the past tense or implies past time.

2. Synopses of the subjunctive of indirect discourse

a. Original Statement
   Present:

Er sagte:
„Ich **lerne** Deutsch."

Indirect Discourse
   Present Subjunctive:
   or Past Subjunctive:

Er sagte,
daß er Deutsch **lerne.**
(daß er Deutsch **lernte**).

---

[1] *A few nouns have the ending* –ns *in the genitive and* –n *in all other cases except the nominative (also* **der Friede(n),** –ns *peace;* **der Name(n),** –ns, –n; **das Herz,** –ens, –en).

Original Statement Any past tense:	Er sagte: „Ich **lernte** Deutsch.“ „Ich **habe** Deutsch **gelernt**.“ „Ich **hatte** Deutsch **gelernt**.“
Indirect Discourse Present Perfect Subjunctive: *or* Past Perfect Subjunctive:	Er sagte, daß er Deutsch **gelernt habe**. daß er Deutsch **gelernt hätte**.
Original Statement Future:	Er sagte: „Ich **werde** Deutsch **lernen**.“
Indirect Discourse Future Subjunctive: *or* Future Conditional:	Er sagte, daß er Deutsch **lernen werde**. daß er Deutsch **lernen würde**.
Original Statement Future Perfect:	Er sagte: „Ich **werde** Deutsch **gelernt haben**.“
Indirect Discourse Future Perfect Subjunctive: *or* Future Perfect Conditional:	Er sagte, daß er Deutsch **gelernt haben werde**. daß er Deutsch **gelernt haben würde**.

▶ Note that you always have a choice between a Type I form and a Type II form to report a statement indirectly. Although either form is quite acceptable, the rule for formal or literary usage is: use that form which is clearly a subjunctive form, that is, which could not be taken for an indicative. — In our synopses the forms which are not clearly subjunctive are given in parentheses.

b. Er sagte, er lerne Deutsch / **daß** er Deutsch **lerne**.

The indirect statement has normal sentence structure unless it is headed by **daß** *that*. After **daß** we have a subordinate clause, of course, and the inflected part of the verb stands at the end of the sentence.

c. Original Question Present:	Sie fragte uns: „Haben Sie ein Auto?“
Indirect Question Present Subjunctive: *or* Past Subjunctive:	Sie fragte uns, (**ob** wir ein Auto **haben**). **ob** wir ein Auto **hätten**. usw.

▶ Indirect discourse may also involve questions introduced by such words as **ob** *whether,* **wann?** *when?* **wo?** *where?* **wer?** *who?* etc. Since we then have subordinate clauses, the inflected part of the verb stands at the end.

d. Original Command
   Present:
	Er sagte mir:
	   „Lernen Sie Deutsch!"
	   „Lerne Deutsch!"

Indirect Discourse
   Present Subjunctive:
   or Past Subjunctive:
	Er sagte mir,
	   ich solle Deutsch lernen.
	   (ich sollte Deutsch lernen).

To render a command in indirect discourse, the appropriate forms of **sollen** are used. Compare: *He told me, "Learn German!"* with: *He told me I should learn German.*

3. Als wenn, als ob (as if, as though)

Er tut, als wenn (als ob) er mich nicht **sähe** (**sehe**) / als **sähe** (**sehe**) er mich nicht.	*He acts as if he didn't (doesn't) see me.*
Er tat, als wenn (als ob) er mich nicht gesehen **hätte** (**habe**) / als **hätte** (**habe**) er mich nicht gesehen.	*He acted as if he had not seen me.*

In clauses introduced by **als wenn** (**wie wenn**), **als ob** subjunctive forms are the rule. As in indirect discourse, either a Type I or a Type II form is possible, although Type II forms are generally preferred. — Formal or literary usage requires the choice of that form which is clearly subjunctive.

As in conditional sentences, **wenn** (or **ob**) may be omitted; in this case the inflected verb does not stand at the end of the clause, but follows **als** directly (*Zweiundzwanzigste Stunde*, III, 5).

4. Some uses of the present subjunctive

a. Lang **lebe** die Königin!	*Long live the queen!*
Gott **erhalte** unsere Republik!	*God preserve our republic!*
Gott **gebe** es!	*God grant it! (May God grant it!)*
Er **lebe** hoch! hoch! hoch!	*Three cheers (for him)!*

The subjunctive forms of the present tense, usually in the third person singular, occur in certain traditional formulas which express wishes.

b. Man nehme zwei Eier ...   *Take two eggs ...*
   Man mische ...; man gieße ...   *Mix ...; pour ...*

The third person singular of the present subjunctive is commonly used with **man** to give directions for recipes, prescriptions, etc.

c. Beten wir! (Laßt uns beten!)   *Let us pray!*
   Essen wir! (Laßt uns essen!)   *Let us eat!*
   Gehen wir! (Laßt uns gehen!)   *Let's go!*

The first person plural of the present subjunctive is often used for suggestions and mild commands. **Wir** follows the verb in this usage.

IV. ÜBUNGEN

A. *Supply subjunctive forms in the following passages as directed:*

a. *Reread the following passage, first replacing all italicized verb forms with the present subjunctive and then with the past subjunctive:*

PATTERN: Er sagte, Hans *kommt:* Er sagte, Hans **komme.**
                                 Hans **käme.**

Karls Mutter schrieb mir: 1. Karl *steht* jeden Morgen um halb sieben Uhr auf. 2. Um acht Uhr *geht* er aus dem Haus. 3. Karl *hat* am Vormittag drei Stunden. 4. Um zwölf Uhr *ißt* er in einem Restaurant nahe der Schule. 5. Am Nachmittag *hat* er wieder drei Stunden. 6. Am Abend *muß* er noch seine Aufgaben machen. 7. Gewöhnlich *liest* er zwei bis drei Stunden im Bett, ehe er *einschläft.* 8. Karl *arbeitet* zuviel. 9. Hoffentlich *wird* er nicht krank.

b. *Reread the following passage, first replacing all italicized verb forms with the present perfect subjunctive and then with the past perfect subjunctive:*

PATTERN: Er sagte, er *hat* es *gesehen:* Er sagte, er **habe** es **gesehen.**
                                          er **hätte** es **gesehen.**

Der Schutzmann berichtete: 1. Es *ist* wohl des Professors eigene Schuld *gewesen.* 2. Das Automobil *kam* um diese Ecke. 3. Der Herr Professor *ging* eben über die Straße. 4. Er *dachte* wohl an Schiller oder Goethe. 5. Auf einmal *lag* er auf der Straße. 6. Man *hat* zuerst *geglaubt*, daß er sich einen Arm und ein Bein *gebrochen hatte*. 7. Man *hat* ihn daher gleich ins Krankenhaus *gebracht*. 8. Dort *hat* aber der Arzt sofort *gesehen*, daß ihm nichts *geschehen war*. 9. Nach kurzer Zeit *hat* er das Krankenhaus *verlassen können*. 10. Natürlich *ist* er dann zu spät zu seiner Vorlesung *gekommen*.

c. *Reread the following passage, replacing all italicized verb forms first with the future subjunctive and then with the future conditional:*

> PATTERN: Er sagte, er *wird kommen:* Er sagte, er **werde kommen.**
> er **würde kommen.**

Er dachte bei sich: 1. Marie *wird* jetzt in Salzburg *sein*. 2. Sie *wird* ohne besonderes Ziel durch die Straßen *wandern*. 3. Vielleicht *wird* sie ein Museum oder Mozarts Geburtshaus *besuchen*. 4. Nachher *wird* sie sich in ein Café *setzen*. 5. Dort *wird* sie eine Zeitung *lesen* oder sie *wird* Briefe *schreiben*. 6. Oft *wird* sie auch mit Freunden über Musik oder das Theater *sprechen*. 7. Die berühmte österreichische Gemütlichkeit *wird* ihr sicher gut *gefallen*.

B. *Read the following passages as indirect discourse:*

> PATTERN: Er schrieb: „Ich habe kein Geld mehr":
> Er schrieb, **er habe** kein Geld mehr (**daß er** kein Geld mehr **habe**).
> *or:* **er hätte** kein Geld mehr (**daß er** kein Geld mehr **hätte**).

a. 1. Richard schrieb mir aus Frankfurt: „Ich hatte eine angenehme Reise. 2. Von Genua reiste ich in die Schweiz. 3. Dort hat es mir sehr gut gefallen. 4. Zuerst ist mir die Sprache aufgefallen. 5. Ich konnte fast nichts verstehen, aber ich habe mich daran gewöhnt. 6. Nun muß ich wieder arbeiten. 7. Komme nur bald und besuche mich hier!"

b. 1. Der Schutzmann fragte den Herrn Professor: „Haben Sie denn das Auto nicht gesehen?" 2. Er fragte ihn auch: „Warum sind Sie denn über die Straße gegangen?" — 3. Der Professor antwortete: „Es tut mir sehr leid. 4. Ich habe nicht aufgepaßt. 5. Ich schreibe nämlich ein deutsches Lehrbuch, und das ist kein Spaß." 6. Dann sagte der Schutzmann: „Sie sind eben ein Professor! 7. Da kann man nichts machen. 8. Das nächste Mal passen Sie bitte besser auf!"

Besuch in der Schweiz

The Matterhorn

Lucerne

Zurich: street scene

C. *Ask yourself and others questions like the following and answer them in German:*

a. Was erzählt Richard von der Schweiz? Was ist ihm dort besonders aufgefallen? Wie nennt man den Dialekt der Deutsch-Schweizer? Welche Sprachen spricht man in der Schweiz? Können Sie die Namen einiger bekannter Schweizer nennen? Warum sind diese Männer berühmt? Haben Sie einige Novellen von Gottfried Keller gelesen? Was sagt Richard über diese Novellen? Haben Sie Bilder von Böcklin gesehen? von Paul Klee? Haben Sie abstrakte Kunst gern?

b. Wissen Sie, ob die Schweiz eine Monarchie oder eine Republik ist? Wissen Sie, wer Wilhelm Tell war? Wer hat das bekannte Drama *Wilhelm Tell* geschrieben? Wer hat die Musik zu der Oper *Wilhelm Tell* geschrieben? Wissen Sie, ob Schiller je in der Schweiz gewesen ist? Woher hat er so viel von der Schweiz gewußt?

c. Mit was für einem Schiff ist Richard zurückgefahren? Wenn Sie nach Europa wollten, würden Sie mit einem Schiff fahren? Oder möchten Sie fliegen? Was geht schneller? Was ist billiger? Welche Art des Reisens ist gefährlicher? Werden Sie leicht seekrank oder luftkrank?

d. Wie viele Einzelstaaten gibt es in den Vereinigten Staaten? Welche deutschen Länder kennen Sie? Sind die Vereinigten Staaten eine Monarchie? Hat Westdeutschland einen Kaiser? Bis wann hatte Deutschland einen Kaiser? Wie hieß der letzte deutsche Kaiser? Welche Monarchien gibt es heute noch? Wer regiert in einer Monarchie? Wer regiert in einer Republik? Wer wählt den Präsidenten?

e. Wissen Sie, wer Bismarck war? Wann ist er geboren? Wann (in welchem Jahr) starb er? Wie heißt Petersburg heute? Finden Sie, daß, was Bismarck über das russische Wesen sagt, auch heute noch gilt? Was meinen Sie dazu, Herr Müller? Was ist Ihre Meinung, Fräulein Schmidt?

f. Haben Sie einen guten Platz in der Klasse? Sitzen Sie beim Fenster oder bei der Tür? Sitzen Sie rechts oder links? vorn oder hinten? Wo sitzen Sie lieber? Sitzen Sie gern mit gekreuzten Beinen? Haben Sie auffallende Kleider gern? Wollen Sie gern auffallen, wenn Sie auf der Straße sind? Fallen Sie in der deutschen Stunde durch Ihre guten Antworten auf?

> *,,Edel sei der Mensch,*
> *hilfreich und gut!*
> *Denn das allein*
> *unterscheidet ihn*
> *von allen Wesen,*
> *die wir kennen.''*

Goethe, *Das Göttliche*

DIE VIERUNDZWANZIGSTE STUNDE

I. SPRECHEN UND LESEN

1. Es wird musiziert [1]

Richard hat mir bei seinem Besuch hier erzählt, daß das Fernsehen und der Rundfunk heute in Deutschland eine fast ebenso große Rolle spielen wie in den Vereinigten Staaten. Aber er hat sich darüber gewundert, daß es dort weniger Sendeanstalten gibt. Daher hat man
5 natürlich auch eine geringere Programmauswahl. Allerdings werden die Programme auch weniger durch Reklamesendungen gestört; denn Rundfunk und Fernsehen werden in Deutschland vom Staat betrieben und von den Teilnehmern [2] bezahlt.

Dafür wird aber in Deutschland mehr musiziert als hier. Es wird
10 besonders noch viel sogenannte „Hausmusik" getrieben. Freunde und Bekannte kommen regelmäßig [3] zusammen, um zu musizieren. Da werden dann all die vielen klassischen und modernen Trios, Quartette und dergleichen [4] gespielt, an denen die deutsche Musikliteratur so reich [5]

---

[1] musizie′ren to make music; take part in an informal musical performance.
[2] der Teilnehmer, – subscriber. [3] regularly. [4] the like. [5] reich an (dat.) rich in.

ist. Freilich werden manchmal auch Walzer und andere Tänze gespielt, wenn man lustig ist.

Richard ist oft zu solchen musikalischen Abenden eingeladen worden. Er sagt, was da geboten[1] wurde, war natürlich bei weitem[2] nicht so vollendet[3] wie die Konzerte großer Musiker und die ausgezeichneten Schallplatten, die man hier täglich am Radio hören kann. Aber die Spielenden lernen auf diese Weise die Musik viel besser kennen als durch bloßes[4] Zuhören; auch macht ihnen das Spielen als solches die allergrößte Freude. Wenn zum Beispiel einem der Spieler ein besonders schöner Ton gelingt, dann kann man ihn zufrieden lächeln sehen. Sogar die Gäste und Zuhörer fühlen dann ebenfalls etwas von dieser Zufriedenheit.[5]

Ein wichtiger Teil des Abends kommt nach dem Ende der Musik, wenn bei einem Glas Bier oder Wein und belegten Brötchen[6] — oder auch bei einer Tasse Kaffee oder Tee und Kuchen — alle Höhepunkte und alle Fehler der gespielten Stücke genau besprochen werden.

Dieses Musizieren im eigenen Heim ist ein Teil dessen, was die Deutschen ,,musikalische Kultur`` oder überhaupt ,,Kultur`` nennen. Wenigstens hat es Richard so verstanden.

2. Aus Thomas Manns *Buddenbrooks*

Thomas Mann (1875–1955) was the most representative German writer during the first half of the present century. Here is a small but quite typical sample from his first great novel: Buddenbrooks, der Verfall einer Familie (*first published in 1902*).

An einem Zahne . . . Senator Buddenbrook war an einem Zahne gestorben, hieß es[7] in der Stadt. Aber, zum Donnerwetter,[8] daran starb man doch nicht! Er hatte Schmerzen gehabt, Herr Brecht[9] hatte ihm die Krone[10] abgebrochen, und daraufhin[11] war er auf der Straße einfach umgefallen.[12] War dergleichen erhört?[13]

Aber das war nun gleich,[14] das war seine Angelegenheit. Was man zunächst in der Sache zu tun hatte, war dies, daß man Kränze[15] schickte, große Kränze, teure Kränze, Kränze, mit denen man Ehre einlegen

---

[1] **bieten** to offer. [2] by far. [3] perfect. [4] mere. [5] satisfaction.
[6] (open-face) sandwiches, canapés. [7] they said. [8] darn it, good heavens.
[9] *senator Buddenbrook's dentist.* [10] crown. [11] following that. [12] collapsed. [13] Has anything like that ever been heard of? [14] **Aber . . . gleich** But this was beside the point (now). [15] **der Kranz,** ⸗e wreath.

konnte,[1] die in den Zeitungsartikeln erwähnt werden würden und denen man ansah, daß sie von loyalen und zahlungsfähigen [2] Leuten kamen. Sie wurden geschickt, sie strömten von allen Seiten herbei,[3] von den Körperschaften sowohl wie von den Familien und Privatpersonen:

5 Kränze aus Lorbeer,[4] aus starkriechenden Blumen, aus Silber, mit schwarzen Schleifen [5] und solchen in goldnen Buchstaben. Und Palmenwedel,[6] ungeheure [7] Palmenwedel . . .

Alle Blumenhandlungen [8] machten Geschäfte großen Stiles [9] . . .

II. WORTSCHATZ

*1. Gib acht!

acht-geben (gibt acht), gab acht, achtgegeben (auf / *acc.*) to watch out (for); pay attention (to)

gelin'gen, gelang, ist gelungen to turn out (well)
es gelingt mir I succeed
der Ton ist ihm gelungen he was successful with the tone, "he got the right tone"

treiben, trieb, getrieben to drive; engage in
betrei'ben, betrieb, betrieben to carry on, operate

sich wundern (über / *acc.*) to be amazed, be astonished (at)
ich wundere mich über ihn I am amazed at him

der Gast, ⁻e guest
das Heim, –e home
die Jugend youth, young people
die Kultur', –en culture; civilization

ebenfalls, gleichfalls likewise
wenigstens at least
auf diese Weise *or* auf diese Art (und Weise) in this way

2. Deutsches Fernsehen und deutscher Rundfunk

In Deutschland sind die Sendeanstalten öffentliche Körperschaften. Es gibt gewöhnlich nur e i n e Sendeanstalt für ein größeres Gebiet. Wer ein Radio oder ein Fernsehgerät besitzt, zahlt monatlich eine bestimmte Gebühr.

empfan'gen (empfängt), empfing, empfangen to receive
der Empfang', ⁻e reception

senden, sandte, gesandt (*or reg.*) to send
die Sendeanstalt, –en network
die Sendung, –en broadcast, telecast

---

[1] which would be to one's credit.   [2] solvent.   [3] strömten . . . herbei came pouring in.   [4] laurel.   [5] die Schleife, –n bow.   [6] palm leaves.   [7] huge.
[8] flower shops.   [9] on a large scale.

bestimmt' fixed; certain(ly)
privat' : öffentlich private : public

das Fernsehen television
die Gebühr', –en fee; amount
das Gerät', –e appliance; set
die Körperschaft, –en corporation

das Programm', –e program
das Radio, –s radio; radio set
die Rekla'me advertising
  die Rekla'mesendung, –en commercial
der Rundfunk broadcasting (system);
radio

3. *Die*-nouns in ⸚*e*

früh : die Frühe early : early morning
hoch : die Höhe high : height
lang : die Länge long : length
nah : die Nähe near : nearness

naß : die Nässe damp : dampness
rot : die Röte red : redness
stark : die Stärke strong : strength

Many German nouns showing quality are derived directly from adjectives by means of the ending –e. They are always die-nouns and always have an umlaut, if possible. — Form similar nouns from **breit, fremd, groß, gut, hart, kalt, kurz, tief!**

4. Krieg und Frieden

In einem modernen Krieg wird sowohl auf dem Land wie im Wasser und in der Luft gekämpft. Auf dem Lande kämpfen die Armeen (die Heere), im Wasser kämpfen die Flotten, und in der Luft kämpfen die Luftflotten. Wer den Krieg gewinnt, ist der Sieger; wer ihn verliert, ist der Besiegte. In manchen Kriegen gibt es weder Sieger noch Besiegte. Nach dem Krieg wird Frieden geschlossen.

*kämpfen to fight, struggle
  der Kampf, ⸚e battle, struggle
marschie'ren to march
  der Marsch, ⸚e march
*siegen to win, be victorious
  der Sieg, –e victory
  der Sieger, – victor
  besie'gen to defeat, conquer
*streiten, stritt, gestritten to fight; quarrel
  der Streit, –e fight; quarrel

*der Krieg, –e war
  (den) Krieg erklären to declare war
*der Friede(n), –ns peace
  (den) Frieden schließen to make peace

*der Feind, –e enemy
*die Schlacht, –en battle

*die Waffe, –n weapon
  die Armee', –n army
*das Heer, –e army
  die Flotte, –n fleet
  die Luftwaffe, –n air force

*der Soldat', –en soldier
  der Matro'se, –n sailor
  der Flieger, – flier
*der Offizier', –e officer

sowohl ... wie as well as

343

An afternoon concert at Bad Nauheim

Richard Wagner

Lohengrin, scene from Act III

The Hamburg opera house

III. ERLÄUTERUNGEN

1. Active and passive

    a. ACTIVE: Der Junge **warf** den Ball.
                  *The boy **threw** the ball.*

       PASSIVE: Der Ball **wurde** von dem Jungen **geworfen.**
                  *The ball **was thrown** by the boy.*

Both English and German make use of two verb inflections, or voices: the active voice, in which the subject usually is the performer of the action expressed by the verb, and the passive voice, in which the person or thing acted upon is the grammatical subject. Note that *ball*, the direct object in the active construction, is the grammatical subject in the corresponding passive construction. The agent, if stated at all in the passive, is introduced by the preposition *by* in English, by **von** or **durch** in German.

    b. Er schenkte **mir** ein Buch.   *He gave **me** a book.*
      Ein Buch wurde **mir** geschenkt.   *A book was given **to me.** or I was*
        (**Mir** wurde ein Buch geschenkt.) *given a book.*

In English, the indirect object of an active construction frequently appears as the grammatical subject of the corresponding passive construction: "*I* was given a book." This is not possible in German. If an indirect object occurs in the active construction, it also occurs as the indirect object in the comparable passive construction: „**Mir** wurde ein Buch geschenkt."

2. The forms of the passive

	ENGLISH		GERMAN
a. Present:	*It is (being)*	*said*	Es wird.....gesagt
Past:	*It was (being)*	*said*	Es wurde...gesagt
Present Perfect:	*It has been*	*said*	Es ist......gesagt worden
Past Perfect:	*It had been*	*said*	Es war.....gesagt worden
Future:	*It will be*	*said*	Es wird.....gesagt werden
Future Perfect:	*It will have been*	*said*	Es wird......gesagt worden sein

b. The present tense:

Singular	*Plural*

ich werde....... ⎫
er, es, sie wird... ⎬ gesehen
du wirst........ ⎭

wir, sie, Sie werden... ⎫
                  ⎬ gesehen
ihr werdet......... ⎭

c. To summarize:

▶ In English, the passive is formed with the desired tense and person of the verb *to be* + the perfect participle of the main verb.

▶ In German, the passive is formed with the desired tense and person of **werden** + the perfect participle of the main verb.[1] — Note that **worden** is used instead of **geworden** in the perfect tenses.

3. The agent

Der Rundfunk wird **von** den Teilneh-mern bezahlt.   *Radio is paid for **by** the subscribers.*

Der Empfang wurde **durch** einen Sturm gestört.   *The reception was disturbed **by** a storm.*

In German, the preposition **von** *by* is used to indicate the agent in the passive. If the agent is inanimate, the preposition **durch** *by, by means of, through* is generally used.

4. The modal auxiliaries and the passive

Das kann leicht getan werden.   *That can be done easily.*
Es mußte gesagt werden.   *It had to be said.*
Wir dürfen nicht gesehen werden.   *We must not be seen.*

The modal auxiliaries are frequently used with the passive infinitive in both English and German.

---

[1] The passive may also occur in the subjunctive, of course. In that case, the subjunctive forms of **werden** are used: **es werde ... gesagt, es würde ... gesagt, es sei ... gesagt worden usw.**

5. The perfect participle with *sein*

Das Fenster **wurde** eben geschlossen; es **war** noch nicht geschlossen.	*The window was just being closed; it was not yet closed.*
Der Brief **wird** jetzt geschrieben; er **ist** schon geschrieben.	*The letter is being written now; it is already written.*

German often uses forms of the verb **sein** with the perfect participle instead of the passive when merely describing the end result of an action rather than the action itself.

6. The passive without subject

Es wird musiziert.	*They play music.*
Hier wird nicht geraucht. Es wird hier nicht geraucht.	*(There is) no smoking here.*
Nachher wurde gesungen und getanzt. Es wurde nachher gesungen und getanzt.	*Later they (we) sang and danced.*

Contrary to English usage, German can use the passive construction of a verb that has no object. In this case we have a passive sentence without a subject.

Es is used as a filler when otherwise the inflected verb would come to stand at the beginning of the sentence. Compare the English: *It* takes time to learn a language : To learn a language takes time.

IV. ÜBUNGEN

A. Read the following passive sentences (a) in the past, (b) in the present perfect, and then (c) in the future:

PATTERN: Es wird gesungen: Es **wurde** gesungen.
Es **ist** gesungen **worden.**
Es **wird** gesungen **werden.**

1. Es wird hier nicht geraucht. 2. Sie wird viel bewundert. 3. Die Post wird vom Briefträger gebracht. 4. Wir werden um 6 Uhr gerufen. 5. Du

wirst nicht verstanden. 6. Du wirst gelobt, und ich werde gestraft. 7. Ihr werdet freundlich empfangen. 8. Mir wird von meinen Eltern eine Kamera geschenkt.

B. *Read the following passages over carefully; then reread in the tense indicated. Remember: only* **werden** *is inflected in the passive; the perfect participle of the main verb does not change.*

Aus einer alten deutschen Zeitung, den „Hinterhauser Nachrichten":

a. *Reread in the future tense:*

Aus dem politischen Teil auf der ersten Seite: 1. Der Bundeskanzler ist heute auf seiner Amerikareise in Washington angekommen, wo er von dem Präsidenten der Vereinigten Staaten empfangen *wurde.* 2. Er *wurde* zum „Dinner" im Weißen Haus eingeladen. 3. Nachher *wurde* der Kanzler von den versammelten Journalisten der amerikanischen Hauptstadt um ein Interview gebeten.

b. *Reread in the past tense:*

Aus dem Detektivroman, der auf der dritten Seite steht: 1. Leise *wird* die Tür aufgemacht und ein kleiner schwarzer Koffer *wird* auf die Straße hinausgeworfen. 2. Der Koffer *wird* sofort von einem jungen Mann aufgenommen und fortgetragen. 3. Der junge Mann *wird* von niemand gesehen.

c. *Reread in the present tense:*

Aus den Gesellschaftsnachrichten auf Seite vier: 1. Im Bierkeller des Gasthauses „Zur Linde" in dem nahen Städtchen Vorderhausen *wurde* am Sonntag eine Feier zu Ehren des Herrn Xaver Hofmaier abgehalten. 2. Herr Hofmaier *wurde* als Sieger in dem Boxkampf gefeiert, in welchem der weltberühmte Boxer Rudolf Steinmüller von ihm besiegt worden war. 3. Zu dem Fest *waren* die führenden Bürger der Stadt eingeladen *worden.* 4. Es *wurde* mit dem Spielen eines strammen (*rousing*) Marsches begonnen. 5. Dann *wurde* gegessen und getrunken. 6. Von der Brauerei Rumpel *waren* drei hl (Hektoliter) Bier dem Fest zum Geschenk gemacht *worden.* 7. Nach dem Essen *wurde* getanzt und gesungen. 8. Zum Schluß *wurde* Herr Hofmaier von seinen Freunden auf den Schultern nach Hause getragen.

d. *Reread in the present perfect tense:*

Aus dem Polizeibericht auf der fünften Seite: 1. Im Keller eines durch Feuer zerstörten Hauses *wurde* gestern von spielenden Kindern ein Kasten gefunden, worin Gold und Silber im Werte von ungefähr 100 000 Mark enthalten *war*. 2. Der Kasten *war* während des letzten Krieges versteckt (*hidden*) und dann vergessen worden.

Aus den Personalnachrichten auf der sechsten und letzten Seite: 3. Dem Bauern Michael Blumenweiler von Mittelhausen *wurde* heute nacht ein zehnter Sohn geboren. Herzliche Glückwünsche!

C. *Change the following passive sentences into active sentences:*

PATTERN: Die Übung wird vom Lehrer gelesen: Der Lehrer **liest** die Übung.

1. Der deutsche Rundfunk wird vom Staat betrieben. 2. Er wird von den Teilnehmern bezahlt. 3. Die Programme werden nicht durch Reklame gestört.

4. Vom Lehrer wurde ein Kasten in die deutsche Stunde gebracht.

5. Automobile werden durch Motore getrieben. 6. Wagen werden von Pferden gezogen.

7. Amerika ist von Columbus entdeckt worden. 8. Der Völkerbund ist von Woodrow Wilson ins Leben gerufen worden. 9. Das Rote Kreuz wurde von einem Schweizer gegründet.

D. *Change the following active sentences into passive sentences:*

PATTERN: Die deutsche Jugend liebt Schiller: Schiller **wird** von der deutschen Jugend **geliebt**.

1. Der Lehrer fragt die Schüler. 2. Er fragt uns alle. 3. Natürlich fragt er mich auch. 4. Die Mutter wird das brave Kind loben. 5. Das böse Kind muß der Vater strafen. 6. Die Mutter gab dem braven Kind einen Apfel. 7. Richard schrieb mir viele Briefe. 8. Er hat mich auch nach Deutschland eingeladen. 9. Bismarck hat das moderne Deutsche Reich gegründet. 10. Viele Deutsche bewundern Bismarck. 11. Schiller hat das Drama *Wilhelm Tell* geschrieben.

E. *Ask yourself and others questions like the following and answer them in German:*

a. Wird in Deutschland viel musiziert? Was für Musik wird dort am liebsten gespielt? Wird in Deutschland auch viel gesungen? Kennen Sie auch einige Walzer? Von wem wurden die berühmtesten Wiener Walzer komponiert?

b. Wird am deutschen Radio so viel Reklame gemacht wie hier? warum nicht? Von wem wird der deutsche Rundfunk bezahlt? das Fernsehen? Werden in Deutschland so viele Filme gemacht wie in Amerika? Wird dort so viel Sport getrieben wie hier?

c. Werden heute noch viele Mozartopern gegeben? Wird Shakespeare in Deutschland viel gespielt? Werden die Dramen von Schiller heute noch gespielt? Wird Goethe noch viel gelesen? Wann wurde Goethe geboren? Wo wurde er geboren?

d. Wann wurde das moderne Deutsche Reich gegründet? Von wem wurde es gegründet? Von wem wurde es regiert? Ist Deutschland heute eine Monarchie? Was ist es? Wo ist der Sitz der Regierung?

e. Wann wurde der letzte Krieg begonnen? Wann endete er? Wurde nur auf dem Land gekämpft? Wo wurde sonst noch gekämpft? Wann wurde der Frieden nach dem ersten Weltkrieg geschlossen? wo? Wer war damals Präsident der Vereinigten Staaten? Wer regierte in Deutschland? — Was ist ein Bürgerkrieg?

f. Von wem ist das Rote Kreuz gegründet worden? Von wem wurde Amerika entdeckt? Von wem wurde das Grammophon erfunden? Wer war der Erfinder der Fotografie?

g. Wann wurde diese Schule gegründet? Wissen Sie, von wem sie gegründet worden ist? Werden Sie viel auf deutsch gefragt? Wissen Sie jetzt, was das „Passiv" bedeutet? Ist es Ihnen gelungen, das alles zu verstehen?

„Wo man singt, da laß dich ruhig nieder!
Böse Menschen haben keine Lieder."

DIE FÜNFUNDZWANZIGSTE STUNDE

I. SPRECHEN UND LESEN

1. Ferien vom Ich [1]

Lebe wohl,[2] liebes Notizbüchlein, wenigstens auf einige Zeit! Das Semester ist bald zu Ende, und während des Sommers will ich eine Stellung annehmen und körperlich arbeiten. Im übrigen will ich „Ferien vom Ich" nehmen und ein paar Monate lang gar nichts schreiben.
5 Meine Hand tut mir schon weh von all dem vielen Schreiben der letzten Wochen und Monate.

Bevor wir uns trennen, will ich noch schnell niederschreiben, was inzwischen[3] geschehen ist. Mit den vielen Prüfungen und allem, was sonst zu tun war, sind meine persönlichen Angelegenheiten[4] etwas zu
10 kurz gekommen.[5]

An Richard und Marie habe ich geschrieben, daß ich bestimmt vorhabe, nächsten Sommer nach Deutschland zu fahren. (Alles, was ich diesen Sommer verdiene, werde ich für diese Reise sparen!) Beide ließen

---

[1] "vacation from myself." [2] farewell. [3] in the meantime. [4] affairs.
[5] **sind ... zu kurz gekommen** "were neglected."

mich sofort wissen, wie sehr sie sich über meinen Plan freuten. Sie haben auch die Absicht,[1] mich in der Hafenstadt [2] abzuholen, in der ich ankomme. Am liebsten möchten sie mich mit einem Wagen abholen und dann mit mir den Rhein entlang zuerst nach Frankfurt und dann nach München fahren. Bis jetzt hat zwar keiner von den beiden einen 5 eigenen Wagen, aber sie glauben, das werde sich schon irgendwie machen lassen. — Es ist schon was wert,[3] wenn man solch gute Freunde hat. Ein deutsches Sprichwort sagt zwar „Viel' Feind', viel Ehr'," aber mir sind viele Freunde trotzdem lieber als viele Feinde!

Ich habe den beiden allerdings noch nichts davon geschrieben, daß 10 ich wahrscheinlich nicht allein kommen werde. Ein paar Freunde und Freundinnen von mir haben nämlich eine kleine Gruppe gebildet und wir haben vor, zusammen zu reisen. Das ist lustiger, interessanter und auch billiger. Ich brauche dir wohl nicht zu sagen, liebes Büchlein, daß Susan zu der Gruppe gehören wird. Sie und ich waren inzwischen mehrere 15 Male zusammen aus und wir verstehen uns immer besser. Sie scheint mich als ihren bevorzugten [4] Freund zu akzeptieren. So ist im Augenblick alles in schönster Ordnung.[5] Nun hoffe ich nur, daß ich auch alle meine Prüfungen gut bestehen werde.

Nachwort:[6] Ende gut, alles gut. Hurra! Alle Prüfungen gut 20 bestanden! Auf Wiedersehen, liebes Büchlein, im nächsten Jahr!

2. Ein Dialog über die menschliche Vernunft [7]

Aus: *Leben des Galilei* von Bertolt Brecht [8]

PERSONEN: Galilei und sein Freund Sagredo

GALILEI: Ich glaube an den Menschen, und das heißt, ich glaube an seine Vernunft.

SAGREDO: Ich glaube nicht an sie. Vierzig Jahre unter [9] den Menschen haben mich gelehrt, daß sie der Vernunft nicht zugänglich [10] sind.

---

[1] intention. [2] **der Hafen,** ⸺ harbor. [3] "worth something." [4] favorite. [5] order. [6] "postscript." [7] reason. [8] Bertolt Brecht (*1898–1956*), *one of the best known and most effective writers of the generation that came into its own after World War I. His* "*epic drama*" Leben des Galilei *was written in 1938/9. The above dialogue is from the third scene.* [9] among. [10] susceptible.

GALILEI: Das ist ganz falsch. Ich verstehe nicht, wie du, so etwas glaubend, die Wissenschaft lieben kannst. Nur die Toten lassen sich nicht mehr von Gründen bewegen.

SAGREDO: Wie kannst du ihre erbärmliche [1] Schlauheit [2] mit Vernunft verwechseln? [3]

GALILEI: Ich rede nicht von ihrer Schlauheit. Ich weiß, sie nennen den Esel ein Pferd, wenn sie ihn verkaufen, und das Pferd einen Esel, wenn sie es einkaufen wollen. Das ist ihre Schlauheit. Die Alte, die am Abend vor der Reise dem Esel ein Extrabüschel [4] Heu [5] vorlegt, und das Kind, das die Mütze [6] aufstülpt,[7] wenn ihm bewiesen [8] wurde, daß es regnen kann, sie sind meine Hoffnung, sie lassen Gründe gelten.[9] Ja, ich glaube an die sanfte [10] Gewalt [11] der Vernunft über die Menschen. Sie können ihr auf die Dauer [12] nicht widerstehen.[13] Das Denken gehört zu den größten Vergnügungen der menschlichen Rasse.[14]

II. WORTSCHATZ

*1. Zum letzten Mal: Muß ist eine harte Nuß

an-nehmen (nimmt an), nahm an, angenommen to accept; assume
bestim'men to determine
bestimmt' definite(ly); certain(ly); fixed
ehren to honor
die Ehre, –n honor

weh-tun, tat weh, wehgetan to hurt
der Kopf tut mir weh my head hurts (me)

übrig remaining, rest of
im übrigen besides, moreover
wahrschein'lich probable, probably

2. Die Arbeit

Es gibt viele Arten von Arbeit und Arbeitern. Auf deutsch unterscheidet man oft zwischen Kopfarbeitern und Handarbeitern. Jene arbeiten geistig, diese arbeiten körperlich. Eine arbeitende Frau ist natürlich eine Arbeiterin.

[1] miserable.   [2] schlau shrewd, crafty.   [3] to confuse.   [4] extra bunch.
[5] hay.   [6] cap.   [7] puts (claps) on.   [8] bewei'sen, ie, ie to prove, show, demonstrate.   [9] lassen . . . gelten accept.   [10] gentle.   [11] power.   [12] in the long run.   [13] to resist.   [14] race.

Ein Mädchen, das in einem Haushalt arbeitet, nennt man gewöhnlich ein Dienstmädchen.

Wenn man arbeitet, verdient man Geld. Das Geld, das man mit körperlicher Arbeit verdient, nennt man den Lohn. Der Lohn wird stündlich, täglich, wöchentlich oder auch monatlich bezahlt.

Ein Arbeitnehmer, der regelmäßig für denselben Arbeitgeber arbeitet, hat eine feste Stelle oder Stellung.

Den Teil des Lohns, den man nicht zum Leben braucht, spart man. Man legt dieses Geld auf eine Sparkasse, auf eine Bank, oder auch unter die Matratze (*mattress*).

*dienen (*dat.*) to serve
  der Diener, – servant
  der Dienst, –e service
*verdie′nen to earn
  der Verdienst′, –e gain; merit
*lohnen to pay
  es lohnt sich (*acc.*) it pays, it is worth while
  der Lohn, ⸚e pay, wages

*sparen to save
  die Sparkasse, –n savings bank
  *die Bank, –en bank

  der Arbeitgeber, – employer
  der Arbeitnehmer, – employee
*der Geist, –er mind; intellect; spirit
  geistig mental; intellectual; spiritual
  die Stelle, –n place; passage; position; job
  die Stellung, –en position; job

3. *Die*-nouns in *–schaft*

bekannt′ : die Bekannt′schaft known : acquaintance
der Feind : die Feindschaft enemy : enmity, hostility
verwandt′ : die Verwandt′schaft related : relationship, relatives
wissen : die Wissenschaft to know : science, branch of knowledge

Nouns ending in –schaft usually convey the idea of a collective unit, group, or enterprise (cf. English *–ship* and *–scape*). They are always **die**-nouns and end in –en in the plural. — Form similar nouns from **der Freund, der Geselle, der Kamerad, das Land**! What do they mean?

4. *Das*-nouns in *–nis*

denken : das Gedächt′nis, –nisses to think : memory
geheim′ : das Geheim′nis, –nisses, –nisse secret (*adj.*) : secret
verste′hen : das Verständ′nis, –nisses to understand : understanding

Quite a few **das-nouns** in German end in –nis. Try to connect such nouns with the words from which they are derived.

5. Zum Schluß noch einige Gruppen verwandter Wörter

GERMAN	ENGLISH COGNATE & MEANING		GERMAN	ENGLISH COGNATE & MEANING
pf	*p(p)*		**–f(f)**	*–p(p)*
a. **Apf**el	*apple*	*b.*	hoffen	ho*pe*
Pfad	*path*		Schaf	shee*p*
Pfeife	*pipe*		tief	dee*p*
Pflanze	*plant*		Waffe	wea*po*n
–ch	*–k*		**k–**	*ch–*
c. Eiche	oa*k*	*d.*	**K**apelle	*ch*apel
kochen	coo*k*		**K**äse	*ch*eese
wachen	wa*k*e		**K**asten	*ch*est

Can you add to these groups?

III. ERLÄUTERUNGEN

Substitutes for the passive

German tends to use the passive far less than English; it prefers to employ one of the active constructions discussed below. In this sense these constructions may be termed "substitutes for the passive."

a. The active verb with **man**:

Man sagt . . .	*It is said . . . / One says . . . / They say . . .*
Hier spricht **man** Deutsch.	*German is spoken here.*
Man hat mir alles erzählt.	*I was told everything.*
Wie sagt **man** das auf deutsch?	*How is that said in German? / How do you say that in German? / How does one say that in German?*
Das tut **man** nicht.	*That is not done. / You don't do that. / One does not do that.*

Notice that English may use *people, they, you,* or *one* to refer to the vague and indefinite person or persons expressed in German by **man**.

b. The active verb with **sich**:

Das sagt **sich** leicht.	*That is easily said.*
Die Tür schloß **sich** leise.	*The door (was) closed softly.*
Das versteht **sich** (von selbst).	*That goes without saying. / That is obvious. / That is understood.*

c. **sich lassen** + infinitive = *can be* + participle:

Es **läßt sich** nicht **sagen**, daß . . .	*It **can** not **be said** that . . .*
Das wird **sich** schon **machen lassen**.	*That **can be done** all right.*
Die Frage **ließ sich** nicht **beantworten**.	*The question **could not be answered**.*

d. **lassen** + infinitive = *to have* + participle or infinitive:

Ich **lasse** Sie **rufen**.	*I'll **have** you **called**.*
Er **läßt** sich neue Schuhe **machen**.	*He **is having** new shoes **made** for himself.*
Sie **ließ** uns **kommen**.	*She **had** us **come**.*
Sie werden mich **abholen lassen**.	*They will **have** me **picked** up.*
Er hat uns lange **warten lassen**.	*He **had** (**made**) us **wait** a long time.*

e. **sein** + infinitive (with **zu**):

Was **ist** denn da **zu tun**?	*What is **to be done** then?*
Das **ist** aber nicht **zu glauben**.	*But that is unbelievable.*
Es **war** nichts mehr **zu sagen**.	*There was nothing more **to say**. / . . . **to be said**.*
. . . mit allem, was sonst **zu tun war** . . .	*. . . with everything there was **to do** (**to be done**) besides . . .*

IV. ÜBUNGEN

A. Read the following passage over several times, paying special attention to the italicized constructions:

1. Dieses Restaurant *wird* von einem russischen Fürsten *betrieben.* 2. Es *wird* von allen Berühmtheiten der Stadt *besucht.* 3. Die Gäste *lassen* sich

Munich: Frauenkirche

Cologne Cathedral

The Rhine and vineyards of Aßmannshausen

an der Tür vom Fürsten selbst *empfangen*. 4. Sie *lassen* sich auch von ihm an den Tisch *führen*.

5. Vor dem Essen *wird* Vodka *getrunken*. 6. Dann *läßt man* sich ein großes Essen *bringen*. 7. Natürlich *können* nur die besten und ältesten Weine *bestellt werden*. 8. Während des Essens *ist* klassische und moderne Musik *zu hören*. 9. Dazwischen *werden* von einem Kosakenchor russische Lieder *gesungen*. 10. Nach dem Essen *werden* den Damen Zigaretten *angeboten*. 11. Den Herren *bietet man* teuere Zigarren an.

12. All das habe ich mir *erzählen lassen*, denn ich Armer *bin* ja nie dorthin *mitgenommen worden*. 13. *Es ist* mir auch *erzählt worden*, der Fürst *lasse* sich dafür fürstlich *bezahlen*. 14. *Es läßt sich* also wohl *ausrechnen*, wie lange die Leute, von denen das Restaurant *besucht wird*, reich bleiben.

B. *Read the following passages in the tenses indicated:*

a. *Reread in the present tense:*

1. Richard *lebte* bei einer deutschen Familie. 2. In dieser Familie *arbeitete* man sehr viel. 3. Aber man *feierte* auch gern. 4. An Weihnachten *hatte* man einen großen Christbaum. 5. Man *machte* sich schöne Geschenke und man *sang* alte Lieder. 6. An Ostern *malte* man Eier. 7. An Pfingsten *ging* man spazieren oder man *saß* in einem Biergarten. 8. Im Sommer *reiste* man ans Meer oder in die Berge.

b. *Reread in the past tense:*

1. Wenn es am Abend *regnet*, *geht* man gern ins Kino. 2. Man *kauft* seine Eintrittskarte und *tritt* in den dunklen Raum ein. 3. Man *bleibt* stehen, denn man *kann* zuerst gar nichts sehen. 4. Dann *wird* man an seinen Platz geführt. 5. Man *setzt* sich und *wartet*, bis der Film *beginnt*. 6. Man *fühlt* sich wohl. 7. Es *ist* nur schade, daß man nicht rauchen *darf*.

c. *Reread in the present perfect tense:*

1. In der ganzen Schweiz *kannte* man den Tell als einen Freund der Freiheit und einen Mann von Ehre. 2. Man *wußte* auch, daß der Tell der beste Jäger im Lande *war*. 3. Die Geschichte vom Tell *erzählt* man sich in der Schweiz seit vielen hundert Jahren.

4. Vor einigen Jahren *kannte* ich einen schönen Mann. 5. Er *ließ* alle seine Anzüge von einem bekannten Schneider machen. 6. Seine Schuhe *ließ* er aus Italien kommen. 7. Er *ließ* sich jeden Tag fotografieren. 8. Der Mann *war* natürlich ein Filmschauspieler.

C. *Replace the italicized forms with a substitute for the passive as indicated, always retaining the same tense:*

a. *Replace with* **man** *and an active verb:*

PATTERN: *Es wird* dort viel *gesungen*: **Man singt** dort viel.

1. Hier *wird* Deutsch *gesprochen*. 2. Im Kriege *wird* gegen den Feind *gekämpft*. 3. *Es wurde behauptet*, er habe all sein Geld verloren. 4. Die Wohnung *war saubergemacht worden*. 5. *Bist du* auch *eingeladen worden?* 6. In einem Nichtraucher *darf* nicht *geraucht werden*. 7. Heute *wird* mit dem Auto *gefahren;* vor 100 Jahren *wurde* mit Pferd und Wagen *gefahren*. 8. Heute *wird gegessen*, wenn man Hunger hat; vor 100 Jahren *wurde* auch *gegessen*, wenn man Hunger hatte.

b. *Replace with an active verb form with* **sich:**

PATTERN: Die Tür *wird geöffnet*: Die Tür **öffnet sich.**

1. Eine Sprache *wird* schnell *vergessen*. 2. Der Fehler *wurde* gleich *gefunden*. 3. Ein gutes, billiges Buch *wird* leicht *verkauft*. 4. Man *ist* gut *unterhalten worden*. 5. Das *wird* leicht *gesagt*, aber es *wird* nicht so leicht *getan*.

c. *Replace with the appropriate form of* **sich lassen:**

PATTERN: Es *kann gesagt werden*: Es **läßt sich sagen.**

1. Das *konnte* nicht *behauptet werden*. 2. Eine gute Stelle *kann* nicht immer *gefunden werden*. 3. Gedichte *sind* schwer *zu übersetzen*. 4. *Man kann* wenig *sparen*, wenn man wenig verdient. 5. Diese Sätze *sind* oft schwer *zu verstehen*.

d. *Replace* **sich lassen** *with the appropriate form of* **sein** + *infinitive (with* **zu**):

PATTERN: Manche Kinder *lassen sich* schwer *erziehen*: Manche Kinder **sind** schwer **zu erziehen.**

361

1. So ein altes Auto *läßt sich* nicht *verkaufen.* 2. Die ganze Geschichte *ließ sich* nicht *glauben.* 3. *Läßt* du *dich* oft dort *sehen?* 4. Die Tür *ließ sich* weder *öffnen* noch *schließen.* 5. Die Unterschiede zwischen Deutsch und Englisch *lassen sich* nicht immer leicht *erklären.*

D. *Ask yourself and others questions like the following and answer them in German:*

a. Welche Art von Arbeit ist Ihnen lieber, geistige oder körperliche? Welche Arten von Arbeitern unterscheidet man auf deutsch? Welche Art von Musik haben Sie lieber, klassische oder moderne? Spielen Sie selbst ein Instrument? Wer spielt ein Instrument? welches? Malen oder zeichnen Sie auch ein wenig?

b. Was studieren Sie außer Deutsch? Was wollen Sie werden? Wollen Sie viel Geld verdienen? Mit welcher Art von Arbeit ist das meiste Geld zu verdienen? Verdient ein Lehrer soviel wie ein Filmschauspieler?

c. Können Sie gut sparen? Geben Sie gewöhnlich alles Geld, das Sie verdienen, sogleich aus? Würden Sie mehr sparen, wenn Sie mehr verdienten? Wie spart man am besten? Läßt es sich gut sparen, wenn man wenig verdient? Haben Sie vor, während des Sommers zu arbeiten? Suchen Sie eine Stellung oder haben Sie schon eine? in einer Fabrik? wo? Läßt sich eine gute Stellung heutzutage leicht finden?

d. Welche Art von Sport treiben Sie am liebsten? Wird in Deutschland viel Sport getrieben? Treibt man dort soviel Sport wie in Amerika? Spielt man dort viel Baseball?

e. Gehören Sie zu einem Verein? Was tut man in einem Gesangverein? in einem Theaterverein? in einem Sprachverein? Wer gehört zu einem Bauernverein? einem Arbeiterverein?

f. Hat das deutsche Volk einen Kaiser oder einen König? Gibt es heute noch Fürsten in Deutschland? Kennen Sie den Namen des deutschen Bundespräsidenten? des Bundeskanzlers? Welche Staaten liegen südlich von Deutschland? Welcher Staat liegt westlich von Deutschland? In welchen europäischen Staaten spricht man Deutsch?

g. Glauben Sie, daß Sie nun schon ganz gut Deutsch können? Finden Sie, daß sich eine Sprache leicht lernen läßt? Wissen Sie auch, daß sich eine Sprache leicht vergißt, wenn man sie nicht übt? Werden Sie manchmal etwas Deutsch lesen, in ein deutsches Kino gehen oder deutsche Schallplatten hören? — Wenn Sie das tun, werden Sie nicht leicht vergessen, was Sie hier gelernt haben. Das Gelernte wird Ihnen dann auch Vergnügen machen.

„Nach getaner Arbeit ist gut ruhn.“

VIERTE WIEDERHOLUNGSSTUNDE

I. SPRECHEN UND LESEN

Deutsche Persönlichkeiten; **ein Brief an den Leser**	**Deutſche Perſönlichkeiten;** **ein Brief an den Leſer**

Lieber Leser!

Wir danken Ihnen, daß Sie uns bis hierher gefolgt sind und hoffen, daß Sie
aus unserem Buch ein wenig Nutzen gezogen und dabei auch etwas Spaß gehabt
haben.   Ehe wir nun den „deutschen
Stunden" Lebewohl sagen, wollen wir
noch einen Blick auf einige bedeutende
deutsche Persönlichkeiten werfen.
Es ist eine alte Streitfrage, ob die Geschichte von großen Männern gemacht
wird oder ob sie einem Plan folgt; das
heißt, ob es ein Weltschicksal gibt oder
nicht.   Der deutsche Philosoph Hegel
hat die Idee eines Weltschicksals berühmt gemacht und dafür die Namen

Lieber Leſer!

Wir danken Ihnen, daß Sie uns bis hierher
gefolgt ſind und hoffen, daß Sie aus un-
ſerem Buch ein wenig Nutzen gezogen und
dabei auch etwas Spaß gehabt haben.   Ehe
wir nun den „deutſchen Stunden" Lebewohl
ſagen, wollen wir noch einen Blick auf einige
bedeutende deutſche Perſönlichkeiten werfen.

Es iſt eine alte Streitfrage, ob die Geſchichte
von großen Männern gemacht wird oder ob
ſie einem Plan folgt; das heißt, ob es ein
Weltſchickſal gibt oder nicht.   Der deutſche
Philoſoph Hegel hat die Idee eines Welt-
ſchickſals berühmt gemacht und dafür die
Namen Weltvernunft und Weltgeiſt er-

Weltvernunft und Weltgeist erdacht.[1] Für Hegel war die Geschichte der Marsch des Weltgeistes durch die sichtbare Welt, der Ausdruck der Vernunft, die die Welt regiert.

Goethe freilich fand diesen Gedanken absurd und meinte:

,,Was Ihr den Geist der Zeiten heißt,
das ist im Grund der Herren eigner Geist."

Von Goethe stammt auch der bekannte Vers: ,,Höchstes Glück der Erdenkinder ist doch die Persönlichkeit."
Wir halten es mit Goethe. Wir glauben deshalb, daß wir unser erstes Jahr ,,Deutsch" nicht besser abschließen können, als indem wir Ihnen von einigen Deutschen erzählen, die Geschichte gemacht haben.

Da ist natürlich zuerst Goethe selber, oder — um ihm seinen vollen Namen und Titel zu geben — der Geheime Hofrat[2] Johann Wolfgang von Goethe, der ,,Shakespeare der deutschen Literatur". Gleich bedeutend sind Ludwig van Beethoven auf dem Gebiet der Musik und Immanuel Kant auf dem der Philosophie.

Kant war der älteste von ihnen, Beethoven der jüngste, doch waren sie eine Art Zeitgenossen.[3] Wenn Sie, lieber Leser, im Jahr 1800 auf der Welt gewesen wären, hätten Sie alle drei als berühmte Männer am Leben gefunden: Goethe, den schon damals weltberühmten Dichter, als Staatsminister und Freund des regierenden Herzogs[4] von Weimar; Kant, den alten Junggesellen,[5] als Professor an der Universität Königs-

dacht.[1] Für Hegel war die Geschichte der Marsch des Weltgeistes durch die sichtbare Welt, der Ausdruck der Vernunft, die die Welt regiert.

Goethe freilich fand diesen Gedanken absurd und meinte:

,,Was Ihr den Geist der Zeiten heißt,
das ist im Grund der Herren eigner Geist."

Von Goethe stammt auch der bekannte Vers: ,,Höchstes Glück der Erdenkinder ist doch die Persönlichkeit."
Wir halten es mit Goethe. Wir glauben deshalb, daß wir unser erstes Jahr ,,Deutsch" nicht besser abschließen können, als indem wir Ihnen von einigen Deutschen erzählen, die Geschichte gemacht haben.

Da ist natürlich zuerst Goethe selber, oder — um ihm seinen vollen Namen und Titel zu geben — der Geheime Hofrat[2] Johann Wolfgang von Goethe, der ,,Shakespeare der deutschen Literatur". Gleich bedeutend sind Ludwig van Beethoven auf dem Gebiet der Musik und Immanuel Kant auf dem der Philosophie.

Kant war der älteste von ihnen, Beethoven der jüngste, doch waren sie eine Art Zeitgenossen.[3] Wenn Sie, lieber Leser, im Jahr 1800 auf der Welt gewesen wären, hätten Sie alle drei als berühmte Männer am Leben gefunden: Goethe, den schon damals weltberühmten Dichter, als Staatsminister und Freund des regierenden Herzogs[4] von Weimar; Kant, den alten Junggesellen,[5] als Professor an der Universität Königsberg in Ostpreußen; Beethoven, den berühmten

[1] conceived. [2] Privy Councilor. [3] contemporaries. [4] Duke. [5] bachelor.

berg in Ostpreußen; Beethoven, den berühmten Komponisten und Dirigenten [1] in Wien, der musikfreudigen [2] Hauptstadt von Österreich. Jeder der drei Männer hatte eine höchst individuelle Persönlichkeit und lebte seinem eigenen Werk. Sie wußten alle von einander, hatten aber kein wirkliches Verständnis für der anderen Leben und Werk. Die deutsche bildende Kunst [3] ist im Ausland viel weniger bekannt als die deutsche Musik oder Philosophie. Besonders die deutsche Malerei kennt man außerhalb [4] Deutschlands wenig. In Deutschland selbst ist das anders. Die Deutschen nehmen ihre Kunst sehr ernst und sie sind stolz auf die lange Reihe interessanter Malerpersönlichkeiten, von Matthias Grünewald über den großen Albrecht Dürer zu den Impressionisten, Expressionisten und abstrakten Malern unserer Tage. Auf dem Gebiet der Staatskunst [5] sind die zwei bedeutendsten Persönlichkeiten wohl Friedrich der Zweite, „der Große", von Preußen, und Otto von Bismarck, „der eiserne Kanzler". Friedrich II. hat Preußen groß gemacht und damit den Grund für das moderne Deutschland gelegt. Bismarck, aus der preußischen Junkerklasse hervorgegangen, war der Architekt des neuen Deutschen Reiches, wie es am 18. Januar 1871 nach dem Ende des Deutsch-Französischen Krieges gegründet wurde. Der Wert dieser beiden Staatsmänner für die Politik der Vergangenheit und der Gegenwart wird heute in Deutschland wieder viel erörtert. [6]

Komponisten und Dirigenten [1] in Wien, der musikfreudigen [2] Hauptstadt von Österreich. Jeder der drei Männer hatte eine höchst individuelle Persönlichkeit und lebte seinem eigenen Werk. Sie wußten alle von einander, hatten aber kein wirkliches Verständnis für der anderen Leben und Werk.

Die deutsche bildende Kunst [3] ist im Ausland viel weniger bekannt als die deutsche Musik oder Philosophie. Besonders die deutsche Malerei kennt man außerhalb [4] Deutschlands wenig. In Deutschland selbst ist das anders. Die Deutschen nehmen ihre Kunst sehr ernst und sie sind stolz auf die lange Reihe interessanter Malerpersönlichkeiten, von Matthias Grünewald über den großen Albrecht Dürer zu den Impressionisten, Expressionisten und abstrakten Malern unserer Tage.

Auf dem Gebiet der Staatskunst [5] sind die zwei bedeutendsten Persönlichkeiten wohl Friedrich der Zweite, „der Große", von Preußen, und Otto von Bismarck, „der eiserne Kanzler". Friedrich II. hat Preußen groß gemacht und damit den Grund für das moderne Deutschland gelegt. Bismarck, aus der preußischen Junkerklasse hervorgegangen, war der Architekt des neuen Deutschen Reiches, wie es am 18. Januar 1871 nach dem Ende des Deutsch-Französischen Krieges gegründet wurde. Der Wert dieser beiden Staatsmänner für die Politik der Vergangenheit und der Gegenwart wird heute in Deutschland wieder viel erörtert. [6]

---

[1] (orchestra) conductor.   [2] "musical" ("taking delight in music").
[3] "representational arts."   [4] outside of.   [5] statesmanship.   [6] discussed.

In Naturwissenschaft und Technik ist die Auswahl bedeutender Persönlichkeiten am schwersten. Hier gibt es viele, von denen wir sprechen möchten. Beginnend mit dem berühmten Bürgermeister [1] von Magdeburg, Otto von Guericke, dem es um die Mitte des 17. Jahrhunderts als erstem gelang, mit einer Luftpumpe ein Vakuum herzustellen, bis zu Max Planck und Albert Einstein, den geistigen Vätern der großen Revolution in der modernen Physik, könnten wir eine lange Reihe von bedeutenden Männern vorführen.[2] Leider fehlt uns hier der Raum dazu, und wir müssen Sie, lieber Leser, bitten, diese Lücke [3] selbst auszufüllen. Wir wünschen Ihnen Glück zu diesem Unternehmen, wie auch im übrigen zu erfolgreichem Weiterstudium der deutschen Sprache und andrer deutschen Dinge.

Wir hoffen, daß das nun abgeschlossene Buch Ihnen Mut und Lust zur Fortführung [4] Ihrer Studien gemacht hat.

In dieser Hoffnung begrüßen wir Sie herzlichst

Conrad P. Romberger

John F Ebelke

II. WORTSCHATZ

1. Einige nützliche Wörter

*der Erfolg', –e success
erfolg'reich successful
*der Mut courage
mutig courageous

die Vernunft' reason
vernünf'tig reasonable
*der Wert, –e value

[1] mayor. [2] produce. [3] gap. [4] continuation.

Ludwig van Beethoven

Immanuel Kant

Johann Sebastian Bach

Wilhelm Konrad Roentgen

Thomas Mann

Albert Einstein

2. Wenn Sie nach Deutschland reisen ...

a. Maße und Gewichte

In Deutschland gilt das metrische System. Die Länge wird nach Metern gemessen; die Einheit des Hohlmaßes ist der Liter; die Gewichtseinheit ist das Gramm. Die Temperatur wird nach Celsius, dem berühmten schwedischen Forscher, gemessen. — Aber zwölf Äpfel sind immer noch ein Dutzend Äpfel!

*messen (mißt), maß, gemessen to measure
  das Maß, –e measure, measurement
*wiegen, wog, gewogen to weigh
  das Gewicht', –e weight

  die Einheit, –en unit
*das Dutzend, –e dozen

der Grad, –e (°) degree
das Gramm (g) gram
der or das Liter (l) liter
der or das Meter (m) meter
das Pfund pound (500 grams)

*hohl hollow; concave

Tausend Gramm sind ein Kilo(gramm).   1 000 g = 1 kg = *2.2 pounds*
Hundert Liter sind ein Hektoliter.   100 l = 1 hl = *100.6 quarts*
Tausend Meter sind ein Kilometer.   1 000 m = 1 km = *0.62 miles*

b. Deutsches Geld

Eine Mark hat hundert Pfennig. Münzen gibt es im Wert von 1, 2, 5, 10 und 50 Pfennig, auch solche im Wert von 1, 2 und 5 Mark. Von fünf Mark aufwärts werden Geldscheine gebraucht, und zwar Scheine zu 5, 10, 20, 50 und 100 Mark.

*wechseln to change
*die Mark, – mark
*der Pfennig, –e pfennig

das Kleingeld coins, "change"
die Münze, –n coin
der (Geld)schein, –e bill

c. Geben Sie mir 100 Gramm Kaffee, bitte!
    Give me 100 grams of coffee, please.

Ich möchte drei Pfund (anderthalb Kilo) Orangen.
    I would like 3 pounds ($1\frac{1}{2}$ kilograms) of oranges.

Das macht vier Mark fünfzig (Pfennig).
    That comes to four marks fifty (pfennig).

Es hatte gestern 31° (Grad).
    It was 31° (Centigrade) yesterday.

Note that the singular forms of units of measurement are used in German when giving quantities or amounts, and that nothing comparable to the English *of* is needed.

3. **Schlußwort über zusammengesetzte Wörter** (a final word about compound words)

ab-schließen, schloß ab, abgeschlossen to conclude
der Abschluß, –schlüsse conclusion
her-stellen to produce, manufacture
die Herstellung production, manufacture
hervor'-gehen, ging hervor, ist hervorgegangen come (forth), stem from, be a scion of
unterneh'men (unternimmt), unternahm, unternommen to undertake
die Unterneh'mung, –en undertaking

endlich : unendlich final, finite : endless, infinite
die Sicht sight, view
die Absicht, –en intention
die Aussicht, –en prospect, view
die Einsicht, –en insight; (*pl.*) views
die Vorsicht caution
sichtbar : unsichtbar visible : invisible
die Streitfrage, –n point of controversy

German frequently uses compound words of native origin where English commonly — but not always! — uses words of Latin or Greek derivation. You can capitalize on this feature of German if you form the habit of analyzing new words in terms of the basic vocabulary you have acquired.

III. DAS WICHTIGSTE AUS DEN ERLÄUTERUNGEN

1. The forms of the subjunctive

   a. *Present Subjunctive:*

   ich, er, es, sie wohne / gebe
   du wohnest / gebest

   wir, sie, Sie wohnen / geben
   ihr wohnet / gebet

   Past Subjunctive:

   ich, er, es, sie wohnte / gäbe
   du wohntest / gäbest

   wir, sie, Sie wohnten / gäben
   ihr wohntet / gäbet

371

▶ All verbs have the same set of personal endings in both the present and past subjunctive.

▶ The past subjunctive of regular verbs and of **sollen** and **wollen** is identical with the indicative.

▶ All other verbs [1] have an umlaut in the past subjunctive, if possible.

b. Present Perfect Subjunctive:

er habe . . . gewohnt / gegeben
er sei . . . gefolgt / gelaufen

Past Perfect Subjunctive:

er hätte . . . gewohnt / gegeben
er wäre . . . gefolgt / gelaufen

Future Subjunctive:

er werde . . . wohnen / laufen

Future Conditional:

er würde . . . wohnen / laufen

Future Perfect Subjunctive:

er werde. . . { gewohnt haben / gelaufen sein

Future Perfect Conditional:

er würde. . . { gewohnt haben / gelaufen sein

▶ In all the compound tenses the subjunctive forms of the auxiliaries (**haben, sein, werden**) are used; otherwise the tense structure is like that of the indicative. — Note the two additional tenses made up with the past subjunctive of **werden**, the so-called conditional forms of the future and the future perfect.

2. The uses of the subjunctive

a. Type II forms — contrary-to-fact conditions:

Wenn es wichtig wäre, würde ich es lernen.
Wäre es wichtig, (so lernte ich es).

} *If it were important, I would learn it.*

Wenn es nicht so schwer gewesen wäre, hätte ich es getan.
Wäre es nicht so schwer gewesen, (so würde ich es getan haben).

} *If it had not been so hard, I would have done it.*

▶ Contrary-to-fact conditions in present or future time usually have the past subjunctive in the **wenn**-clause and the future conditional in the

---

[1] the past subjunctive form of **brennen, kennen, nennen, rennen** is spelled with **e** instead of **ä**: **brennte, kennte, nennte, rennte. Wenden** and **senden** form their past subjunctive forms as regular verbs: **wendete, sendete** (cf. Appendix **II,** II D, p. 401).

conclusion. The past subjunctive may be used in the conclusion too, but is ordinarily used only if it is distinctively a subjunctive form.

▶ Contrary-to-fact conditions in past time usually have the past perfect subjunctive in both the **wenn**-clause and the conclusion. The future perfect conditional may be used in the conclusion.

b. The interchangeable use of Type I and Type II forms — indirect discourse:

Sie sagten,	*They said,*
er gehe / er ginge.	*he is going / he was going.*
er sei gegangen / er wäre gegangen.	*he has gone / he had gone.*
er werde gehen / er würde gehen.	*he will go / he would go.*
er werde gegangen sein / er würde gegangen sein.	*he will have gone / he would have gone.*

▶ After introductory expressions of saying, thinking, believing, etc., the subjunctive of indirect discourse is used, especially if the introductory verb suggests past time.

▶ Although either a Type I or Type II form may be used, German prefers the choice of that form which is clearly subjunctive.

c. The present subjunctive in some special uses:

Gott gebe es!	*(May) God grant it!*
Man lese . . .	*Read . . .*
Er schweige!	*Let him be silent!*
Seien wir vernünftig!	*Let's be reasonable.*

The present subjunctive is used in a few traditional patterns to express a wish or a mild command.

3. The forms of the passive

Present:	ich werde....gesehen	*I am seen*
Past:	er wurde.....gesehen	*he was seen*
Present Perfect:	du bist......gesehen worden	*you have been seen*
Past Perfect:	wir waren....gesehen worden	*we had been seen*
Future:	sie werden...gesehen werden	*they will be seen*
Future Perfect:	ihr werdet.....gesehen worden sein	*you will have been seen*

▶ The passive in German consists of the appropriate forms of the auxiliary **werden** with the perfect participle of the main verb.

4. Substitutes for the passive

Man glaubt . . .	*It is believed . . .*
Das **lernt sich** leicht.	*That is easily learned.*
Er **ließ** ihn **strafen.**	*He had him punished.*
Es **läßt sich hoffen** . . .	*It can be hoped . . .*
Es **ist zu hoffen** . . .	*It is to be hoped . . .*

▶ The passive is not used as widely in German as in English. The "substitutes for the passive" are alternative constructions which are common in German where we would usually find a passive construction in English.

IV. WIEDERHOLUNGSÜBUNGEN

A. *Read the following sentences (a) as simple conditions, by supplying the proper present indicative form of the verbs in parentheses, and (b) as contrary-to-fact conditions, by supplying the proper past subjunctive forms of the verbs in parentheses:*

PATTERN: Wenn es schön (sein), (gehen) ich: (a) Wenn es schön **ist, gehe** ich. (b) Wenn es schön **wäre, ginge** ich.

1. Wenn man nichts Besseres zu tun (haben), (können) man etwa die folgende Unterhaltung zwischen zwei Freunden erfinden: 2. „Was (tun) du, wenn ich dir tausend Mark (geben)?" 3. „Wenn ich tausend Mark von dir (bekommen), (werden) ich mir sofort ein Fernsehgerät kaufen." 4. „Es (gefallen) mir aber nicht, wenn du dir ein solches Gerät (kaufen). 5. Dann (finden) du keine Zeit mehr, mit mir Schach [1] zu spielen." 6. „Dir (sein) wohl ein Raumschiff lieber!" 7. „Selbstverständlich, denn dann (fahren) ich mit dir auf den Mond. 8. Dort (können) uns niemand beim Schachspielen stören."

B. *Read the following sentences as contrary-to-fact conditions in (a) present time and (b) past time:*

---

[1] **das Schach** chess.

PATTERN: (a) Wenn er **käme, würde** ich es ihm **sagen** (sagte ich es ihm).
(b) Wenn er **gekommen wäre, hätte** ich es ihm **gesagt** (würde ich es ihm **gesagt haben**).

1. Ich kann keine Post erwarten, wenn ich nicht selber schreibe. 2. Wenn ich Geld verdienen muß, arbeite ich im Sommer. 3. Wenn wir nach Europa gehen, werden wir die meiste Zeit in Deutschland verbringen. 4. Unsere Freunde holen uns sogar in Hamburg ab, wenn sie Zeit dazu haben. 5. Wenn ich Kleingeld brauche, lasse ich mir einen größeren Schein wechseln.

C. *Begin each of the following sentences with the **wenn**-clause:*

1. Ich werde dir oft schreiben, wenn du mir antwortest. 2. Diese Kinder würden mehr lesen, wenn sie keinen Fernsehapparat hätten. 3. Sie wüßten nicht, was sie tun sollten, wenn sie keinen Fernseher hätten. 4. Die Feuersgefahr ist geringer, wenn alle Gebäude aus Stein sind. 5. Unser Freund Hans wäre sehr traurig, wenn er Susan nicht mehr sehen könnte.

D. *Omit **wenn** in the following sentences, beginning each sentence with the verb:*

PATTERN: Wenn er es sagt, glaube ich es: **Sagt** er es, (dann) glaube ich es.

1. Wenn ich mehr lernte, wüßte ich mehr. 2. Wenn man keine Gelegenheit hat, Deutsch zu hören und zu sprechen, sollte man es mehr lesen. 3. Wenn es in Deutschland mehr Konserven gäbe, hätten die Hausfrauen weniger zu tun. 4. Wenn dieser Stoff nicht so teuer wäre, würde sie sich ein paar Meter davon kaufen. 5. Wenn einer höflich gefragt wird, soll er auch eine höfliche Antwort geben.

E. *Read the following sentences as indirect discourse, replacing the verbs in parentheses with the appropriate subjunctive forms:*

1. Die deutsche bildende Kunst, haben wir gelesen, (ist) im Ausland viel weniger bekannt als die deutsche Musik. 2. Besonders die deutsche Malerei (kennt) man wenig. 3. Die Deutschen selber freilich (haben) ihre Kunst immer sehr ernst genommen.

4. Der große deutsche Philologe Otto Behaghel schrieb, man (streitet) sich seit 200 Jahren darüber, ob man die sogenannte Antiqua oder die Fraktur gebrauchen (soll). 5. Er meinte, man (kann) mit der Antiqua schneller schreiben und lesen. 6. Die Fraktur (wurde) früher ganz allgemein in Europa gebraucht.

7. Unser Lehrer hat uns gesagt, er (hofft), daß dieses Buch uns Mut zur Fortführung unserer deutschen Studien gemacht (hat). 8. Er (erwartet) auch, sagte er, daß jeder seiner Schüler bald gut Deutsch sprechen (wird).

F. *Reread the following sentences, changing all active constructions to the passive:*

PATTERN: Er *singt* das Lied: Das Lied **wird** von ihm **gesungen.**

1. Goethe *schrieb* viele schöne Gedichte. 2. Kant *hat* die „Kritik der reinen Vernunft" *geschrieben.* 3. Fraunhofer *entdeckte* die nach ihm genannten Fraunhoferlinien. 4. Alexander von Humboldt *hat* viele Forschungsreisen *unternommen.* 5. Wer *gründete* das Deutsche Reich? 6. Hegel meinte, die Vernunft *regiere* die Welt.

G. *Reread the following sentences, eliminating the passive construction by using any appropriate substitute:*

PATTERN: *Es wird geglaubt* . . .: **Man glaubt** . . . / **Es läßt sich glauben** . . .

1. In Deutschland *wird* die Länge nach Metern *gemessen.* 2. *Wird* in der Schweiz viel Fußball *gespielt?* 3. Die Reise *konnte* schon damals *unternommen werden.* 4. Weihnachten *wird* überall in der westlichen Welt *gefeiert.* 5. Im Jahre 1848 *wurde* in Kalifornien Gold *entdeckt.* 6. *Es ist* uns schon oft *gesagt worden,* daß eine Sprache *geübt werden muß.*

H. *. . . Und zum Schluß noch einige Fragen, die Sie sich selber und anderen stellen können:*

a. Von wem ist *Faust* verfaßt worden? Halten Sie es mit Goethe, daß die Persönlichkeit der Menschen höchstes Glück sei? Welche deutschen Dichter und Denker sind Ihnen noch bekannt? Was hat Thomas Mann geschrieben? Haben Sie etwas von ihm gelesen? Kennen Sie ein Werk von Holbein? An welchen Holbein denken Sie, an den älteren oder den jüngeren? Welche deutschen Musiker sind weltberühmt? welche Forscher? Wofür ist Einstein berühmt?

b. Welches Maß- und Gewichtssystem gebraucht man in Europa? Wie wird nach diesem System die Länge gemessen? Wie weit ist es von München nach Berlin? Wie heißt die Einheit des Gewichts? Was ist die Maßeinheit für Wein, Milch oder Benzin? Wie viele Pfennig hat eine Mark? Wer weiß, wieviel eine Mark in amerikanischem Geld wert ist? Wie mißt man die Temperatur? Könnten Sie mir ausrechnen, wie warm 90° Fahrenheit in Deutschland ist?

c. Fühlen Sie den Mut in sich, Deutsch weiter zu studieren? Möchten Sie auch andere Sprachen, andere Länder und Völker studieren? Was würden Sie einem Freund raten, der eine Fremdsprache lernen will? Was müßte er vor allem tun? Meinen Sie nicht, daß gebildete Menschen wenigstens e i n e Fremdsprache sprechen sollten? — Nun hören Sie noch, was Goethe Ihnen rät:

,,Willst du ins Unendliche schreiten,
geh nur im Endlichen nach allen Seiten.''

APPENDIX I

Translation Exercises

Erste Stunde

1. This is the pencil; it is long. 2. That is the pen; it is also long. 3. What is that over there? Is it a notebook? 4. Who is that? That is Hans. He is not a teacher, he is a student. 5. Who are you? — I am a student; my name is Hilde. 6. Is this a pencil? No, this is not a pencil, this is a (piece of) chalk. 7. Where are you? We are here, that is, we are in the classroom. 8. The arm, the hand, the finger, and the foot are parts of the body. 9. Paper is often white, a blackboard is often black, and a table is often brown. 10. German and English are often similar; for example, "finger" is "Finger," "hand" is "Hand" in German.

Zweite Stunde

1. The bell rings at ten o'clock and the class begins at once. 2. The teacher comes and says "Good morning." 3. Then the teacher asks questions in German, and I answer at once. 4. Naturally I do not answer quickly, but very slowly. 5. You all do speak German here, don't you? Yes, we usually do speak German here. 6. A teacher teaches, a pupil learns, and a student studies. 7. There to the right are tables and chairs; they are low. 8. Are the sentences long or short? Are the examples easy or hard? 9. Berlin and Vienna are cities; they are large and beautiful. 10. The class is over now. Thank you and good-by!

Dritte Stunde

1. How are you? Fine, thanks, and you? 2. Today we are drawing; we like to draw, of course. 3. Now the teacher quickly draws a little man on the blackboard. 4. The lines are the hair, the circle is the nose, and here is the mouth. 5. First he draws a hat; then he draws an overcoat, gloves, and finally shoes. 6. How many pupils do you have? I usually have twenty, but today they are not all here yet. 7. Whom do you see here? Do you see me? Do you see us? Do you see him? 8. That is a map; do you see it? Here is a hat; do you see it? These are books; do you see them? 9. Pay attention, please! It is late already, and we have one more sentence. 10. Do you hear me well? Do you always answer correctly?

Vierte Stunde

1. Today the teacher brings a box into the room. 2. He puts the box on the table and opens it. 3. Then he says: "Pay attention, please!" 4. Then he plays a few records and we listen. 5. These exercises are very easy, aren't they? 6. Do you want to learn German? Do you like languages? 7. Hans is not an American, but Gretl is an American. 8. They are doing their homework; they have to work diligently. 9. Please repeat the numbers from one to twenty. 10. That is enough for today. Good-by!

Fünfte Stunde

1. Anna has no watch, but Hans usually wears a wrist watch. 2. Therefore she asks him: "What time is it?" 3. He says: "It is eleven minutes to nine, it is early yet." 4. So they sit down and wait. 5. The class begins at five minutes past nine. 6. The teacher often brings pictures for the children. 7. This classroom has only one blackboard. 8. Does Anna read German? Does she also like to speak German? 9. Some words are not at all easy, and one forgets them easily. 10. You are permitted to forget a few words. Only "practice makes perfect."

Sechste Stunde

1. Not all months have thirty-one days; some have thirty days. 2. Every year has twelve months and fifty-two weeks; every week has seven days; how many hours does a day have? 3. Do you have a car? Do you drive to school? 4. Who is coming around the corner there? Do you know him? 5. What sort of coffee is this? It is cold coffee, and I do not like cold coffee at all. 6. Old men are not always rich, but rich men are not always young. 7. Do you have a sister? Yes, and two brothers too. 8. The teacher often plays a few German records for us. We like good music. 9. English is as hard as German for many students; is that possible? 10. Do not fall asleep! The class is not over yet.

Siebte Stunde

1. Please speak clearly! Otherwise I can not understand your questions. 2. I have a good, well-behaved dog; do you have one too? 3. This afternoon we are taking a walk along the river. Do come too! 4. My cat likes to catch and eat mice, to be sure, but she is just an animal, after all. 5. The trees still have their

380

leaves; yet it is already November. 6. Her room is very pleasant; it has two large windows and its walls are blue. 7. Do you know his uncle and aunt? Their name is Schmidt. 8. She is wearing her coat; why aren't you wearing yours? 9. Our friend Hans hates (the) school, for he often has to study all evening. That is not possible! 10. He always eats his noon meal at home.

Erste Wiederholungsstunde

1. Please sit down and pay attention! Do not fall asleep! 2. The students are asking very intelligent questions about German schools. 3. It is not always easy to answer such questions. 4. Of course, not all students pass the examination; some fail and then they have to repeat the year. 5. Reading, writing, and arithmetic are all very important subjects, aren't they? 6. Our garden is beautiful now; do you have one too? 7. They like to hear records; their professor often plays a few for them. 8. It's already ten minutes to five; we have to go home, for our supper is waiting. 9. I intend to work all evening; I must translate these sentences yet. 10. What German proverbs do you remember? Do you want to hear a few more?

Achte Stunde

1. When did it become light this morning? Were you up already? 2. He brought the book for us, and we practiced the endings. 3. We waited twenty minutes, but our professor did not come. 4. They took their books and went home. 5. They liked to drink strong coffee without cream. 6. Did you see her yesterday? Where was she? What did she say? 7. She did not do anything; she sat there and kept still. 8. What was your brother studying all evening? — He was not studying; he was reading the Sunday paper. 9. We were singing so loudly, we did not hear the bell. 10. Did you fall asleep quickly last night? — I always fall asleep quickly.

Neunte Stunde

1. What book were you just reading? My German book, of course. 2. I did not know anything about the Grimm brothers, but I did know their beautiful fairy tales. 3. Did you see our old teacher yesterday? How does the old fellow look? 4. Here is a pretty post card and a stamp. Don't forget the name and the new address! 5. Many old cities have very narrow streets and interesting little shops.

6. What rooms does your new apartment have? It has a cozy living room, a small bedroom, and a very small kitchen. 7. The poor little boy was not allowed to say a word. 8. Carl Schurz loved political freedom; he became an American citizen. 9. The little girl wanted to go home right away. 10. Were you able to translate all these difficult sentences easily? — Of course!

Zehnte Stunde

1. We hear a lot of German from our German teacher. 2. Does this book belong to you? Please answer me at once! 3. Excuse me, but may I ask you: how long have you been living in Munich? — For a year. 4. In Germany school children often go to school by bicycle. 5. What is a motor scooter? — It is a low bicycle with small fat wheels and a little motor. 6. Her letter told us about the dangerous traffic in the city. 7. He gave the poor man some money, and the latter thanked him. 8. He does not want to go to the doctor, but he has to. 9. I can not afford an expensive hat; I can not spend so much money. 10. Please come home with me after class and help me; I have to do my German sentences.

Elfte Stunde

1. The teacher came into the room and sat down at his desk. 2. Where does Gretl come from? She comes from Germany. 3. Does she want to go back there in the winter? 4. Do you often shop in this store? Yes, the prices are low here. 5. What was he waiting for? For a streetcar; he had to wait for it a long time. 6. Where did you spend Saturday? At a beautiful lake in the mountains. 7. Where is your friend going? He is going to the country. With whom? 8. There are many flowers in the woods and on the meadows now. 9. There is usually snow on the peaks of high mountains. 10. We like to hike. It is good to be out in the fresh air.

Zwölfte Stunde

1. The endings of these words are not always easy, but don't worry; just study hard! 2. This student's car is very old, but he still drives to school with it. 3. We are looking forward very much to the concert. Are you looking forward to it too? 4. When does the opera begin? It begins at 5:30; they are giving Wagner's *Rheingold,* and it is very long. 5. It was only (**erst**) 11:45, but the little boy was hungry already. 6. The hair of little children is often blond, but later it usually turns brown. 7. The bicycles of the two boys were standing against a tree in front

of the house. 8. How did you get to know her? She is the sister of a friend of mine.
9. We can not swim in the lake yet because of the cold weather. 10. During the
day he has to work in his father's store, and in the evening he goes to school.

Dreizehnte Stunde

1. There were many clouds in the sky, but the sun was shining more warmly than
yesterday. 2. It thundered and lightened, and the wind blew ever stronger.
3. The weather is getting colder, so we must dress more warmly. 4. The highest
mountains in Europe are in the Alps. 5. A woman likes to put on her newest dress;
most men prefer to wear an older and more comfortable suit. 6. The happiness
of the parents lies in the happiness of their children. 7. One is never supposed
to drink a cold white wine with red meat. 8. He is exactly as stupid as I, but he
earns much more money! 9. Who in this class speaks German best? Who sings
loudest? 10. The shortest sentences are not always the easiest.

Zweite Wiederholungsstunde

1. Close the door! Sit down! Open your books, please! 2. He was not able to
do his assignment before class yesterday. 3. We have been living in this apartment for six months, and we like it very much. 4. Why is the soup in this restaurant always either too hot or too cold? Waiter! 5. Did your old friend go to
the concert? Did he enjoy himself? 6. The color of my new suit is brown. I wear
a green tie with it (**dazu**). 7. In the United States the autumn is the most beautiful
season of the year. 8. The dog followed his young master down to the lake, and
they played there for hours. 9. What is the name of the highest mountain in
Europe? Who knows the answer? 10. Do most Germans speak French? Perhaps
not most, but many German children study French and also English in school.

Vierzehnte Stunde

1. He drinks a lot of coffee and then he studies until he gets tired. 2. As soon as
he woke up at 6 o'clock this morning, he jumped out of bed and got dressed.
3. While he was boiling the eggs, he slowly counted aloud in German; for he had
no watch. 4. He quickly put his plate and his cup on the table, also his knife,
fork, and spoon. 5. Then he remembered that it was Saturday and that he did
not have any classes. 6. She was interested in the Italian language, for she wanted
to study music in Italy. 7. We took a walk in the woods yesterday morning

although it rained the whole night. 8. If seven times seven is forty-nine, forty-nine divided by seven is seven. 9. Since fruit and vegetables do not grow well in some areas of Germany, potatoes are very important. 10. You learn more if you listen and if you answer as often as possible.

Fünfzehnte Stunde

In the following sentences use the present perfect tense whenever possible:

1. Susan has begun to study German, but she has not said why. 2. I had not been able to see her for a whole week, for her mother had been sick. 3. It certainly was not my fault that we could not go to the concert together. 4. I told Susan I did not enjoy myself at all, but she did not believe me. 5. Yesterday it rained all morning; but at 12 o'clock Susan called me up, and then the sun came through the clouds. 6. We had not eaten our breakfast yet because I had forgotten to buy the bread and the eggs. 7. She had written him a letter, but he had not received it. 8. They had not seen the old city for years; it still looked very good. 9. Paul was very interested in football, and he explained the game to his friends. 10. Today we had to stop very early; see you soon!

Sechzehnte Stunde

Use the present perfect tense whenever possible!

1. No, we have not seen Paul; he has not been here. 2. Our young friend's name was Werner; he had grown up in the mountains of Switzerland. 3. What has become of him? We have not heard a word from him for years. 4. Perhaps he did not stay in the mountains at all; perhaps he has gone to America. 5. When did they leave from Montreal? When did they arrive in Hamburg? 6. His dog ran under a car yesterday. The poor little fellow did not suffer much; he died at once. 7. They drove to the country early this morning; they have not returned yet. 8. We jumped into the water at once. It was very warm, although the air had become cold. 9. I was sorry that you could not come. 10. It did not occur to him that it was Sunday.

Siebzehnte Stunde

1. In my opinion, the day will soon come when we will fly to the moon. 2. We only hope that we will be able to return to our good old earth again. 3. What are

you going to do to save enough money for your vacation? 4. Hans will have to buy tickets for the dance, for he wants to invite Susan. 5. He will have his hair cut, and he will put on his best blue suit. 6. Susan will go to the hairdresser's; later she will perhaps sit for an hour in front of a mirror, although she is young and pretty. 7. Will they eat in a restaurant first? Will they enjoy themselves? 8. Did you know this opera already? Did you know that the music was so beautiful? 9. I have the feeling that it is high time to stop now. 10. So I suggest that you go on reading for tomorrow.

Achtzehnte Stunde

1. The letter which came this morning was from my friend Marie. 2. It was a letter for which I had waited a long time. 3. Richard and Marie are two friends whose letters are always interesting. 4. The plane in (**mit**) which he is flying to Frankfurt am Main tonight will arrive there tomorrow afternoon already. 5. The traveler had already packed the bag which he was taking along. 6. The goal I have set for myself is: I want to speak the languages of the countries which I am going to visit. 7. Now it is your turn. May I see your passport, please? 8. The many-colored automobiles which we see on the street today almost all come from Detroit. 9. The pen with which I am writing does not belong to me; I forgot mine. 10. He put the money which he had earned in the afternoon in his pocket.

Neunzehnte Stunde

1. Good morning, dear friend! Please come with me, and we shall visit an elementary school in Germany. 2. The teacher is just saying: "Good morning, children! Please sit down and be quiet." 3. Heinz comes in late. "Why are you late, Heinz?" the teacher asks him. 4. "Excuse me, teacher," answers the little one, "I really don't know, but breakfast tasted so good to me this morning, and the weather is so beautiful." 5. The teacher smiles and says: "Sit down, Heinz. I will not punish you today, but next time nothing will help you."

We suggest that you first write the following sentences with **du**; *then with* **ihr**; *finally, with* **Sie**:

6. I see that you are wearing a coat and a hat today. 7. Have you brought your books along today? Please give me your homework now! 8. Please describe for us the American city that you know best! 9. Do you intend to write your friend a letter tonight? 10. Are you getting accustomed to the German language? Are you proud of your German?

Dritte Wiederholungsstunde

1. Many buildings in German cities are three hundred years old, or even older.
2. There also are many old palaces, castles, and ruins everywhere in Europe.
3. We have read about the differences between the cities in the United States and in Germany. 4. Germany today is no longer an empire, but a republic. 5. Why do the Germans have so many songs which sing of the spring? Can you guess? 6. The only river that flows from the west to the east is the Danube. 7. Hello, Thomas. Did you bring me a nice red apple today? 8. We listened, of course, but we could not understand her because she spoke so softly. 9. We know that the English language is exactly as old as German; the two languages belong to a single language family. 10. Although the two languages have developed differently, there still are very many related words in them.

Zwanzigste Stunde

1. Berlin, October 14, 1949. 2. July is the seventh month of the year, August the eighth. 3. Two thirds and three quarters are seventeen twelfths. 4. How many lectures have you heard today? This is the third; I have one more. 5. A novel and a "Novelle" are quite different, at least in German literature. 6. Schiller is the author of the well-known drama, *Die Räuber*. Have you seen it on the stage? 7. The only work written by Goethe that I know is the poem that begins: "Über allen Gipfeln ist Ruh'." 8. A folk song is a song sung by the people, whose author is not known. 9. Growing children need their sleep. 10. Bicycle riding is popular as a sport in Germany.

Einundzwanzigste Stunde

1. Most Americans do not celebrate Whitsuntide, but otherwise the German religious holidays are similar to ours. 2. In the south of Germany the peasants usually live together in villages; in the north there are more single farms. 3. A peasant is rich if he owns many geese, pigs, cows, and horses. 4. Many people come from the country to work in a factory. 5. Today there are many modern buildings of steel, aluminum, and glass in large cities everywhere. 6. What do you read first in the newspaper, the news, the editorials, or the ads?

In the following sentences, retain the same tense structure as in the English sentence, but use subjunctive forms for the italicized verbs in your German translation:

386

7. He said that iron *is* a more important metal than either gold or silver. 8. She said that she *had read* the magazine already and that I *might have* it. 9. If I *had* the time, I *would come.* 10. If they *were* only here! If they *had* only *known!*

Zweiundzwanzigste Stunde

1. Many German inventors, discoverers, and research scholars are now living in the United States. 2. When one is a member of a club, one usually has a vote. 3. What news do you have from your friend in Salzburg? None. When I get a letter, I'll tell you. 4. If I had a good camera, I could take better pictures. 5. If Columbus had not discovered the New World, somebody else would probably have done it. 6. I could learn German more quickly if I lived in Germany or Austria. 7. You would go to bed at once if you were really tired. 8. Would you eat an apple or a pear if I bought you one, Peter? 9. If only I had been able to find my German book before the examination! 10. I don't know what I ought to do. What would you suggest?

— *Now rewrite sentences 4, 5, and 9, omitting* **wenn.**

Dreiundzwanzigste Stunde

1. Our professor told us that Germany does not have any cotton or rubber. 2. They wanted to know which country was the oldest republic in the world today. 3. We thought that a democracy always had a president, but we had forgotten that England has a king or queen. 4. Did it strike you that almost every city hall in Germany has its own restaurant? 5. I had hoped that you would at least write me a post card. 6. She wrote us that she was coming back on (**mit**) the next ship because she had spent all her money. 7. He talked as if he had not enjoyed his trip to Switzerland at all, which is not true. 8. He asked me whether she was a citizen. 9. He promised that he would pay for the film if I brought my camera. 10. Let's read the sentences which we have translated.

— *Rewrite sentences 5, 6, and 9, omitting* **daß.**

Vierundzwanzigste Stunde

1. Radio reception in the evening is usually better than during the day, isn't it? 2. The window was closed by a student. The door was opened by the wind. 3. By whom was the telephone invented? 4. In a modern war there is much fighting in

the air.   5. We should have made peace much earlier.   6. This photo was taken by a friend of ours.   At least, he was a friend until the picture was taken.   7. Our new home is being built now, but the old one has already been sold.   8. This little country will never be ruled by an emperor.   9. I am amazed that our guest has not been given a better room.   10. Did you succeed with the translation of all these exercises?

Fünfundzwanzigste Stunde

1. How can one earn money best during the summer?   during the remaining seasons?   2. Money is easy to save if you have a good position and do not spend much.   3. He had to drop his plan to visit Europe in the spring.   4. It goes without saying that he would pick us up if he had a car.   5. She is having another new suit made for herself.   6. I have been invited by them; have you been invited too?   7. I'll have him called at once; please wait for us.   8. A person who does mental work gets just as tired as one who works physically.   9. It can not be assumed that students will study when they do not have to.   10. It pays to speak on every occasion if you want to learn a language.

Vierte Wiederholungsstunde

1. What day of the month is today?   I don't know, but it is the last day of the semester.   2. Fruit is usually sold by the kilo or by the pound.   3. How cold was it yesterday?   It was about ten degrees, but the sun was shining warmly.   4. When I need change, I have a bill changed, if I have a bill.   5. It is to be hoped that there will not be another war.   6. If you had been here, you would have met the poet personally.   7. There was dancing yesterday evening too.   I am sorry that I missed the program.   8. Christmas is celebrated every year on the twenty-fifth of December.   9. A good rain would make the grass grow.   My mother always claimed that children also grew when it rained.   10. Your success with German should give you the courage to study more languages.

388

APPENDIX II

A Summary of Forms

I. The conjugation of the verb

a. **haben (hat), hatte, gehabt** *to have:*

INDICATIVE   *SUBJUNCTIVE*

PRESENT

INDICATIVE	SUBJUNCTIVE
ich habe	ich, er, es, sie habe
er, es, sie hat	du habest
du hast	
wir, sie, Sie haben	wir, sie, Sie haben
ihr habt	ihr habet

PAST

INDICATIVE	SUBJUNCTIVE
ich, er, es, sie hatte	ich, er, es, sie hätte
du hattest	du hättest
wir, sie, Sie hatten	wir, sie, Sie hätten
ihr hattet	ihr hättet

PRESENT PERFECT

INDICATIVE	SUBJUNCTIVE
ich habe . . . gehabt	ich, er, es, sie habe . . . gehabt
er, es, sie hat . . . gehabt	du habest . . . gehabt
du hast . . . gehabt	
wir, sie, Sie haben . . . gehabt	wir, sie, Sie haben . . . gehabt
ihr habt . . . gehabt	ihr habet . . . gehabt

PAST PERFECT

INDICATIVE	SUBJUNCTIVE
ich, er, es, sie hatte . . . gehabt	ich, er, es, sie hätte . . . gehabt
du hattest . . . gehabt	du hättest . . . gehabt
wir, sie, Sie hatten . . . gehabt	wir, sie, Sie hätten . . . gehabt
ihr hattet . . . gehabt	ihr hättet . . . gehabt

INDICATIVE
SUBJUNCTIVE

FUTURE

INDICATIVE	SUBJUNCTIVE
ich werde . . . haben	ich, er, es, sie werde . . . haben
er, es, sie wird . . . haben	du werdest . . . haben
du wirst . . . haben	
wir, sie, Sie werden . . . haben	wir, sie, Sie werden . . . haben
ihr werdet . . . haben	ihr werdet . . . haben

FUTURE CONDITIONAL

ich, er, es, sie würde . . . haben
du würdest . . . haben

wir, sie, Sie würden . . . haben
ihr würdet . . . haben

FUTURE PERFECT

INDICATIVE	SUBJUNCTIVE
ich werde . . . gehabt haben	ich, er, es, sie werde . . . gehabt haben
er, es, sie wird . . . gehabt haben	du werdest . . . gehabt haben
du wirst . . . gehabt haben	
wir, sie, Sie werden . . . gehabt haben	wir, sie, Sie werden . . . gehabt haben
ihr werdet . . . gehabt haben	ihr werdet . . . gehabt haben

FUTURE PERFECT CONDITIONAL

ich, er, es, sie würde . . . gehabt haben
du würdest . . . gehabt haben

wir, sie, Sie würden . . . gehabt haben
ihr würdet . . . gehabt haben

FORMAL IMPERATIVE: haben Sie!
INFORMAL IMPERATIVES: habe! habt!

b. **sein (ist), war, ist gewesen** *to be:*

PRESENT

INDICATIVE	SUBJUNCTIVE
ich bin	ich, er, es, sie sei
er, es, sie ist	du seiest
du bist	
wir, sie, Sie sind	wir, sie, Sie seien
ihr seid	ihr seiet

INDICATIVE	*SUBJUNCTIVE*

PAST

ich, er, es, sie war	ich, er, es, sie wäre
du warst	du wärest
wir, sie, Sie waren	wir, sie, Sie wären
ihr wart	ihr wäret

PRESENT PERFECT

ich bin . . . gewesen	ich, er, es, sie sei . . . gewesen
er, es, sie ist . . . gewesen	du seiest . . . gewesen
du bist . . . gewesen	
wir, sie, Sie sind . . . gewesen	wir, sie, Sie seien . . . gewesen
ihr seid . . . gewesen	ihr seiet . . . gewesen

PAST PERFECT

ich, er, es, sie war . . . gewesen	ich, er, es, sie wäre . . . gewesen
du warst . . . gewesen	du wärest . . . gewesen
wir, sie, Sie waren . . . gewesen	wir, sie, Sie wären . . . gewesen
ihr wart . . . gewesen	ihr wäret . . . gewesen

FUTURE

ich werde . . . sein	ich, er, es, sie werde . . . sein
er, es, sie wird . . . sein	du werdest . . . sein
du wirst . . . sein	
wir, sie, Sie werden . . . sein	wir, sie, Sie werden . . . sein
ihr werdet . . . sein	ihr werdet . . . sein

FUTURE CONDITIONAL

	ich, er, es, sie würde . . . sein
	du würdest . . . sein
	wir, sie, Sie würden . . . sein
	ihr würdet . . . sein

FUTURE PERFECT

ich werde . . . gewesen sein	ich, er, es, sie werde . . . gewesen sein
er, es, sie wird . . . gewesen sein	du werdest . . . gewesen sein
du wirst . . . gewesen sein	
wir, sie, Sie werden . . . gewesen sein	wir, sie, Sie werden . . . gewesen sein
ihr werdet . . . gewesen sein	ihr werdet . . . gewesen sein

INDICATIVE   *SUBJUNCTIVE*

FUTURE PERFECT CONDITIONAL

ich, er, es, sie würde . . . gewesen sein
du würdest . . . gewesen sein

wir, sie, Sie würden . . . gewesen sein
ihr würdet . . . gewesen sein

FORMAL IMPERATIVE: seien Sie!
INFORMAL IMPERATIVES: sei! seid!

c. **werden (wird), wurde, ist geworden** *to become:*

PRESENT

ich werde   ich, er, es, sie werde
er, es, sie wird   du werdest
du wirst

wir, sie, Sie werden   wir, sie, Sie werden
ihr werdet   ihr werdet

PAST

ich, er, es, sie wurde   ich, er, es, sie würde
du wurdest   du würdest

wir, sie, Sie wurden   wir, sie, Sie würden
ihr wurdet   ihr würdet

PRESENT PERFECT

ich bin . . . geworden   ich, er, es, sie sei . . . geworden
er, es, sie ist . . . geworden   du seiest . . . geworden
du bist . . . geworden

wir, sie, Sie sind . . . geworden   wir, sie, Sie seien . . . geworden
ihr seid . . . geworden   ihr seiet . . . geworden

PAST PERFECT

ich, er, es, sie war . . . geworden   ich, er, es, sie wäre . . . geworden
du warst . . . geworden   du wärest . . . geworden

wir, sie, Sie waren . . . geworden   wir, sie, Sie wären . . . geworden
ihr wart . . . geworden   ihr wäret . . . geworden

392

INDICATIVE	*SUBJUNCTIVE*

FUTURE

ich werde . . . werden	ich, er, es, sie werde . . . werden
er, es, sie wird . . . werden	du werdest . . . werden
du wirst . . . werden	
wir, sie, Sie werden . . . werden	wir, sie, Sie werden . . . werden
ihr werdet . . . werden	ihr werdet . . . werden

FUTURE CONDITIONAL

ich, er, es, sie würde . . . werden
du würdest . . . werden

wir, sie, Sie würden . . . werden
ihr würdet . . . werden

FUTURE PERFECT

ich werde . . . geworden sein	ich, er, es, sie werde . . . geworden sein
er, es, sie wird . . . geworden sein	du werdest . . . geworden sein
du wirst . . . geworden sein	
wir, sie, Sie werden . . . geworden sein	wir, sie, Sie werden . . . geworden sein
ihr werdet . . . geworden sein	ihr werdet . . . geworden sein

FUTURE PERFECT CONDITIONAL

ich, er, es, sie würde . . . geworden sein
du würdest . . . geworden sein

wir, sie, Sie würden . . . geworden sein
ihr würdet . . . geworden sein

FORMAL IMPERATIVE: werden Sie!
INFORMAL IMPERATIVES: werde! werdet!

d. A regular verb — **sagen, sagte, gesagt** *to say:*

PRESENT

ich sage	ich, er, es, sie sage
er, es, sie sagt	du sagest
du sagst	
wir, sie, Sie sagen	wir, sie, Sie sagen
ihr sagt	ihr saget

INDICATIVE	*SUBJUNCTIVE*

PAST

ich, er, es, sie sagte	ich, er, es, sie sagte
du sagtest	du sagtest
wir, sie, Sie sagten	wir, sie, Sie sagten
ihr sagtet	ihr sagtet

PRESENT PERFECT

ich habe . . . gesagt	ich, er, es, sie habe . . . gesagt
er, es, sie hat . . . gesagt	du habest . . . gesagt
du hast . . . gesagt	
wir, sie, Sie haben . . . gesagt	wir, sie, Sie haben . . . gesagt
ihr habt . . . gesagt	ihr habet . . . gesagt

PAST PERFECT

ich, er, es, sie hatte . . . gesagt	ich, er, es, sie hätte . . . gesagt
du hattest . . . gesagt	du hättest . . . gesagt
wir, sie, Sie hatten . . . gesagt	wir, sie, Sie hätten . . . gesagt
ihr hattet . . . gesagt	ihr hättet . . . gesagt

FUTURE

ich werde . . . sagen	ich, er, es, sie werde . . . sagen
er, es, sie wird . . . sagen	du werdest . . . sagen
du wirst . . . sagen	
wir, sie, Sie werden . . . sagen	wir, sie, Sie werden . . . sagen
ihr werdet . . . sagen	ihr werdet . . . sagen

FUTURE CONDITIONAL

	ich, er, es, sie würde . . . sagen
	du würdest . . . sagen
	wir, sie, Sie würden . . . sagen
	ihr würdet . . . sagen

FUTURE PERFECT

ich werde . . . gesagt haben	ich, er, es, sie werde . . . gesagt haben
er, es, sie wird . . . gesagt haben	du werdest . . . gesagt haben
du wirst . . . gesagt haben	
wir, sie, Sie werden . . . gesagt haben	wir, sie, Sie werden . . . gesagt haben
ihr werdet . . . gesagt haben	ihr werdet . . . gesagt haben

INDICATIVE	*SUBJUNCTIVE*

FUTURE PERFECT CONDITIONAL

	ich, er, es, sie würde . . . gesagt haben du würdest . . . gesagt haben
	wir, sie, Sie würden . . . gesagt haben ihr würdet . . . gesagt haben

FORMAL IMPERATIVE: sagen Sie!
INFORMAL IMPERATIVES: sage! sagt!

e. An irregular verb — **geben** (**gibt**), **gab**, **gegeben** *to give:*

PRESENT

ich gebe er, es, sie gibt du gibst	ich, er, es, sie gebe du gebest
wir, sie, Sie geben ihr gebt	wir, sie, Sie geben ihr gebet

PAST

ich, er, es, sie gab du gabst	ich, er, es, sie gäbe du gäbest
wir, sie, Sie gaben ihr gabt	wir, sie, Sie gäben ihr gäbet

PRESENT PERFECT

ich habe . . . gegeben er, es, sie hat . . . gegeben du hast . . . gegeben	ich, er, es, sie habe . . . gegeben du habest . . . gegeben
wir, sie, Sie haben . . . gegeben ihr habt . . . gegeben	wir, sie, Sie haben . . . gegeben ihr habet . . . gegeben

PAST PERFECT

ich, er, es, sie hatte . . . gegeben du hattest . . . gegeben	ich, er, es, sie hätte . . . gegeben du hättest . . . gegeben
wir, sie, Sie hatten . . . gegeben ihr hattet . . . gegeben	wir, sie, Sie hätten . . . gegeben ihr hättet . . . gegeben

395

INDICATIVE	*SUBJUNCTIVE*

FUTURE

ich werde . . . geben	ich, er, es, sie werde . . . geben
er, es, sie wird . . . geben	du werdest . . . geben
du wirst . . . geben	
wir, sie, Sie werden . . . geben	wir, sie, Sie werden . . . geben
ihr werdet . . . geben	ihr werdet . . . geben

FUTURE CONDITIONAL

ich, er, es, sie würde . . . geben
du würdest . . . geben

wir, sie, Sie würden . . . geben
ihr würdet . . . geben

FUTURE PERFECT

ich werde . . . gegeben haben	ich, er, es, sie werde . . . gegeben haben
er, es, sie wird . . . gegeben haben	du werdest . . . gegeben haben
du wirst . . . gegeben haben	
wir, sie, Sie werden . . . gegeben haben	wir, sie, Sie werden . . . gegeben haben
ihr werdet . . . gegeben haben	ihr werdet . . . gegeben haben

FUTURE PERFECT CONDITIONAL

ich, er, es, sie würde . . . gegeben haben
du würdest . . . gegeben haben

wir, sie, Sie würden . . . gegeben haben
ihr würdet . . . gegeben haben

FORMAL IMPERATIVE: geben Sie!
INFORMAL IMPERATIVES: gib! gebt!

f. The passive — **gesehen werden** *to be seen:*

PRESENT

ich werde . . . gesehen	ich, er, es, sie werde . . . gesehen
er, es, sie wird . . . gesehen	du werdest . . . gesehen
du wirst . . . gesehen	
wir, sie, Sie werden . . . gesehen	wir, sie, Sie werden . . . gesehen
ihr werdet . . . gesehen	ihr werdet . . . gesehen

INDICATIVE	*SUBJUNCTIVE*

PAST

ich, er, es, sie wurde . . . gesehen	ich, er, es, sie würde . . . gesehen
du wurdest . . . gesehen	du würdest . . . gesehen
wir, sie, Sie wurden . . . gesehen	wir, sie, Sie würden . . . gesehen
ihr wurdet . . . gesehen	ihr würdet . . . gesehen

PRESENT PERFECT

ich bin . . . gesehen worden	ich, er, es, sie sei . . . gesehen worden
er, es, sie ist . . . gesehen worden	du seiest . . . gesehen worden
du bist . . . gesehen worden	
wir, sie, Sie sind . . . gesehen worden	wir, sie, Sie seien . . . gesehen worden
ihr seid . . . gesehen worden	ihr seiet . . . gesehen worden

PAST PERFECT

ich, er, es, sie war . . . gesehen worden	ich, er, es, sie wäre . . . gesehen worden
du warst . . . gesehen worden	du wärest . . . gesehen worden
wir, sie, Sie waren . . . gesehen worden	wir, sie, Sie wären . . . gesehen worden
ihr wart . . . gesehen worden	ihr wäret . . . gesehen worden

FUTURE

ich werde . . . gesehen werden	ich, er, es, sie werde . . . gesehen werden
er, es, sie wird . . . gesehen werden	du werdest . . . gesehen werden
du wirst . . . gesehen werden	
wir, sie, Sie werden . . . gesehen werden	wir, sie, Sie werden . . . gesehen werden
ihr werdet . . . gesehen werden	ihr werdet . . . gesehen werden

FUTURE CONDITIONAL

	ich, er, es, sie würde . . . gesehen werden
	du würdest . . . gesehen werden
	wir, sie, Sie würden . . . gesehen werden
	ihr würdet . . . gesehen werden

FUTURE PERFECT [1]

ich werde . . . gesehen worden sein	ich, er, es, sie werde . . . gesehen worden sein
er, es, sie wird . . . gesehen worden sein	du werdest . . . gesehen worden sein
du wirst . . . gesehen worden sein	
wir, sie, Sie werden . . . gesehen worden sein	wir, sie, Sie werden . . . gesehen worden sein
ihr werdet . . . gesehen worden sein	ihr werdet . . . gesehen worden sein

[1] The forms of the Future Perfect and the Future Perfect Conditional are extremely rare in the passive.

SUBJUNCTIVE (*cont.*)

FUTURE PERFECT CONDITIONAL [1]

ich, er, es, sie würde . . . gesehen worden sein
du würdest . . . gesehen worden sein

wir, sie, Sie würden . . . gesehen worden sein
ihr würdet . . . gesehen worden sein

g. The present and past of the modal auxiliaries and **wissen**:

PRESENT INDICATIVE

| ich, er, es, sie | darf | kann | mag | muß | soll | will | weiß |
| du | darfst | kannst | magst | mußt | sollst | willst | weißt |

| wir, sie, Sie | dürfen | können | mögen | müssen | sollen | wollen | wissen |
| ihr | dürft | könnt | mögt | müßt | sollt | wollt | wißt |

PRESENT SUBJUNCTIVE

| ich, er, es, sie | dürfe | könne | möge | müsse | solle | wolle | wisse |
| du | dürfest | könnest | mögest | müssest | sollest | wollest | wissest |

| wir, sie, Sie | dürfen | können | mögen | müssen | sollen | wollen | wissen |
| ihr | dürfet | könnet | möget | müsset | sollet | wollet | wisset |

PAST INDICATIVE

| ich, er, es, sie | durfte | konnte | mochte | mußte | sollte | wollte | wußte |
| du | durftest | konntest | mochtest | mußtest | solltest | wolltest | wußtest |

| wir, sie, Sie | durften | konnten | mochten | mußten | sollten | wollten | wußten |
| ihr | durftet | konntet | mochtet | mußtet | solltet | wolltet | wußtet |

PAST SUBJUNCTIVE

| ich, er, es, sie | dürfte | könnte | möchte | müßte | sollte | wollte | wüßte |
| du | dürftest | könntest | möchtest | müßtest | solltest | wolltest | wüßtest |

| wir, sie, Sie | dürften | könnten | möchten | müßten | sollten | wollten | wüßten |
| ihr | dürftet | könntet | möchtet | müßtet | solltet | wolltet | wüßtet |

[1] See footnote 1, page 397.

II. The principal parts of the most common irregular verbs [1]

INFINITIVE	3RD SING. PRESENT	1ST & 3RD SING. PAST	PERFECT PARTICIPLE	1ST & 3RD SING. PAST SUBJ.

A. *Verbs with the same vowel in the infinitive and perfect participle*

INFINITIVE	3RD SING. PRESENT	1ST & 3RD SING. PAST	PERFECT PARTICIPLE	1ST & 3RD SING. PAST SUBJ.
essen, *eat*	ißt	aß	gegessen	äße
fressen, *eat* (of animals)	frißt	fraß	gefressen	fräße
geben, *give*	gibt	gab	gegeben	gäbe
geschehen, *happen*	geschieht	geschah	ist geschehen	geschähe
lesen, *read*	liest	las	gelesen	läse
messen, *measure*	mißt	maß	gemessen	mäße
sehen, *see*	sieht	sah	gesehen	sähe
treten, *step; walk*	tritt	trat	ist getreten	träte
vergessen, *forget*	vergißt	vergaß	vergessen	vergäße
fahren, *ride; go*	fährt	fuhr	ist gefahren	führe
laden, *load*	lädt	lud	geladen	lüde
schlagen, *beat; strike*	schlägt	schlug	geschlagen	schlüge
tragen, *carry; wear*	trägt	trug	getragen	trüge
wachsen, *grow*	wächst	wuchs	ist gewachsen	wüchse
waschen, *wash*	wäscht	wusch	gewaschen	wüsche
empfangen, *receive*	empfängt	empfing	empfangen	empfinge
fallen, *fall*	fällt	fiel	ist gefallen	fiele
fangen, *catch*	fängt	fing	gefangen	finge
gefallen, *please*	gefällt	gefiel	gefallen	gefiele
halten, *hold*	hält	hielt	gehalten	hielte
lassen, *let; allow*	läßt	ließ	gelassen	ließe
raten, *advise; guess*	rät	riet	geraten	riete
schlafen, *sleep*	schläft	schlief	geschlafen	schliefe
heißen, *be called*	heißt	hieß	geheißen	hieße
kommen, *come*	kommt	kam	ist gekommen	käme
laufen, *run*	läuft	lief	ist gelaufen	liefe
rufen, *call*	ruft	rief	gerufen	riefe

[1] Where two forms are given, they are of about equal standing. Forms that occur only in specific structures and forms of regional or less frequent usage are not included. Only one or two of the major meanings are listed for each verb.

INFINITIVE	3RD SING. PRESENT	1ST & 3RD SING. PAST	PERFECT PARTICIPLE	1ST & 3RD SING. PAST SUBJ.

B. *Verbs with the same vowel in the past tense and perfect participle*

beißen, *bite*	beißt	biß	gebissen	bisse
bleiben, *stay*	bleibt	blieb	ist geblieben	bliebe
leiden, *suffer*	leidet	litt	gelitten	litte
reiten, *ride* (on an animal)	reitet	ritt	ist geritten	ritte
scheinen, *shine*	scheint	schien	geschienen	schiene
schneiden, *cut*	schneidet	schnitt	geschnitten	schnitte
schreiben, *write*	schreibt	schrieb	geschrieben	schriebe
schreien, *shout*	schreit	schrie	geschrieen	schriee
schreiten, *stride; step*	schreitet	schritt	ist geschritten	schritte
schweigen, *be silent*	schweigt	schwieg	geschwiegen	schwiege
steigen, *climb*	steigt	stieg	ist gestiegen	stiege
streiten, *fight*	streitet	stritt	gestritten	stritte
treiben, *drive; engage in*	treibt	trieb	getrieben	triebe
unterscheiden, *distinguish*	unterscheidet	unterschied	unterschieden	unterschiede
verzeihen, *forgive*	verzeiht	verzieh	verziehen	verziehe

biegen, *bend*	biegt	bog	gebogen	böge
bieten, *offer*	bietet	bot	geboten	böte
fliegen, *fly*	fliegt	flog	ist geflogen	flöge
fliehen, *flee*	flieht	floh	ist geflohen	flöhe
fließen, *flow*	fließt	floß	ist geflossen	flösse
frieren, *freeze; be cold*	friert	fror	gefroren	fröre
gießen, *pour*	gießt	goß	gegossen	gösse
riechen, *smell*	riecht	roch	gerochen	röche
schießen, *shoot*	schießt	schoß	geschossen	schösse
schließen, *close*	schließt	schloß	geschlossen	schlösse
verlieren, *lose*	verliert	verlor	verloren	verlöre
wiegen, *weigh*	wiegt	wog	gewogen	wöge
ziehen, *pull*	zieht	zog	gezogen	zöge

lügen, *tell a lie*	lügt	log	gelogen	löge

stehen, *stand*	steht	stand	gestanden	stünde/ stände
verstehen, *understand*	versteht	verstand	verstanden	verstünde/ verstände

INFINITIVE	3RD SING. PRESENT	1ST & 3RD SING. PAST	PERFECT PARTICIPLE	1ST & 3RD SING. PAST SUBJ.
C. *Verbs with a progressive vowel change*				
binden, *bind; tie*	bindet	band	gebunden	bände
empfinden, *feel*	empfindet	empfand	empfunden	empfände
finden, *find*	findet	fand	gefunden	fände
gelingen, *succeed*	gelingt	gelang	ist gelungen	gelänge
klingen, *sound*	klingt	klang	geklungen	klänge
singen, *sing*	singt	sang	gesungen	sänge
sinken, *sink*	sinkt	sank	ist gesunken	sänke
springen, *jump; leap*	springt	sprang	ist gesprungen	spränge
trinken, *drink*	trinkt	trank	getrunken	tränke
verschwinden, *disappear*	verschwindet	verschwand	ist verschwunden	verschwände
beginnen, *begin*	beginnt	begann	begonnen	begönne/ begänne
schwimmen, *swim*	schwimmt	schwamm	ist geschwommen	schwömme
brechen, *break*	bricht	brach	gebrochen	bräche
gelten, *be valid; be worth*	gilt	galt	gegolten	gälte
helfen, *help*	hilft	half	geholfen	hülfe
nehmen, *take*	nimmt	nahm	genommen	nähme
sprechen, *speak*	spricht	sprach	gesprochen	spräche
sterben, *die*	stirbt	starb	ist gestorben	stürbe
treffen, *hit; meet*	trifft	traf	getroffen	träfe
werfen, *throw*	wirft	warf	geworfen	würfe
bitten, *ask; beg*	bittet	bat	gebeten	bäte
liegen, *lie; be situated*	liegt	lag	gelegen	läge
sitzen, *sit*	sitzt	saß	gesessen	säße
gehen, *go; walk*	geht	ging	ist gegangen	ginge
D. *Hybrids: Verbs with regular endings that show a vowel change*				
brennen, *burn*	brennt	brannte	gebrannt	brennte
kennen, *know*	kennt	kannte	gekannt	kennte
nennen, *name*	nennt	nannte	genannt	nennte
rennen, *run*	rennt	rannte	ist gerannt	rennte
senden, *send*	sendet	sandte/ sendete	gesandt/ gesendet	sendete
wenden, *turn*	wendet	wandte/ wendete	gewandt/ gewendet	wendete
bringen, *bring*	bringt	brachte	gebracht	brächte
denken, *think*	denkt	dachte	gedacht	dächte

401

INFINITIVE	3RD SING. PRESENT	1ST & 3RD SING. PAST	PERFECT PARTICIPLE	1ST & 3RD SING. PAST SUBJ.

E. *Modal Auxiliaries and* **wissen**

INFINITIVE				
dürfen, *be permitted; may*	darf	durfte	gedurft	dürfte
können, *be able; can*	kann	konnte	gekonnt	könnte
mögen, *like; may*	mag	mochte	gemocht	möchte
müssen, *be obliged; must*	muß	mußte	gemußt	müßte
sollen, *be supposed to; should*	soll	sollte	gesollt	sollte
wollen, *want to; intend to*	will	wollte	gewollt	wollte
wissen, *know*	weiß	wußte	gewußt	wüßte

F. *Special verbs*

haben, *have*	hat	hatte	gehabt	hätte
sein, *be*	ist	war	ist gewesen	wäre
tun, *do; make*	tut	tat	getan	täte
werden, *become*	wird	wurde	ist geworden	würde

III. The declension of the noun

a. Nouns which have –, ⸚ in the plural:

SINGULAR

Nom.	der Garten	das Messer	das Mädchen	die Mutter
Acc.	den Garten	das Messer	das Mädchen	die Mutter
Dat.	dem Garten	dem Messer	dem Mädchen	der Mutter
Gen.	des Gartens	des Messers	des Mädchens	der Mutter

PLURAL

Nom.	die Gärten	die Messer	die Mädchen	die Mütter
Acc.	die Gärten	die Messer	die Mädchen	die Mütter
Dat.	den Gärten	den Messern	den Mädchen	den Müttern
Gen.	der Gärten	der Messer	der Mädchen	der Mütter

b. Nouns which have –**e**, ⸚**e** in the plural:

SINGULAR

Nom.	der Tag	das Jahr	die Nacht	der Monat
Acc.	den Tag	das Jahr	die Nacht	den Monat
Dat.	dem Tag(e)	dem Jahr(e)	der Nacht	dem Monat
Gen.	des Tag(e)s	des Jahr(e)s	der Nacht	des Monats

PLURAL

Nom.	die Tage	die Jahre	die Nächte	die Monate
Acc.	die Tage	die Jahre	die Nächte	die Monate
Dat.	den Tagen	den Jahren	den Nächten	den Monaten
Gen.	der Tage	der Jahre	der Nächte	der Monate

c. Nouns which have –er, ⸗er in the plural:

SINGULAR   PLURAL

Nom.	das Kind	der Wald	die Kinder	die Wälder
Acc.	das Kind	den Wald	die Kinder	die Wälder
Dat.	dem Kind(e)	dem Wald(e)	den Kindern	den Wäldern
Gen.	des Kindes	des Wald(e)s	der Kinder	der Wälder

d. **Die**-nouns which have –en (–n, –nen) in the plural:

SINGULAR

Nom.	die Karte	die Zeit	die Freundin
Acc.	die Karte	die Zeit	die Freundin
Dat.	der Karte	der Zeit	der Freundin
Gen.	der Karte	der Zeit	der Freundin

PLURAL

Nom.	die Karten	die Zeiten	die Freundinnen
Acc.	die Karten	die Zeiten	die Freundinnen
Dat.	den Karten	den Zeiten	den Freundinnen
Gen.	der Karten	der Zeiten	der Freundinnen

e. A few **der**-nouns have –en (–n) in all forms except the nominative singular:

SINGULAR

Nom.	der Mensch	der Junge	der Student	der Herr
Acc.	den Menschen	den Jungen	den Studenten	den Herrn
Dat.	dem Menschen	dem Jungen	dem Studenten	dem Herrn
Gen.	des Menschen	des Jungen	des Studenten	des Herrn

403

PLURAL

Nom.	die Menschen	die Jungen	die Studenten	die Herren
Acc.	die Menschen	die Jungen	die Studenten	die Herren
Dat.	den Menschen	den Jungen	den Studenten	den Herren
Gen.	der Menschen	der Jungen	der Studenten	der Herren

f. A few **der**-nouns and **das**-nouns have –s (–es) in the genitive singular and –en (–n) throughout the plural:

SINGULAR

Nom.	der See	der Staat	der Doktor	das Auge
Acc.	den See	den Staat	den Doktor	das Auge
Dat.	dem See	dem Staat(e)	dem Doktor	dem Auge
Gen.	des Sees	des Staat(e)s	des Doktors	des Auges

PLURAL

Nom.	die Seen	die Staaten	die Doktoren	die Augen
Acc.	die Seen	die Staaten	die Doktoren	die Augen
Dat.	den Seen	den Staaten	den Doktoren	den Augen
Gen.	der Seen	der Staaten	der Doktoren	der Augen

g. A few **der**-nouns and **das**-nouns show variations from the above patterns:

SINGULAR

Nom.	der Name(n)	das Herz	das Studium	das Geheimnis
Acc.	den Namen	das Herz	das Studium	das Geheimnis
Dat.	dem Namen	dem Herzen	dem Studium	dem Geheimnis
Gen.	des Namens	des Herzens	des Studiums	des Geheimnisses

PLURAL

Nom.	die Namen	die Herzen	die Studien	die Geheimnisse
Acc.	die Namen	die Herzen	die Studien	die Geheimnisse
Dat.	den Namen	den Herzen	den Studien	den Geheimnissen
Gen.	der Namen	der Herzen	der Studien	der Geheimnisse

IV. The declensional endings of *dieser*-words, *ein*-words, and adjectives

a. Dieser-words — dieser; jeder; jener; mancher; solcher; welcher:

	SINGULAR			PLURAL
	with **der**-*nouns*	*with* **das**-*nouns*	*with* **die**-*nouns*	*with all nouns*
Nom.	dieser Tag	dieses Haus	diese Stadt	diese Leute
Acc.	diesen Tag	dieses Haus	diese Stadt	diese Leute
Dat.	diesem Tag(e)	diesem Haus(e)	dieser Stadt	diesen Leuten
Gen.	dieses Tag(e)s	dieses Hauses	dieser Stadt	dieser Leute

b. Ein-words — **ein, kein,** and the possessive adjectives have the same endings as **dieser** except:

	SINGULAR	
	with **der**-*nouns*	*with* **das**-*nouns*
	Nom. ein Freund	*Nom. & Acc.* ein Buch

c. Unpreceded adjective endings — adjectives not preceded by a definite article, **dieser**-word, or by an inflected form of an **ein**-word have the same endings as **dieser**:

	SINGULAR			PLURAL
	with **der**-*nouns*	*with* **das**-*nouns*	*with* **die**-*nouns*	*with all nouns*
Nom.	guter Wein ein guter Freund	kaltes Wasser ein neues Buch	rote Tinte	alte Leute
Acc.	guten Wein	kaltes Wasser ein neues Buch	rote Tinte	alte Leute
Dat.	gutem Wein(e)	kaltem Wasser	roter Tinte	alten Leuten
Gen.	(guten Wein(e)s)	(kalten Wassers)	roter Tinte	alter Leute

d. Preceded adjective endings — adjectives preceded by a definite article, **dieser**-word, or by an inflected form of an **ein**-word:

	SINGULAR			PLURAL
	with **der**-*nouns*	*with* **das**-*nouns*	*with* **die**-*nouns*	*with all nouns*
Nom.	der schöne Tag	das rote Buch	die lange Stunde	die guten Leute
Acc.	den schönen Tag	das rote Buch	die lange Stunde	die guten Leute
Dat.	dem schönen Tag(e)	dem roten Buch(e)	der langen Stunde	den guten Leuten
Gen.	des schönen Tag(e)s	des roten Buch(e)s	der langen Stunde	der guten Leute

V. The declension of pronouns

a. The personal pronoun:

	SINGULAR					PLURAL			
Nom.	ich	er	es	sie	du	wir	sie	Sie	ihr
Acc.	mich	ihn	es	sie	dich	uns	sie	Sie	euch
Dat.	mir	ihm	ihm	ihr	dir	uns	ihnen	Ihnen	euch
Gen.	(meiner)	(seiner)	(seiner)	(ihrer)	(deiner)	(unser)	(ihrer)	(Ihrer)	(euer)

b. The relative pronoun:

	SINGULAR			PLURAL
referring to:	**der**-*nouns*	**das**-*nouns*	**die**-*nouns*	*all nouns*
Nom.	der; welcher	das; welches	die; welche	die; welche
Acc.	den; welchen	das; welches	die; welche	die; welche
Dat.	dem; welchem	dem; welchem	der; welcher	denen; welchen
Gen.	dessen	dessen	deren	deren

c. The interrogative pronoun:

	SINGULAR	
	(*who?*)	(*what?*)
Nom.	wer?	was?
Acc.	wen?	was?
Dat.	wem?	(wobei? womit? usw.)
Gen.	wessen?	(wovon?)

VOCABULARY

About the Vocabulary

NOUNS: The nominative singular, genitive singular, and nominative plural of **der**-nouns and **das**-nouns are given. No genitive singular is given for **die**-nouns.

Only the most common **die**-nouns ending in –**in** are given since these nouns can be readily formed from the corresponding **der**-nouns.

VERBS: Only the infinitive is given for regular verbs. The principal parts of irregular verbs are given as follows: **nehmen** (infinitive); **nimmt** (third singular, present tense, given only if it is irregular); **nahm** (first and third singular, past tense); **genommen** (perfect participle).

Verbs with a separable prefix are given with a hyphen: **aus-gehen.**

Verbs which use the auxiliary **sein** in the perfect tenses are marked (**s**); if their principal parts are listed, the perfect participle is given with **ist**: **ist gekommen.**

ADJECTIVES: The comparative and superlative forms of the adjective are given only if some change or irregularity occurs: **alt, älter, ältest-.** — A dash at the end of a word indicates that the form listed never occurs as such, but always with the appropriate ending.

STRESS MARKS: A stress mark is used after the syllable having the principal stress whenever a word is not stressed on the first syllable: **Student', studie'ren.**

ABBREVIATIONS:

acc.	accusative	*interr. pron.*	interrogative pronoun
adj.	adjective	*inv.*	invariable
adj. n.	adjectival noun	*nom.*	nominative
adv.	adverb	*pers. pron.*	personal pronoun
coord. conj.	coordinating conjunction	*poss. adj.*	possessive adjective
dat.	dative	*prep.*	preposition
def. art.	definite article	*rel. pron.*	relative pronoun
dem. pron.	demonstrative pronoun	*sing.*	singular
gen.	genitive	*sub. conj.*	subordinating conjunction
indef. art.	indefinite article	*usw.*	etc.

408

GERMAN-ENGLISH VOCABULARY

A

ab off; **ab und zu** now and then

ab-brechen (bricht ab), brach ab, abgebrochen to break off

der **Abend, –s, –e** evening; **am Abend** in the evening; **abends** in the evening; evenings

das **Abendessen, –s, –** evening meal

aber *coord. conj.* but; however

ab-fahren (fährt ab), fuhr ab, ist abgefahren to ride off; drive off; leave

ab-holen to call for; fetch

das **Abitur', –s, –e** end examination (*of the "Gymnasium"*)

ab-nehmen (nimmt ab), nahm ab, abgenommen to take off

ab-reisen (s) to leave on a trip; depart; die **Abreise** departure

ab-schließen, schloß ab, abgeschlossen to lock

der **Abschluß, –schlusses, –schlüsse** conclusion

ab-senden, sandte ab (sendete ab), abgesandt (abgesendet) to send off; send away; der **Absender (Abs.), –s, –** sender; remitter; "from"

die **Absicht, –en** intention

ab-stimmen to vote

abstrakt' abstract

absurd' absurd

ach! oh! oh dear! alas!

acht eight; der **achte** *usw.* eighth

acht: sich (*acc.*) in acht nehmen (nimmt sich in acht), nahm sich in acht, sich in acht genommen to watch out; take care

achten to esteem

acht-geben (gibt acht), gab acht, achtgegeben (auf / *acc.*) to pay attention (to)

achtzehn eighteen; der **achtzehnte** *usw.* eighteenth

achtzig eighty

die **Adres'se, –n** address

ähnlich similar; die **Ähnlichkeit, –en** similarity

der **Akade'miker, –s, –** person with university education

akzeptie'ren to accept

all all; **vor allem** above all

allein' *adv.* alone; only; *coord. conj.* but; only

allerdings' to be sure; at any rate

der **allergröße** *usw.* greatest (of all)

allerlei all sorts of

(das) **Allgäu, –s** southwestern German alpine region

allgemein general; common; **im allgemeinen** in general

die **Alpen** (*plural*) Alps

als *sub. conj.* when; as; (*in comparisons*) than; **als ob, als wenn** as though; as if

also so; thus; then; therefore; well, then

alt, älter, ältest– old

das **Alumi'nium, –s** aluminum

(das) **Ame'rika, –s** America; der **Amerika'ner, –s, –** American; **amerika'nisch** *adj.* American

an *prep. / dat. or acc.* at; on; up against

an-bieten, bot an, angeboten to offer

der **andere** *usw.* other; **anders** otherwise; differently

ändern to change

anderswo any place else, elsewhere

an-fangen (fängt an), fing an, angefangen to begin; der **Anfang, –s, –̈e** beginning; **anfangs** at first; in the beginning; der **Anfänger, –s, –** beginner

an-gehen, ging an, angegangen to concern

die **Angelegenheit, –en** affair, matter

angenehm pleasant

die **Angst, –̈e** anxiety; worry; **Angst haben (vor / *dat.*)** to be worried; be scared (of)

an-kommen, kam an, ist angekommen to arrive

die **Ankunft** arrival

an-nehmen (nimmt an), nahm an, ange-nommen to accept; assume

an-reden to address; speak to; die **Anrede** address; salutation (*in a letter*)

an-rufen, rief an, angerufen to call up, telephone

an-sammeln to collect

an-schauen to look at

an-schließen, schloß an, angeschlossen (**an** / *acc.*) to join (to); connect (with)

an-sehen (sieht an), sah an, angesehen to look at; recognize at one glance; **sich** (*dat.*) **an-sehen** to look over; view, inspect

anstatt' *prep.* / *gen.* instead of

die **Anti'qua** Roman type

das **Antlitz, –es, –e** face

antworten (*dat.*) to answer (*someone*); (**auf** / *acc.*) reply (*to a question*); die **Antwort, –en** answer

die **Anwesenheit** presence; stay

die **Anzeige, –n** notice; advertisement

an-ziehen, zog an, angezogen to put on; dress; **sich** (*acc.*) **an-ziehen** to get dressed

der **Anzug, –(e)s, ̈e** (man's) suit

an-zünden to light, ignite

der **Apfel, –s, ̈** apple

der **Apparat', –s, –e** apparatus; appliance

der **Appetit', –s** appetite

der **April', (–s), –e** April

arbeiten to work; die **Arbeit, –en** work; task

der **Arbeitgeber, –s, –** employer

der **Arbeitnehmer, –s, –** employee

der **Architekt', –en, –en** architect

die **Arie, –n** aria

arm, ärmer, ärmst– poor

der **Arm, –(e)s, –e** arm

die **Armbanduhr, –en** wristwatch

die **Armee', –n** army

die **Art, –en** manner; way; type; **auf diese Art** in this way

der **Arti'kel, –s, –** article

der **Arzt, –es, ̈e** doctor, physician

auch also, too

auf *prep.* / *dat. or acc.* on, on top of, upon

auf-bauen to build up

auf-fallen (fällt auf), fiel auf, ist aufgefallen (*dat.*) to be striking, strike; attract attention

die **Aufgabe, –n** task; assignment

auf-hören to stop

auf-legen to put on; hang up (*telephone*)

auf-machen to open

auf-nehmen (nimmt auf), nahm auf, aufgenommen to take up, pick up; receive; die **Aufnahme, –n** reception; photograph

auf-passen to pay attention; be careful

auf-regen to excite; die **Aufregung, –en** excitement

auf-reihen to arrange in a row, line up

auf-stehen, stand auf, ist aufgestanden to stand up; arise; rise; get up

auf-stellen to set up

auf-tauchen (s) to emerge; appear

auf-treiben, trieb auf, aufgetrieben to procure; "dig up"

auf-wachen (s) to awake, wake up

auf-wachsen (wächst auf), wuchs auf, ist aufgewachsen to grow up

der **Aufzug, –s, ̈e** elevator

das **Auge, –s, –n** eye

der **Augenblick, –s, –e** moment

der **August', (–s), –e** August

aus *prep.* / *dat.* out of, from; *adv.* out; over

der **Ausdruck, –s, ̈e** expression

der **Ausflug, –s, ̈e** excursion

aus-führen to carry out, execute; **ausführlich** in detail

der **Ausgang, –s, ̈e** exit

aus-geben (gibt aus), gab aus, ausgegeben to give out; spend

aus-gehen, ging aus, ist ausgegangen to go out

ausgezeichnet excellent

die **Auskunft, ̈e** information

das **Ausland, –s** foreign country; **im Ausland** abroad

aus-machen to make out; matter; **es macht mir nichts aus** it does not matter to me

die **Ausnahme, –n** exception

aus-packen to unpack

aus-rechnen to figure out

aus-richten to give a message
aus-sehen (sieht aus), sah aus, ausgesehen to look, appear
außen outside
der **Außendienst, –(e)s** foreign service
außer *prep. / dat.* outside of; except, besides
außerdem besides; moreover
außerhalb *prep. / gen.* outside of
äußerst extremely
die **Aussicht, –en** view; prospect; outlook
aus-steigen, stieg aus, ist ausgestiegen to climb out; get out (*of a vehicle*)
die **Auster, –n** oyster
aus-wählen to select; die **Auswahl** selection; choice
aus-ziehen, zog aus, ausgezogen to take off; undress; **sich** (*acc.*) **aus-ziehen** to get undressed; **aus-ziehen (s)** to move out
das **Auto, –s, –s** auto; das **Automobil', –s, –e** automobile
die **Autobahn, –en** (super)highway, thruway
der **Autobus, –busses, –busse** bus
der **Autor, –s, Auto'ren** author

B

der **Bach, –(e)s ⸚e** brook
baden to swim; bathe; das **Bad, –(e)s, ⸚er** bath
das **Badezimmer, –s, –** bathroom
die **Bahn, –en** course; track; railroad
bald soon; **baldig–** *adj.* early, speedy
der **Balkan, –s** Balkans
der **Balkon', –s, –e** balcony
der **Ball, –(e)s, ⸚e** ball
der **Band, –(e)s, ⸚e** volume
das **Band, –(e)s, ⸚er** ribbon
bändigen to tame, hold back
bang(e) anxious; frightened
die **Bank, ⸚e** bench
die **Bank, –en** bank
der **Bauch, –(e)s, ⸚e** stomach, belly
bauen to build
der **Bauer, –n (–s), –n** peasant, farmer
der **Bauernhof, –(e)s, ⸚e** farm
der **Baum, –(e)s, ⸚e** tree

die **Baumwolle** cotton
der **Beam'te** *adj. n.* official; civil servant
beant'worten to answer
sich (*acc.*) **bedan'ken** to say thanks
bedeu'ten to mean, signify; **bedeu'tend** significant; die **Bedeu'tung, –en** meaning
beein'flussen to influence
die **Beere, –n** berry
befrei'en to free
begeg'nen (*dat.*) to meet, encounter
begin'nen, begann, begonnen to begin; der **Beginn', –s** beginning
begrü'ßen to greet
beharr'lich tenacious; die **Beharr'lichkeit** tenacity
behaup'ten to assert; die **Behaup'tung, –en** assertion
bei *prep. / dat.* beside; at; by; among; **bei mir** with me; at my house
beide both; **die beiden** both; the two
das **Bein, –(e)s, –e** leg
beinahe almost
beisam'men together
das **Beispiel, –s, –e** example; **zum Beispiel (z.B.)** for example (e.g.)
beißen, biß, gebissen to bite
bekannt' well known; **mir** (*dat.*) **bekannt** well known to me; der **Bekann'te** *adj. n.* acquaintance (*person*)
die **Bekannt'schaft, –en** acquaintance
bekom'men, bekam, bekommen to receive; get
beliebt' popular
bellen to bark
bemer'ken to remark; die **Bemer'kung, –en** remark
benüt'zen to use
das **Benzin', –s** gasoline; benzine
bequem' comfortable; convenient
bera'ten (berät), beriet, beraten to advise
bereit' ready; **bereits'** already
der **Berg, –(e)s, –e** mountain
die **Bergbahn, –en** mountain railway
die **Bergwand, ⸚e** face of a mountain; face of a cliff
berich'ten to report; der **Bericht', –(e)s, –e** report
der **Beruf', –(e)s, –e** profession, calling

berühmt' famous; die Berühmt'heit, –en famous person

beschlie'ßen, beschloß, beschlossen to decide

beschrei'ben, beschrieb, beschrieben to describe; die Beschrei'bung, –en description

besie'gen to conquer; defeat

besit'zen, besaß, besessen to have, possess

der beson'dere *usw.* special; beson'ders especially

bespre'chen (bespricht), besprach, besprochen to discuss

besser (*see* gut) better

bessern to improve

der beste *usw.* (*see* gut) best

beste'hen, bestand, bestanden to pass (*an examination*); exist; bestehen (aus / *dat.*) to consist (of)

bestel'len to order

bestim'men to determine; bestimmt' definite

besu'chen to visit; attend; der Besuch', –(e)s, –e visit; auf Besuch on a visit

betrei'ben, betrieb, betrieben to operate; carry on

betre'ten (betritt), betrat, betreten to enter; step in(to)

das Bett, –(e)s, –en bed; zu Bett to bed; in bed; sich (*acc.*) betten to bed oneself

das Bettuch, –(e)s, ⸚er (bed)sheet

die Bevöl'kerung, –en population

bevor' *sub. conj.* before

bevor'zugt favored

bewah'ren to guard; preserve

bewe'gen to move

bewei'sen, bewies, bewiesen to prove; demonstrate

bewun'dern to admire; die Bewun'derung admiration

bezah'len to pay

bezau'bern to enchant, charm

die Bibliothek', –en library

biegen, bog, gebogen to bend; die Biegung, –en bend, curve

biegsam flexible

das Bier, –(e)s, –e beer

bieten, bot, geboten to offer

das Bild, –(e)s, –er picture

bilden to form, shape

das Bildnis, –nisses, –nisse image; portrait

billig cheap

binden, band, gebunden to bind, tie

die Biologie' biology

die Birne, –n pear

bis until

bisher' up to now

bitten, bat, gebeten (um / *acc.*) to ask (for); die Bitte, –n request; bitte! please! yes, please! *often:* "you are welcome"

bitter bitter

blasen (bläst), blies, geblasen to blow

das Blatt, –(e)s, ⸚er leaf; sheet of paper

blau blue

bleiben, blieb, ist geblieben to remain; stay

der Bleistift, –(e)s, –e pencil

blicken to glance; der Blick, –(e)s, –e glance

blitzen to flash; lighten; der Blitz, –es, –e lightning; flash

blond blond

bloß mere

blühen to flower; blossom; bloom

die Blume, –n flower

die Bluse, –n blouse

das Blut, –(e)s blood

der Boden, –s, ⸚ ground; floor; soil

böse angry; evil

boxen to box; der Boxer, –s, – boxer

der Boxkampf, –(e)s, ⸚e boxing match

der Brand, –(e)s, ⸚e fire, conflagration

brauchen to use; need

die Brauerei', –en brewery

braun brown

die Braut, ⸚e fiancée; bride

brav well-behaved; good

brechen (bricht), brach, gebrochen to break

breit broad; wide; die Breite, –n breadth; width

brennen, brannte, gebrannt to burn

der Brief, –(e)s, –e letter

der Briefkasten, –s, – *or* ⸚ mailbox

die Briefmarke, –n postage stamp

der Briefträger, –s, – mailman

der **Briefwechsel, –s** correspondence
die **Brille, –n** pair of (eye)glasses
bringen, brachte, gebracht to bring
das **Brot, –(e)s, –e** bread; das **Brötchen,
–s, –** roll; **das belegte Brötchen** canapé
der **Bruch, –(e)s, ⁻e** break; fracture; fraction
der **Bruder, –s, ⁻** brother
der **Brunnen, –s, –** fountain
die **Brust, ⁻e** breast; chest
der **Bub, –en, –en** boy
das **Buch, –(e)s, ⁻er** book
der **Buchstabe, –ns, –n** letter (*of the alphabet*)
die **Bühne, –n** stage
der **Bund, –(e)s, ⁻e** league; federation
der **Bundeskanzler, –s, –** Federal Chancellor
bunt many-colored; gay
die **Burg, –en** castle; citadel
der **Bürger, –s, –** townsman; citizen
der **Bürgerkrieg, –(e)s, –e** civil war
der **Bürgermeister, –s, –** mayor
das **Büro', –s, –s** office
der **Busch, –es, ⁻e** bush
die **Butter** butter

C

das **Café, –s, –s** café; coffeehouse
Celsius centigrade
der **Cent, –s, –s** cent
die **Chemie'** chemistry
der **Chor, –(e)s, ⁻e** choir; chorus
der **Christbaum, –(e)s, ⁻e** Christmas tree

D

da *sub. conj.* since; *adv.* there; then
dabei' at the same time; in connection
with that
das **Dach, –(e)s, ⁻er** roof
der **Dachshund, –(e)s, –e** dachshund
dafür in return for that; on the other hand
daher thence; therefore
damals at that time
die **Dame, –n** lady
damit' with that; *sub. conj.* so that, in order that
danach' after that; according to that
dane'ben next to it; besides

danken (*dat.*) to thank; der **Dank, –(e)s**
gratitude; thanks; **danke!** thanks! "no,
thanks!"; **danke schön!** many thanks!
thanks!
dann then; **dann und wann** now and then
das *def. art.* the; *dem. pron.* (*refers to* **das**-
nouns) that; it; *rel. pron.* (*refers to*
das-*nouns*) that; which; who
das **Dasein, –s** existence
daß *sub. conj.* that
das **Datum, –s, Daten** date
dauern to last
dazu' in addition; besides; for that purpose
decken to cover; die **Decke, –n** cover;
blanket; ceiling
dein *usw., poss. adj.* "thy"; your
die **Demokratie', –n** democracy; **demokra'-
tisch** democratic
denken, dachte, gedacht (**an** / *acc.*) to
think (of)
denn *adv.* then; now (*or: for emphasis only*);
coord. conj. for
der *def. art.* the; *dem. pron.* (*refers to* **der**-
nouns) he; that; it; *rel. pron.* (*refers to*
der-*nouns*) that; which; who
dergleichen the like; "this sort of thing"
dersel'be *usw.* the same
deshalb therefore
der **Detektiv', –s, –e** detective
deuten (**auf** / *acc.*) to point (to); **deutlich**
clear
(das) **Deutsch** German (*language*); **deutsch**
adj. German; **auf deutsch** in German;
der **Deutsche** *adj. n.* German
(das) **Deutschland, –s** Germany
der **Dezem'ber, (–s), –** December
der **Dialekt', –s, –e** dialect
dichten to write; write poetry; der **Dichter, –s, –** poet; (fictional) writer; die
Dichtung, –en fiction; work of fiction;
literature
dick thick; fat
die *def. art.* the; *dem. pron.* (*refers to* **die**-
nouns) she; that; it; *rel. pron.* (*refers
to* **die**-*nouns*) that; which; who
der **Dieb, –(e)s, –e** thief
dienen (*dat.*) to serve; der **Diener, –s, –**
servant; der **Dienst, –es, –e** service

413

der **Dienstag**, –(e)s, –e Tuesday
das **Dienstmädchen**, –s, – servant girl; maid
dieser *usw.* this; the latter
das **Ding**, – (e)s, –e thing
der **Diplomat'**, –en, –en diplomat
direkt' direct
der **Dirigent'**, –en, –en conductor
die **Diskussion'**, –en discussion
doch nonetheless; still; yet; after all
der **Doktor**, –s, **Dokto'ren** doctor; Dr.
der **Dollar**, –s, –s dollar
der **Dom**, –(e)s, –e cathedral
donnern to thunder; der **Donner**, –s thunder
dér **Donnerstag**, –(e)s, –e Thursday
doppelt double
das **Dorf**, –(e)s, ⸗er village
der **Dorn**, –(e)s, –en thorn
dort there; over there
das **Drama**, –s, **Dramen** drama; play
draußen outside; out there
drei three
dreißig thirty
dreizehn thirteen; der **dreizehnte** *usw.* thirteenth
drinnen inside; in there
der **dritte** *usw.* third
droben up above; upstairs; up there
drüben over there
drunten down below; downstairs; down there
du *pers. pron.* "thou"; you; **auf du und du** on a familiar basis; very friendly
duften to smell (*give forth fragrance*)
dumm, dümmer, dümmst– stupid; foolish; die **Dummheit**, –en stupidity; foolishness; stupid act
dunkel dark; die **Dunkelheit** darkness
dünn thin
durch *prep. / acc.* through
durchaus' completely; thoroughly
durch-fallen (fällt durch), fiel durch, ist durchgefallen to fall through; flunk
der **Durchgang**, –(e)s, ⸗e passage(way)
durch-kommen, kam durch, ist durchgekommen to pass through; pass (*an examination*)

durch-machen to experience; go through
dürfen (darf), durfte, gedurft to be permitted to; may; can
der **Durst**, –es thirst; **Durst haben** to be thirsty; **durstig** thirsty
das **Dutzend**, –s, –e dozen
duzen to address with "du"; sich (*acc.*) **duzen** to say "du" to each other

E

eben *adj.* even; level; *adv.* just; just now; exactly; naturally, to be sure
ebenfalls likewise
ebenso likewise; **ebenso ... wie** just as ... as
echt genuine
die **Ecke**, –n corner; **eckig** angular
edel noble
ehe *sub. conj.* before
ehren to honor; **Sehr geehrter Herr!** Dear Sir! die **Ehre**, –n honor; **ihm zu Ehren** in his honor
das **Ei**, –(e)s, –er egg
die **Eiche**, –n oak tree
der **Eifer**, –s zeal; **eifrig** zealous; eager
eigen own
eigentlich actually
ein *usw., indef. art.* a, an; one
einan'der one another; each other
der **Eindruck**, –(e)s, ⸗e impression
einfach simple
ein-fallen (fällt ein), fiel ein, ist eingefallen to occur to; **es fällt mir ein** it occurs to me; der **Einfall**, –(e)s, ⸗e idea
der **Einfluß**, –flusses, –flüsse influence
der **Eingang**, –(e)s, ⸗e entrance
die **Einheit**, –en unit; unity; **einheitlich** uniform
einige *usw.* a few; some
ein-kaufen to make purchases; shop
ein-laden (lädt ein / ladet ein), lud ein, eingeladen to invite; die **Einladung**, –en invitation
einmal once
das **Einmaleins'**, – multiplication table
ein-nehmen (nimmt ein), nahm ein, eingenommen to take in; eat

414

ein-packen to pack; pack up

ein-richten to arrange; die Einrichtung, –en arrangement

eins one (*in counting*)

einsam lonely; solitary

ein-schlafen (schläft ein), schlief ein, ist eingeschlafen to fall asleep

die Einsicht, –en insight; (*plural*) views

einst formerly; once

ein-stecken to put in (*one's pocket*)

ein-steigen, stieg ein, ist eingestiegen to get in (*a vehicle*)

ein-treffen (trifft ein), traf ein, ist eingetroffen to arrive

ein-treten (tritt ein), trat ein, ist eingetreten to enter, walk in; der Eintritt, –s entrance; admission; die Eintrittskarte, –n ticket

einzeln single; individual; die Einzelheit, –en detail

einzig only; sole

das Eis, –es ice; eisig icy

das Eisen, –s iron; eisern (of) iron

die Eisenbahn, –en railroad

eitel vain; die Eitelkeit, –en vanity

die Elbe Elbe (*German river*)

elegant' elegant

die Elektrizität' electricity; elek'trisch electric; electrical

die Eltern (*plural only*) parents

das Emmental, –(e)s Valley of the Emme (*in Switzerland*)

empfan'gen (empfängt), empfing, empfangen to receive; der Empfang', –(e)s, ⸚e reception

empfin'den, empfand, empfunden to feel

enden to end; das Ende, –s, –n end; zu Ende at an end; over; die Endung, –en ending; endlich finally

eng narrow; tight

der Engel, –s, – angel

(das) England, –s England; der Engländer, –s, – Englishman

(das) Englisch English (*language*); englisch *adj.* English; auf englisch in English

entde'cken to discover; die Entde'ckung, –en discovery

entfer'nen to remove; sich (*acc.*) entfernen to go away; die Entfer'nung, –en distance; removal

entge'hen, entging, ist entgangen to escape

enthal'ten (enthält), enthielt, enthalten to contain

entlang' *prep.* / *acc.* along; die Straße entlang along the street

entschul'digen to excuse; pardon

entsetz'lich frightful

entste'hen, entstand, ist entstanden to arise; originate

entweder . . . oder either . . . or

entwi'ckeln to develop; die Entwick'lung, –en development

die Epik epic poetry; episch epic

er *pers. pron.* (*refers to* der-*nouns*) he; it

die Erde, –n earth; soil, ground

erden'ken, erdachte, erdacht to devise, invent

das Erdgeschoß, –schosses ground floor

das Ereig'nis, –nisses, –nisse event; ereig'nislos uneventful

erfin'den, erfand, erfunden to invent; der Erfin'der, –s, – inventor; die Erfin'dung, –en invention

der Erfolg', –(e)s, –e success; erfolg'reich successful

erfor'schen to explore; investigate; der Erfor'scher, –s, – explorer; investigator; die Erfor'schung, –en exploration; investigation

ergän'zen to complete; supplement

erge'ben (ergibt), ergab, ergeben to result; yield; sich (*acc.*) ergeben to yield; surrender; Ihr sehr ergebener *usw.* yours sincerely; das Ergeb'nis, –nisses, –nisse result

erhal'ten (erhält), erhielt, erhalten to obtain; retain; die Erhal'tung preservation

erin'nern (an / *acc.*) to remind (of); sich (*acc.*) erinnern (an / *acc.*) to remember, recollect; die Erin'nerung, –en remembrance

sich (*acc.*) erkäl'ten to catch cold

erken'nen, erkannte, erkannt to recognize

erklä'ren to explain; die Erklä'rung, –en explanation

415

erläu'tern to clarify, comment on; die
Erläu'terung, –en explanation; comment
erle'ben to experience
ermü'det tired
ernst earnest, serious
ero'bern to conquer; captivate
erör'tern to discuss
erre'gen to excite; stimulate; provoke;
die Erre'gung, –en excitement; stimula-
tion
erschei'nen, erschien, ist erschienen to
appear; appear in print
erst first; not until; der erste usw. first;
der erstere usw. former
der Erwach'sene adj. n. adult
erwäh'nen to mention
erwar'ten to expect; await
erzäh'len to relate; tell; die Erzäh'lung,
–en story; tale; narration
erzie'hen, erzog, erzogen to educate; rear
es pers. pron. (refers to das-nouns) it; he;
she
der Esel, –s, – donkey; jackass
essen (ißt), aß, gegessen to eat; das
Essen, –s, – meal; food; zum Essen
for a meal; with a meal
das Eßzimmer, –s, – dining room
etwa inv. approximately; about
etwas inv. something; somewhat
euer usw., poss. adj. your
(das) Euro'pa, –s Europe; der Europä'er,
–s, – European; europä'isch adj. European
ewig eternal; adv. ever
das Exa'men, –s, Exa'mina examination
der Expreß', –presses, Expreß'züge express train
der Expressionist', –en, –en expressionist

F

fabelhaft fabulous, brilliant, splendid
die Fabrik', –en factory
das Fach, –(e)s, ⸚er compartment; branch;
subject (of study)
fahren (fährt), fuhr, ist gefahren to drive;
ride; go (by some conveyance)
die Fahrkarte, –n ticket

das Fahrrad, –(e)s, ⸚er bicycle
der Fahrstuhl, –(e)s, ⸚e elevator
die Fahrt, –en ride; drive; trip
der Falke, –n, –n falcon
fallen (fällt), fiel, ist gefallen to fall; der
Fall, –(e)s, ⸚e fall; case
falsch false; wrong
die Fami'lie, –n family
fangen (fängt), fing, gefangen to catch
die Farbe, –n color; farbig colored; color-
ful
das Faß, Fasses, Fässer barrel
fassen to seize
fast almost
faul lazy
die Faust, ⸚e fist
(der) Faustball, –(e)s game in which a ball is
hit over a line with the fist
der Februar, (–s), –e February
die Feder, –n pen; feather
fehlen to be lacking; es fehlt mir an Zeit
I lack time
der Fehler, –s, – error; fault; mistake
feiern to celebrate; die Feier, –n celebration
der Feiertag, –(e)s, –e holiday
fein fine
der Feind, –(e)s, –e enemy; feindlich hos-
tile; die Feindschaft, –en enmity; hostility
der Feinschmecker, –s, – epicure, gourmet
das Feld, –(e)s, –er field
der Felsen, –s, – rock; cliff
das Fenster, –s, – window
die Ferien (plural only) vacation
fern distant; remote; die Ferne, –n distance; remoteness
das Fernsehen, –s television
der Fernsprecher, –s, – telephone
fertig ready; done
fest firm; hard
das Fest, –(e)s, –e festival; festivities;
holiday
das Festspiel, –(e)s, –e festival; festival
play
der Festtag, –(e)s, –e festival day; holiday
die Festung, –en fortress
fett fat; greasy

das **Feuer, –s, –** fire; **haben Sie Feuer?** do you have a light?

die **Feuerpolizei** fire department

die **Figur′, –en** figure

der **Film, –(e)s, –e** film; motion picture

finden, fand, gefunden to find

der **Finger, –s, –** finger

fischen to fish; der **Fisch, –es, –e** fish

die **Flasche, –n** bottle

die **Fledermaus, ⸗e** bat

das **Fleisch, –es** meat

fleißig hard-working; industrious

fliegen, flog, ist geflogen to fly; der **Flieger, –s, –** flier

fließen, floß, ist geflossen to flow; **fließend** fluent(ly); running

die **Flotte, –n** fleet

der **Flügel, –s, –** wing

der **Flugplatz, –es, ⸗e** airport

das **Flugzeug, –(e)s, –e** airplane

der **Fluß, Flusses, Flüsse** river

folgen (s) (*dat.*) to follow; die **Folge, –n** result

die **Form, –en** form; shape

forschen to investigate; do research; der **Forscher, –s, –** investigator; research scholar; die **Forschung, –en** research; investigation

fort forward; forth; away

die **Fortführung** continuation

fort-gehen, ging fort, ist fortgegangen to go away; leave

fort-schreiten, schritt fort, ist fortgeschritten to go ahead; advance

das **Foto, –s, –s** photograph; der **Fotoapparat, –s, –e** camera

fotografie′ren to photograph; der **Fotograf′, –en, –en** photographer; die **Fotografie′** photography

fragen to ask; ask a question; die **Frage, –n** question

die **Fraktur′** *German text type*

(das) **Frankreich, –s** France

der **Franzo′se, –n, –n** Frenchman; die **Franzö′sin, –nen** Frenchwoman

(das) **Franzö′sisch** French (*language*); **französisch** *adj.* French; **auf französisch** in French

die **Frau, –en** woman; wife; Mrs.

das **Fräulein, –s, –** young lady; miss; Miss

frei free; unoccupied; open; **im Freien** in the open; in the open air; **ins Freie** into the open; die **Freiheit, –en** freedom

freilich to be sure

der **Freitag, –(e)s, –e** Friday

fremd strange; foreign; der **Fremde** *adj. n.* stranger; die **Fremde** foreign land; **in der Fremde** abroad; in a foreign land

die **Fremdenindustrie** tourist industry

die **Fremdsprache, –n** foreign language

fressen (frißt), fraß, gefressen to eat; devour (*of animals*)

die **Freude, –n** pleasure; joy

freuen to please; **sich** (*acc.*) **freuen** to be pleased; **sich freuen auf** / *acc.* to look forward to; **sich freuen über** / *acc.* to be pleased about

der **Freund, –(e)s, –e** friend; **freundlich** friendly; die **Freundschaft, –en** friendship

der **Friede(n), –ns** peace; **Frieden schließen** to make peace

frieren, fror, (hat *and* **ist) gefroren** to freeze

frisch fresh

der **Friseur′, –s, –e** barber; hairdresser

froh happy; merry; **fröhlich** merry

die **Frucht, ⸗e** fruit; result

früh early; **früher** earlier; former; previous; die **Frühe** early morning

der **Frühling, –s, –e** spring

das **Frühstück, –s** breakfast; **zum Frühstück** for breakfast; **frühstücken** to have breakfast

fühlen to feel

führen to lead; guide

füllen to fill

fünf five; der **fünfte** *usw.* fifth

fünfzehn fifteen; der **fünfzehnte** *usw.* fifteenth

fünfzig fifty

der **Funken, –s, –** spark

für *prep.* / *acc.* for

furchtbar fearful; frightful

der **Fürst, –en, –en** prince; **fürstlich** princely

der **Fuß, –es, ⸗e** foot; **zu Fuß** on foot

(der) **Fußball**, –s, ⸚e soccer; football
der **Fußboden**, –s, – *or* ⸚ floor
der **Fußweg**, –(e)s, –e footpath

G

die **Gabe**, –n gift
die **Gabel**, –n fork
der **Gang**, –(e)s, ⸚e corridor; hallway; gait, walk
die **Gans**, ⸚e goose
ganz whole, entire; "quite"
gar "at all"; very; **gar nicht** not at all; **gar nichts** nothing at all
der **Garten**, –s, ⸚ garden
der **Gast**, –(e)s, ⸚e guest
das **Gasthaus**, –es, ⸚er hotel; inn
die **Gebär'de**, –n gesture
das **Gebäu'de**, –s, – building; structure
geben (**gibt**), **gab**, **gegeben** to give; **es gibt** there is; there are
das **Gebiet'**, –(e)s, –e territory; field; area
gebil'det educated
das **Gebir'ge**, –s, – mountains; mountain range
gebo'ren born; née
gebrau'chen to use; **gebräuch'lich** customary; usual; der **Gebrauch'**, –(e)s, ⸚e use; custom, usage
gebüh'ren to belong to by right; die **Gebühr'**, –en fee
die **Geburt'**, –en birth
das **Gedächt'nis**, –nisses memory
der **Gedan'ke**, –ns, –n thought
das **Gedicht'**, -(e)s, –e poem
die **Gefahr'**, –en danger; **gefähr'lich** dangerous
gefal'len (**gefällt**), **gefiel**, **gefallen** (*dat.*) to please; **es gefällt mir** I like it
das **Gefühl'**, –(e)s, –e feeling
gegen *prep. / acc.* against; toward
die **Gegend**, –en region; neighborhood
der **Gegenstand**, –(e)s, ⸚e object; thing
die **Gegenwart** present, present time
geheim' secret; das **Geheim'nis**, –nisses, –nisse secret
gehen, **ging**, **ist gegangen** to walk; go; proceed; **wie geht es Ihnen?** how are you?
gehö'ren (*dat.*) to belong to

der **Geist**, –(e)s, –er spirit; mind; ghost; **geistig** spiritual; mental; intellectual; **geistreich** witty; ingenious
gelb yellow; **gelblich** yellowish
das **Geld**, –(e)s, –er money
der **Geldschein**, –s, –e bill
die **Gele'genheit**, –en opportunity; **gele'gentlich** occasional; on occasion
der **Gelehr'te** *adj. n.* scholar; learned man
geliebt' beloved
gelin'gen, **gelang**, **ist gelungen** to succeed, be successful; **es gelingt mir** I succeed
gelten (**gilt**), **galt**, **gegolten** to be valid; be worth
gemein' common
die **Gemein'de**, –n community; congregation
das **Gemü'se**, –s, – vegetable; vegetables
gemüt'lich cozy; sociable; die **Gemüt'lichkeit** comfort; sociability
genau' exact
genug' enough
die **Geographie'** geography; der **Geograph'**, –en, –en geographer
gera'de *adj.* straight; *adv.* exactly; just now; **geradeaus'** straight ahead
das **Gerät'**, –(e)s, –e tool; implement; appliance; set
das **Geräusch'**, –es, –e noise; sound(s)
gerecht' just; fair
gering' slight
gern, **lieber**, **am liebsten** gladly; (*with verb*) to like to; **er singt gern** he likes to sing; **er tanzt lieber** he prefers to dance; **er zeichnet am liebsten** he likes to draw best of all
der **Gesang'**, –(e)s, ⸚e song; singing
das **Geschäft'**, –(e)s, –e business; store
gesche'hen (**geschieht**), **geschah**, **ist geschehen** to happen; **es geschieht mir recht** it serves me right
das **Geschenk'**, –(e)s, –e present; gift
die **Geschich'te**, –n story; history
der **Geschichts'schreiber**, –s, – historian
das **Geschick'**, –(e)s, –e skill; fate
der **Gesel'le**, –n, –n companion; journeyman
die **Gesell'schaft**, –en society; company
das **Gesetz'**, –es, –e law
das **Gesicht'**, –(e)s, –er face

das **Gespenst'**, –(e)s, –er ghost
das **Gespräch'**, –(e)s, –e conversation
gestern yesterday
gesund' healthy; well; die **Gesund'heit** health
die **Gewalt'**, –en power; **gewal'tig** powerful, strong
das **Gewer'be**, –s, – trade; business
gewiß' certain
gewöh'nen to accustom; **sich** (*acc.*) **gewöhnen** (**an** / *acc.*) to become accustomed to; get used to; **gewöhnt'** *or* **gewohnt'** accustomed; customary; **gewöhn'lich** ordinary; usual; die **Gewohn'heit**, –en custom; habit
das **Giebeldach**, –(e)s, ⸚er gabled roof
gießen, goß, gegossen to pour
der **Gipfel**, –s, – peak
glänzen to gleam; shine; **glänzend** brilliant; splendid
das **Glas**, –es, ⸚er glass
glauben to believe; **ich glaube es** (*acc. with things*) I believe it; **ich glaube ihm** (*dat. with persons*) I believe him; der **Glaube**, –ns belief; faith
gleich *adj.* equal; like; *adv.* right away; **es ist gleich** it's (all) the same; it makes no difference
gleichfalls likewise
gleichgültig indifferent; unconcerned
der **Gletscher**, –s, – glacier
die **Glocke**, –n bell
das **Glück**, –(e)s happiness; fortune; luck; **glücklich** happy; fortunate
der **Glückwunsch**, –es, ⸚e congratulation; "good wishes"
gnädig gracious
das **Gold**, –(e)s gold
der **Gott**, –(e)s, ⸚er God; god; **göttlich** divine
der **Grad**, –(e)s, –e degree
das **Gramm**, –(e)s, –e gram
die **Gramma'tik**, –en grammar
das **Grammophon'**, –s, –e phonograph
das **Gras**, –es, ⸚er grass
grau gray
die **Grenze**, –n border; limit
der **Grenzpfahl**, –(e)s, ⸚e border post; boundary post
der **Grieche**, –n, –n Greek

groß, größer, größt– large; great; tall; **im großen und ganzen** on the whole; in general; die **Größe**, –n size; magnitude; important person
die **Großeltern** (*plural only*) grandparents
die **Großmutter**, ⸚ grandmother
sich (*acc.*) **groß-tun, tat sich groß, sich großgetan** to boast; act important
der **Großvater**, –s, ⸚ grandfather
grün green
der **Grund**, –(e)s, ⸚e ground; reason; base; foundation; **im Grund** basically
der **Grundbesitz**, –es property; real estate
gründen to found
die **Grundschule**, –n elementary school
die **Gruppe**, –n group
grüßen to greet; der **Gruß**, –es, ⸚e greeting; **grüß Gott!** (*Bavarian*) hello! good-by!
der **Gummi**, –s rubber
gut, besser, best– good; das **Gut**, –(e)s, ⸚er good; treasure; die **Güte** goodness
das **Gymna'sium**, –s, **Gymna'sien** "Gymnasium"; secondary school

H

das **Haar**, –(e)s, –e hair
haben (**hat**), **hatte, gehabt** to have
der **Habicht**, –s, –e hawk
der **Hafen**, –s, ⸚ harbor; haven
halb half; **halb zwei Uhr** *usw.* half past one o'clock, etc.
die **Hälfte**, –n half
die **Halle**, –n hall; auditorium
der **Hals**, –es, ⸚e neck
halten (**hält**), **hielt, gehalten** to hold; stop; **halten für** / *acc.* to take for; **halten von** / *dat.* to think of
die **Hand**, ⸚e hand; **bei der Hand** at hand
(der) **Handball**, –(e)s, ⸚e handball
der **Handel**, –s trade; transaction; commerce
der **Handkoffer**, –s, – suitcase
der **Handschuh**, –(e)s, –e glove
die **Handtasche**, –n handbag; pocketbook
hängen, hing, gehangen to hang
hart hard; die **Härte** hardness
hassen to hate; der **Haß, Hasses** hate; hatred; **häßlich** ugly

419

das **Haupt**, –(e)s, ⸗er head; chief
das **Hauptfach**, –s, ⸗er major (subject)
der **Hauptfilm**, –s, –e main feature
der **Hauptmann**, –s, **Hauptleute** captain
die **Hauptsache**, –n main thing; **hauptsäch-lich** mainly; chiefly·
die **Hauptstadt**, ⸗e capital (city)
das **Haus**, –es, ⸗er house; **zu Hause** (zu-hause) at home; **nach Hause** (toward) home
der **Haushalt**, –(e)s, –e household
heben, **hob**, **gehoben** to lift, raise
das **Heer**, –(e)s, –e army
das **Heft**, –(e)s, –e notebook
heilig holy, saintly
das **Heim**, –(e)s, –e home
heiraten to marry
heiß hot
heißen, **hieß**, **geheißen** to be called; **wie heißen Sie?** what is your name? **das heißt** (**d.h.**) that is (i.e.)
der *or* das **Hektoliter**, –s, – hectoliter
helfen (**hilft**), **half**, **geholfen** (*dat.*) to help
hell bright
das **Hemd**, –(e)s, –en shirt
her *shows direction toward the speaker*
der **Herbst**, –(e)s, –e autumn, fall
herein' in(to)
herein'-kommen, **kam herein**, **ist hereinge-kommen** to come in, enter
der **Herr**, –n, –en (gentle)man; Lord; Mr.
her-richten to fix up
herrlich splendid, glorious
(die) **Herrschaften** (*plural*) ladies and gen-tlemen; folks
her-stellen to manufacture; produce; die **Herstellung** production; manufacture
herü'ber over, to this side
herum' around
hervor'-gehen, **ging hervor**, **ist hervorge-gangen** come (forth), stem from, be a scion of
das **Herz**, –ens, –en heart; **herzlich** hearty; cordial
der **Herzog**, –s, ⸗e duke
das **Heu**, –s hay
heute today; **heute früh** this morning; **heutzutage** nowadays
hier here; **hierzulande** in this country

die **Hilfe**, –n help
hilfreich helpful
der **Himmel**, –s, – heaven; sky; **am Him-mel** in the sky
die **Himmelsrichtung**, –en point of the compass
hin *shows direction away;* **hin und her** back and forth; to and fro
hinaus' out
hinein' in
sich (*acc.*) **hin-setzen** to sit down
hinten in back
hinter *prep.* / *dat. or acc.* behind; in back of
hinü'ber over there, across
hinun'ter down
hinzu' in addition
die **Hitze** heat
hoch (**hoh–** *with endings*), **höher**, **höchst–** high; **höchst** very; highly; die **Höhe**, –n height
die **Hochachtung** respect; **hochachtungsvoll** respectfully; sincerely, "truly"
das **Hochhaus**, –es, ⸗er skyscraper
die **Hochschule**, –n university
der **Hof**, –(e)s, ⸗e yard; farm; court
hoffen to hope; die **Hoffnung**, –en hope; **hoffentlich** I hope; it is to be hoped
höflich polite
der **Höhepunkt**, –(e)s, –e high point; cli-max
hohl hollow; concave; **höhlen** to hollow (out)
das **Hohlmaß**, –es, –e measure of capacity; dry measure
holen to go and get; fetch
das **Holz**, –es, ⸗er wood
hören to hear; der **Hörer**, –s, – hearer; receiver (*telephone*)
der **Horizont'**, –s, –e horizon
die **Hose**, –n pair of pants
das **Hotel'**, –s, –s hotel
hübsch pretty; nice
die **Hüfte**, –n hip
der **Hügel**, –s, – hill
der **Hund**, –(e)s, –e dog
hundert hundred
der **Hunger**, –s hunger; **Hunger haben** to be hungry; **hungrig** hungry
der **Hut**, –(e)s, ⸗e hat
die **Hypothe'se**, –n hypothesis

I

ich *pers. pron.* I
das Ideal', –s, –e ideal
der Idealis'mus idealism
die Idee', –n idea
ihr *pers. pron.* "ye"; you; ihr *usw., poss. adj.* (*refers to* die-*nouns or plural nouns*) her; its; their; Ihr *usw., poss. adj.* your
illustrie'ren to illustrate
immer always
der Impressionist', –en, –en impressionist
in *prep. / dat. or acc.* in; into
indem' *sub. conj.* as; while; by
individuell' individual
die Industrie', –n industry
die Information', –en information
innen within
inner inner; interior; im Innern inside
das Instrument', –s, –e instrument
interessie'ren to interest; sich (*acc.*) interessieren für (*acc.*) to be interested in; interessant' interesting; das Interes'se, –s, –n interest
international' international
das Interview, –s, –s interview
inzwi'schen in the meantime
irgend any; some
irgendein any
irgendwann any time; sometime
irgendwie in any way; in some way
irgendwo anywhere; somewhere
(das) Ita'lien, –s Italy; der Italie'ner, –s, – Italian
(das) Italie'nisch Italian (*language*); italienisch *adj.* Italian; auf italienisch in Italian

J

ja yes; indeed; certainly
jagen to hunt; chase; der Jäger, –s, – hunter; die Jagd, –en hunt; chase
das Jahr, –(e)s, –e year; jahrelang for years; jährlich annual
die Jahreszahl, –en year (*date*)
die Jahreszeit, –en season of the year
das Jahrhun'dert, –s, –e century
der Januar, (–s), –e January

je ever; je . . . je (desto) the . . . the
jedenfalls in any case; at any rate
jeder *usw.* each; every
jemand, –(e)s someone
jener *usw.* that; the former
jetzt now; jetzig present
der Journalist', –en, –en journalist
die Jugend youth
der Juli, (–s), –s July
jung, jünger, jüngst– young
der Junge, –n, –n boy
der Junggeselle, –n, –n bachelor
der Juni, (–s), –s June

K

der Kaffee (Kaffee'), –s, –s coffee
der Kaiser, –s, – emperor; kaiser
kalt, kälter, kältest– cold; die Kälte cold; coldness
die Kamera, –s camera
der Kamerad', –en, –en comrade; die Kamerad'schaft comradeship; comrades
kämmen to comb; der Kamm, –(e)s, ⁻e comb
kämpfen to fight; der Kampf, –(e)s, ⁻e fight; struggle
der Kanzler, –s, – chancellor
die Kapel'le, –n chapel; small orchestra
die Karte, –n card; map; ticket
die Kartof'fel, –n potato
der Käse, –s, – cheese
die Kasta'nie, –n chestnut; der Kasta'nienbaum, –(e)s, ⁻e chestnut tree
der Kasten, –s, – *or* ⁻ chest; box
die Katze, –n cat
kaufen to buy; der Kauf, –(e)s, ⁻e purchase; der Käufer, –s, – buyer
kaum hardly; scarcely
der Kaviar, –s, –e caviar
kein *usw.* no; not a; not any
der Keller, –s, – cellar
der Kellner, –s, – waiter
kennen, kannte, gekannt to know; be acquainted with
kennen-lernen, lernte kennen, kennengelernt to get to know; meet
der Kerl, –(e)s, –e fellow
die Kerze, –n candle

die **Kette, –n** chain
das **Kilogramm', –s, –e** kilogram; das **Kilo, –s, –(s)** kilogram
das *or* der **Kilome'ter, –s, –** kilometer
das **Kind, –(e)s, –er** child
das **Kinn, –(e)s, –e** chin
das **Kino, –s, –s** cinema; moving picture theater
die **Kirche, –n** church; **in der Kirche** in church; at church; **in die Kirche** to church
die **Kirsche, –n** cherry
die **Kiste, –n** box
klar clear; die **Klarheit** clarity
die **Klasse, –n** class (*as a group*); grade (*of school*)
das **Klassenzimmer, –s, –** classroom
die **Klassik** classicism; **klassisch** classic; classical
das **Kleid, –(e)s, –er** dress; die **Kleider** (*plural*) clothes; die **Kleidung** clothing
klein little; small
das **Kleingeld, –(e)s** change; coins
das **Klima, –s, –s** *or* **Klima'te** climate
klingeln to ring; die **Klingel, –n** (little) bell
klingen, klang, geklungen to sound
klug, klüger, klügst– wise; smart
der **Knabe, –n, –n** lad; boy
das **Knie, –s, –** knee
knipsen to snap a picture
kochen to cook; der **Koch, –(e)s, –e** cook
der **Koffer, –s, –** trunk; suitcase
die **Kohle, –n** coal
komisch comic; funny; odd
kommen, kam, ist gekommen to come
komplizie'ren to complicate
der **Komponist', –en, –en** composer
der **König, –s, –e** king
können (kann), konnte, gekonnt to be able; can; **er kann Deutsch** he knows German
die **Konser've, –n** preserve; (*plural*) canned goods
der **Kontinent', –s, –e** continent
konzentrie'ren to concentrate
das **Konzert', –s, –e** concert; concerto; **im Konzert** at the concert; **ins Konzert** to the concert

der **Kopf, –(e)s, –e** head
der **Korb, –(e)s, –e** basket
der **Körper, –s, –** body; **körperlich** physical; bodily; die **Körperschaft, –en** corporation
der **Kosa'kenchor, –(e)s** Cossack chorus
kosten to cost; taste
das **Kostüm', –s, –e** costume; woman's suit
die **Kraft, –e** strength; energy
der **Kragen, –s, –** collar
krank, kränker, kränkst– sick, ill; die **Krankheit, –en** illness; disease
der **Kranz, –es, –e** wreath
die **Krawat'te, –n** tie; cravat
die **Kreide, –n** chalk
der **Kreis, –es, –e** circle
kreuzen to cross; das **Kreuz, –es, –e** cross; die **Kreuzung, –en** crossing
der **Krieg, –(e)s, –e** war
kriegen to get (*colloquial*)
die **Kritik', –en** critique; critical analysis; criticism
die **Krone, –n** crown
krumm, krümmer, krümmst– crooked; die **Krümmung, –en** twist; curve
die **Küche, –n** kitchen
der **Kuchen, –s, –** cake
die **Kuh, –e** cow
kühl cool; die **Kühle** coolness
der **Kühlschrank, –(e)s, –e** icebox; refrigerator
die **Kultur', –en** culture; civilization
die **Kunst, –e** art; der **Künstler, –s, –** artist
das **Kupfer, –s** copper
kurz, kürzer, kürzest– short; **zu kurz kommen** to get the short end; die **Kürze** shortness; brevity
die **Kusi'ne, –n** (*female*) cousin

L

lächeln to smile
lachen to laugh
der **Laden, –s, –** store; shop
die **Lage, –n** situation; location
das **Land, –(e)s, –er** land; state; country; **auf dem Lande** in the country; **aufs Land** to the country

landen to land
die **Landkarte, –n** map
die **Landschaft, –en** landscape
lang, länger, längst– long; **eine Stunde
lang** for an hour; **stundenlang** for hours;
die **Länge, –n** length
langsam slow
sich (*acc.*) **langweilen** to be bored
der **Lärm, –(e)s** noise
lassen (läßt), ließ, gelassen to let; leave;
allow; have (*something done*)
die **Last, –en** weight; burden
(das) **Latei'nisch (Latein')** Latin (*language*);
latei'nisch *adj.* Latin
laufen (läuft), lief, ist gelaufen to run
laut loud
läuten to ring
lauter pure; nothing but
der **Lautsprecher, –s, –** loud-speaker
der **Lautwechsel, –s** sound change
leben to live, be alive; **leben Sie wohl!
(lebe wohl!)** farewell! das **Leben, –s, –**
life; **leben'dig** lively; alive
leer empty
legen to lay; put, place; **sich** (*acc.*) **legen**
to lie down; subside
das **Lehrbuch, –(e)s, –er** textbook
lehren to teach; die **Lehre, –n** teaching;
theory; apprenticeship; der **Lehrer, –s, –**
teacher; der **Lehrling, –s, –e** apprentice
leicht easy; light
leiden, litt, gelitten to suffer; das **Leid,
–(e)s, –en** suffering, sorrow; **es tut mir
leid** I am sorry
leider unfortunately; "sorry"
leise soft; gentle; low
leisten to achieve; accomplish; **sich** (*dat.*)
leisten to afford; die **Leistung, –en**
achievement, accomplishment
der **Leitartikel, –s, –** editorial
leiten to lead
lernen to learn
lesen (liest), las, gelesen to read
der **letzte** *usw.* last; der **letztere** *usw.* latter
die **Leute** (*plural only*) people
das **Licht, –(e)s, –er** light
die **Lichtseite, –n** bright side
lieben to love; **lieb** dear; kind; sweet;
lieber rather; **es ist mir lieber** I'd rather;

I prefer; **lieblich** charming; lovely; gracious; die **Liebe, –n** love; der **Liebling,
–s, –e** favorite; darling
das **Lied, –(e)s, –er** song
liegen, lag, gelegen to lie; be situated
der **Lift, –(e)s, –e** elevator
die **Linde, –n** linden tree; der **Lindenbaum,
–(e)s, –e** linden tree
die **Linie, –n** line
der **linke** *usw.* left; **links** to the left, on the
left
die **Lippe, –n** lip
das *or* der **Liter, –s, –** liter
die **Literatur', –en** literature; **litera'risch**
literary
loben to praise; das **Lob, –(e)s** praise
das **Loch, –(e)s, –er** hole
der **Löffel, –s, –** spoon
logisch logical
lohnen to reward; **es lohnt sich** (*acc.*) it
pays, it is rewarding; der **Lohn, –(e)s, –e**
pay
die **Lokomoti've, –n** locomotive
los loose; **was ist los?** what's wrong? what's
up?
der **Löwe, –n, –n** lion
die **Lücke, –n** gap
die **Luft, –e** air
die **Luftpost** air mail; **mit Luftpost** by air
mail
das **Luftschloß, –schlosses, –schlösser** castle in the air
die **Luftwaffe, –n** air force
die **Lust, –e** pleasure; desire; longing;
Lust haben to feel like; want to; **lustig**
gay; merry
der **Luxus, –** luxury
die **Lyrik,** lyric poetry; **lyrisch** lyrical;
poetical

M

machen to make; do; **schnell machen** to
hurry
die **Macht, –e** power; might
das **Mädchen, –s, –** girl
die **Mahlzeit, –en** meal; mealtime
der **Mai, (–es), –e** May
das **Mal, –(e)s, –e** mark; time; **zum ersten**

Mal for the first time; **zwei mal zwei** two times two; **mal ('mal)** = einmal
malen to paint; der **Maler, –s, –** painter; die **Malerei', –en** painting
man one; people; "they"
mancher *usw.* many a, *(plural)* some; many; **manch ein** *usw.* many a
manchmal sometimes
der **Mann, –(e)s, ⸚er** man; husband
der **Mantel, –s, ⸚** coat; topcoat; overcoat
die **Mappe, –n** briefcase; folder
das **Märchen, –s, –** fairy tale
die **Mark, –** mark *(unit of German currency, at present 24¢)*
der **März, (–es), –e** March
das **Maß, –es, –e** measure; measurement
die **Masse, –n** mass; great amount *or* number of
die **Mathematik'** mathematics
die **Matrat'ze, –n** mattress
der **Matro'se, –n, –n** sailor
die **Maus, ⸚e** mouse
das **Meer, –(e)s, –e** ocean; sea
mehr more *(see* **viel**); **nicht (kein)** . . . **mehr** no longer (more)
mehrere *usw.* some; "quite" a few; several
mein *usw., poss. adj.* my
meinen to believe; suggest; mean; die **Meinung, –en** opinion
meist, meistens mostly; usually; die **meisten** *usw.* most *(see* **viel**)
der **Meister, –s, –** master
melden to announce; **sich** *(acc.)* **melden** to answer *(telephone)*; report
die **Menge, –n** quantity; amount; **eine Menge** a lot, a great deal; plenty
der **Mensch, –en, –en** human being; man; **menschlich** human; die **Menschlichkeit** humanity; humanitarianism
merken to notice; note; **sich** *(dat.)* **merken** remember, bear in mind
messen (mißt), maß, gemessen to measure
das **Messer, –s, –** knife
das **Metall', –s, –e** metal
das *or* der **Meter, –s, –** meter
die **Milch** milk
mild mild

die **Milliar'de, –n** billion
die **Million', –en** million
der **Millionär', –s, –e** millionaire
die **Minu'te, –n** minute; **minu'tenlang** for minutes
mischen to mix
mißglü'cken (s) to go wrong; miscarry; **es mißglückt mir** I fail
mit *prep. / dat.* with
mit-bringen, brachte mit, mitgebracht to bring along
miteinan'der with each other
mit-gehen, ging mit, ist mitgegangen to go along
das **Mitglied, –(e)s, –er** member
mit-kommen, kam mit, ist mitgekommen to come along
der **Mitmensch, –en, –en** fellow man
mit-nehmen (nimmt mit), nahm mit, mitgenommen to take along
der **Mittag, –(e)s, –e** noon
das **Mittagessen, –s, –** noon meal
die **Mitte** middle
das **Mittelmeer, –(e)s** Mediterranean Sea
die **Mittelschule, –n** secondary school
der **Mittwoch, –(e)s, –e** Wednesday
modern' modern
mögen (mag), mochte, gemocht to like to, care to; may
möglich possible; die **Möglichkeit, –en** possibility
der **Monarch', –en, –en** monarch; die **Monarchie', –n** monarchy
der **Monat, –s, –e** month; **monatlich** monthly; **monatelang** for months
der **Mönch, –(e)s, –e** monk
der **Mond, –(e)s, –e** moon
der **Montag, –(e)s, –e** Monday
der **Morgen, –s, –** morning; **morgens, am Morgen** in the morning; **morgen** tomorrow; **morgen früh** tomorrow morning
der **Motor, –s, Moto'ren** motor
das **Motorrad, –(e)s, ⸚er** motorcycle
der **Motorroller, –s, –** motor scooter
müde tired
(das) **München, –s** Munich
der **Mund, –(e)s, ⸚er** mouth
das **Muse'um, –s, Muse'en** museum
die **Musik'** music; der **Musiker, –s, –**

424

musician; **musika′lisch** musical; **musi-zie′ren** to make music

müssen (muß), mußte, gemußt to have to; must

der **Mut, –(e)s** courage; **mutig** courageous

die **Mutter, ⸗** mother

N

na *interjection* well

nach *prep. / dat.* after; according to

der **Nachbar, –s, –n** neighbor

nachdem′ *sub. conj.* after

nach-gehen, ging nach, ist nachgegangen to be slow (*of watches*)

nachher afterwards; later

der **Nachmittag, –s, –e** afternoon

die **Nachricht, –en** news

die **Nachspeise, –n** dessert

die **Nacht, ⸗e** night; **nachts** at night

der **Nachtwächter, –s, –** night watchman

das **Nachwort, –(e)s, –e** postscript

nah, näher, nächst– close, near; die **Nähe** nearness; vicinity; **in der Nähe** near(by); **nahezu** almost

das **Nahrungsmittel, –s, –** food; (*plural*) groceries

der **Name(n), –ns, –n** name

nämlich namely; that is; "you see"

die **Nase, –n** nose

naß wet; damp; die **Nässe** dampness; wetness

die **Nation′, –en** nation; **national′** national

die **Natur′, –en** nature; **natür′lich** natural; of course

die **Natur′wissenschaft, –en** natural science; der **Natur′wissenschaftler, –s, –** (natural) scientist

neben *prep. / dat. or acc.* beside

der **Neffe, –n, –n** nephew

nehmen (nimmt), nahm, genommen to take

der **Neid, –(e)s** envy

nein no

nennen, nannte, genannt to name; call

nett nice

neu new; **neuer** newer; recent; modern; die **Neuheit, –en** newness; novelty

neugierig curious

(das) **Neujahr** New Year; (ein) **glück-liches Neujahr!** Happy New Year!

nicht not; **nicht wahr?** (**nicht?**) isn't that so? (*anticipates a "yes" answer*)

die **Nichte, –n** niece

nichts nothing

nie never; **nie und nimmer** absolutely never

nieder *adv.* down; *adj.* low

nieder-legen to lay down

nieder-schreiben, schrieb nieder, nieder-geschrieben to write down

niedrig low

niemand, –(e)s nobody, no one

nimmermehr nevermore

nirgends nowhere

noch still, yet; up to now; **noch ein** one more, another; **noch nicht** not yet

der **Norden, –s** north; **nördlich** northern; to the north; northerly

die **Nordsee** North Sea

die **Not, ⸗e** need; necessity; emergency; **in der Not** in need; in an emergency; **nötig** necessary; **nötig haben** to need

die **Notiz′, –en** note; notice

die **Novel′le, –n** "Novelle"; "novelette"

der **Novem′ber, (–s), –** November

die **Null, –en** zero; cipher

die **Nummer, –n** number

nun well; now; **nun also** well then

nur only

die **Nuß, Nüsse** nut

nützen (nutzen) (*dat.*) to be useful (to); der **Nutzen, –s** use; usefulness; **nützlich** useful

O

ob *sub. conj.* whether; if

die **O-Beine** (*plural only*) bowlegs

oben on top; upstairs; up

der **obere** *usw.* upper

der **Oberkellner, –s, –** head waiter; **Herr Ober!** waiter!

obgleich′ *sub. conj.* although

obschon′ *sub. conj.* although

das **Obst, –es** fruit

obwohl′ *sub. conj.* although

oder *coord. conj.* or

der **Ofen, –s, ⸗** stove

offen open
öffentlich public
der **Offizier'**, –s, –e army officer
öffnen to open
oft often
ohne *prep. / acc.* without
das **Ohr**, –(e)s, –en ear
der **Okto'ber**, (–s), – October
das **Öl**, –(e)s, –e oil
der **Onkel**, –s, – uncle
die **Oper**, –n opera; **in der Oper** in the opera; at the opera; **in die Oper** to the opera
die **Oran'ge**, –n orange
das **Orches'ter**, –s, – orchestra
die **Ordnung** order; **in Ordnung** in order; arranged
der **Ort**, –(e)s, –e *or* ⸚er place; spot; town
der **Osten**, –s east; **östlich** eastern; to the east; easterly
(das) **Ostern** *or* (die) **Ostern** (*plural*) Easter; **fröhliche Ostern!** Happy Easter!
(das) **Österreich**, –s Austria; der **Österreicher**, –s, – Austrian; **österreichisch** *adj.* Austrian
die **Ostsee** Baltic Sea
der **Ozean**, –s, –e ocean

P

das **Paar**, –(e)s, –e pair; couple; **ein Paar** a pair; **ein paar** a few; a couple
packen to pack; seize; take hold of
der **Palast'**, –es, ⸚e palace
das **Panora'ma**, –s, –men panorama
das **Papier'**, –s, –e paper
der **Park**, –(e)s, –s (**Parke**) park
das **Parlament'**, –s, –e parliament
der **Paß, Passes, Pässe** pass; passport
der **Passagier'**, –s, –e passenger
die **Perio'de**, –n period (*of time*); **perio'disch** periodical
die **Person'**, –en person; character (*in a play*); **persön'lich** personally; die **Persön'lichkeit**, –en personality
der **Pfad**, –(e)s, –e path
die **Pfanne**, –n pan
der **Pfeffer**, –s pepper
die **Pfeife**, –n pipe; whistle

der **Pfennig**, –s, –e pfennig; penny
das **Pferd**, –(e)s, –e horse
(das) **Pfingsten** *or* (die) **Pfingsten** (*plural*) Whitsuntide; Pentecost
die **Pflanze**, –n plant
die **Pflicht**, –en duty
das **Pfund**, –(e)s, –e pound (*500 grams*)
die **Phantasie'**, –n fantasy; imagination
der **Philolo'ge**, –n, –n philologist
die **Philosophie'**, –n philosophy; der **Philosoph'**, –en, –en philosopher; **philoso'phisch** philosophical
die **Physik'** physics; der **Physiker**, –s, – physicist
die **Pille**, –n pill
der **Plan**, –(e)s, ⸚e plan
der **Planet'**, –en, –en planet
die **Platte**, –n platter; phonograph record
der **Plattenspieler**, –s, – record player
der **Platz**, –es, ⸚e place; room; public square .
plötzlich sudden(ly)
die **Politik'** politics; **poli'tisch** political
die **Polizei'** police; der **Polizist'**, –en, –en policeman
die **Post** mail
das **Postamt**, –(e)s, ⸚er post office
die **Postkarte**, –n post card
praktisch practical
der **Präsident'**, –en, –en president
der **Preis**, –es, –e price; prize
privat' private
die **Probe**, –n sample
die **Produktion'** production
der **Profes'sor**, –s, **Professo'ren** professor
das **Programm'**, –s, –e program
die **Propagan'da** publicity; propaganda
das **Prozent'**, –(e)s, –e per cent
prüfen to test; examine; die **Prüfung**, –en test; examination
das **Pult**, –(e)s, –e desk; lectern
die **Pumpe**, –n pump
der **Punkt**, –(e)s, –e point; dot; period; **punkt 6 Uhr** 6 o'clock sharp; **pünktlich** punctual

Q

die **Qual** –en pain, torture
die **Qualität'**, –en quality

die **Quantität'**, –en quantity
das **Quartett'**, –(e)s, –e quartet
die **Quelle**, –n spring; source
quer diagonal

R

die **Rache** vengeance
das **Rad**, –(e)s, ⸗er wheel; bicycle; **rad-fahren (fährt rad), fuhr rad, ist radge-fahren** to bicycle; der **Radfahrer**, –s, –
bicycle rider
das (der) **Radio**, –s, –s radio; radio set
die **Rake'te**, –n rocket
die **Rasse**, –n race
raten (rät), riet, geraten to advise; guess;
der **Rat**, –(e)s advice
das **Rathaus**, –es, ⸗er city hall
der **Räuber**, –s, – robber
rauchen to smoke; der **Rauch**, –(e)s smoke
rauh raw; rough
der **Raum**, –(e)s, ⸗e room; space
rechnen to calculate; figure; die **Rech-nung**, –en calculation; bill
das **Recht**, –(e)s, –e right; law; **recht**
right; proper; **recht haben** to be right;
es ist mir recht it suits me; **recht gut**
quite ("right") good; **rechts** to the
right; on the right
der **Rechtsanwalt**, –s, ⸗e attorney; lawyer
reden to talk; give a speech; die **Rede**, –n
speech; talk
die **Regel**, –n rule
regelmäßig regular
der **Regen**, –s, – rain
der **Regenmantel**, –s, ⸗ raincoat
der **Regenschirm**, –(e)s, –e umbrella
regie'ren to rule; reign; die **Regie'rung**,
–en government
regnen to rain
reich (an / *dat.*) rich (in); **reichlich** abun-dant; plentiful
das **Reich**, –(e)s, –e empire; realm; Reich;
das Deutsche Reich the German Empire
reichen to reach; hand; be sufficient
der **Reichstag**, –(e)s Reichstag
reif ripe
die **Reifeprüfung**, –en "maturity examina-tion"; end examination (*of the "Gymna-sium"*)

die **Reihe**, –n row; series; **der Reihe nach**
one after the other; **ich bin an der Reihe**
it is my turn; **ich komme an die Reihe**
my turn is coming up
rein clean; **reinlich** clean(ly); neat
reisen (s) to travel; die **Reise**, –n trip;
der **Reisende** *adj. n.* traveler
der **Reisepaß**, –passes, –pässe passport
der **Reiseplan**, –(e)s, ⸗e travel plan; itin-erary
reiten, ritt, ist geritten to ride (*on an ani-mal*); **reiten, ritt, geritten** to ride (*an
animal*)
die **Rekla'me**, –n advertisement; adver-tising
die **Rekla'mesendung**, –en commercial
die **Religion'**, –en religion; **religiös'** religious
rennen, rannte, ist gerannt to run
der **Repräsentant'**, –en, –en representative
die **Republik'**, –en republic
das **Restaurant'**, –s, –s restaurant
retten to rescue; save
die **Revolution'**, –en revolution
der **Rhein**, –(e)s Rhine
richtig correct; right
riechen, roch, gerochen to smell
der **Riese**, –n, –n giant; **riesig** giant; huge
die **Rinde**, –n bark
der **Ring**, –(e)s, –e ring
der **Ritter**, –s, – knight
der **Rock**, –(e)s, ⸗e skirt; coat
der **Roggen**, –s rye
die **Rolle**, –n role; roll
der **Roman'**, –s, –e novel
die **Rose**, –n rose
rot red; die **Röte** redness; **rötlich** reddish
der **Rücken**, –s, – back
die **Rückreise** return trip
der **Rucksack**, –(e)s, ⸗e knapsack
rufen, rief, gerufen to call; shout; der
Ruf, –(e)s, –e shout; call; reputation
ruhen to rest; die **Ruhe** rest; peace; quiet;
ruhelos without rest; restless; **ruhig**
calm; quiet; "without worrying"
der **Ruhm**, –(e)s fame
die **Rui'ne**, –n ruin
rund round
der **Rundfunk**, –s radio; broadcast; broad-casting system

der **Russe,** –n, –n Russian; die **Russin,** –nen Russian woman

(das) **Russisch** Russian (*language*); **russisch** *adj.* Russian; **auf russisch** in Russian

(das) **Rußland,** –s Russia

S

der **Saal,** –(e)s, **Säle** hall

die **Sache,** –n thing; affair

sagen to say, tell

die **Sahne** cream

der **Salat'**, –s, –e salad; **der grüne Salat** lettuce

das **Salz,** –es, –e salt

das **Salzkammergut,** –s *area in north-western Austria*

sammeln to collect

der **Samstag,** –(e)s, –e Saturday

die **Sanda'le,** –n sandal

sanft gentle

der **Sänger,** –s, – singer

der **Satz,** –es, ⸚e sentence

sauber clean; die **Sauberkeit** cleanliness

sauber-machen to clean

sauer sour

der **Sauerstoff,** –s oxygen

das **Schach,** –(e)s chess

schaden (*dat.*) to damage; harm; der **Schaden,** –s, ⸚ damage; **schade!** too bad! **schädlich** harmful

das **Schaf,** –(e)s, –e sheep

der **Schaffner,** –s, – conductor

der **Schall,** –(e)s, –e *or* ⸚e sound

die **Schallplatte,** –n phonograph record

scharf, schärfer, schärfst– sharp

der **Schatten,** –s, – shadow; shade

die **Schattenseite,** –n dark side

der **Schatz,** –es, ⸚e treasure; sweetheart

schauen to look

das **Schaufenster,** –s, – show window

das **Schauspiel,** –s, –e play; drama

scheinen, schien, geschienen to shine; seem; der **Schein,** –(e)s appearance

schenken to give; present; das **Geschenk'**, –(e)s, –e gift; present

die **Schere,** –n (pair of) scissors

die **Scheune,** –n barn

schicken to send; **es schickt sich** it is fitting

das **Schicksal,** –s, –e fate; lot

schießen, schoß, geschossen to shoot

das **Schiff,** –(e)s, –e ship

das **Schild,** –(e)s, –er sign

die **Schildwache,** –n sentry, guard

der **Schinken,** –s, – ham

der **Schirm,** –(e)s, –e umbrella; shield

die **Schlacht,** –en battle

schlafen (schläft), schlief, geschlafen to sleep; der **Schlaf,** –(e)s sleep; slumber

das **Schlafzimmer,** –s, – bedroom

schlagen (schlägt), schlug, geschlagen to hit; strike; der **Schlag,** –(e)s, ⸚e blow; stroke

die **Schlange,** –n serpent; snake; **Schlange stehen** to stand in line

schlank slim; slender

schlau shrewd; clever

schlecht bad; poor; no good

die **Schleife,** –n bow

schließen, schloß, geschlossen to close; **schließlich** finally

schlimm bad; evil

das **Schloß, Schlosses, Schlösser** castle; lock

der **Schluß, Schlusses, Schlüsse** conclusion; end; **zum Schluß** finally; in conclusion; **Schluß damit!** that's all!

das **Schlußwort,** –(e)s, –e final passage, conclusion

die **Schlußzeile,** –n final line

schmackhaft tasty

schmal thin; narrow

schmecken to taste

schmerzen to pain; hurt; der **Schmerz,** –es, –en pain

schmieden to forge; der **Schmied,** –(e)s, –e smith

schmücken to decorate, adorn

der **Schmutz,** –es dirt; **schmutzig** dirty

der **Schnee,** –s snow

das **Schneeglöckchen,** –s, – snowdrop

schneiden, schnitt, geschnitten to cut; der **Schneider,** –s, – tailor

schneien to snow

schnell fast; quick; **schnell machen** to hurry

das **Schnitzel, –s, –** cutlet; das **Wiener Schnitzel** breaded veal cutlet

schon already

schön beautiful; fine; die **Schönheit, –en** beauty

der **Schoß, –es, ⸗e** lap

schreiben, schrieb, geschrieben to write

schreien, schrie, geschrie(e)n to scream; shout

schreiten, schritt, ist geschritten to stride; step

die **Schrift, –en** writing; written work; publication

der **Schritt, –(e)s, –e** step; stride; pace

der **Schuh, –(e)s, –e** shoe

der **Schuhmacher, –s, –** shoemaker

schulden (*dat. of person*) to owe (*to someone*): die **Schuld, –en** debt; (*sing. only*) fault; guilt; **ich bin schuld daran** I am to blame for it; **schuldig** guilty

die **Schule, –n** school; **in der Schule** in school; at school; **in die Schule** to school

der **Schüler, –s, –** schoolboy; pupil

die **Schulter, –n** shoulder

das **Schulzimmer, –s, –** schoolroom

der **Schutzmann, –(e)s, ⸗er** *or* **Schutzleute** policeman

schwach, schwächer, schwächst– weak

der **Schwanz, –es, ⸗e** tail

schwarz, schwärzer, schwärzest– black

schweigen, schwieg, geschwiegen to be silent

das **Schwein, –(e)s, –e** pig

die **Schweiz** Switzerland; der **Schweizer, –s, –** Swiss (*national*)

schwer difficult; heavy

die **Schwester, –n** sister

schwierig difficult; die **Schwierigkeit, –en** difficulty

schwimmen, schwamm, ist geschwommen to swim

schwungvoll with a flourish

(das) **Schwyzerdütsch** Swiss-German

sechs six; der **sechste** *usw.* sixth

sechzehn sixteen; der **sechzehnte** *usw.* sixteenth

sechzig sixty

der **See, –s, –n** lake

die **See, –n** sea

die **Seele, –n** soul

segeln to sail

sehen (sieht), sah, gesehen to see

sehr very

die **Seife, –n** soap

sein *usw., poss. adj.* (*refers to* **der**-*nouns or* **das**-*nouns*); his; its

sein (ist), war, ist gewesen to be

seit *prep. / dat.* since; **seit einem Jahr** for a year; for the past year; **seit** *sub. conj.* = **seitdem**

seitdem (seitdem') *sub. conj.* since; since the time that; *adv.* since then

die **Seite, –n** side; page

seitwärts sideward

der **Sekretär', –s, –e** secretary

der **Sekt, –(e)s, –e** champagne

die **Sekun'de, –n** second

selber (self); **ich selber** *usw.* I myself, *etc.*

selbst (self); **ich selbst** *usw.* I myself, *etc.*; **selbst ich** *usw.* even I, *etc.*

selbständig independent

selbstverständlich of course

selten seldom; rare

das **Semes'ter, –s, –** semester

die **Sendeanstalt, –en** network

senden, sandte (sendete), gesandt (gesendet) to send; broadcast; televise; die **Sendung, –en** broadcast; telecast

der **Septem'ber, (–s), –** September

setzen to set; put down; **sich** (*acc.*) **setzen** to sit down; seat oneself

sicher sure; secure; certain; **sichern** to secure

die **Sicht** sight

sichtbar visible

sie *pers. pron.* (*refers to* **die**-*nouns or plural nouns*) she; it; they; **Sie** *pers. pron.* you

sieben seven; der **sieb(en)te** *usw.* seventh

siebzehn seventeen; der **siebzehnte** *usw.* seventeenth

siebzig seventy

siegen to be victorious; win; der **Sieg, –(e)s, –e** victory; der **Sieger, –s, –** victor; winner

das **Silber, –s** silver

der **Silves'terabend, –s, –e** New Year's Eve

singen, sang, gesungen to sing

sinken, sank, ist gesunken to sink
der **Sinn,** –(e)s, –e sense; meaning; **im Sinn**(e) in mind
die **Sitte,** –n custom; habit; usage
sitzen, saß, gesessen to sit; der **Sitz,** –es, –e seat
so thus; so; then (*in conditions*); **so (alt) wie** as (old) as
sobald' *sub. conj.* as soon as
die **Socke,** –n sock
das **Sofa,** –s, –s sofa
sofort' at once; immediately
sogar' even
sogenannt so-called
sogleich' at once; immediately
der **Sohn,** –(e)s, ⸚e son
solan'g(e) *sub. conj.* as long as; **so lang**(e) *adv.* so long; that long
solcher *usw.* such a; such; **solch ein** *usw.* such a
der **Soldat',** –en, –en soldier
sollen (soll), sollte, gesollt to be supposed to; should; ought to
der **Sommer,** –s, – summer
sondern *coord. conj.* but; but on the contrary
der **Sonnabend,** –s, –e Saturday
die **Sonne,** –n sun; **sonnig** sunny
der **Sonntag,** –(e)s, –e Sunday
sonst otherwise, else
sowohl' . . . **wie** as well . . . as
(das) **Spanien,** –s Spain
der **Spanier,** –s, – Spaniard
(das) **Spanisch** Spanish (*language*); **spanisch** *adj.* Spanish; **auf spanisch** in Spanish
sparen to save; spare
die **Sparkasse,** –n savings bank
der **Spaß,** –es, ⸚e joke; **viel Spaß!** have fun!
spät late
spazie'ren-fahren (fährt spazieren), fuhr spazieren, ist spazierengefahren to take a ride
spazie'ren-gehen, ging spazieren, ist spazierengegangen to go for a walk; stroll; der **Spazier'gang,** –(e)s, ⸚e stroll; walk
die **Speisekarte,** –n menu; bill of fare
speisen to eat; die **Speise,** –n food
der **Spiegel,** –s, – mirror
das **Spiegelei,** –(e)s, –er fried egg

spielen to play; das **Spiel,** –(e)s, –e game
spitz pointed; die **Spitze,** –n point; peak
der **Sport,** –(e)s, –e sport
die **Sprache,** –n speech; language
sprechen (spricht), sprach, gesprochen to speak
die **Sprechstunde,** –n office hour(s)
das **Sprichwort,** –(e)s, ⸚er proverb; saying
springen, sprang, ist gesprungen to jump; leap
der **Staat,** –(e)s, –en state (*in a political sense*)
die **Staatskunst** statesmanship; politics; government
der **Staatsmann,** –(e)s, ⸚er statesman
die **Stadt,** ⸚e city; **in der Stadt** in the city; downtown; **in die Stadt** to the city; downtown; der **Städter,** –s, – city dweller
der **Stahl,** –(e)s steel
der **Stall,** –(e)s, ⸚e stall; stable
der **Stamm,** –(e)s, ⸚e trunk; stem; tribe
der **Stand,** –(e)s, ⸚e class; position
der **Ständer,** –s, – stand
stark, stärker, stärkst– strong; **stärken** to strengthen; die **Stärke** strength
starten to start
die **Station',** –en station
stecken to stick; put; be
stehen, stand, gestanden to stand
stehen-bleiben, blieb stehen, ist stehengeblieben to stop; stand still
steigen, stieg, ist gestiegen to climb; rise
der **Stein,** –(e)s, –e stone
stellen to put; place; **eine Frage stellen** to put a question; die **Stelle,** –n place; position; passage; die **Stellung,** –en position
sterben (stirbt), starb, ist gestorben to die
der **Stern,** –(e)s, –e star
sternenhell bright with stars
stet steady
stets always; continuously
still quiet; still
die **Stimme,** –n voice
die **Stimmung,** –en mood
der **Stock,** –(e)s, ⸚e floor; story; cane
das **Stockwerk,** –(e)s, –e floor; story
der **Stoff,** –(e)s, –e material; matter

stolz (auf / *acc*.) proud (of)
stören to disturb
die **Stoßzeit, –en** rush hour
strafen to punish; die **Strafe, –n** punishment
stramm rousing, strapping
die **Straße, –n** street; road; **ich wohne in dieser Straße** I live on this street
die **Straßenbahn, –en** streetcar
die **Stratosphä're** stratosphere
der **Strauch, –(e)s, ⸚er** bush; shrub
strecken to stretch; **sich (*acc*.) strecken (nach) / *dat*.)** to stretch (for); reach (for)
streiten, stritt, gestritten to fight; quarrel; der **Streit, –(e)s, –e** quarrel; fight
die **Streitfrage, –n** controversial question
der **Strich, –(e)s, –e** short line; dash
der **Strom, –(e)s, ⸚e** stream
der **Strumpf, –(e)s, ⸚e** stocking
das **Stück, –(e)s, –e** piece; play (*theater*)
studie'ren to study; der **Student', –en, –en** student; das **Studium, –s, Studien** study
der **Stuhl, –(e)s, ⸚e** chair
die **Stunde, –n** hour; class hour; lesson; **stundenlang** for hours; **stündlich** hourly
der **Stundenplan, –(e)s, ⸚e** schedule
der **Sturm, –(e)s, ⸚e** storm
die **Stütze, –n** support
suchen to look for; search
der **Süden, –s** south; **südlich** southern; to the south; southerly
die **Suppe, –n** soup
süß sweet
das **System', –s, –e** system
die **Szene, –n** scene

T

der **Tabak (Tabak'), –s, –e** tobacco
tadeln to blame; reproach; der **Tadel, –s** blame; reprimand
die **Tafel, –n** board; blackboard; table
der **Tag, –(e)s, –e** day; **tagelang** for days; **täglich** daily
das **Tagebuch, –(e)s, ⸚er** diary
das **Tal, –(e)s, ⸚er** valley
die **Tante, –n** aunt
tanzen to dance; der **Tanz, –es, ⸚e** dance
tapfer brave
die **Tasche, –n** pocket; handbag

die **Taschenuhr, –en** pocket watch
die **Tasse, –n** cup
die **Tat, –en** deed; act; **tätig** active
tatsächlich actual; real
tauchen to dive; dip; duck
tausend thousand
das **Taxi, –s, –s** taxi
die **Technik, –en** technology; technique; industry; **technisch** technical; technological
der **Tee, –s, –s** tea
teilen to divide; part; share; **geteilt durch / *acc*.** divided by; der **Teil, –(e)s, –e** part; **zum Teil** in part; **teilbar** divisible; **teilweise** partially
teil-nehmen (nimmt teil), nahm teil, teilgenommen participate; der **Teilnehmer, –s, –** participant; subscriber
telefonie'ren to (tele)phone; das **Telefon', –s, –e** telephone
das **Telegramm', –s, –e** telegram
der **Teller, –s, –** plate
die **Temperatur', –en** temperature
das **Tennis, –** tennis
teuer expensive; dear
der **Text, –(e)s, –e** text
das **Thea'ter, –s, –** theater; **im Theater** in the theater; at the theater; **ins Theater** to the theater
das **Thea'terstück, –(e)s, –e** (stage) play
das **Thema, –s, Themen** theme
tief deep; die **Tiefe, –n** depth
das **Tier, –(e)s, –e** animal
der **Tiergarten, –s, ⸚** zoo
der **Tiger, –s, –** tiger
die **Tinte, –n** ink
der **Tisch, –es, –e** table
der **Titel, –s, –** title
die **Tochter, ⸚** daughter
der **Tod, –(e)s, –e** death
todmüde dead tired
die **Toleranz'** tolerance
toll foolish; absurd; crazy
der **Ton, –(e)s, ⸚e** tone; sound
das **Tonband, –s, ⸚er** (sound) tape; das **Tonbandgerät, –s, –e** tape recorder
das **Tor, –(e)s, –e** gate
die **Torte, –n** many-layered cake
tot dead

der **Tourist'**, –en, –en tourist
die **Tradition'**, –en tradition
tragen (**trägt**), **trug**, **getragen** to carry; bear; wear
träumen to dream; der **Traum**, –(e)s, ⁻e dream
traurig sad
treffen (**trifft**), **traf**, **getroffen** to hit the mark; hit; meet; **eine Wahl treffen** to make a choice
treiben, **trieb**, **getrieben** to drive; engage in; do
trennen to separate; part; **sich** (*acc.*) **trennen** to part
die **Treppe**, –n step; stair(way)
treten (**tritt**), **trat**, **ist getreten** to step; walk
der **Tribut'**, –s, –e tribute
der **Trichter**, –s, – funnel; horn
trinken, **trank**, **getrunken** to drink
das **Trinkgeld**, –(e)s, –er tip; gratuity
das **Trio**, –s, –s trio
trocken dry
der **Tropfen**, –s, – drop
trotz *prep.* / *gen. or dat.* despite; **trotzdem** in spite of that; nonetheless
das **Tuch**, –(e)s, –e (*types of cloth*) *and* ⁻er (*pieces of cloth*) cloth
tun, **tat**, **getan** to do
der **Tunnel**, –s, – *or* –s tunnel
die **Tür**, –en door
der **Turm**, –(e)s, ⁻e tower; steeple; turret
turnen to do gymnastics

U

das **Übel**, –s, – evil
üben to practice; die **Übung**, –en exercise; practice
über *prep.* / *dat. or acc.* over; across; about
überall' everywhere
der **Übergang**, –(e)s, ⁻e transition
überhaupt' at all
übermorgen day after tomorrow
überneh'men (**übernimmt**), **übernahm**, **übernommen** to take over
überra'schen to surprise; die **Überra'schung**, –en surprise
überset'zen to translate; die **Überset'zung**, –en translation

übertö'nen drown out
übrig remaining; left over; **im übrigen** besides
das **Ufer**, –s, – bank (*of a river*)
die **Uhr**, –en watch; clock; **wieviel Uhr ist es?** what time is it? **um 6 Uhr** at 6 o'clock
um *prep.* / *acc.* at; around; about; *adv.* up; over; **um . . . zu** in order to
umfas'sen to encompass; include
um so mehr (**umsomehr**) **. . . als** the more so . . . since
unangenehm unpleasant
unbedeckt uncovered
unbekannt unknown
unbequem uncomfortable
unbestimmt indefinite
und so weiter (**usw.**) and so on (etc.)
undeutlich unclean; not clear
unecht not genuine
unend'lich endless; infinite
unerwartet unexpected
ungefähr approximately; about
ungefährlich not dangerous
ungewiß uncertain
ungewöhnlich uncommon
das **Unglück**, –(e)s misfortune; unhappiness; accident; **unglücklich** unhappy; unfortunate
uninteressant uninteresting
die **Universität'**, –en university
unmöglich impossible
unnütz useless
unpünktlich not punctual
unreif not ripe; immature; green
unruhig restless
unsicher uncertain; unsure
unten down below; downstairs
unter *prep.* / *dat. or acc.* under
der **Untergang**, –s decline; fall
unter-gehen, **ging unter**, **ist untergegangen** to decline; go down; set
unterhal'ten (**unterhält**), **unterhielt**, **unterhalten** to entertain; **sich** (*acc.*) **unterhalten** to be entertained; enjoy oneself; converse; die **Unterhal'tung**, –en entertainment; conversation
unterneh'men (**unternimmt**), **unternahm**, **unternommen** to undertake; die **Unterneh'mung**, –en undertaking; enterprise

unterschei'den, unterschied, unterschieden
to distinguish; der Unterschied, –(e)s, –e
difference; distinction
unter-tauchen (s) to dip under; dive under;
disappear
unzufrieden discontented; unsatisfied; unhappy
urteilen to judge; das Urteil, –s, –e judgment; opinion

V

das Vakuum, –s, –s *or* Vakua vacuum
der Vater, –s, ⁻ father
das Veilchen, –s, – violet
verab'reden to agree upon; sich (*acc.*)
verabreden to make a date; make an
appointment; die Verab'redung, –en
date; appointment
das Verb, –s, –en verb
verbin'den, verband, verbunden to connect; combine; die Verbin'dung, –en
connection; tie
verbrei'ten to spread widely; broadcast;
verbreitet widespread
verbren'nen, verbrannte, verbrannt to burn
verbrin'gen, verbrachte, verbracht to spend
(*time*)
verdie'nen to earn; deserve; der Ver-
dienst', –(e)s, –e merit; gain
der Verein', –s, –e club
die Verei'nigten Staaten (*plural*) United
States
verfal'len (verfällt), verfiel, ist verfallen to
decay; expire; der Verfall', –s decline;
decay
verfas'sen to write, compose
verfol'gen to trace; pursue; persecute
die Vergan'genheit past; past tense
verge'ben (vergibt), vergab, vergeben (*dat.
of persons*) to forgive
verge'hen, verging, ist vergangen to pass
(*of time*)
verges'sen (vergißt), vergaß, vergessen to
forget
das Vergnü'gen, –s, – pleasure; viel Vergnügen! enjoy yourself! zum Vergnügen
for pleasure; die Vergnü'gung, –en pleasure; vergnügt' pleased; gay; enjoyable

verhext' bewitched
verkau'fen to sell; der Verkauf', –(e)s, ⁻e
sale; der Verkäu'fer, –s, – seller; salesman
der Verkehr', –s traffic
verlan'gen to demand, ask for
verlas'sen (verläßt), verließ, verlassen to
leave; abandon; desert
verleug'nen to disown; renounce; deny
verliebt' in love
verlie'ren, verlor, verloren to lose
die Vernunft' reason; vernünf'tig reasonable
der Vers, –es, –e verse
versal'zen to oversalt
sich (*acc.*) versam'meln to gather together
versäu'men to miss
verschie'den different; various
verschwin'den, verschwand, ist verschwunden to disappear
verspre'chen (verspricht), versprach, versprochen to promise; sich (*acc.*) versprechen to make a slip of the tongue
das Verständ'nis, –nisses understanding
verste'cken to hide; conceal
verste'hen, verstand, verstanden to understand
versu'chen to try; attempt; der Versuch',
–(e)s, –e attempt; experiment
vertraut' intimate
verwandt' related; der Verwand'te *adj. n.*
relative; die Verwandt'schaft, –en relationship; relatives
verwech'seln to confuse
verzei'hen, verzieh, verziehen (*dat. of persons*) to forgive; pardon; die Verzei'hung
pardon
der Vetter, –s, –n (*male*) cousin
das Vieh, –(e)s cattle
viel, mehr, meist– much; many
vielleicht' perhaps
vielmehr' rather
vier four; der vierte *usw.* fourth
das Viertel, –s, – quarter
vierzehn fourteen; der vierzehnte *usw.*
fourteenth
vierzig forty
der Vogel, –s, ⁻ bird
das Volk, –(e)s, ⁻er people; folk

der **Völkerbund**, –(e)s League of Nations
die **Volksschule**, –n elementary school; public school
voll full
vollen'den to complete
von *prep. / dat.* by; of; from
vor *prep. / dat. or acc.* before; in front of; ago; **vor einer Stunde** an hour ago
vorbei' past
vorbei'-gehen, ging vorbei, ist vorbeigegangen to go past, pass by
vor-bereiten to prepare; die **Vorbereitung**, –en preparation
der **Vorfahr**, –en, –en ancestor
vor-führen to bring forward; produce
vor-gehen, ging vor, ist vorgegangen to proceed; go ahead; **die Uhr geht vor** the clock is fast
vorgestern day before yesterday
vor-haben to intend to do; "have on"
vorher previously
vorig– previous
vor-kommen, kam vor, ist vorgekommen to happen; occur
vor-legen to put in front of
die **Vorlesung**, –en lecture
der **Vormittag**, –s, –e forenoon
vorn(e) in front
der **Vorrat**, –(e)s, ⸚e supply
der **Vorsatz**, –(e)s, ⸚e intention
vor-schlagen (schlägt vor), schlug vor, vorgeschlagen to suggest; der **Vorschlag**, –s, ⸚e suggestion
die **Vorsicht** caution; **vorsichtig** cautious
vor-spielen to play (*for an audience*)
die **Vorstadt**, ⸚e suburb
das **Vorurteil**, –s, –e prejudice
vor-ziehen, zog vor, vorgezogen to prefer
vorzüg'lich excellent; *adv.* especially

W

wachen to be awake
wachsen (wächst), wuchs, ist gewachsen to grow
die **Waffe**, –n weapon
der **Wagen**, –s, – car; wagon
wählen to choose; elect; dial (*telephone*); die **Wahl**, –en choice; election

wahr true; **nicht wahr?** isn't that true? (*requests confirmation*)
während *prep. / gen.* while
wahrschein'lich probable
der **Wald**, –(e)s, ⸚er woods; forest
der **Walzer**, –s, – waltz
die **Wand**, ⸚e wall
wandern (s) to wander; stroll; die **Wanderung**, –en wandering; hike
die **Wandtafel**, –n blackboard
wann? when?
die **Ware**, –n goods; wares
das **Warenhaus**, –es, ⸚er department store
warm, wärmer, wärmst– warm; die **Wärme** warmth
warten (auf / acc.) to wait (for)
der **Wartesaal**, –(e)s, –säle waiting room
warum'? why?
was? *interr. pron.* what? *rel. pron.* that which; what; whatever
'was = etwas
was für what sort of
waschen (wäscht), wusch, gewaschen to wash
das **Wasser**, –s water
der **Wasserfall**, –(e)s, ⸚e waterfall
der **Wasserstoff**, –(e)s hydrogen
wechseln to change
wecken to waken
weder . . . noch neither . . . nor
weg away
der **Weg**, –(e)s, –e path; way
wegen *prep. / gen* on account of
weh-tun (tut weh), tat weh, wehgetan to hurt; pain; **es tut mir weh** it hurts me
weich soft
weiden to graze; die **Weide**, –n pasture
(die) **Weihnacht(en)** *or* (das) **Weihnachten** Christmas; **fröhliche Weihnachten!** Merry Christmas!
weil *sub. conj.* because
weilen to dwell
der **Wein**, –(e)s, –e wine
weinen to cry; weep
weise wise
die **Weise**, –n way; manner; **auf diese Weise** in this way
weiß white

weit far; distant; **bei weitem** by far; die **Weite** distance

weiter further; farther

weiter-arbeiten to go on working; continue working

weiter-fahren (fährt weiter), fuhr weiter, ist weitergefahren to drive on; ride on

weiter-fragen to go on asking questions

weiterhin further; furthermore

weiter-hören to go on listening

weiter-sprechen (spricht weiter), sprach weiter, weitergesprochen to go on speaking

welcher *usw., interr. adj.* which; what; *interr. pron.* who? which? *rel. pron.* who; which; that

die **Welt, –en** world

weltberühmt world famous

der **Weltkrieg, –(e)s, –e** world war

wenden, wandte (wendete), gewandt (gewendet) to turn; **sich** (*acc.*) **wenden (an / acc.)** to turn (to); apply to

wenig little; few; **weniger** less; fewer; minus; **wenigstens** at least

wenn *sub. conj.* when; if; whenever

wer? *interr. pron.* who? *rel. pron.* he who; whoever

werden (wird), wurde, ist geworden to become, "get," "turn"

werfen (wirft), warf, geworfen to throw

das **Werk, –(e)s, –e** work; factory; plant

der **Wert, –(e)s, –e** value; **wert** worth; worthy

das **Wesen, –s, –** being; nature; character; essence

wesenlos unreal

die **Weste, –n** vest

der **Westen, –s** west; **westlich** western; to the west; westerly

das **Wetter, –s** weather

wichtig important

wider against, contrary to

widerste'hen, widerstand, widerstanden to resist

wie? how? *sub. conj.* as; when; **so ... wie** as ... as

wieder again

wiederho'len to repeat; die **Wiederho'lung, –en** repetition; review

wieder-sehen (sieht wieder), sah wieder, wiedergesehen to see again; **auf Wiedersehen!** good-by! au revoir!

die **Wiege, –n** cradle

wiegen, wog, gewogen to weigh

das **Wiegenlied, –(e)s, –er** lullaby

(das) **Wien, –s** Vienna

das **Wiener Schnitzel, –s, –** breaded veal cutlet

die **Wiese, –n** meadow

wild wild

wildfremd utterly strange

der **Wind, –(e)s, –e** wind

der **Winter, –s, –** winter

wir *pers. pron.* we

wirklich real; die **Wirklichkeit** reality

wirr confused, mixed up

der **Wirt, –(e)s, –e** innkeeper; host

das **Wirtshaus, –es, ⸚er** inn

wissen (weiß), wußte, gewußt to know (*a fact*)

die **Wissenschaft, –en** science; branch of knowledge

wo? where?

die **Woche, –n** week; **wochenlang** for weeks; **wöchentlich** weekly

woher'? from where?

wohin'? (to) where?

wohl well; indeed

wohlhabend well off; prosperous

wohnen to live; dwell; reside; die **Wohnung, –en** residence

das **Wohnhaus, –es, ⸚er** (apartment) house

das **Wohnzimmer, –s, –** living room

die **Wolke, –n** cloud

der **Wolkenkratzer, –s, –** skyscraper

die **Wolle** wool

wollen (will), wollte, gewollt to want to; wish to; intend to

das **Wort, –(e)s, –e** (*connected*) word; das **Wort, –(e)s, ⸚er** word (*not connected in sense*)

wortreich voluble

der **Wortschatz, –es** vocabulary; stock of words

wunderbar wonderful

sich (*acc.*) **wundern (über / acc.)** to be surprised (at)

wunderschön delightful

wünschen to wish
die **Wurst,** ⸚e sausage

Z

zahlen to pay
zählen to count; die **Zahl,** –en number
zahm tame
der **Zahn,** –(e)s, ⸚e tooth
zart tender
der **Zauber,** –s, – magic
die **Zauberflöte** Magic Flute (*opera by Mozart*)
der **Zaun,** –(e)s, ⸚e fence
zehn ten; der **zehnte** *usw.* tenth
das **Zeichen,** –s, – sign
zeichnen to draw; die **Zeichnung,** –en drawing; sketch
zeigen to show; der **Zeiger,** –s, – indicator, hand (*of a watch*)
die **Zeile,** –n line
die **Zeit,** –en time; **zeitlos** timeless
der **Zeitgenosse,** –n, –n contemporary
die **Zeitschrift,** –en periodical; magazine
die **Zeitung,** –en newspaper
das **Zeitwort,** –(e)s, ⸚er verb
zerbre′chen (zerbricht), zerbrach, zerbrochen to break to pieces; smash
zerstö′ren to destroy; die **Zerstö′rung,** –en destruction
ziehen, zog, gezogen to draw; pull; **ziehen,** zog, ist gezogen to go; proceed
das **Ziel,** –(e)s, –e goal
die **Zigaret′te,** –n cigarette
die **Zigar′re,** –n cigar
das **Zimmer,** –s, – room
das **Zitat′,** –(e)s, –e quotation
der **Zoll,** –(e)s, ⸚e customs
zornig angry
zu *prep. / dat.* to; toward; *adv.* too
der **Zucker,** –s sugar
zueinan′der to each other
zuerst′ at first
der **Zufall,** –(e)s, ⸚e chance
zufrie′den content; satisfied; die **Zufrie′denheit** contentment; satisfaction
der **Zug,** –(e)s, ⸚e train
zugleich′ at the same time

zuhau′s(e) at home
zu-hören to listen; der **Zuhörer,** –s, – listener; (*in plural*) audience
die **Zukunft** future; future tense
zuletzt′ lastly; last
zu-machen to close
zumal′ especially; especially since
zumeist′ usually; mostly
die **Zunge,** –n tongue
zurecht′-machen to get ready; prepare; arrange
(das) **Zürich,** –s Zurich
zurück′ back
zurück′-bringen, brachte zurück, zurückgebracht to bring back; return
zurück′-fahren (fährt zurück), fuhr zurück, ist zurückgefahren to drive back; ride back
zurück′-gehen, ging zurück, ist zurückgegangen to go back; return
zurück′-kehren (s) to return
zurück′-kommen, kam zurück, ist zurückgekommen to come back; return
zurück′-lassen (läßt zurück), ließ zurück, zurückgelassen to leave behind
zurück′-nehmen (nimmt zurück), nahm zurück, zurückgenommen to take back
zu-rufen, rief zu, zugerufen to call out (to)
zusam′men together
zusam′men-bringen, brachte zusammen, zusammengebracht to bring together
zusam′men-kommen, kam zusammen, ist zusammengekommen to come together
zusam′men-laufen (läuft zusammen), lief zusammen, ist zusammengelaufen to run together
zusam′men-legen to lay together; put together
zutiefst′ very deeply; most deeply
zuviel′ too much, too many
zwanzig twenty; der **zwanzigste** *usw.* twentieth
zwar to be sure
zwei two; der **zweite** *usw.* second
der **Zweifel,** –s, – doubt; **zweifellos** doubtless
der **Zweig,** –(e)s, –e twig; branch
zwischen *prep. / dat. or acc.* between
zwölf twelve; der **zwölfte** *usw.* twelfth

ENGLISH–GERMAN VOCABULARY

This English-German Vocabulary is specifically designed for use
with the English-to-German translation exercises.

A

a, an ein *usw.*
able: be able können (kann), konnte, gekonnt
about von *prep. / dat.;* über *prep. / acc.;* (*approximately*) ungefähr
accustomed: become accustomed to sich (*acc.*) gewöh'nen (an / *acc.*)
ad, advertisement die Anzeige, –n
address die Adres'se, –n
afford sich (*dat.*) leisten
after nach *prep. / dat.;* nachdem' *sub. conj.*
after all doch; ja
afternoon der Nachmittag, –s, –e; **this afternoon** heute nachmittag
against gegen *prep. / acc.;* (*leaning against*) an *prep. / dat. or acc.*
air die Luft, ⸗e
all all *usw.;* **not at all** gar nicht
allowed: be allowed to dürfen (darf), durfte, gedurft
almost beinahe; fast
along entlang' *prep. / acc.* (*follows its object*)
aloud laut
Alps die Alpen (*plural*)
already schon; bereits'
also auch
although obgleich' *sub. conj.*
aluminum das Alumi'nium, –s
always immer
amazed: be amazed sich (*acc.*) wundern
America (das) Ame'rika, –s; **American** der Amerika'ner, –s, –; *adj.* amerika'nisch
and und *coord. conj.;* **and so on** (etc.) und so weiter (usw.)
animal das Tier, –(e)s, –e

another (*in addition*) noch ein *usw.*
answer (*a person*) antworten (*dat.*); (*a letter*) beant'worten (*acc.*); (*a question*) antworten (auf / *acc.*); *noun* die Antwort, –en
anything at all irgend etwas; irgendwas
apartment die Wohnung, –en
apple der Apfel, –s, ⸗
area die Gegend, –en
arithmetic das Rechnen, –s
arm der Arm, –s, –e
around um *prep. / acc.*
arrive an-kommen, kam an, ist angekommen
as . . . as so . . . wie
as if, as though als ob *sub. conj.;* als wenn *sub. conj.*
ask (*a question*) fragen; eine Frage stellen
asleep: fall asleep ein-schlafen (schläft ein), schlief ein, ist eingeschlafen
assignment die Aufgabe, –n
assume an-nehmen (nimmt an), nahm an, angenommen
at (*a body of water*) an *prep. / dat.* (*in this sense*); **at** (**two o'clock,** *etc.*) um (zwei Uhr *usw.*) *prep. / acc.*
at once sofort'; gleich
attention: pay attention auf-passen
August der August', (–s), –e
aunt die Tante, –n
Austria (das) Österreich, –s
author der Verfas'ser, –s, –
auto das Auto, –s, –s; **automobile** das Automobil', –s, –e
autumn der Herbst, –es, –e

B

bag (*suitcase*) der Handkoffer, –s, –
be sein (ist), war, ist gewesen; **there is,**

437

there are es gibt; that is (i.e.) das heißt
(d.h.); how are you? wie geht es
Ihnen?

beautiful schön

because weil *sub. conj.;* because of wegen
prep. / gen.

become werden (wird), wurde, ist geworden; become of werden aus *prep. /
dat.*

bed das Bett, –(e)s, –en

bedroom das Schlafzimmer, –s, –

before vor *prep. / dat. or acc.*

begin an-fangen (fängt an), fing an, angefangen; begin'nen, begann, begonnen

believe glauben; I believe it ich glaube es
(*acc. with things*); I believe him ich
glaube ihm (*dat. with persons*)

bell die Glocke, –n

belong to gehö'ren (*dat.*)

bicycle das Fahrrad, –(e)s, ⸚er; das Rad,
–(e)s, ⸚er; bicycle-riding das Radfahren,
–s

bill der Geldschein, –s, –e

black schwarz

blackboard die Wandtafel, –n; die Tafel, –n

blond blond

blow blasen (bläst), blies, geblasen

blue blau

body der Körper, –s, –

boil kochen

book das Buch, –(e)s, ⸚er

box der Kasten, –s, – *or* ⸚

boy der Junge, –n, –n

bread das Brot, –(e)s, –e

breakfast das Frühstück, –s, –e

bring bringen, brachte, gebracht; bring
along mit-bringen, brachte mit, mitgebracht

brother der Bruder, –s, ⸚

brown braun

build bauen

building das Gebäu'de, –s, –

but aber *coord. conj.;* but (on the contrary)
sondern *coord. conj.*

buy kaufen

by von *prep. / dat.;* by auto, *etc.* mit dem
Auto *usw.* (*prep. / dat.*); by the pound,
etc. pfundweise *usw.*

C

call up an-rufen, rief an, angerufen

camera die Kamera, –s; der Fotoapparat,
–s, –e

can, be able können (kann), konnte, gekonnt

car der Wagen, –s, –

castle das Schloß, Schlosses, Schlösser

cat die Katze, –n

catch fangen (fängt), fing, gefangen

celebrate feiern

certain bestimmt'; gewiß'

chair der Stuhl, –(e)s, ⸚e

chalk die Kreide, –n

change wechseln; change (*money*) das
Kleingeld, –(e)s

child das Kind, –(e)s, –er

Christmas (das) Weihnachten *or* (die) Weihnachten (*plural, but requires sing. verb*)

circle der Kreis, –es, –e

citizen der Staatsbürger, –s, –

city die Stadt, ⸚e

city hall das Rathaus, –es, ⸚er

claim behaup'ten

classroom das Klassenzimmer, –s, –

clear klar; deutlich

close zu-machen; schließen, schloß, geschlossen

cloud die Wolke, –n

club der Verein', –s, –e

coat der Mantel, –s, ⸚

coffee der Kaffee (Kaffee'), –s, –s

cold kalt, kälter, kältest-

color die Farbe, –n

come kommen, kam, ist gekommen; come
back zurück'-kommen, kam zurück, ist
zurückgekommen

comfortable bequem'

concert das Konzert', –s, –e; to the (a)
concert ins Konzert

corner die Ecke, –n

correct richtig

cotton die Baumwolle

count zählen

country das Land, –(e)s, ⸚er; in the country
auf dem Land(e); to the country auf das
(aufs) Land

courage der Mut, –(e)s
cow die Kuh, ⸗e
cozy gemüt′lich
cream die Sahne
cup die Tasse, –n

D

dance tanzen; *noun* der Tanz, –es, ⸗e
dangerous gefähr′lich
Danube die Donau
day der Tag, –(e)s, –e; **all day** den ganzen
    Tag; **what day (of the month)?** der
    wievielte?
dear lieb
December der Dezem′ber, (–s), –
degree der Grad, –(e)s, –e
democracy die Demokratie′, –n
describe beschrei′ben, beschrieb, beschrie-
    ben
desk der Schreibtisch, –es, –e; der Tisch,
    –es, –e
develop sich (*acc.*) entwi′ckeln
die sterben (stirbt), starb, ist gestorben
difference der Unterschied, –(e)s, –e
different verschie′den
difficult schwer
diligent fleißig
discover entde′cken; **discoverer** der Ent-
    de′cker, –s, –
divide teilen; **divided by** geteilt durch /
    acc.
do machen; tun (tut), tat, getan
doctor der Doktor, –s, Dokto′ren; **medical
    doctor** der Arzt, –es, ⸗e
dog der Hund, –(e)s, –e
door die Tür, –en
down hinun′ter
drama das Drama, –s, Dramen
draw zeichnen
dress an-ziehen, zog an, angezogen; **get
    dressed** sich (*acc.*) an-ziehen; *noun* das
    Kleid, –(e)s, –er
drink trinken, trank, getrunken
drive fahren (fährt), fuhr, ist gefahren
drop fallen lassen (läßt fallen), ließ fallen,
    fallen lassen
during während *prep. / gen.*

E

early früh
earn verdie′nen
earth die Erde, –n
east der Osten, –s
easy leicht
eat essen (ißt), aß, gegessen; fressen (frißt),
    fraß, gefressen (*of animals*)
editorial der Leitartikel, –s, –
egg das Ei, –(e)s, –er
eight acht; **eighth** der achte *usw.*
either . . . or entweder . . . oder
elementary school die Grundschule, –n
eleven elf
else sonst
emperor der Kaiser, –s, –
empire das Reich, –(e)s, –e
ending die Endung, –en
England (das) England, –s; **English** (*lan-
    guage*) (das) Englisch
enjoy oneself sich (*acc.*) unterhal′ten (un-
    terhält sich), unterhielt sich, sich unter-
    halten
enough genug′
Europe (das) Euro′pa, –s
even sogar′
evening der Abend, –s, –e; **all evening** den
    ganzen Abend; **in the evening** am Abend;
    abends
ever (*always*) immer
every jeder *usw.*
everywhere überall
exact genau′
examination die Prüfung, –en
example das Beispiel, –s, –e; **for example
    (e.g.)** zum Beispiel (z.B.)
excuse entschul′digen
exercise die Übung, –en
expensive teuer
explain erklä′ren

F

factory die Fabrik′, –en
fail (*an examination*) durch-fallen (fällt
    durch), fiel durch, ist durchgefallen
fairy tale das Märchen, –s, –
family die Fami′lie, –n

famous berühmt'

farm der Bauernhof, –(e)s, ⸚e; der Hof, –(e)s, ⸚e

fat dick

father der Vater, –s, ⸚

fault die Schuld

feeling das Gefühl', –s, –e

fellow der Kerl, –(e)s, –e

few wenige *usw.;* **a few** einige *usw.*

fifty fünfzig

fight kämpfen

film der Film, –(e)s, –e

finally endlich; schließlich

find finden, fand, gefunden

fine fein; schön; **I am fine** es geht mir gut

finger der Finger, –s, –

first erst; **at first** zuerst'; erst

five fünf

flow fließen, floß, ist geflossen

flower die Blume, –n

fly fliegen, flog, ist geflogen

folk das Volk, –(e)s, ⸚er

folk song das Volkslied, –(e)s, –er

follow folgen (s) *(dat.)*

foot der Fuß, –es, ⸚e

football (der) Fußball, –(e)s; amerikanischer Fußball

for für *prep. / acc.;* **for days, etc.** tagelang *usw.;* **for** *coord.conj.* denn *coord. conj.*

forget verges'sen (vergißt), vergaß, vergessen

fork die Gabel, –n

form bilden

forty vierzig

four vier; **fourth** der vierte *usw.;* **fourth** *(fraction)* das Viertel, –s, –

fourteen vierzehn

French *(language)* (das) Franzö'sisch

fresh frisch

friend der Freund, –(e)s, –e

from von *prep. / dat.*

front: in front of vor *prep. / dat. or acc.*

fruit das Obst, –es

G

game das Spiel, –(e)s, –e

garden der Garten, –s, ⸚

German *(language)* (das) Deutsch; *adj.* deutsch; **in German** auf deutsch

Germany (das) Deutschland, –s

get *(become)* werden (wird), wurde, ist geworden

get *(receive)* erhal'ten (erhält), erhielt, erhalten; bekom'men, bekam, bekommen

get to know kennen-lernen

girl das Mädchen, –s, –

give geben (gibt), gab, gegeben

glass das Glas, –es, ⸚er

glove der Handschuh, –(e)s, –e

go gehen, ging, ist gegangen; **go back** zurück'-gehen, ging zurück, ist zurückgegangen; **it goes without saying** es versteht sich

goal das Ziel, –(e)s, –e

gold das Gold, –(e)s

good gut, besser, best–

good-by! auf Wiedersehen!

goose die Gans, ⸚e

grass das Gras, –es, ⸚er

great groß, größer, größt–

green grün

grow wachsen (wächst), wuchs, ist gewachsen; **grow up** auf-wachsen (wächst auf), wuchs auf, ist aufgewachsen

guess raten (rät), riet, geraten

guest der Gast, –(e)s, ⸚e

H

hair das Haar, –(e)s, –e

hairdresser der Friseur', –s, –e

hand die Hand, ⸚e

happiness das Glück, –(e)s

hard *(difficult)* schwer

hat der Hut, –(e)s, ⸚e

hate hassen

have haben (hat), hatte, gehabt; **have to** müssen (muß), mußte, gemußt

he er

hear hören

hello! guten Morgen! *usw.;* grüß Gott!

her *poss. adj.* ihr *usw.*

here hier

high hoch (hoh– *with endings*), höher, höchst–

hike wandern

his *poss. adj.* sein *usw.*
holiday der Feiertag, –(e)s, –e
home das Heim, –(e)s, –e; (**toward**) **home** nach Hause; **at home** zu Hause
homework die Hausaufgabe, –n
hope hoffen
horse das Pferd, –(e)s, –e
hour die Stunde, –n; **for hours** stundenlang
how? wie? **how many?** wieviel? wie viele? *usw.;* **how are you?** wie geht es Ihnen? wie geht's?
hundred hundert
hungry: be hungry Hunger haben

I

if wenn *sub. conj.*
important wichtig
in in *prep. / dat. or acc.;* **in the morning,** *etc.* am Morgen *usw.*
intelligent klug, klüger, klügst-
intend wollen (will), wollte, gewollt
interested: be interested in sich (*acc.*) interessie'ren für / *acc.*
interesting interessant'
invent erfin'den, erfand, erfunden; **inventor** der Erfin'der, –s, –
invite ein-laden (ladet ein *or* lädt ein), lud ein, eingeladen
iron das Eisen, –s
Italy (das) Ita'lien, –s; **Italian** (*language*) (das) Italie'nisch
its *poss. adj.* sein *usw.;* ihr *usw.*

J

July der Juli, (–s), –s
jump springen, sprang, ist gesprungen
just (*only*) nur; (*exactly*) genau'; **just now** eben; gera'de

K

keep still schweigen, schwieg, geschwiegen
kilogram das Kilogramm, –s, –e; das Kilo, –s, –(s)
king der König, –s, –e
kitchen die Küche, –n

knife das Messer, –s, –
know (*facts*) wissen (weiß), wußte, gewußt; (*be familiar with*) kennen, kannte, gekannt; **get to know** kennen-lernen; **well-known** bekannt'

L

lake der See, –s, –n
language die Sprache, –n
large groß, größer, größt–
last der letzte *usw.*
late spät
latter dieser *usw.*
leaf das Blatt, –(e)s, ⸚er
learn lernen
least: at least wenigstens
leave (*a person or place*) verlas'sen (verläßt), verließ, verlassen; (*on a trip*) ab-reisen (s)
lecture die Vorlesung, –en
letter der Brief, –(e)s, –e
lie liegen, lag, gelegen
light hell
lighten (*flash*) blitzen
like mögen (mag), mochte, gemocht; **like to draw,** *etc.* gern zeichnen *usw.*
line der Strich, –(e)s, –e
listen hören; zu-hören
literature die Literatur', –en; die Dichtung, –en
little klein
live leben; (*dwell*) wohnen
living room das Wohnzimmer, –s, –
long lang, länger, längst-; **no longer** nicht mehr
look aus-sehen (sieht aus), sah aus, ausgesehen
look forward to sich (*acc.*) freuen auf / *acc.*
lot: a lot of viel
loud laut
love lieben
low nieder; niedrig

M

magazine die Zeitschrift, –en
man der Mann, –(e)s, ⸚er

many viele *usw.*
many-colored bunt
map die Landkarte, –n; die Karte, –n
master der Herr, –n, –en
may (*be permitted to*) dürfen (darf), durfte, gedurft
meadow die Wiese, –n
meat das Fleisch, –es
meet (*become acquainted with*) kennenlernen
member das Mitglied, –(e)s, –er
mental geistig
metal das Metall', –s, –e
minute die Minu'te, –n
mirror der Spiegel, –s, –
miss versäu'men
modern modern'
money das Geld, –(e)s, –er
month der Monat, –s, –e
more mehr; one more noch ein *usw.*
morning der Morgen, –s, –; all morning den ganzen Morgen; this morning heute morgen; good morning! guten Morgen!
most das meiste *usw.;* mostly meist; meistens
mother die Mutter, ⸚
motor der Motor (Motor'), –s, Moto'ren
motor scooter der Motorroller, –s, –
mountain der Berg, –(e)s, –e
mouse die Maus, ⸚e
mouth der Mund, –(e)s, ⸚er
Munich (das) München, –s
music die Musik'
must müssen (muß), mußte, gemußt
my *poss. adj.* mein *usw.*

N

name der Name, –ns, –n; be named heißen, hieß, geheißen
narrow eng
natural natür'lich
need brauchen
never nie
new neu
news die Nachricht, –en
next der nächste *usw.*
nice nett; schön

night die Nacht, ⸚e; the whole night, all night die ganze Nacht; last night gestern abend
nine neun
no nein; no, not a, not any, none kein *usw.*
noon meal das Mittagessen, –s, –
north der Norden, –s
nose die Nase, –n
not nicht; not a, not any, no kein *usw.;* not at all gar nicht
notebook (*paper covered*) das Heft, –(e)s, –e
nothing nichts; nothing at all gar nichts
novel der Roman', –s, –e; „Novelle," short novel die Novel'le, –n
November der Novem'ber, (–s), –
now jetzt; nun
number die Zahl, –en

O

occasion die Gele'genheit, –en
occur (*to one*) ein-fallen (fällt ein), fiel ein, ist eingefallen
o'clock Uhr
October der Okto'ber, (–s), –
of von *prep. / dat.*
of course natür'lich
often oft
old alt, älter, ältest–
on, on top of auf *prep. / dat. or acc.;* (*at; against*) an *prep. / dat. or acc.*
once einst; einmal; at once gleich; sogleich'; sofort'
one ein *usw.*
only nur
open öffnen; auf-machen
opera die Oper, –n
opinion die Meinung, –en; in my opinion meiner Meinung nach
otherwise sonst
our *poss. adj.* unser *usw.*
outside, out there draußen
over (*past*) vorbei'; class is over die Stunde ist aus
own besit'zen, besaß, besessen
own *adj.* eigen

P

pack packen
pair das Paar, –(e)s, –e
palace der Palast′, –es, ″e
paper das Papier′, –s, –e; (*newspaper*) die
Zeitung, –en; **Sunday paper** die Sonntagszeitung, –en
parents die Eltern (*plural only*)
part der Teil, –(e)s, –e; **part of the body**
der Körperteil, –(e)s, –e
pass (*an examination*) beste′hen, bestand,
bestanden
passport der Paß, Passes, Pässe
past (**two o'clock,** *etc.*) nach (zwei Uhr *usw.*)
pay bezah′len; (*be rewarding*) sich lohnen;
it pays es lohnt sich
pay attention auf-passen
peace der Friede(n), –ns; **make peace** (den)
Frieden schließen
peak der Gipfel, –s, –
pear die Birne, –n
peasant der Bauer, –s, –n
pen die Feder, –n
pencil der Bleistift, –(e)s, –e
people die Leute (*plural*); (*folk*) das Volk,
–(e)s, ″er; (*human being*) der Mensch,
–en, –en
perhaps vielleicht′
permitted: be permitted to dürfen (darf),
durfte, gedurft
person die Person′, –en; **personal** persön′-
lich
photo das Foto, –s, –s; die Aufnahme, –n
physical körperlich
pick up (*fetch*) ab-holen
picture das Bild, –(e)s, –er; (*photo*) das
Foto, –s, –s; die Aufnahme, –n; **take a
picture** eine Aufnahme machen
piece das Stück, –(e)s, –e
pig das Schwein, –(e)s, –e
plan der Plan, –(e)s, ″e
plane das Flugzeug, –s, –e
plate der Teller, –s, –
play spielen
pleasant angenehm
please! bitte!
pocket die Tasche, –n

poem das Gedicht′, –s, –e
poet der Dichter, –s, –
political poli′tisch
poor arm, ärmer, ärmst–
popular beliebt′
position (*job*) die Stellung, –en
possible möglich
post card die Postkarte, –n
potato die Kartof′fel, –n
pound das Pfund, –(e)s, –e
practice üben; **"practice makes perfect"**
„Übung macht den Meister"
prefer vor-ziehen, zog vor, vorgezogen; lieber haben
president der Präsident′, –en, –en
pretty hübsch
price der Preis, –es, –e
professor der Profes′sor, –s, Professo′ren
program das Programm′, –s, –e
promise verspre′chen (verspricht), versprach, versprochen
proud (**of**) stolz (auf / *acc.*)
proverb das Sprichwort, –(e)s, ″er
pupil der Schüler, –s, –
put stellen
put on an-ziehen, zog an, angezogen

Q

queen die Königin, –nen
question die Frage, –n
quiet still; ruhig
quite ganz; recht

R

radio reception der Radioempfang, –s
rain regnen; *noun* der Regen, –s, –
read lesen (liest), las, gelesen; **go on reading**
weiter-lesen (liest weiter), las weiter,
weitergelesen
real wirklich
receive bekom′men, bekam, bekommen;
erhal′ten (erhält), erhielt, erhalten; emp-
fan′gen (empfängt), empfing, empfangen
record die Schallplatte, –n
red rot

443

related verwandt′
religious religiös′
remaining übrig
remember sich (*acc.*) erin′nern (an / *acc.*)
repeat wiederho′len
republic die Republik′, –en
restaurant das Restaurant′, –s, –s
return (*come back*) zurück′-kehren (s)
rich reich
right (*correct*) richtig; **to the right** rechts
right away sofort′; gleich; sogleich′
ring läuten
river der Fluß, Flusses, Flüsse
room das Zimmer, –s, –
rubber der Gummi, –s, –s
ruin die Rui′ne, –n
rule regie′ren
run laufen (läuft), lief, ist gelaufen

S

Saturday der Samstag, –s, –e
save sparen
say sagen
scholar, research scholar der Forscher, –s, –
school die Schule, –n; **in school** in der
    Schule; **to school** in die Schule
school child der Schüler, –s, –
season die Jahreszeit, –en
see sehen (sieht), sah, gesehen
sell verkau′fen
semester das Semes′ter, –s, –
sentence der Satz, –es, ⸚e
set setzen
seven sieben; **seventh** der siebte *usw.*
seventeen siebzehn
she sie
shine scheinen, schien, geschienen
ship das Schiff, –(e)s, –e
shoe der Schuh, –(e)s, –e
shop ein-kaufen; *noun* der Laden, –s, ⸚
short kurz, kürzer, kürzest–
show zeigen
sick krank, kränker, kränkst–
silver das Silber, –s
similar ähnlich
since da *sub. conj.*
sing singen, sang, gesungen

single einzig, ein und derselbe *usw.*, einzeln
sister die Schwester, –n
sit sitzen, saß, gesessen; **sit down** sich (*acc.*)
    setzen
six sechs
sky der Himmel, –s, –
sleep schlafen (schläft), schlief, geschlafen
slow langsam
smile lächeln
snow der Schnee, –s
so so; also; (*accordingly*) also
soft (*low*) leise
some etwas; (*a few*) einige *usw.*
somebody jemand; **somebody else** jemand
    anders
song das Lied, –(e)s, ⸚er
soon bald; **as soon as** sobald′ (als) *sub.
    conj.;* **see you soon!** auf baldiges Wieder-
    sehen!
sorry: be sorry leid tun (tut leid) tat leid,
    leid getan; **I am sorry** es tut mir leid
sort: what sort of (a) was für (ein *usw.*)
soup die Suppe, –n
south der Süden, –s
speak sprechen (spricht), sprach, gespro-
    chen
spend (*money*) aus-geben (gibt aus), gab
    aus, ausgegeben; (*time*) verbrin′gen, ver-
    brachte, verbracht
spoon der Löffel, –s, –
sport der Sport, –(e)s, –e
spring der Frühling, –s, –e
stage die Bühne, –n
stamp die Briefmarke, –n
stand stehen, stand, gestanden
stay bleiben, blieb, ist geblieben
steel der Stahl, –(e)s, –e *or* ⸚e
still (*yet*) noch; **keep still** schweigen,
    schwieg, geschwiegen
stop auf-hören
store das Geschäft′, –s, –e; der Laden, –s, ⸚
street die Straße, –n
streetcar die Straßenbahn, –en
strike: be striking auf-fallen (fällt auf),
    fiel auf, ist aufgefallen (*dat.*)
strong stark, stärker, stärkst–
student der Student′, –en, –en
study lernen; (*of students*) studie′ren

444

stupid dumm, dümmer, dümmst–

subject (*of study*) das Fach, –(e)s, ⸚er

succeed gelin'gen, gelang, ist gelungen; **I succeed** es gelingt mir

success der Erfolg', –s, –e

such solcher *usw.*

suffer leiden, litt, gelitten

suggest vor-schlagen (schlägt vor), schlug vor, vorgeschlagen

suit (*man's*) der Anzug, –s, ⸚e; (*woman's*) das Kostüm', –s, –e

summer der Sommer, –s, –

sun die Sonne, –n

Sunday der Sonntag, –s, –e

supper das Abendessen, –s, –

supposed: be supposed to sollen (soll), sollte, gesollt

sure: to be sure freilich; zwar

swim schwimmen, schwamm, ist geschwommen

Switzerland die Schweiz

T

table der Tisch, –es, –e

take nehmen (nimmt), nahm, genommen; **take along** mit-nehmen (nimmt mit), nahm mit, mitgenommen; **take a picture** eine Aufnahme machen; **take a walk** spazie'ren-gehen, ging spazieren, ist spazierengegangen

talk reden; sprechen (spricht), sprach, gesprochen

taste (**good**) (gut) schmecken

teach lehren; **teacher** der Lehrer, –s, –; **German teacher** der Deutschlehrer, –s, –

telephone das Telefon', –s, –e; der Fernsprecher, –s, –

tell sagen; erzäh'len

ten zehn

than als

thank danken (*dat.*); **thank you! thanks!** danke schön! danke!

that daß *sub. conj.*; **that, that there** das, das da, das dort; **that is** (**i.e.**) das heißt (d.h.)

their *poss. adj.* ihr *usw.*

then dann; denn; da; so

there da; dort

therefore deshalb; daher; darum

think denken, dachte, gedacht; (*believe*) glauben; meinen

thirteen dreizehn

thirty dreißig

this dieser *usw.*

three drei

thunder donnern

ticket die Karte, –n; (*of admission*) die Eintrittskarte, –n

tie (*necktie*) die Krawat'te, –n

time die Zeit, –en; **a long time, for a long time** lange; **what time is it?** wieviel Uhr ist es? **times** (*in arithmetic*) mal

tired müde

to zu *prep.* / *dat.*; **up to** bis; **ten to one** (**o'clock**) zehn vor eins

today heute

together zusam'men

tomorrow morgen

tonight heute abend

too zu; (*also*) auch

traffic der Verkehr', –s

translate überset'zen; **translation** die Überset'zung, –en

traveler der Reisende *adj. n.*

tree der Baum, –(e)s, ⸚e

true wahr

turn (*become*) werden (wird), wurde, ist geworden

turn: it is my turn ich bin an der (*dat.*) Reihe

twelve zwölf; **twelfth** der zwölfte *usw.*

twenty zwanzig

two zwei; **the two** die beiden

U

uncle der Onkel, –s, –

understand verste'hen, verstand, verstanden

United States die Verei'nigten Staaten (*plural*)

until bis

up auf

usual gewöhn'lich

V

vacation die Ferien (*plural*)
vegetable das Gemü'se, –s, –
very sehr; **very much** (*usually*) sehr
Vienna (das) Wien
village das Dorf, –(e)s, ⸚er
visit besu'chen
vote die Stimme, –n

W

wait (for) warten (auf / *acc.*)
waiter! Herr Ober!
walk, take a walk spazie'ren-gehen, ging
  spazieren, ist spazierengegangen; einen
  Spazier'gang machen
wall die Wand, ⸚e
want to wollen (will), wollte, gewollt
war der Krieg, –(e)s, –e
warm warm, wärmer, wärmst–
watch die Uhr, –en
water das Wasser, –s
we wir
wear tragen (trägt), trug, getragen
weather das Wetter, –s
week die Woche, –n
well gut; wohl
well-behaved brav
well-known bekannt'
west der Westen, –s
what? was? (*which?*) welcher? *usw.*
when, whenever wenn *sub. conj.*
where? wo?

whether ob *sub. conj.*
which? welcher? *usw.*
while während *sub. conj.*
white weiß
Whitsuntide (das) Pfingsten *or* (die) Pfingsten (*plural*)
who? wer? *usw.*
why? warum'?
wind der Wind, –(e)s, –e
window das Fenster, –s, –
wine der Wein, –(e)s, –e
winter der Winter, –s, –
with mit *prep. / dat.*
without ohne *prep. / acc.*
woman die Frau, –en
woods der Wald, –(e)s, ⸚er
word (*not connected in sense*) das Wort,
  –(e)s, ⸚er; (*connected*) das Wort, –(e)s, –e
work arbeiten
work (*of art, etc.*) das Werk, –(e)s, –e
world die Welt, –en
wrist watch die Armbanduhr, –en
write schreiben, schrieb, geschrieben

Y

year das Jahr, –(e)s, –e
yes ja
yesterday gestern; **yesterday morning**
  gestern früh
yet (*still*) noch; (*nonetheless*) doch
you Sie; du; ihr; **your** *poss. adj.* Ihr *usw.*;
  dein *usw.;* euer *usw.*
young jung, jünger, jüngst–

Index

References are to page numbers.

447

List of Photographs

FOUNDATION COURSE IN GERMAN

3 4 5 6 7 8 9 10

NORDSEE

DÄNEMAR

Flensburg

SCHLESWIG-

Kiel

HOLSTEIN

Lübeck

Ro

MECKL.

Hamburg

Schwer

Elde

Bremerhaven

Oldenburg

Bremen

Elbe

NIEDERSACHSEN

Aller

OSTDE

Osnabrück

Hannover

Amsterdam

Braunschweig

Ems

Magdeburg

Den Haag

NIEDERLANDE

Münster

Weser

NORDRHEIN-

Dortmund

Essen

Ruhr

Kassel

BELGIEN

Duisburg

Wuppertal

Düsseldorf

Köln

Erfurt

Weimar

Brüssel

Aachen

WESTFALEN

Jena

Bonn

Rhein

Thüringerwald

THÜRINGEN

Fulda

Koblenz

HESSEN

Taunus

Wiesbaden

RHEINLAND-

Frankfurt

Main

Bayreu

LUXEM-

Mosel

Bingen

Mainz

BURG

Trier

Würzburg

PFALZ

Worms

Nürnberg

SAARLAND

Mannheim

Saarbrücken

Heidelberg

Rothenburg

Naab

Karlsruhe

BAYERN

Baden-Baden

Regensburg

Stuttgart

BADEN-

Donau

FRANKREICH

Neckar

Ulm

Augsburg

Rhein

WÜRTTEMBERG

Schwarzwald

Lech

München

Freiburg

Bodensee

Bayrische Alp

Oberammergau

Basel

Zürich

Zugspitze

Innsbruck

Luzern

LIECHTEN-

Tirol

Ö

Bern

STEIN

SCHWEIZ

Genfer
See

Rhône

Genf

Matterhorn